À l'occasion de ton 75ᵉ anniversaire,
un livre écrit par un de mes amis
français.

Jne-Normand

DU MÊME AUTEUR

Louis XIV : l'univers du Roi-Soleil, Tallandier, 2014 (avec Alexandre Maral).

Fontainebleau : mille ans d'histoire de France, Tallandier, 2013 (avec Jean-François Hebert).

Histoire de Paris : politique, urbanisme, civilisation, Gisserot, 2013.

Louis XIV homme et roi, Tallandier, 2012.

Le Grand Siècle en mémoires, Perrin, 2011.

Le Musée idéal de l'histoire de France, Nouveau Monde, 2011.

Régner et gouverner : Louis XIV et ses ministres, Perrin, 2010 (avec Mathieu Stoll).

Architecture et beaux-arts à l'apogée du règne de Louis XIV : édition critique de la correspondance du marquis de Louvois surintendant des Bâtiments du roi, arts et manufactures de France conservée au Service historique de la Défense, Comité des travaux historiques et scientifiques, 2007-2009 (collection sous la direction de Raphaël Masson et T. Sarmant).

Guerre, pouvoir et fortification au Grand Siècle : lettres de Louvois à Louis XIV, Société de l'histoire de France, 2007 (avec Nicole Salat).

Les Ministres de la Guerre, 1570-1792 : histoire et dictionnaire biographique, Belin, 2007 (en collaboration).

Vauban : l'intelligence du territoire, Nicolas Chaudun, 2006 (avec Martin Barros et Nicole Salat).

La République des médailles : numismates et collections numismatiques à Paris du Grand Siècle au siècle des Lumières, Honoré Champion, 2003.

La Place Vendôme : art, pouvoir et fortune, Action artistique de la Ville de Paris, 2003 (collection sous la direction de T. Sarmant et Luce Gaume).

Les Demeures du Soleil : Louis XIV, Louvois et la surintendance des Bâtiments du roi, Champ Vallon, 2003.

Le Cabinet des médailles de la Bibliothèque nationale, 1661-1848, École nationale des chartes, 1994.

Thierry Sarmant

1715

La France et le monde

PERRIN
www.editions-perrin.fr

© Perrin, un département d'Édi8, 2014

12, avenue d'Italie
75013 Paris
Tél. : 01 44 16 09 00
Fax : 01 44 16 09 01
www.editions-perrin.fr

ISBN : 978-2-262-03331-6

« Je tiens que toute vocation d'historien traduit, trahit ou dissimule une volonté de puissance. Même chez les plus timides, et justement parce qu'ils sont timides, l'Histoire est un substitut à l'appétit de pouvoir. On règne sur le passé, faute de pouvoir régner sur le présent. L'historien événementiel se glisse dans la peau des rois, les traite d'égal à égal, les critique, les juge, les redresse, les condamne. Voir Machiavel, exilé, dans son auberge de rouliers. L'historien non événementiel, l'historien des globalités, est plus ambitieux encore ; il révèle un plus haut désir de domination. Il veut embrasser le monde et s'assoit sur le nuage de Dieu. »

Maurice DRUON, *Réponse au discours de réception de Fernand Braudel à l'Académie française*, 1985

Transcription des noms propres

Ce livre, offrant un tableau du monde au début du XVIIIᵉ siècle, comprend des noms propres et des noms communs appartenant à de nombreuses langues européennes et extra-européennes. Il était impossible de transcrire ces noms à l'attention du lecteur français en suivant un système uniforme.

J'ai opté pour un système de compromis :

– Les noms de lieux sont cités dans la forme qui était la plus couramment écrite en France à l'époque où se déroulent les faits ;

– les noms et mots chinois sont transcrits suivant le système dit *hanyu pinyin*, adopté par la Chine continentale en 1979 ; en dépit de son incommodité, ce système de transcription tend en effet à s'imposer dans le monde et a été adopté par Wikipédia. Exception est faite des noms depuis longtemps passés dans le français commun, comme Pékin, Nankin, Canton ou Macao ;

– les noms ottomans sont transcrits dans la forme latinisée utilisée par la Turquie moderne ;

– les noms hindous et moghols le sont dans les formes adoptées par les travaux universitaires en langue anglaise ;

– pour les mots et noms russes et persans, j'ai adopté une transcription plus conforme à la phonétique française que celle des travaux universitaires.

Dans la transcription des mots des différentes langues, j'ai éliminé les signes diacritiques compris des seuls spécialistes.

INTRODUCTION

« Messieurs, le roi est mort ! »

« Messieurs, le roi est mort ! » Il suffit de ces quelques mots à Frédéric-Guillaume Iᵉʳ de Prusse pour annoncer à ses courtisans le décès de Louis XIV. Aux yeux du titulaire de la toute récente couronne prussienne et de son entourage, Louis était encore, malgré son âge avancé et les revers subis dans les dernières années, le premier monarque de l'Europe, le Roi par excellence. Sa mort, survenue au terme d'un des plus longs règnes de l'histoire du monde, ne pouvait être qu'un événement immense. Elle marquait la fin d'une époque et le commencement d'une ère nouvelle.

Au vrai, l'anecdote, tardive, n'est connue que par des sources françaises et reflète un point de vue essentiellement français, qui fait de 1715 la limite entre deux « siècles » de l'histoire de la France : « Grand Siècle » en amont, « siècle des Lumières » en aval. Mais que signifient la date de 1715, le « Grand Siècle » et le « siècle des Lumières », non plus seulement pour la France, mais pour l'Europe, mais pour le reste du monde ? L'empereur chinois Kangxi, qui fut le contemporain du Roi-Soleil, ne vit-il jamais en lui autre chose que le roitelet d'un lointain pays tributaire ? Les esclaves emmenés vers l'Amérique savaient-ils qui était Louis XIV ? Que valent « Grand Siècle » et « Lumières » à l'aune de l'Angleterre, de l'Allemagne, de la Russie, de l'Empire ottoman, de la Perse séfévide, du Japon d'Edo ou de l'Inde moghole ?

Pour répondre à ces questions, il faut procéder à un décentrement des perspectives historiques habituelles, sortir de France et parcourir le monde.

Les quatre morts de Louis XIV

Versailles, 1ᵉʳ septembre 1715. Après une longue et douloureuse agonie, Louis XIV s'éteint, épuisé, « comme une chan-
delle que l'on souffle ». De sa chambre, qui occupe le centre
du château, le monarque mourant a pu percevoir la rumeur
des courtisans, entassés dans la Grande Galerie, à l'affût des
nouvelles. Louis est-il plus mal, on court chez le duc d'Orléans,
son neveu, régent en puissance ; le roi est-il mieux, on déserte
les antichambres du prince. Autour du corps royal, rongé par
la gangrène, s'agitent les médecins, les domestiques et surtout
les puissants d'aujourd'hui et de demain, empressés à obtenir d'ultimes faveurs ou des garanties pour l'avenir : Mme de
Maintenon, le duc du Maine, le chancelier Voysin, le maréchal
de Villeroy, et tant d'autres princes, ministres et généraux. Louis
expiré, tous vont saluer leur nouveau souverain, un enfant âgé de
cinq ans, qui a pour nom Louis XV et qui éclate en sanglots en
s'entendant traiter de « Sire » et de « Majesté ».

Dans la chambre du feu roi, les embaumeurs ont remplacé les
maîtres d'hier. Ils vont bientôt céder la place au clergé, qui veil-
lera, priera et dira des messes devant le corps du défunt. Planant
au-dessus de cette agitation, une silhouette impassible surmonte
le lit royal : c'est la *France veillant sur le repos du roi*, grande figure
de stuc doré, œuvre du sculpteur Nicolas Coustou, installée en
1701 et que le visiteur peut encore admirer, trois siècles après
le décès du Roi-Soleil. L'œuvre de Coustou matérialise une des
dernières sentences du monarque : « Je m'en vais mais l'État
demeurera toujours. »

Avant sa mort physique de 1715, Louis XIV avait subi plusieurs « morts politiques », qui avaient amoindri sa personne
et son prestige. Les premières avaient eu lieu en 1685 et 1686,
avec l'arrachage d'une partie de ses dents et l'opération de la
fistule. Le souverain, alors âgé de quarante-huit ans, avait paru
bien près de la tombe et le grand dauphin bien près de devenir
Louis XV. De ces maux, en apparence surmontés, Louis était
sorti vieilli et diminué. C'en était fait du « roi de guerre » qui
avait ébloui l'Europe pendant les guerres de Dévolution et de
Hollande. Le monarque ne parut plus à l'armée qu'à de brèves

reprises, en 1691 et 1692, avant de se retirer, vaincu par la goutte, lors de sa campagne de 1693, qui devait être la dernière. Au déclin physique du roi avait correspondu le double échec de sa politique, ce que l'historien Charles Boutant a nommé le « grand retournement » du règne. À l'intérieur, échec de la politique de répression religieuse, qui poussa des centaines de milliers de protestants à l'émigration ; à l'extérieur, échec de la politique de force, qui rallia contre la France la majeure partie des puissances de l'Europe.

La deuxième mort de Louis XIV était arrivée en 1697, quand il avait fallu négocier une paix de compromis pour terminer la guerre de la Ligue d'Augsbourg. Louis avait renoncé à rétablir les Stuarts catholiques outre-Manche et avait reconnu Guillaume d'Orange pour roi d'Angleterre. Il avait dû abandonner une partie de ses conquêtes en Flandres ainsi que ses positions avancées en Allemagne et en Italie. Il avait fallu rendre la Lorraine à son duc et Pignerol au duc de Savoie. C'était la fin de la prétention française à la prépondérance européenne. La France était désormais fixée dans les bornes que nous désignons aujourd'hui sous le nom d'Hexagone.

La troisième mort de Louis XIV, la plus douloureuse, était venue au déclin du règne, entre 1711 et 1712. En moins d'un an, le roi avait perdu successivement son fils, le grand dauphin, son petit-fils et sa belle-fille, le duc et la duchesse de Bourgogne, et son arrière-petit-fils, le duc de Bretagne. Louis voyait sa postérité directe menacée d'extinction. Lui qui avait tant désiré établir une autorité absolue sur son royaume voyait se profiler une longue régence, temps de menaces et d'affaiblissement du pouvoir royal. À l'extérieur, le roi avait dû négocier en situation de relative faiblesse et rabattre beaucoup de sa superbe. La France était encore le royaume le plus puissant d'Europe, elle n'était plus ni l'arbitre de la paix ni son principal bénéficiaire. Du coup, l'absolutisme monarchique dont Louis XIV avait été le promoteur perdait une part de sa séduction.

Enfin, en ce premier jour de septembre 1715, survint la quatrième mort de Louis XIV, sa disparition physique et son entrée dans l'histoire ou dans l'éternité.

Entre Grand Siècle et siècle des Lumières

« Les cadavres des rois de France fournissent de bonnes frontières chronologiques », constatait ironiquement l'historien Pierre Goubert. La dépouille de Louis XIV ne fait pas exception à la règle dans la tradition historiographique française.

À croire les historiens de jadis, le Roi-Soleil, en exhalant son dernier souffle, aurait tué le « Grand Siècle » et donné naissance au « siècle des Lumières », qui ne finira, comme on sait, qu'avec la Révolution de 1789. Par « Grand Siècle », on entend tantôt le règne personnel de Louis XIV, commencé en 1661, tantôt l'ensemble de son règne, régence et ministère de Mazarin compris, depuis 1643, tantôt encore les règnes de Louis XIII et de Louis XIV. Quelles que soient les bornes retenues en amont, par Grand Siècle, on entend renforcement et développement de l'État monarchique, ordre intérieur, siècle des saints, guerres et conquêtes extérieures, prépondérance de la France en Europe, essor des arts et des lettres autour du souverain : Corneille, Molière, Boileau, Racine, Bossuet, Fénelon ; Lully, Charpentier, Campra ; Le Brun, Mignard, Le Nôtre, Hardouin-Mansart. Un nouveau siècle d'Auguste.

Avec le « siècle des Lumières », on embrasse en général les règnes de Louis XV et de Louis XVI. Ce court XVIIIe siècle est un autre « Grand Siècle » français, pour les sciences, les lettres, les arts, le commerce, l'administration. C'est le temps de Voltaire, de Montesquieu, de Diderot et de Rousseau, de Rameau et de Gluck, de Chardin, de Boucher et de Fragonard. À une prépondérance française qui serait d'abord politique et militaire en aurait succédé une autre, essentiellement intellectuelle et artistique.

Il n'est pas nécessaire d'être un érudit blanchi dans les études pour sentir que ce découpage de l'histoire en tranches bien délimitées est quelque peu naïf, qu'il répond davantage à des nécessités pédagogiques qu'à des considérations objectives. Pour ceux qui pensent que la marche de l'histoire est davantage réglée par des forces profondes que par l'action des individus, la mort de Louis XIV est à peine un événement. Pour ceux qui, au contraire, croient que les hommes font l'histoire, la fin d'un grand acteur revêt une certaine signification. Mieux vaut cependant qu'il périsse sur le champ de bataille plutôt que dans son lit au terme d'une longue existence !

L'opposition entre deux « siècles », de tempéraments supposés contraires, apparaît, elle aussi, comme contestable. Si évolution il y a – et évolution il y a – encore faudrait-il prouver que 1715 marque une accélération, voire une rupture. Il reste aussi à démontrer que les transformations suivent un même rythme ou répondent à des mobiles analogues dans la politique et dans l'économie, dans la société et dans la culture, dans les lettres et dans les arts.

S'interroger sur l'année 1715, c'est donc, au-delà de la mort de Louis XIV et de ses conséquences immédiates, s'interroger sur une césure du temps, réelle ou imaginaire, perçue par les contemporains ou inventée par les historiens. C'est ensuite mettre en regard ces deux grandes conceptions historiques du « Grand Siècle » et des « Lumières » pour voir ce qui les oppose et ce qui les rapproche. C'est enfin mesurer la pertinence de ces conceptions en dehors de la France et la place effective que cette France « prépondérante » a occupée en Europe et dans le monde, au tournant des XVIIᵉ et XVIIIᵉ siècles.

Pour ce faire, il faut laisser le cadavre allongé sous le relief de Coustou, sortir de la chambre du roi, quitter Versailles et partir à la découverte des hommes de toutes nations qui firent ou subirent la grande histoire, il y a trois siècles de cela.

Deux siècles et trois mondes

La Terre de 1715 est infiniment plus vaste que la planète de 2015. Il faut alors plus d'une année pour aller, par terre ou par mer, de l'Europe à la Chine, cinq mois pour gagner Lima depuis Cadix. Pour les géographes européens les plus avancés, la carte du monde comporte encore d'immenses zones blanches : le centre de l'Afrique, l'Amazonie, les grandes plaines de l'Amérique du Nord, l'Océanie, l'Arctique et l'Antarctique. Autant de zones qui demeurent à l'écart de l'histoire du monde, ou pour mieux dire à l'écart de l'histoire de l'Eurasie.

Au sein du monde « connu » – c'est-à-dire connu des cartographes européens –, il est possible de distinguer trois sphères géopolitiques et culturelles, coïncidant plus ou moins à des aires de peuplement dense depuis la plus haute Antiquité. La première est l'Europe. L'expression est alors moins géographique que culturelle ou religieuse : l'Europe, c'est la chrétienté. L'Europe se définit par opposition à l'autre, et à l'autre le plus proche : le musulman. Géographiquement, l'Empire ottoman est en Europe, mais il n'est pas considéré par les Européens comme un État européen. L'Europe est l'espace où les cloches sonnent, par opposition à la terre d'Islam où résonne l'appel du muezzin. Dans cette acception, l'Europe s'étend au continent européen mais aussi à ses marges eurasiatiques et africaines et surtout aux Amériques, subjuguées depuis le XVIᵉ siècle.

L'Europe ainsi définie a toujours pour centre symbolique Rome. Rome des papes pour les catholiques, Rome passée de l'Antiquité pour les lettrés, qu'ils soient catholiques, orthodoxes ou protestants. Rome rêvée des empereurs pour des souverains qui se veulent nouveaux Césars ou nouveaux Augustes. Les autres métropoles, fussent-elles incomparablement plus peuplées – Londres, Naples, Amsterdam, Paris –, sont encore loin d'égaler en prestige la Ville éternelle.

Si l'Occident s'est dilaté jusqu'à englober les Amériques, les terres d'Islam s'étendent de l'Atlantique à l'Indonésie. Espace presque infini mais qui a un centre incontestable pour lui donner son unité : La Mecque, qui, comme Rome, est une nouvelle Jérusalem où affluent les pèlerins d'Afrique, d'Europe, d'Asie et d'Extrême-Orient. Le sultan ottoman, maître des Lieux saints de La Mecque, de Médine et de Jérusalem, est sans conteste le plus prestigieux souverain musulman et c'est par rapport à lui ou contre lui que s'affirment les autres empires de l'Islam, qu'ils soient sunnites ou chiites, Maroc, Perse et Inde moghole.

Quand la chrétienté se définit par rapport à l'Islam, ce dernier se définit plus largement contre les « infidèles ». Les « gens du Livre », juifs ou chrétiens, sont des adversaires qui, une fois soumis, peuvent être tolérés pourvu qu'ils se satisfassent d'une condition subalterne. Les polythéistes, comme les hindous, représentent une altérité plus radicale, et un adversaire contre qui le djihad ne peut s'interrompre bien longtemps.

Le troisième monde du début du XVIII⁰ siècle est en fait le premier : il se compose de la Chine et des pays qui subissent son influence politique et culturelle, Corée, Vietnam, Japon. C'est l'espace où dominent les doctrines confucéennes, mêlées au bouddhisme et à un fond religieux d'origine chamanique. C'est aussi l'espace où s'impose l'idée impériale chinoise, reprise à leur compte par les Mandchous, imitée par les Japonais, les Coréens, les Vietnamiens. L'Empire du Milieu offre à ses voisins le modèle d'un État centralisé, bureaucratique, ordonné autour d'un souverain détenteur du mandat céleste, garant de l'harmonie du corps social.

Ce monde chinois, sinisé ou sinisant ne se définit pas spécialement en opposition avec la chrétienté ou l'Islam, univers trop lointains, mais plus largement par rapport à tout ce qui l'entoure, un monde « barbare », qui ignore le bon gouvernement et la régularité des rites, un monde extérieur, méprisé et rejeté dans les marges.

Quant à la division du monde en continents, qui nous est familière et que nous utiliserons ici par commodité de langage, elle ne présente, pour la plus grande partie de l'humanité d'alors, aucune espèce de signification. Indiens et Chinois n'ont aucune idée d'une « Asie » qui les réunirait en un tout. L'« Afrique » réunit des régions tournées dans des directions différentes : le Maghreb, le Sahara et le Sahel, intégrés au monde musulman, la côte occidentale, partie prenante du commerce atlantique, la côte orientale, tournée vers l'océan Indien. Pour les Chinois, Europe et monde musulman appartiennent également à l'« Occident ».

Nous vivons aujourd'hui dans un temps unifié. Celui des trois mondes d'il y a trois siècles est disjoint. Pour les musulmans, 1715 est l'année 1126 de l'Hégire. Pour les Chinois, elle est la cinquante-quatrième de l'ère Kangxi. Pour les catholiques, l'année commence le 1ᵉʳ janvier, pour les anglicans le 25 mars. Les premiers suivent le calendrier grégorien quand les seconds sont fidèles au calendrier julien et le resteront jusqu'en 1752. Les Russes orthodoxes ont eux aussi un calendrier « en retard » de onze jours sur le calendrier suivi dans l'Europe catholique, en sorte que, pour les Russes et les Anglais, Louis XIV n'est pas mort le 1ᵉʳ septembre mais le 21 août 1715.

« *World History* » *et rapports de force*

La *World History* ou « histoire globale » à laquelle se rattache le présent essai invite à étudier les connexions et les interactions entre ces différents mondes, qui ne sont pas purement juxtaposés. Depuis une cinquantaine d'années, elle met en avant les aires géographiques extérieures à l'Europe et les peuples ou les classes sociales trop souvent oubliés des manuels, et remet en cause les découpages géographiques, chronologiques ou thématiques auparavant admis[1]. Cette démarche a permis de faire sortir de l'ombre des pans entiers de l'histoire universelle : Indiens des grandes plaines de l'Amérique, royaumes noirs de l'Afrique centrale, marchands de l'Inde et de l'Indonésie, peuples de l'Océanie. Une attention accrue se porte sur les sources orales ou écrites produites par les civilisations extra-européennes et, quand bien même les sources écrites sont majoritairement occidentales, une critique perspicace permet d'établir ce que fut le point de vue des acteurs non européens. L'histoire traditionnelle cède la place à une histoire décentrée, « à parts égales ».

L'exercice trouve ses limites dans l'ambiance de culpabilité occidentale et de remords colonial qui l'enveloppe souvent. Au triomphalisme et à l'européocentrisme des historiens du XIXe et du premier XXe siècle ont succédé des tendances contraires : haro sur l'Occident, haro sur tout récit dont le héros serait un mâle blanc et protestant ! D'où une certaine propension inverse à l'embellissement : fait-on l'histoire des femmes, on minimise la condition d'éternelles mineures qui fut la leur dans la plupart des sociétés jusqu'au XXe siècle ; parle-t-on de l'Islam, on vante la tolérance des sociétés musulmanes et on passe sous silence la position d'infériorité qui y est faite aux non-musulmans ; traite-t-on des sciences et des techniques, on s'empresse de mettre en valeur les découvertes réalisées ou transmises par les Chinois ou

1. Le recueil dirigé par Patrick Boucheron et Nicolas Delalande, *Pour une histoire-monde*, 2013, donne un tableau de l'historiographie de la *World History* en France et dans le monde. L'*Histoire du monde au XVe siècle*, dirigée par Patrick Boucheron, Pierre Monnet et Yann Potin, 2009, est la plus importante entreprise appartenant à ce genre conçue en France dans les dernières années ; encore des critiques lui ont-ils reproché de rester encore trop centrée sur l'Europe.

les Arabes. Toutes les formules de l'histoire traditionnelles sont rejetées comme politiquement connotées : Christophe Colomb ne « découvre » plus l'Amérique – « comme si l'autre monde que nous étions était perdu ! », s'insurge un leader sud-américain ; l'essor de l'Occident n'en est pas un, puisque États et royaumes des autres continents sont revêtus d'une égale dignité ; parler de la décadence des empires orientaux est une formule regardée avec méfiance, presque considérée comme une insulte raciste. Dans un article de 1998 intitulé « La question du déclin ottoman », l'historien turc Cemal Kadafar note avec humour que lorsqu'on parle du Moyen-Orient de l'époque moderne *déclin* est le « mot tabou, évité simplement parce qu'il semble une chose inconvenante à dire ». On parle donc d'« évolution », de « transformation », de « dynamisme sauvegardé ». On en arrive ainsi à écrire, ou plutôt à réécrire, une histoire à fonction davantage consolatrice qu'explicative.

Comme histoire et morale sont deux choses différentes, on fera dans les pages qui suivent un usage beaucoup plus modéré des bons sentiments. La *World History* dont il s'agira ici est l'histoire de rapports entre États, peuples, nations, religions, cultures, rapports qui sont d'abord des rapports de force – même si les échanges pacifiques et la bienveillance réciproque y ont parfois leur place. Cette histoire mondiale est une histoire de guerre et de diplomatie, de pouvoir et de pouvoirs. On traitera ici d'un temps où la hiérarchie est la règle et l'égalité l'exception, entre individus comme entre groupes, entre sociétés comme entre États, d'un temps où la violence, le meurtre, la torture sont choses banales, bref d'un âge dont les conceptions diffèrent infiniment de celles qui peuvent prévaloir, trois siècles plus tard, dans les zones privilégiées du monde où peuvent vivre la plupart des lecteurs du présent livre.

Des mondes en mouvement

Notre voyage commence et finit en Europe, parce que l'auteur est européen, mais aussi parce que c'est l'Occident qui, bientôt, va dicter son rythme aux deux autres mondes et les faire entrer, par la contrainte, dans sa temporalité historique.

L'expérience historique récente qui marque les esprits de 1715 est celle de la guerre, extérieure ou intérieure. La guerre de succession d'Espagne et la grande guerre du Nord, commencées autour de 1700, ont mobilisé la plus grande partie de l'Europe et remué des masses humaines inconnues jusqu'alors. Les années 1720 et 1730 seront donc un après-guerre. Plus haut dans le temps, les moments marquants sont pour les Britanniques la « Glorieuse Révolution » de 1688, pour les Hollandais l'invasion française de 1672, pour les Français les troubles de la Fronde. Pour les Allemands, la guerre contre les Turcs est aussi présente que celle menée contre Louis XIV, le « Turc français ». Dans toute l'Europe, la guerre est encore considérée comme l'état normal des relations internationales, et la paix comme l'exception.

Deux ans plus tôt, les traités d'Utrecht et de Rastadt ont mis fin à la longue guerre de succession d'Espagne. Le traité de Nystad, en 1721, va conclure la guerre du Nord. L'Europe entre, pour une quinzaine d'années, dans une ère de paix relative. Une paix troublée par des conflits locaux, momentanés, mais une paix durable parce que toutes les puissances sont sorties épuisées de la grande conflagration qui a ouvert le XVIIIe siècle. Le temps est aux échanges d'ambassades.

L'Europe pacifiée poursuit son expansion, mais à un rythme encore timide. Si les Amériques sont en grande partie soumises, sinon explorées, l'Afrique et l'Asie n'offrent encore aux Occidentaux que de rares points d'appui. Dans les vastes régions où réside la majeure partie de l'humanité, les Européens sont faiblement présents et nullement en mesure d'imposer leur volonté. La supériorité scientifique de l'Occident, déjà acquise sur le plan théorique, ne s'est pas encore traduite en avancées techniques décisives. C'est là un temps quelque peu oublié de l'histoire du monde, entre ère des « grandes découvertes » et âge des empires coloniaux, pendant lequel l'essor de l'Europe n'implique pas encore son hégémonie[2].

---

2. Les grandes enquêtes de *World History* portent en général soit sur la période antérieure (*Histoire du monde au XVe siècle*, déjà citée, *Le Grand Désenclavement du monde* de Jean-Michel Sallmann, *Les Quatre Parties du monde* de Serge Gruzinski, livres de Denys Lombard et Romain Bertrand sur l'Insulinde), soit sur la période

L'évolution politique de l'Asie demeure alors indépendante de celle de l'Occident. De l'Atlantique à l'Himalaya, les empires musulmans entrent dans une période de déclin. À l'inverse, la Chine connaît un développement démographique, économique et territorial sans précédent. Elle est bien la première puissance de ce premier XVIIIe siècle que nous imaginerions volontiers français ou britannique. Qu'ont compris les Européens de la vitalité des uns, du déclin des autres ? Qu'ont su les Orientaux de l'essor de l'Occident ?

Reste, avant de montrer l'expansion de l'Europe au-delà des mers, à parler d'une puissance inclassable qui est le grand acteur émergent du début du XVIIIe siècle et qui sort de son isolement pour devenir, en quelques décennies, le seul acteur géopolitique global du temps : l'Empire russe, immense et désertique, de la Pologne à la Chine, de la Suède à la Perse. Pierre le Grand est davantage que Louis XIV ou Philippe d'Orléans le héros de l'année 1715.

On sait que la tragédie classique obéit à la règle dite des « trois unités » : unité de temps, unité de lieu, unité d'action. Mais l'histoire n'est ni entièrement une tragédie, ni même un drame ou une comédie, et elle se défie des règles que les historiens prétendent instituer. S'interroger sur 1715, c'est poser la question de l'événement, celle des rythmes de l'histoire, celle enfin des points de vue. Le temps de ce livre, ce n'est donc pas seulement l'année 1715, mais aussi, plus largement, ce segment de temps que nous pouvons appeler « premier XVIIIe siècle », un segment de temps qui irait des années 1680 aux années 1730, correspondant peu ou prou à cette « crise de la conscience européenne » à laquelle Paul Hazard a consacré un livre devenu classique[3]. La scène de ce livre n'est ni Versailles, ni Paris, ni même la France, mais bien le monde entier. Le lieu détermine l'action : c'est, redisons-le, le jeu des rapports entre les puissances, leur rivalité, leur lutte pour l'hégémonie.

Quelques témoins privilégiés nous accompagneront au cours de ce voyage. Saint-Simon et Madame Palatine, familiers aux

postérieure (par exemple Kenneth Pomeranz, *Une grande divergence : la Chine, l'Europe et la construction de l'Économie mondiale*, 2010).
3. *La Crise de la conscience européenne*, 1935.

amateurs d'histoire de France, valent plus pour leur verve que pour la profondeur de leurs réflexions. Montesquieu et Voltaire, qui voient plus loin, sont des guides plus suggestifs, et tout au long de cet essai nous garderons à portée de main les *Lettres persanes* et les *Lettres philosophiques*. À côté d'eux, il faut laisser parler Leibniz et Bolingbroke, le président de Brosses et le baron de Pöllnitz, le Père Labat et Benjamin Franklin, les missionnaires jésuites et les empereurs de Chine, les chroniqueurs ottomans, persans et moghols. Petits et grands témoins permettent un va-et-vient entre particulier et général, entre micro-histoire et histoire universelle, entre la France et le vaste monde.

PREMIÈRE PARTIE

LA GUERRE ET LA PAIX

1

Rome et Carthage

Dans la seconde moitié du XVIIe siècle, la France était la première puissance de l'Europe, la « Chine de l'Occident », suivant l'expression de Leibniz. Royaume le plus vaste, le plus peuplé du continent – 20 millions de sujets –, elle avait l'État le plus fortement organisé, l'armée la plus nombreuse, une marine imposante, une agriculture prospère, des manufactures multipliées, un commerce en plein essor.

Fort de ces avantages, Louis XIV crut pouvoir imposer son hégémonie à ses voisins. Alors que les cardinaux-ministres Richelieu et Mazarin n'avaient eu de cesse de nouer des alliances pour contrebalancer la puissance des Habsbourg de Vienne et de Madrid, le Roi-Soleil n'eut plus d'alliés mais des comparses et se lança dans une politique d'expansion indéfinie.

Face à la superpuissance française, les autres États européens durent nouer des coalitions, unissant leurs forces contre l'ennemi commun. Toute l'histoire des guerres de Louis XIV est là. La France, seule, était assez forte pour l'emporter sur le champ de bataille... mais pas assez forte pour imposer sa volonté à l'heure des traités de paix.

Au fil du temps, dans toute l'Europe, la conviction s'installa qu'il fallait non seulement empêcher « la France toujours ambitieuse et toujours perfide[1] » de s'agrandir, mais même mettre un terme à sa prépondérance. Dès 1670, Lisola, diplomate au service de l'empereur germanique Léopold Ier, avait théorisé

---

1. Titre d'un pamphlet publié à Ratisbonne en 1689.

cette hostilité envers les ambitions françaises en une doctrine de l'« équilibre européen » : « Il faut équilibrer les États de l'Europe de telle manière qu'aucun ne puisse atteindre une telle grandeur qu'il devienne dangereux pour les autres. »

À cette opposition de nature géostratégique, s'ajoutaient des antagonismes politiques et religieux. Républiques et monarchies tempérées regardaient sans sympathie la France championne de la monarchie absolue. Les États protestants s'aigrissaient contre le royaume catholique où avait été révoqué l'édit de Nantes. De ces multiples lignes de fracture sortit un conflit long de plus de douze ans : la guerre de succession d'Espagne[2].

La succession d'Espagne

En première analyse, la guerre de succession d'Espagne semble sortie d'un hasard biologique : l'extinction de la branche aînée de la Maison d'Autriche. Le dernier mâle de cette branche, le roi d'Espagne Charles II, issu de trop de mariages consanguins, malingre et maladif, mourut avant d'avoir atteint quarante ans, sans avoir pu engendrer de descendance. Il avait plusieurs héritiers possibles : ses cousins, les Habsbourg de Vienne, qui formaient la branche cadette de la Maison d'Autriche ; les Bourbons, plus proches parents par les femmes, les reines Anne d'Autriche et Marie-Thérèse d'Autriche ; les Maisons de Bavière et de Savoie, également alliées à la dynastie régnant à Madrid. Après maintes hésitations et décès prématurés, le roi d'Espagne avait fini par désigner pour héritier le duc d'Anjou, cadet des petits-fils de Louis XIV.

Charles II mourut le 1er novembre 1700. Une semaine plus tard, la nouvelle arriva à Louis XIV, qui prit le temps d'hésiter : « Je suis sûr, disait le roi de France, que, quelque parti que je prenne, beaucoup de gens me condamneront. » Réflexion faite,

2. Il n'existe pas de synthèse récente en français sur la guerre de Succession. Pour le film des événements vus du côté français, on se reportera à Alfred Baudrillart, *Philippe V et la cour de France*, 1889-1901, et à Arsène Legrelle, *La Diplomatie française et la succession d'Espagne*, 1895-1900. La bibliographie en langue anglaise est à la fois plus abondante et plus récente. Citons ici le livre d'Henry Kamen, *The War of Succession in Spain, 1700-1715*, 1969.

Louis se dit que la guerre était inévitable et que, quitte à la livrer, mieux valait la commencer avec davantage de cartes en main. Enfin, le 16 novembre, « Sa Majesté, rapporte Dangeau, commanda à l'huissier d'ouvrir les deux battants de la porte et de faire entrer tout le monde ». Montrant le duc d'Anjou, Louis dit à ses courtisans : « Messieurs, voilà le roi d'Espagne ; la naissance l'appelait à cette couronne ; toute la nation l'a souhaité et me l'a demandé instamment, ce que je leur ai accordé avec plaisir ; c'était l'ordre du Ciel. » Puis en se retournant vers son petit-fils : « Soyez bon Espagnol, c'est présentement votre premier devoir ; mais souvenez-vous que vous êtes né Français pour entretenir l'union entre les deux nations ; c'est le moyen de les rendre heureuses et de conserver la paix à l'Europe. » Le 4 décembre, le nouveau roi Philippe V prit congé de son grand-père pour gagner ses États.

À y regarder de plus près, la guerre vint moins de cette querelle dynastique que de l'incapacité des puissances européennes à s'entendre pour opérer un partage amiable de la succession. Plusieurs traités de partage avaient été discutés, signés puis renégociés depuis les années 1660, mais aucun ne fut mis à exécution. Les dirigeants madrilènes – et Charles II le premier – souhaitaient conserver l'intégrité de la monarchie espagnole. L'empereur germanique refusait de voir la succession divisée et prétendait la recueillir tout entière par droit héréditaire, avant de la céder à son second fils, l'archiduc Charles. Louis XIV, dès lors que son petit-fils avait été désigné comme légitime héritier, devait défendre ses droits pour demeurer en position de force.

Le paradoxe de cette monarchie entrée en décadence depuis plus d'un demi-siècle était que chacune de ses portions pouvait faire d'une tierce partie une puissance prépondérante. Avec le duché de Milan et le royaume de Naples, un souverain fort serait le maître de l'Italie. Avec les Pays-Bas, il pèserait d'un poids très lourd face à l'Empire germanique comme face à la France. Avec les Indes, un prince doté d'une grande marine serait le maître des océans.

Pour les différents États de l'Europe, ces portions de la monarchie d'Espagne ne revêtaient pas la même signification. Louis XIV, en acceptant le testament de Charles II, y trouvait plus ou moins consciemment le moyen de mettre la main sur les Pays-Bas espagnols, dont la France poursuivait vainement la conquête depuis les années 1650.

Les Provinces-Unies étaient elles aussi attentives au sort des Pays-Bas espagnols. Traumatisés par l'invasion française de 1672, leurs dirigeants ne voulaient à aucun prix que les Bourbons y missent le pied. Pour l'éviter, ils avaient conçu le système de la « Barrière » : une ligne de places des Pays-Bas occupées par des troupes néerlandaises, censée compenser le manque de profondeur stratégique du territoire hollandais. En application d'un accord temporaire informel entre le roi-stathouder Guillaume III et l'électeur de Bavière Maximilien-Emmanuel, nommé gouverneur des Pays-Bas par Charles II, une « Barrière » comportant huit villes où cantonnaient 9 000 hommes avait été mise en place en 1698. Mais dans la nuit du 5 au 6 février 1701 Louis XIV, en accord avec le même Maximilien-Emmanuel, fit occuper ces places par des troupes françaises et contraignit les troupes hollandaises d'en sortir.

Les Hollandais voulaient également empêcher que le marché intérieur de la péninsule Ibérique ainsi que le commerce de l'Espagne et de ses colonies passent sous contrôle français. À peine monté sur le trône, Philippe V avait agité le chiffon rouge en transférant l'Asiento – monopole du commerce des esclaves en direction de son empire – d'un consortium hollando-portugais à la Compagnie française de Guinée.

L'empereur Léopold regardait lui aussi vers les Pays-Bas, territoires de l'ancienne Maison de Bourgogne, mais surtout vers l'Italie. L'empereur germanique était le successeur des empereurs romains ; il était de langue et de culture italienne, et les Italiens jouissaient de fortes positions à la cour de Vienne. Quant aux princes de l'Empire, ils convoitaient les terres des électeurs de Bavière et de Cologne, alliés de Louis XIV, et voulaient reprendre à la France Strasbourg, l'Alsace et la Franche-Comté, pour former une barrière contre l'expansion du royaume des Lys. Le duc de Savoie rêvait de s'agrandir aux dépens du duché de Milan. Enfin, l'Angleterre, toute à son expansion sur l'Océan, lorgnait les Indes et leur commerce.

Conformément aux vœux de Léopold, les opérations commencèrent par l'entrée des troupes impériales en Italie, dès le printemps 1701, mais le théâtre principal du conflit se déplaça rapidement vers les Pays-Bas espagnols, nœud de la géopolitique européenne. En y faisant entrer ses troupes à titre préventif, Louis XIV avait rendu inévitable la guerre avec les puissances maritimes, Hollande et Angleterre.

Grande Alliance contre Deux-Couronnes

L'Europe se trouva de ce fait partagée en deux blocs. D'un côté, la France et l'Espagne, auxquelles s'étaient ralliés des princes de second ordre, l'électeur de Bavière, l'électeur de Cologne, le duc de Mantoue. De l'autre, une coalition composée de l'empereur Léopold, de la majorité des princes de l'Empire, de la Savoie, de l'Angleterre et des Provinces-Unies. Pour s'assurer le concours militaire du Brandebourg, l'empereur n'avait pas hésité à conférer à l'électeur Frédéric le titre de « roi en Prusse ». Le nouveau roi organisa à Königsberg un sacre d'un faste exceptionnel au cours duquel il se couronna lui-même le 18 janvier 1701. Léopold y gagnait 8 000 hommes, mais aussi un concurrent potentiel au sein de l'Empire. « Ces ministres qui ont conseillé à l'Empereur la reconnaissance de la couronne de Prusse auraient mérité d'être pendus », commenta avec clairvoyance le prince Eugène.

Le maître d'œuvre de l'alliance dirigée contre la France avait été l'éternel adversaire de Louis XIV, Guillaume d'Orange, stathouder de Hollande et roi d'Angleterre. En septembre 1701, Guillaume avait nommé Marlborough comme ambassadeur extraordinaire à La Haye pour négocier un traité de coalition entre l'empereur, l'Angleterre et les Provinces-Unies. L'article V de cette Grande Alliance spécifiait que les alliés feraient tout leur possible « pour reprendre et conquérir les provinces des Pays-Bas espagnols, dans l'intention qu'elles servent de digue, de rempart et de barrière pour séparer et éloigner la France des Provinces-Unies ».

L'alliance conclue, Guillaume convoqua de nouvelles élections et nomma un gouvernement plus belliqueux. Le roi-stathouder mourut peu après, le 19 mars 1702, de suites d'un accident de chasse et sans doute davantage de la tuberculose. La couronne revint à sa belle-sœur Anne, fille de Jacques II, que Guillaume avait renversé en 1688. Le premier discours de la nouvelle reine au Parlement annonça nettement la couleur : « On ne saurait trop encourager nos alliés à réduire la puissance exorbitante de la France. » La continuité était parfaite. La marche à la guerre ne tenait pas à la volonté d'un individu, mais bien à des forces profondes, à ces « intérêts des États » dont les Français avaient été les meilleurs théoriciens.

Le 16 mai 1703, l'empereur Léopold conclut un traité avec les puissances maritimes et le Portugal en faveur duquel il s'engagea, dans un article secret, à des cessions considérables en Estremadure, en Galice et sur la rive nord du rio de la Plata. Le 12 septembre, il proclama son second fils, l'archiduc Charles, roi d'Espagne sous le nom de Charles III. Le Portugal rejoignit ouvertement le camp des alliés en 1705. La plupart des États secondaires, réputés neutres, penchaient eux aussi pour l'Alliance. C'était le cas du Danemark, de la Toscane et de la République de Venise.

Du côté franco-espagnol, Louis XIV menait le jeu. En France, il était secondé par un ministère dépourvu de personnalités saillantes et qu'il avait voulu comme tel. Le dauphin, fils du roi, grand chasseur et gros mangeur, se tenait dans une réserve respectueuse et prudente. Le chancelier de Pontchartrain, qui était le plus expérimenté et sans doute le plus intelligent des ministres, pensait surtout au maintien de la fortune de sa famille. Son fils Jérôme, comte de Pontchartrain, secrétaire d'État de la Marine, gouvernait une flotte de plus en plus réduite, faute de moyens. Michel Chamillart, qui s'était fait connaître du roi par ses talents au billard, cumulait les charges de contrôleur général des Finances et de secrétaire d'État de la Guerre – Colbert et Louvois tout ensemble ! – et ployait sous le fardeau. Jean-Baptiste Colbert de Torcy, neveu du grand Colbert, jeune secrétaire d'État des Affaires étrangères, devait appliquer la ligne politique définie par le roi et son Conseil et n'avait guère de marge de manœuvre.

En Espagne, Louis XIV donnait également le *la*, tenant en tutelle un Philippe V d'abord soumis, puis de plus en plus impatient de prendre son indépendance. C'est pour former ce trop jeune monarque – il avait dix-sept ans lors de son accession au trône – que le Roi-Soleil rédigea les célèbres maximes qui constituent la quintessence de sa pensée politique : « Ne vous laissez pas gouverner, soyez le maître. N'ayez jamais de favori ni de Premier ministre. Écoutez, consultez votre Conseil, mais décidez. Dieu, qui vous a fait roi, vous donnera toutes les lumières qui vous sont nécessaires, tant que vous aurez de bonnes intentions. » Auprès de son trop malléable petit-fils, le roi de France usa de différents intermédiaires avec des fortunes diverses, jusqu'à ce que s'impose l'influence de la princesse des Ursins, aristocrate française veuve d'un seigneur romain, qui était devenu *camarera mayor* de la reine et Premier ministre en jupons.

Du côté allié, le centre nerveux de la coalition se trouvait aux Provinces-Unies et la direction était collective. C'était à La Haye que se concertaient Heinsius, grand pensionnaire de Hollande, le duc de Marlborough, capitaine général des armées britanniques, et le prince Eugène de Savoie, général de l'armée impériale. Aucun de ces hommes n'était un nouveau venu sur la scène politique. Le prince Eugène était issu d'une branche cadette de la famille de Savoie établie en France, où elle occupait de hautes charges de cour. Sa mère, Olympe Mancini, la fameuse comtesse de Soissons, avait été gravement compromise dans l'affaire des Poisons et avait dû s'exiler aux Pays-Bas. Ce scandale brisa la carrière de son fils, d'abord destiné à l'Église, mais qui voulait servir dans l'armée et ne put obtenir de Louis XIV une position digne de son rang. Force fut au jeune prince de quitter la France et de passer au service de l'empereur Léopold. Engagé à partir de 1683 dans la guerre contre les Ottomans puis contre les Français, il connut une ascension fulgurante : maréchal de camp en 1685, lieutenant général et chevalier de la Toison d'Or en 1687, feld-maréchal en 1693, président du Conseil aulique de la Guerre en 1703. À la différence des autres généraux de l'empereur, excessivement prudents, le prince tenait pour la guerre de mouvement et de surprise, ce qui lui valut quelques-uns de ses plus grands succès. Il avait poussé à la guerre contre la France. Au début de la guerre de Succession, Eugène auréolé de ses victoires était devenu le chef incontesté des armées impériales.

Anthonie Heinsius était une créature du défunt roi-stathouder, que Guillaume d'Orange avait lancée dans les années 1680. Quand Heinsius lui témoignait sa réticence à entrer en politique (« outre la capacité, il y est requis un certain tempérament

32   LA GUERRE ET LA PAIX

d'humeur pour se pouvoir accommoder à toutes sortes de rencontres et que non seulement je ne m'en trouve pas pourvu, mais au contraire que je trouve une aversion pour de telles rencontres »), le stathouder lui répondait avec optimisme : « Peu à peu on s'y accoutume. » Et de fait, Heinsius, grand pensionnaire de Hollande depuis 1689, était passé maître dans l'art d'accommoder les différentes factions au sein des États généraux, assemblée délibérante et corps souverain des Provinces-Unies. « M. Heinsius, écrit son secrétaire Surendonck, avait un talent merveilleux pour la conciliation des esprits et ce talent d'un prix inestimable, surtout dans les Républiques, lui attirait une considération et une confiance infinie. »

Froid et flegmatique, célibataire endurci, sans amis, sans vie privée, parlant bien anglais (chose rare à l'époque sur le continent), Heinsius ne connaissait d'autre divertissement que le travail. Six jours après la mort du roi Guillaume, il avait annoncé aux États généraux des Provinces-Unies que les États de Hollande avaient décidé de laisser vacante la charge de stathouder. Tandis que le neveu et héritier légal de Guillaume, Johan Willem Friso, restait cantonné dans des commandements militaires, le grand pensionnaire, devenu le principal personnage de la République et l'héritier politique du stathouder défunt, dirigea de fait la politique extérieure des Provinces-Unies[3]. Heinsius avait totalement verrouillé le système en plaçant des fidèles aux postes importants : le modeste François Fagel comme greffier des États, le beau-frère de Fagel, Simon van Slingelandt, « registre vivant de tous les événements où l'État a été intéressé », comme secrétaire du Conseil d'État. Les trois hommes étaient unis par des liens de famille avec les grands lignages d'Amsterdam et des provinces, ce qui garantissait la solidité de l'édifice. L'alliance anglaise fut la pierre angulaire de la politique étrangère qu'Heinsius fit prévaloir.

3. Les ambassadeurs étrangers étaient accrédités auprès des États généraux et les correspondances des ambassadeurs étaient lues aux États par le greffier, mais les correspondances secrètes ne l'étaient qu'au Comité pour les Affaires étrangères, le « Secreet Besogne », composé du pensionnaire de Hollande, du greffier des États et d'un représentant de chaque province. Comme seuls le greffier et le pensionnaire de Hollande étaient permanents, les affaires les plus importantes passaient par des lettres officieuses adressées à Heinsius.

Personnage plus romanesque, le beau John Churchill, devenu comte puis duc de Marlborough, avait servi trois rois successifs sans être fidèle à aucun d'entre eux. Il devait sa carrière à son charme, à son flegme, à ses talents, mais aussi à son épouse, l'ambitieuse Sarah Jennings, favorite de la princesse Anne de Danemark. Quand cette dernière monta sur le trône, elle nomma Marlborough capitaine général de l'armée anglaise et son ami Sydney Godolphin grand trésorier d'Angleterre ; Sarah fut *groom of the stole* et *keeper of the privy purse* (garde de la bourse privée). La reine Anne passa dès lors pour un simple instrument des Marlborough. Montée sur le trône à l'âge de trente-sept ans, timide et silencieuse, précocement impotente, la souveraine paraissait douée d'une intelligence médiocre. Sa santé fragile la contraignait à vivre presque en particulière, parmi ses femmes et ses ministres. Ses apparitions publiques étaient limitées au strict minimum.

La triade formée par Godolphin et les époux Marlborough gouverna l'Angleterre pendant près de dix ans, et la fille des Marlborough, Henriette, épousa le fils de Godolphin, Francis. Le grand trésorier sut mobiliser le crédit pour financer la guerre contre la France et devint en quelque sorte le payeur général de la coalition. Qui tient les cordons de la bourse tient aussi les rênes du pouvoir : Godolphin, personnalité fade, amateur de combats de coqs et de courses de chevaux, mais bon spécialiste des finances, joua un rôle majeur – souvent éclipsé par les succès militaires de Marlborough – dans la conduite de la guerre et fut un Premier ministre avant la lettre. Quant à Marlborough, sa fortune, fondée sur l'intrigue et des loyautés successives, précéda ses succès militaires. Il formait avec son épouse un couple égalitaire et éminemment politique, la duchesse conservant toujours la libre disposition de son douaire, de ses terres et des revenus de ses charges de cour. Sarah « aimait le pouvoir davantage même que le duc », écrivait son amie la comtesse Cowper. Elle veillait aux intérêts de son parti tandis que Marlborough guerroyait ou négociait sur le continent.

Le choix de Marlborough comme commandant en chef des troupes alliées montra la subordination des Provinces-Unies à la Grande-Bretagne. Le paradoxe est qu'avec ses 2 millions d'habitants la République dut fournir le plus important effort militaire et logistique de son histoire, son armée passant de 40 000 à

100 000 puis 120 000 hommes. Sur terre, elle entretenait, en 1708, 75 000 Néerlandais et 42 000 mercenaires venus de l'Allemagne protestante – pour 70 000 soldats du côté britannique. Sur mer, le partage des efforts était inversé : conformément à l'accord naval d'avril 1689, il suivait un ratio de 5 à 3 en faveur de l'Angleterre, qui sanctionnait la prépondérance d'Albion. Étranglée, la Hollande dut chercher les ressources de tous côtés. En 1704, elle conclut un accord avec la France, qui permit la reprise des échanges commerciaux en dépit de la guerre. Les deux ennemis y trouvaient leur avantage.

Les désastres du Grand Roi

Les premières années du conflit furent plutôt favorables à la France et à l'Espagne. En Italie, les opérations stagnaient. En Hongrie, les Malcontents, entrés en révolte sous la direction du prince François Rakoczi, fixaient une partie des troupes impériales. Les Bavarois étaient entrés en Tyrol. Vienne semblait sur le point d'être prise en étau. Au début de 1704, le résident hollandais dans la capitale des Habsbourg annonçait à ses maîtres une catastrophe imminente : « Tout ici est désespéré. La monarchie est sur les genoux et va s'effondrer dans un désastre militaire à moins qu'il n'y ait une miraculeuse intervention du Tout-Puissant. Tout est comme si l'ennemi était bientôt aux portes de Vienne et il avance de deux côtés. Il n'y a absolument rien pour l'arrêter. Il n'y a pas d'argent, il n'y a pas de troupes, il n'y a rien pour la défense de la ville, et nous serons bientôt sans pain. Je pense qu'une insurrection générale est vraisemblable, car vous ne pouvez imaginer avec quelle haine le peuple parle de l'empereur, du gouvernement et du clergé. »

Mais, à partir de l'été 1704, les désastres s'enchaînèrent pour Louis XIV[4]. Le 13 août, les Français furent écrasés à Hochstadt par les impériaux et les Anglais conduits par Marlborough et le

4. Les développements qui suivent s'appuient sur la thèse de Clément Oury, *Les Défaites françaises de la guerre de Succession d'Espagne, 1704-1708*, 2011, encore inédite, qui renouvelle le sujet en utilisant les méthodes de l'historiographie militaire anglo-saxonne.

prince Eugène. La Bavière tomba au pouvoir des impériaux et son électeur dut se réfugier dans les Pays-Bas espagnols. L'armée française se retira derrière le Rhin : l'Allemagne était perdue pour la France. L'humiliation était d'autant plus grande que plus de vingt-six bataillons français avaient été faits prisonniers de guerre. « Depuis que le roi Louis XIV règne, notait dans son journal un curé de la région de Tournai, jamais on n'a vu une telle déconfiture. » En juillet, la flotte française était partie de Toulon pour reprendre Gibraltar, dont les Anglais venaient de s'emparer; le 24 août, elle rencontra une escadre anglo-hollandaise au large de la ville andalouse de Malaga. Les Français eurent l'avantage, mais renoncèrent à poursuivre leur route : Gibraltar resta entre les mains des Anglais et la France renonça à la guerre d'escadre.

Nouveaux désastres en 1706 : dans les Flandres, l'armée commandée par le maréchal de Villeroy fut défaite à Ramillies. Les alliés occupèrent les Pays-Bas espagnols et les soumirent à un régime d'administration anglo-hollandais siégeant à Bruxelles dans lequel les intérêts néerlandais prédominaient. Après la paix, les Pays-Bas étaient censés devenir un condominium austro-hollandais. En septembre, l'armée française qui assiégeait Turin, où le duc de Savoie était retranché, fut prise à revers par une armée de secours commandée par le prince Eugène. Le duc d'Orléans – le futur Régent –, blessé dans le combat, dut ramener les restes des troupes françaises de l'autre côté des Alpes. L'Italie tout entière échappait aux Franco-Espagnols. En 1708, enfin, le duc de Bourgogne, petit-fils de Louis XIV et héritier de la couronne de France, fut battu à Oudenarde. La frontière du Nord était menacée et le prestige de la dynastie entamé.

En Espagne même, Philippe V semblait à deux doigts de perdre son trône. En 1704, il avait pu empêcher un premier débarquement anglo-impérial en Catalogne, mais les Anglais s'étaient emparés de Gibraltar et de Minorque, s'assurant ainsi des points d'appui en Méditerranée. L'année suivante, un nouveau débarquement avait réussi et « Charles III » avait pris pied en Catalogne. À deux reprises, en 1706 et 1707, Philippe V avait dû fuir Madrid devant l'avancée ennemie et l'archiduc avait fait son entrée dans la capitale. À chaque fois, cependant, Charles fut mal accueilli par la population. Les concessions territoriales promises aux Portugais, rendues publiques par Philippe V, rendaient son rival suspect d'indifférence envers les intérêts nationaux de l'Espagne. Débarqué en Catalogne et soutenu par les Catalans, l'archiduc avait rétabli les privilèges de cette province et de l'Aragon et apparaissait du même coup comme l'adversaire de la Castille et du centralisme madrilène favorisé par les Bourbons. La guerre de Succession se doublait donc d'une guerre civile à visée séparatiste. L'archiduc était par ailleurs tributaire de ses alliés anglo-hollandais, qui lui imposaient un traité de commerce et ne lui laissaient aucune autorité effective sur les troupes. Les soldats anglais et hollandais de Charles III, protestants, pillaient avec zèle les églises qu'ils rencontraient sur leur route. Enfin, l'archiduc dépendait étroitement de la Navy britannique, qui convoya sa nouvelle épouse, Élisabeth, débarquée à Barcelone le 25 août 1708, accueillie par des feux d'artifice et des adresses en catalan. Par contraste, le Français Philippe V avait beau jeu de poser en champion de l'intégrité et de l'unité de la monarchie espagnole et en défenseur de la foi catholique.

Survenant après un demi-siècle de victoires françaises quasi ininterrompues sur terre, la succession de revers subis par la France parut un coup du destin ou la marque d'un jugement divin. Louis XIV chercha la paix, fût-ce au prix d'énormes concessions, et, parmi les alliés, certains à l'inverse se prirent à rêver au démembrement du royaume des Lys. Au début de 1709, la France était à genoux. Des chansons impertinentes circulaient contre un pouvoir si inférieur à sa tâche :

> Le grand-père est un fanfaron,
> Le fils un imbécile,
> Le petit-fils un grand poltron,
> Oh ! La belle famille !
> Que je vous plains, pauvres Français,
> Soumis à cet empire !
> Faites comme ont fait les Anglais,
> C'est assez vous en dire.

Les alliés croyaient les Français épuisés et la paix imminente. Marlborough, au zénith de sa gloire, demandait à la reine Anne que la dignité de capitaine général lui fût conférée à vie. Ses ennemis tories le surnommaient « Oliver » – en référence à Cromwell –, ou « King John ». Ce fut dans cette atmosphère que s'ouvrirent les premiers pourparlers de paix. En mars, Louis XIV envoya en Hollande le président Rouillé, ancien ambassadeur au Portugal, avec des offres très généreuses : Philippe V renoncerait à l'Espagne et recevrait des compensations en Italie ; la France reconnaîtrait la succession protestante en Angleterre ; les Hollandais auraient leur Barrière aux Pays-Bas. Rouillé rencontra deux émissaires hollandais, Buys, pensionnaire d'Amsterdam, et Van der Dussen, pensionnaire de Gouda, tous deux fidèles d'Heinsius. Leurs prétentions crurent à mesure des discussions : ils réclamèrent l'Alsace pour l'Empire, Dunkerque pour l'Angleterre ; la restitution des conquêtes faites depuis 1648 ; le retour des huguenots en France ; des accroissements pour le duc de Lorraine, le duc de Savoie, l'électeur de Brandebourg. Louis XIV consentit à tout. Le 20 avril, il chargea de cette négociation cruciale le marquis de Torcy, secrétaire d'État des Affaires étrangères. En expédiant chez l'ennemi un de ses ministres, le roi tentait une démarche inusitée, sans doute destinée à donner plus de poids à son représentant.

Les conférences s'ouvrirent à La Haye le 1ᵉʳ mai 1709. Le grand pensionnaire Heinsius y représentait les Provinces-Unies, le prince Eugène l'empereur, tandis que Marlborough et le vicomte Townshend siégeaient pour la Grande-Bretagne. Le 6 mai, Torcy arriva à La Haye. Le 28 mai, les alliés lui présentèrent les quarante « articles préliminaires » qu'ils avaient concoctés. Louis XIV devait reconnaître l'archiduc Charles pour roi d'Espagne et contribuer au renversement de Philippe V si ce dernier refusait d'abdiquer ; il devait céder la majeure partie de ses conquêtes, notamment Strasbourg à l'empereur et Lille aux Provinces-Unies, raser Dunkerque, céder Terre-Neuve à la Grande-Bretagne. Moyennant quoi, il obtiendrait une suspension d'armes de deux mois, sans garantie que de nouvelles exigences ne seraient pas présentées lors du congrès de paix. Torcy refusa de signer ces préliminaires et rendit compte à Louis XIV. Le 4 juin, le roi de France fit connaître officiellement son rejet.

Quelques jours plus tard, en un geste sans précédent, Louis expliqua aux Français les motifs de son refus. Le manifeste prit la forme d'une lettre circulaire du souverain adressée aux gouverneurs de province et contresignée par Torcy, qui en fut le rédacteur. « Quoique ma tendresse pour mes peuples ne soit pas moins vive que celle que j'ai pour mes propres enfants, écrivait le souverain, quoique je partage tous les maux que la guerre fait souffrir à des sujets aussi fidèles et que j'aie fait voir à toute l'Europe que je désirais sincèrement de les faire jouir de la paix, je suis persuadé qu'ils s'opposeraient eux-mêmes à la recevoir à des conditions également contraires à la justice et à l'honneur du nom français. » Le 9 juin, Louis XIV renvoya son ministre favori, Michel Chamillart, dont la voix publique dénonçait l'incompétence.

Quel fut l'effet de cet appel au peuple, que les historiens ont beaucoup commenté ? Il est impossible d'en juger. La conviction ne dut pas être générale, car le 1er juillet parut un faux *Notre-Père*, parodie de la dévotion royale, dont le ton était des plus insolents :

> Notre Père qui êtes à Marly
> Votre nom n'est plus glorieux.
> Votre volonté n'est plus faite
> Sur la terre ni sur la mer.
> Laissez-nous notre pain aujourd'hui.
> Pardonnez à vos ennemis
> Comme vous pardonnez à vos généraux.
> Ne nous induisez point à la rébellion.
> Délivrez-nous de Chamillart et de la Maintenon.
> Ainsi soit-il.

Le 27 août 1709, le contrôleur général Desmaretz exposait à Louis XIV la « mauvaise disposition des esprits de tous les peuples » et concluait à la nécessité d'une « prompte paix ».

Le 4 septembre, les armées françaises et alliées s'affrontèrent à Malplaquet. La bataille fut sanglante – 4 000 morts chez les Français, 20 000 du côté allié – et indécise. Les pertes hollandaises étaient énormes. La France n'était pas encore vaincue.

La disgrâce de Marlborough

Louis XIV et ses ministres saisirent l'occasion offerte par ce demi-succès pour demander de nouvelles négociations. Ces dernières s'ouvrirent l'année suivante, le 9 mars 1710, à Gertruydenberg, ville choisie par les Français pour sa proximité avec La Haye et les moyens de communication qu'offrait la capitale néerlandaise. En dépit de plusieurs mois de pourparlers, il se révéla impossible de trouver un terrain d'entente. Philippe V n'était nullement disposé à abandonner l'Espagne ; l'empereur refusait de lui céder quelque compensation territoriale que ce fût ; Louis XIV ne pouvait décemment entrer en guerre contre son petit-fils ; les Hollandais se refusaient à répondre aux offres avantageuses du roi, parce qu'ils ne lui faisaient pas confiance. Heinsius pesait pour l'intransigeance. Le 24 juillet, les plénipotentiaires français quittèrent Gertruydenberg sans avoir obtenu aucun résultat.

Cependant, en Angleterre, les signes avant-coureurs du déclin de la faction belliqueuse se succédèrent tout au long de l'année 1710. La duchesse de Marlborough n'avait pas assez cultivé la faveur sur laquelle reposaient tout l'édifice de sa fortune et le triomphe de son parti. La reine Anne avait goûté la franchise de Sarah, mais avec le temps le caractère de la duchesse était devenu toujours plus difficile et sa conduite de moins en moins respectueuse. Elle faisait de longs séjours loin de la cour et harcelait la souveraine de missives à la gloire des Whigs et de demandes de charges et de pensions. Peu à peu, l'amitié des deux femmes se défit, et la duchesse ne tint plus que par les succès militaires de son mari.

Après une ultime et orageuse entrevue, qui eut lieu à Kensington le 16 avril 1710, la duchesse de Marlborough ne revit plus la reine. Le 24 avril, Anne renvoya son grand chambellan, l'inconsistant comte de Kent, et le remplaça par le duc de Shrewsbury, partisan de la paix avec la France. En juin, elle remplaça le secrétaire d'État Sunderland, gendre de Marlborough, par lord Dartmouth. Ce renvoi encouragea sans doute les Français à rompre les conférences de Gertruydenberg. Le 18 août, Anne écrivit à Godolphin une sèche lettre de renvoi et nomma le Tory Robert Harley chancelier de l'Échiquier. En septembre, la reine proclama la dissolution du Parlement; les élections donnèrent une écrasante majorité aux Tories.

Le 28 janvier 1711, la duchesse de Marlborough fut contrainte de démissionner de ses charges de cour. Anne fit d'Elizabeth Percy, duchesse de Somerset, la nouvelle *groom of the stole* et première dame de la chambre. Abigaïl Masham, la nouvelle favorite, devenait gardienne de la bourse privée.

En Espagne, une nouvelle offensive conjointe depuis le Portugal et la Catalogne avait été sur le point d'écraser Philippe V. Le 28 septembre 1710, l'archiduc Charles entrait dans Madrid pour la troisième fois. Philippe et son épouse Marie-Louise de Savoie pensèrent un moment à s'embarquer pour l'Amérique espagnole. Mais une guérilla généralisée soulevait la Castille et affaiblissait l'armée alliée. Le roi catholique obtint en outre de son grand-père l'envoi en Espagne d'une armée commandée par le duc de Vendôme. Ce dernier, se déplaçant avec une rapidité sans égale, repoussa les Portugais, réoccupa Madrid et défit successivement les Anglais de Stanhope à Brihuega les 8 et 9 décembre et les impériaux de Starhemberg à Villaviciosa le 10 décembre. Vendôme, mort subitement six mois plus tard, eut l'insigne honneur d'être enterré à l'Escurial, dans le caveau des infants d'Espagne. L'archiduc ne tenait plus que la Catalogne. En France, on frappa pour fêter Villaviciosa une médaille portant la devise *Victoria redux* (« Le retour de la victoire »). À Vienne, un rapport de la Conférence secrète dut constater que la France avait repris « son arrogance accoutumée ».

Le 17 avril 1711, le frère aîné de l'archiduc, l'empereur Joseph, succomba à l'épidémie de variole qui traversait l'Europe. « Charles III », devenu l'empereur Charles VI, dut quitter la Catalogne, laissant l'impératrice Élisabeth-Christine comme régente. Le 27 septembre, il s'embarqua sur le vaisseau anglais *Blenheim*. Pendant le voyage, il apprit que France et Angleterre avaient conclu les préliminaires d'une paix séparée.

La guerre de succession d'Espagne ne fut pas le premier conflit entraînant des coalitions l'une contre l'autre. Le modèle en avait été donné, plusieurs décennies plus tôt, par la guerre de Trente Ans, qui avait opposé aux Habsbourg de Vienne et de Madrid l'alliance improbable des Bourbons catholiques et des princes protestants de Suède et de l'Empire. La guerre de Succession ne fut pas davantage le premier conflit à dimension mondiale. La guerre de la Ligue d'Augsbourg, ou guerre de Neuf Ans, s'était elle aussi prolongée par des opérations navales et terrestres en Amérique du Nord, dans les Antilles et en Amérique centrale.

Mais la guerre de la Ligue d'Augsbourg s'était déroulée suivant un schéma devenu traditionnel depuis le début du règne personnel de Louis XIV : beaucoup de sièges, pas de batailles décisives, des fronts peu mobiles, et une paix venant par lassitude des belligérants. Tout en mettant en mouvement des effectifs beaucoup plus considérables, la guerre de Succession fut plus fertile en rebondissements : des pays entiers changèrent de main à plusieurs reprises, et la fortune des armes demeurait incertaine. La France, qui tenait à bout de bras son allié espagnol, avait dû lutter à peu près seule contre tous et n'avait pas été loin de succomber. Dans l'autre camp, l'Angleterre avait pris l'ascendant et semblait mener le jeu sur tous les fronts, même les plus éloignés de la Manche. Ainsi le conflit pouvait-il se résumer au choc de deux États, voire de deux conceptions du monde, à l'image de Rome et de Carthage durant les guerres puniques, ou des deux empires de Lilliput et de Blefuscu que Swift fait combattre dans les *Voyages de Gulliver*. Au bout de dix ans de conflit, la géopolitique de l'Europe était bouleversée de fond en comble.

Voilà pourquoi sans doute la guerre de Succession fut non le premier conflit mondial, mais le premier conflit de retentissement mondial, commenté à Lima comme à Constantinople, à Ispahan comme à Delhi, à Edo comme à Pékin. Ce conflit entre États de l'Europe occidentale fut bien le premier événement global, et cette notoriété résonne comme un signal de l'emprise naissante de l'Occident sur le monde.

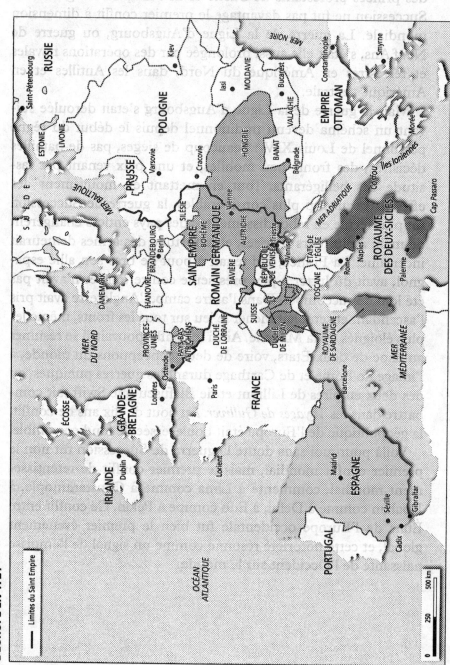

L'EUROPE EN 1721

— Limites du Saint Empire

2

Comment finir une guerre mondiale

Le 6 février 1715, les plénipotentiaires de l'Espagne et du Portugal signèrent le dernier des traités d'Utrecht, qui ramenait les deux États au *statu quo ante* dans la péninsule Ibérique. Les émissaires des deux royaumes apposèrent leur signature en terrain neutre, sur le mail d'Utrecht : pour la première fois, un roi de Portugal était admis à traiter sur un pied d'égalité avec un roi d'Espagne. Ainsi prenait fin la longue négociation qui avait conclu la guerre de Succession.

Une machine infernale, formée par l'engrenage néfaste des alliances et des défiances, avait mis en route la guerre de succession d'Espagne. Pour la finir, il fallut au contraire des volontés concordantes. Rome et Carthage – la France et l'Angleterre, soit Louis XIV et ses ministres d'un côté, la reine Anne et les siens de l'autre – entraînèrent le reste des belligérants, plus ou moins réticents, dans une marche à la paix qui ne fut pas moins hésitante que la marche à la guerre, puisqu'elle dura près de cinq années[1].

1. Après les travaux de Baudrillart et Legrelle, déjà cités, les négociations autour de la paix d'Utrecht ont servi de base à l'enquête d'histoire culturelle de Lucien Bély, *Espions et ambassadeurs au temps de Louis XIV*, 1988. Les biographies des principaux acteurs sont plus nombreuses du côté britannique. Voir notamment le *Queen Anne* d'Edward Gregg, 2001. Le dictionnaire dirigé par Linda et Marsha Frey, *The Treaties of the War of the Spanish Succession : An Historical and Critical Dictionary*, 1995, constitue un commode instrument de travail.

De Gertruydenberg à Londres

L'étincelle décisive vint d'un concours de circonstances. Après l'échec des pourparlers de Gertruydenberg, Louis XIV ne pouvait se tourner que vers la Grande-Bretagne, au détriment des impériaux ou des Hollandais trop inflexibles à son gré. Du côté anglais, la défaite de Stanhope à Brihuega avait décidé Harley et Shrewsbury, personnalités dominantes du nouveau ministère, à entrer en négociation. Philippe V paraissait désormais trop fortement établi à Madrid pour qu'une paix générale pût se faire à ses dépens. Par ailleurs, l'accession de l'archiduc Charles à la dignité impériale rendait ses alliés moins désireux de le voir monter sur le trône d'Espagne : le cumul ainsi réalisé aurait rétabli l'empire tentaculaire de Charles Quint.

Impénétrable, prudent jusqu'à l'indécision, Harley égarait ses proches eux-mêmes. Adoptant des détours tortueux pour passer à l'action, il prit d'abord langue avec un obscur prêtre français, l'abbé François Gaultier, desservant de la chapelle de l'ambassadeur impérial et agent officieux de Torcy à Londres. Le secret était absolu aussi bien vis-à-vis des autres membres du cabinet britannique que des alliés hollandais et impériaux de la Grande-Bretagne. En janvier 1711, le chancelier de l'Échiquier envoya Gaultier à Versailles pour présenter des offres de paix verbales à Torcy. « Interroger alors un ministre de Sa Majesté s'il souhaitait la paix, rapporte le secrétaire d'État dans ses *Mémoires*, c'était demander à un malade attaqué d'une longue et dangereuse maladie s'il en veut guérir. » Si cette fois l'initiative venait de la partie anglaise, on fit en sorte de laisser croire que les Français avaient pris les devants. Les Britanniques suggéraient à Torcy de demander une nouvelle conférence de paix aux Hollandais et s'engageaient à appuyer le maintien de Philippe V sur son trône.

En juin, la reine Anne créa Harley comte d'Oxford et le fit grand trésorier, ce qui lui donnait la stature de ministre prépondérant du cabinet. En juillet, le nouveau comte d'Oxford envoya le poète Matthew Prior sur le continent pour accélérer les négociations, avec un billet de la main de la reine, sans contreseing ministériel : « Anne R. Le sieur Prior est pleinement instruit et

autorisé de communiquer à la France nos demandes préliminaires et de nous en rapporter la réponse. A.R. »

Ce « pouvoir en trois lignes » est demeuré célèbre pour sa briè-
veté. Prior, qui avait été secrétaire des plénipotentiaires anglais
à Ryswick puis secrétaire de l'ambassade d'Angleterre à Paris,
paraissait de trop basse extraction à la reine. Mais il parlait français et avait l'avantage de jouir de la confiance d'Oxford tout en
étant honorablement connu à Versailles. Les Français envoyèrent
à leur tour un émissaire à Londres, le négociant Nicolas
Mesnager, député de Rouen au Conseil de commerce. Choix
significatif : les tractations avec les Britanniques porteraient en
grande partie sur le commerce des Indes, dont le Rouennais était
un spécialiste. Mesnager partit avec Prior et Gaultier et arriva
à Londres le 18 août. Pendant plus d'un mois, il discuta pied à
pied avec les trois négociateurs britanniques, les deux secrétaires
d'État, Saint John et Dartmouth, et Matthew Prior.

Le 8 octobre, Mesnager et les trois Britanniques signèrent
les articles préliminaires de paix. Dans le premier article, rendu
public, Louis XIV reconnaissait la succession protestante à la
couronne de Grande-Bretagne. Il s'engageait à empêcher toute
union ultérieure de la France et de l'Espagne ; à accorder une
Barrière aux Provinces-Unies ; à détruire le port de Dunkerque.
Dans le deuxième article, demeuré secret, la France s'engageait à donner au duc de Savoie, allié de l'Angleterre, certains
territoires. Le troisième article, également secret, préparait un
traité de commerce anglo-français, garantissait la conservation
de Gibraltar et de Port-Mahon à l'Angleterre, l'Asiento pour
trente ans, et une égalité de traitement entre commerce français
et commerce anglais dans l'Empire espagnol.

Le lendemain, la reine Anne reçut secrètement Mesnager à
Windsor et lui dit : « Je n'aime point la guerre et je contribuerai
en tout ce qui dépendra de moi pour la faire finir au plus tôt. »
« Ceux qui s'opposent aux mesures de la reine, écrivait alors le
secrétaire d'État Saint John, savent aussi bien que nous, qui les
soutenons, que la guerre est devenue impraticable, que le but
auquel ils prétendent viser est chimérique, et qu'ils ruinent leur
pays en poursuivant ce plan vain et fastueux qui nous a éblouis
tant d'années. » En novembre, Jonathan Swift publia un manifeste hollandophobe, *The Conduct of the Allies,* qui justifiait les

pourparlers avec la France et remporta un vif succès. Apprenant les préliminaires de paix, l'empereur Charles VI adressa à Londres une lettre de protestation si virulente que les diplomates impériaux ne voulurent pas la transmettre.

Le 18 décembre 1711, la reine Anne se rendit au Parlement pour déclarer son intention de mettre fin à la guerre. L'opinion, travaillée par les organes de propagande des Tories, notamment l'*Examiner* de Swift, avait été préparée à ce retournement politique. Le coup de grâce vint à la fin de l'année quand la reine démit Marlborough de ses fonctions de capitaine général et le remplaça par le duc d'Ormonde. La lettre de renvoi fut rendue publique en même temps que la création de douze nouveaux pairs destinée à faire basculer la majorité de la Chambre des lords. « Si les douze ne suffisent pas, on leur en donnera une autre douzaine », s'exclamait Saint John à Westminster. Pour essayer de ramener les Britanniques dans le camp impérial, le prince Eugène s'était rendu en Angleterre à bord d'un yacht, le cabinet de Londres lui refusant un vaisseau de la Navy. La reine le reçut froidement. Il repartit après deux mois de démarches restées sans résultat.

Conférence à Utrecht

Anne força également la main des Hollandais, qui durent accueillir le congrès de paix au moment même où ils souhaitaient faire un ultime effort sur le champ de bataille. La conférence de paix s'ouvrit à Utrecht le 29 janvier 1712. Louis XIV avait préféré cette ville à La Haye, de manière à éviter qu'Heinsius, retenu dans cette dernière ville par ses fonctions de grand pensionnaire, ne représente les Provinces-Unies. La cité offrait aux diplomates un cadre typiquement hollandais : des maisons de brique cossues rangées le long de canaux; le fameux mail, « magnifique par sa longueur et la beauté de ses arbres » (Montesquieu), épargné par Louis XIV lors de l'invasion de 1672; un canal venant du Rhin et traversant la ville; la haute tour de la cathédrale Saint-Martin dominant le paysage; une université réputée et des communications aisées avec le reste du pays et l'ensemble de l'Europe. Les conférences eurent lieu à l'hôtel de ville, qui offrait l'avantage de posséder deux portes d'importance égale, l'une pour les alliés, l'autre pour les Franco-Espagnols. À l'intérieur, chaque parti disposait d'une salle pour ses réunions particulières ; entre les deux salles se trouvait celle des conférences générales, dont la porte, la table et les chaises étaient disposées de manière qu'il n'y ait pas de haut ou de bas bout et donc de manière à garantir une égalité de traitement complète entre les deux camps. Le règlement adopté par les plénipotentiaires reprenait celui mis en place au moment du congrès de Ryswick.

La ville accueillit quatre-vingts plénipotentiaires, leurs collaborateurs, leurs domestiques, mais aussi de nombreux solliciteurs ou de simples curieux fortunés. Les loyers montèrent, tandis que les représentants des puissances tenaient table ouverte aussi bien pour conforter le prestige de leurs maîtres respectifs que pour recueillir des informations, « car il est assez connu, écrivait le Français Mesnager, que c'est un moyen de rassembler chez soi les étrangers, de concilier les esprits, de faire parler, d'insinuer les opinions et d'apprendre celle des autres ». Parmi ces délégués, beaucoup ne jouaient qu'un rôle décoratif, notamment les Italiens. Le pape n'était représenté au congrès que par un simple observateur, Domenico Passionei, non par un nonce. Venise, représentée par Carlo Ruzzini, défendit sa neutralité et ses prétentions en Adriatique. Le roi de Pologne, le roi de Portugal et les principaux princes de l'Empire étaient représentés, mais le grand jeu avait lieu entre Français et Britanniques.

Les plénipotentiaires français étaient le maréchal d'Huxelles, l'abbé de Polignac, déjà employés deux ans plus tôt à Gertruydenberg, et Nicolas Mesnager. L'abbé Gaultier leur était adjoint comme secrétaire, en raison de sa maîtrise de la langue anglaise et de sa connaissance des discussions menées précédemment, mais aussi pour servir d'intermédiaire occulte avec les Britanniques.

Le marquis d'Huxelles s'était jadis fait remarquer de Louis XIV en acceptant le commandement des troupes employées sur le chantier de l'aqueduc de Maintenon. Il avait été récompensé de ce rôle peu glorieux par le commandement en chef de l'Alsace, où il résida pendant une vingtaine d'années, acquérant ainsi une bonne connaissance de l'espace germanique. Il avait été élevé au maréchalat en 1703 sans pour autant prendre la tête d'une armée.

Saint-Simon, qui le détestait, en a laissé un portrait non moins pittoresque que féroce : « C'était un grand et assez gros homme, tout d'une venue, qui marchait lentement et comme se traînant, un grand visage couperosé, mais assez agréable, quoique de physionomie refrognée par de gros sourcils, sous lesquels deux petits yeux vifs ne laissaient rien échapper à leurs regards ; il ressemblait tout à fait à ces gros brutaux de marchands de bœufs. Paresseux, voluptueux à l'excès en toutes sortes de commodités, de chère exquise grande, journalière, en choix de compagnie, en débauches grecques dont il ne prenait pas la peine de se cacher [...]. Sa grosse tête sous une grosse perruque, un silence rarement interrompu, et toujours en peu de mots, quelques sourires à propos, un air d'autorité et de poids, qu'il tirait plus de celui de son corps et de sa place que de lui-même ; et cette lourde tête offusquée d'une perruque vaste lui donnèrent la réputation d'une bonne tête, qui toutefois était meilleure à peindre par le Rembrandt pour une tête forte qu'à consulter. »

Polignac, qui passait pour une des figures les plus brillantes et les plus savantes du clergé de France, avait été ambassadeur en Pologne puis auditeur du tribunal de la Rote à Rome[2]. Il était ami intime de Torcy et zélé courtisan du Grand Roi : c'est lui qui avait dit à Louis XIV : « Sire, la pluie de Marly ne mouille point » ! Saint-Simon, toujours jaloux des carrières plus réussies que la sienne, ne l'a pas davantage épargné que le maréchal d'Huxelles : « C'était un grand homme très bien fait avec un beau visage, beaucoup d'esprit, surtout de grâces et de manières, toute sorte de savoir, avec le débit le plus agréable, la voix touchante, une éloquence douce, insinuante, mâle, des termes justes, des tours charmants, une expression particulière ; tout coulait de source, tout persuadait. Personne n'avait plus de belles-lettres ; ravissant à mettre les choses les plus abstraites à la portée commune, amusant en récits, et possédant l'écorce de tous les arts, de toutes les fabriques, de tous les métiers. Ce qui appartenait au sien, au savoir et à la profession ecclésiastique, c'était où il était le moins versé. » Le mémorialiste, toujours aimable, assure qu'avec tout son esprit Polignac avait

---

2. Le tribunal de la Rote est une juridiction d'appel de l'Église catholique. Les juges qui le composent sont désignés par le titre d'auditeur.

« toujours fait périr entre ses mains toutes les affaires qui lui ont été commises ».

Tandis qu'Huxelles assurait la représentation et les discussions avec les princes d'Empire, Polignac, homme de Torcy, menait les pourparlers les plus importants, ceux qui impliquaient les Anglais. Mais les deux hommes jouaient aussi une partition concertée : tandis que le maréchal tenait le rôle du militaire parlant avec franchise, voire brutalité, l'abbé avançait des solutions subtiles, proposait des compromis, annonçait des délais.

John Robinson, évêque de Bristol et lord du sceau privé, et le comte de Strafford représentaient la Grande-Bretagne. Le premier avait longtemps vécu en Suède, comme résident puis comme envoyé d'Angleterre auprès de Charles XII, qu'il avait suivi en Pologne au début du siècle. Il était un spécialiste des affaires du Nord et Saint John le surnommait le « saint Suédois noir » (*the holy black Swede*). Vieil ami d'Oxford, il lui devait son évêché et sa promotion au sein du cabinet. Strafford, lui, avait servi dans l'armée sous le roi Guillaume, avait été envoyé en Prusse puis ambassadeur à La Haye. « Infiniment orgueilleux et totalement illettré » (Swift), il supportait mal de n'être que l'instrument d'une politique décidée à Londres. Comme dans le duo Huxelles-Polignac, la balance entre les deux ambassadeurs n'était pas tout à fait égale. Le véritable homme de confiance de la reine et du cabinet britannique était Robinson. Le 2 avril, Oxford lui-même arriva à Utrecht.

La délégation espagnole avait également deux têtes : le duc d'Osuna et le marquis de Monteleon. Le premier, grand seigneur attaché aux intérêts nationaux espagnols, était là, écrivait Saint John, pour « donner de la splendeur à l'ambassade ». « Vous entendrez peut-être de sa part, confiait le ministre à Strafford, des discours très bizarres et extravagants, que Votre Excellence voudra bien entendre civilement mais sans y attacher du poids. » Son compère Monteleon, né à Milan et partisan de l'alliance française, plus souple et connaissant mieux la situation de l'Europe, était le véritable dépositaire de la confiance de Philippe V. Il suivit en tout les directives de Torcy.

L'empereur avait envoyé comme premier plénipotentiaire son chancelier de cour, le comte Sinzendorf. Significativement, ce dernier était accompagné de deux collègues, un Allemand... et un Espagnol passé à la cause de « Charles III », le comte de La Corzana.

Les plénipotentiaires assemblés, un nouvel obstacle se dressa entre eux et la paix. Le grand dauphin, fils de Louis XIV, était mort en 1711. Le duc de Bourgogne, son fils, nouveau dauphin, décéda à son tour le 18 février 1712. Le duc de Bretagne, né en 1707, suivit son père dans la tombe le 8 mars. Seul survivait le frère de Bretagne, le petit duc d'Anjou, né en 1710, qui devint dauphin à son tour, le quatrième en moins d'une année. Cette hécatombe royale rapprochait subitement Philippe V du trône de France. Si l'arrière-petit-fils de Louis XIV mourait, le roi d'Espagne pourrait régner des deux côtés des Pyrénées, hypothèse inadmissible pour l'équilibre de l'Europe.

Louis XIV et Philippe V se retrouvaient dans une situation ambiguë, où les arrière-pensées comptaient davantage que les déclarations formelles. Le premier, censé défendre conjointement les intérêts de la France et de l'Espagne à la table des négociations, mettait tout de même ceux de la France au premier plan. Le 11 mars, il écrivait à son petit-fils : « Nous ignorons les secrets de la Providence, mais Votre Majesté est présentement regardée de toute l'Europe comme prochain héritier de ma couronne. Je suis persuadé qu'au milieu de ces événements funestes, vous sentez plus de tendresse pour votre famille et, s'il est possible, que vous vous intéressez encore plus vivement au bien d'un royaume qui pourrait vous appartenir un jour. » Philippe V, de son côté, affichait sa confiance envers le « meilleur grand-père du monde qui ne veut que mon bien », mais, désormais bien installé à Madrid, il se montrait de plus en plus réticent à laisser les Français parler en son nom.

Les Britanniques exigèrent alors que Philippe V renonce solennellement au trône de France pour lui-même et sa descendance. Pour Louis XIV et ses ministres, cette disposition était contraire aux lois fondamentales du royaume. Le 22 mars, Torcy expliquait à Saint John que le roi de France « n'est redevable de sa couronne ni au testament de son prédécesseur, ni à aucun édit, ni à aucun décret, ni enfin à la libéralité de personne, mais à la loi. Cette loi est regardée comme l'ouvrage de Celui qui a établi toutes les monarchies et nous sommes persuadés en France que Dieu seul la peut abolir ». Les Français avançaient une contre-proposition conforme au testament de Charles II d'Espagne : si Philippe V devenait roi de France, le duc de Berry, son frère cadet, le remplacerait à Madrid. Si le duc de Berry venait à manquer, le tour passerait au duc d'Orléans, puis au premier prince du sang. Les Britanniques ne voulurent pas entrer dans cette combinaison. Saint John opposa au droit divin la valeur d'une « cession volontaire », garantie par les puissances signataires du traité : « Nous voulons bien croire que vous êtes persuadés en France que Dieu peut seul abolir la loi sur laquelle le droit de votre succession est fondé ; mais vous nous permettrez d'être persuadés dans la Grande-Bretagne qu'un prince peut se départir de son droit par une cession volontaire, et que celui en faveur de qui cette renonciation se fait peut être justement soutenu dans ses prétentions par les puissances qui deviennent les garantes du traité. »

Les Français cédèrent. Le 9 avril, Louis XIV somma Philippe V de choisir entre la renonciation au trône de France et l'abdication de la couronne d'Espagne afin de « venir auprès de moi pour jouir des droits qu'il n'aura peut-être jamais sur ma succession ». Le vieux roi pesait nettement pour la renonciation. « J'ai peine à croire, écrivait-il au marquis de Bonnac le 18 avril, qu'un prince qui a régné pendant plus d'onze ans, qui aime ses sujets et qui a reçu tant de marques de leur fidélité, se résolve à les abandonner pour mener une vie privée dans l'attente incertaine d'une succession, la plus grande en vérité qui soit en Europe, mais dont l'espérance ne peut donner aucune autorité. » Le même jour, il pressait son petit-fils : « La nécessité de la paix augmente aussi chaque jour ; et les moyens de soutenir la guerre étant épuisés, je me verrai enfin obligé de traiter à des conditions également désagréables et pour moi et pour Votre Majesté si Elle ne prévient cette extrémité en prenant incessamment son parti. » Dans l'attente de la réponse du roi d'Espagne, la négociation d'Utrecht resta paralysée.

Le 22 avril 1712, Philippe V annonça son accord pour la renonciation, tout en la conditionnant à des avantages territoriaux. En mai, les Anglais avancèrent une nouvelle proposition censée éviter la renonciation : Victor-Amédée de Savoie recevrait l'Espagne et les Indes, tandis que Philippe recevrait le Piémont, la Savoie et la Sicile tout en conservant ses droits au trône de

France. S'il coiffait la couronne de Saint Louis, le Piémont et la Savoie reviendraient à la France et la Sicile à l'empereur. Louis XIV se laissa tenter par cette extravagante permutation, mais Philippe V s'en tint à sa première résolution. Le 12 juin, le Roi-Soleil fit savoir à son petit-fils que « la résolution qu'il a prise est pour toujours et, quoi qu'il arrive, il doit compter que le traité de paix étant fait, il ne sera plus question de cet échange ».

Le dernier obstacle à l'accord franco-anglais était levé. Le 17 juillet, la suspension d'armes entre la France et la Grande-Bretagne fut publiée dans les deux armées et deux jours plus tard les forces anglaises entrèrent dans Dunkerque, remise par Louis XIV en gage de bonne foi. Le 24, les Français du maréchal de Villars arrêtèrent les troupes hollando-impériales du prince Eugène à Denain. Cette victoire ruina les derniers espoirs des Hollandais, à qui Polignac dit insolemment : « Nous traiterons de vous, chez vous, sans vous. » Outre-Manche, les élections de juillet 1712 donnèrent une majorité aux Tories et à la paix. En août, Saint John, créé entre-temps vicomte Bolingbroke, passa en France pour d'ultimes négociations et se rendit à Fontainebleau, où Louis XIV et ses ministres lui firent le meilleur accueil. L'armistice franco-anglais fut rendu public le 30 août. L'abandon des alliés par l'Angleterre allait donner naissance au mythe de la « perfide Albion ».

Le 5 novembre 1712, Philippe V jura solennellement la renonciation en prêtant serment sur les Évangiles. Accompagné des ambassadeurs français et britannique, il se rendit aux Cortès pour annoncer sa décision. Trois jours plus tard, les Cortès firent connaître leur approbation. En novembre, Marlborough s'exila sur le continent. Le 15 mars 1713, le duc de Berry et le duc d'Orléans firent une démarche parallèle à celle de leur cousin. Ils se rendirent au parlement de Paris, où l'on donna lecture de leurs actes de renonciation au trône d'Espagne et des lettres patentes abolissant celles de 1700 qui conservaient à Philippe V ses droits à la couronne de France. Le duc de Shrewsbury, nommé ambassadeur extraordinaire de la reine Anne pour l'occasion, assistait à la séance.

Les Britanniques avaient fait un nouveau geste en évacuant la Catalogne et Ibiza. Ils n'acceptèrent de mettre un vaisseau à la disposition de l'impératrice Élisabeth-Christine qu'après que

Charles VI eut signé un armistice. L'impératrice était pratiquement réduite au rôle d'otage et l'empereur pouvait constater sa dépendance humiliante vis-à-vis des puissances maritimes en Méditerranée.

La question des renonciations réglée, les discussions étaient passées aux avantages territoriaux à accorder aux belligérants de second ordre. Louis XIV avait renoncé à Tournai, place qui entrerait dans la Barrière des Hollandais. La Grande-Bretagne voulait faire de son allié Victor-Amédée un roi de Sicile. La France cherchait des compensations pour les électeurs de Bavière et de Cologne, chassés de leurs États par l'empereur.

Les traités d'Utrecht

Le 11 avril 1713, les plénipotentiaires du roi de France, de la reine d'Angleterre, des États généraux des Provinces-Unies, du duc de Savoie et de l'électeur de Brandebourg signèrent le traité d'Utrecht. Philippe V était reconnu roi d'Espagne et des Indes. Louis XIV cédait les villes de Tournai, Ypres, Menin et Furnes, mais récupérait Lille, Aire et Béthune. Il consentait à démolir les fortifications de Dunkerque. Il cédait aussi au duc de Savoie les places d'Exilles et de Fenestrelle et la vallée du Pragelas. En Amérique, la France perdait l'Acadie, la baie d'Hudson, Terre-Neuve et l'île de Saint-Christophe. Louis XIV reconnaissait l'électeur de Brandebourg comme roi en Prusse. Ce dernier recevait la Gueldre espagnole. Le duc de Savoie devenait roi de Sicile.

Par les articles 8 et 9 du traité, la France et la Grande-Bretagne conclurent un important accord commercial. Les deux royaumes se consentaient mutuellement la clause de la nation la plus favorisée. Les importations britanniques en France seraient soumises au tarif douanier relativement modéré de 1664. Mais le Parlement britannique rejeta cet accord et, malgré le prolongement des discussions à Londres, aucun accord de libre-échange franco-britannique ne put être conclu avant… 1786 !

Le 13 juillet, l'Espagne signa à son tour un traité avec la Grande-Bretagne. Philippe V cédait Gibraltar et Minorque à la reine Anne. Il consentait à la Grande-Bretagne des avantages commerciaux en Amérique. Il s'engageait en outre à accorder aux Catalans les mêmes droits et privilèges qu'aux Castillans.

Un mois plus tard, ce fut le tour des Espagnols et des Savoyards de signer la paix : le traité reconnut le droit de la Maison de Savoie à la succession d'Espagne, au défaut des descendants de Philippe V. Ce dernier céda le royaume de Sicile à Victor-Amédée.

Les Hollandais comprenaient, un peu tard, qu'ils avaient été dupés. Le premier traité de la Barrière ou traité Townshend du 29 octobre 1709 leur avait garanti une double Barrière : une première, en avant, face à la France, une seconde, à l'arrière, permettant aux États généraux de contrôler les Pays-Bas. Ce traité aurait fait de la République la maîtresse des anciennes possessions espagnoles. Le second traité de la Barrière du 30 janvier 1713, signé par les Tories, ne garantissait plus aux Provinces-Unies qu'une ligne en avant (Furnes, fort de la Knokke, Ypres, Menin, Tournai, Mons, Charleroi, Namur). La Hollande avait porté la charge principale d'une guerre dont la Grande-Bretagne tirait les bénéfices et se retrouvait sous la tutelle du royaume d'outre-Manche. Le froid Heinsius subit alors un rare moment de désespoir : on le trouva en larmes après la signature de la paix.

À son retour à Versailles, Polignac reçut des mains de Louis XIV le chapeau de cardinal. Le roi récompensa richement son habileté diplomatique : il eut l'abbaye de Corbie – soit 45 000 livres de revenu par an –, l'abbaye d'Anchin – soit 42 000 livres –, et la charge de maître de la chapelle du roi. Le maréchal d'Huxelles eut le cordon bleu de l'ordre du Saint-Esprit, le gouvernement d'Alsace et celui de la ville de Strasbourg. Mesnager eut une pension de 10 000 livres de Louis XIV et Philippe V, mais, mort prématurément, un an après la signature du traité, il n'eut pas le temps d'en recueillir tous les fruits. L'abbé Gaultier reçut en commende les abbayes d'Olivet, au diocèse de Bourges, et de Savigny, au diocèse d'Avranches, un appartement au Château-Neuf de Saint-Germain, une pension de la reine d'Angleterre et une autre de Philippe V. Il rentra, conte Saint-Simon, « en homme de bien modeste et humble dans son état naturel, et y vécut comme s'il ne se fût jamais mêlé de rien ».

Les Anglais ne furent pas aussi bien reçus. Si Robinson fut nommé évêque de Londres en 1713 et membre du Conseil privé de George Ier, Strafford partagea la disgrâce d'Oxford, de Bolingbroke et du duc d'Ormonde après le retour au pouvoir des Whigs.

La paix de Rastadt

Ni l'empereur ni l'Empire n'avaient consenti à souscrire au traité d'Utrecht. L'empereur Charles VI, dont les troupes tenaient encore Barcelone, ne pouvait se résoudre à la perte de l'Espagne. Il proposait seulement, à titre de compromis, qu'elle revienne aux Habsbourg après la mort de Philippe V. Attaché aux symboles, il voulait rester le seul grand maître de l'ordre de la Toison d'Or. Enfin, il demandait que l'Empire reçoive, comme la Hollande, une barrière contre la France, à savoir Strasbourg, Metz, Toul, Verdun, le Sundgau et la Franche-Comté.

Une nouvelle campagne s'ouvrit donc sur le front d'Allemagne. Le maréchal de Villars commandait l'armée française, le prince Eugène l'armée impériale. Le sort de la guerre tourna en faveur des Français : ils passèrent le Rhin en juin, prirent Landau le 21 août et Fribourg-en-Brisgau le 16 novembre. Les cercles de l'Empire, réunis à Francfort, déclarèrent qu'ils ne pouvaient continuer la guerre.

L'empereur se résigna à traiter. Encore sous le coup de la trahison de ses alliés, il refusa la médiation des Britanniques et des Hollandais et désigna pour plénipotentiaire le prince Eugène. Louis XIV nomma Villars, et les deux généraux se réunirent à Rastadt, dans le palais du défunt prince Louis de Bade, à partir du 26 novembre. Les impériaux occupaient la partie droite du petit Versailles badois, les Français la partie gauche. Eugène et Villars eurent plusieurs entretiens en tête-à-tête. « Ils conservèrent tous deux, note Saint-Simon, la plus entière égalité en tout, et la plus parfaite politesse. » Les uns comme les autres étaient désireux de conclure rapidement la paix. Eugène sut tirer parti de la hâte des Français et annonça à l'empereur en février 1714 : « en dépit de la supériorité militaire de nos ennemis et de la défection de nos alliés, les conditions de paix seront plus avantageuses et plus glorieuses que celles que nous aurions obtenues à Utrecht ». Le prince avait fait vibrer une corde sensible en évoquant l'accroissement de puissance des protestants au détriment des catholiques, accroissement que seule pourrait arrêter une réconciliation des Maisons de France et d'Autriche ; « l'état des affaires de l'Europe étant changé, nulle raison ne devait plus s'opposer à cette union nouvelle ».

Au cours des discussions, on parla du rétablissement de l'électeur de Bavière, que Charles VI considérait comme traître à l'Empire. Les Français avaient proposé de le transférer dans les Pays-Bas ou en Sardaigne avec le titre de roi. L'empereur s'y refusa absolument. Il annonça de hautes prétentions en Méditerranée, mais sans avoir de flotte pour les soutenir.

Finalement, la France consentit à reconnaître à l'empereur la souveraineté des Pays-Bas espagnols, du Milanais, de la Sardaigne, des présides de Toscane et du royaume de Naples. La frontière de la France avec l'Empire revenait au tracé fixé à Ryswick, avec une exception pour Landau, qui restait française. Louis XIV perdait toutes ses possessions au-delà du Rhin et reconnaissait l'électorat de Hanovre, créé en 1692 en faveur du duc de Brunswick devenu entre-temps héritier de la couronne de Grande-Bretagne. De son côté, l'empereur Charles VI consentait au rétablissement dans leurs États des électeurs de Bavière et de Cologne.

Le traité entre le roi de France et l'empereur fut signé le 7 mars 1714 et complété par un traité de teneur quasi identique signé entre le roi et le Saint Empire à Baden, dans le canton d'Argovie, le 7 septembre suivant. Comme il n'y avait plus grand-chose à négocier, le congrès de Baden mena joyeuse vie. Les bals, les concerts, les représentations théâtrales, les banquets se succédèrent sous les auspices du comte du Luc, ambassadeur de France en Suisse.

L'accord s'était fait au détriment des alliés de second plan de chacune des parties. Louis XIV renonça à obtenir une amnistie pour son allié hongrois, François Rakoczi, et laissa les petits princes d'Italie au pouvoir de l'empereur. Charles VI dut abandonner à leur sort les Catalans. Sans l'appui des flottes anglaise et hollandaise, il apparaissait impossible de soutenir une « République de Catalogne » contre les Bourbons.

Barcelone était assiégé depuis le mois de juillet 1713. En avril-mai, le maréchal de Berwick amena un renfort de 20 000 hommes qui emporta la décision. À un Philippe V revanchard, Louis XIV prêchait la clémence envers les Catalans : « Quoique rebelles, ils sont vos sujets et vous devez les traiter en père et les corriger sans les perdre. » En août, la cité fut soumise à un bombardement intensif. Le 11 septembre 1714, elle capitula après onze mois de blocus. Ce fut la dernière opération militaire de la guerre de Succession et un traumatisme qui devait marquer la Catalogne jusqu'à nos jours.

Au retour de Rastadt, le prince Eugène reçut de Charles VI un bon accueil. Malgré sa déception, l'empereur trouvait sa revanche dans le fait que le félon Maximilien-Emmanuel de Bavière n'avait pu obtenir de couronne royale !

Un nouvel équilibre des puissances

La guerre finie, la paix signée, les rapports de force avaient profondément changé par rapport à ce qu'ils étaient un siècle ou même une génération plus tôt.

Aucune puissance n'était désormais en mesure de prétendre à la « monarchie universelle » comme en avaient été accusées successivement l'Espagne des Habsbourg et la France des Bourbons. La France finissait le conflit « beaucoup plus favorablement qu'elle ne l'attendait » (Bolingbroke), mais n'occupait plus la position prépondérante qui avait été la sienne entre 1660 et 1700. Elle restait le pays le plus peuplé d'Europe, un des plus vastes et des mieux constitués, l'État doté de l'armée la plus puissante et de l'administration la plus centralisée, mais son économie était épuisée, ses finances ruinées, sa marine en piteux état, son domaine colonial entamé, ses alliances incertaines. Les gains de territoires sur le continent lui semblaient interdits pour longtemps. À la fin de 1715, le marquis de Bonnac, ancien ambassadeur en Espagne, recommandait au Régent de « rétablir notre réputation chez les étrangers en renonçant de bonne foi à une affectation de supériorité qui nous a causé tant de maux ».

Le principal allié de la France, l'Espagne de Philippe V, était dans une situation d'affaiblissement dramatique. La monarchie espagnole avait non seulement perdu l'intégralité des possessions européennes de la Maison d'Autriche, mais aussi, avec Gibraltar et Minorque, une portion des plus anciens territoires de la couronne d'Espagne. La fidélité de la Catalogne était très incertaine. Majorque ne s'était soumise qu'à l'été 1715. Sa marine à peu près annihilée, l'Espagne était impuissante en Méditerranée. Son immense empire des Amériques et des Philippines s'offrait aux ambitions commerciales de ses adversaires traditionnels. Philippe V avait dû céder au Portugal la ville de Colonia del Sacramento, sur le rio de la Plata, face à Buenos Aires. On a vu au commencement de ce chapitre que le roi d'Espagne en était réduit à admettre pour son égal le roi de Portugal, jadis considéré comme un souverain de second ordre.

L'ancien camp des alliés restait soudé par une commune hostilité envers la puissance française, mais les grands intérêts politiques et économiques allaient divergeant. Sur le papier, l'empereur germanique était le grand vainqueur de la guerre de Succession. Ses États héréditaires s'étaient démesurément agrandis en Europe orientale grâce à trois décennies de victoires sur les Turcs et les Hongrois révoltés. À l'Ouest, il avait réuni à sa couronne les territoires italiens et flamands de la Maison d'Autriche. En Allemagne comme en Italie, nul prince n'était en position de lui faire concurrence. Les anciens alliés de la France – Bavière, Trèves, Cologne – se tenaient à carreau. Les États secondaires qu'il avait élevés dans la hiérarchie des puissances, Hanovre, Brandebourg, Savoie, lui étaient encore étroitement liés. Mais, comme jadis la France de Louis XIV, l'Autriche de Charles VI ne pouvait rien seule. Les dernières années de la guerre avaient montré que, sans l'alliance anglaise, l'empereur était incapable de s'imposer en Espagne ou de l'emporter sur le front du Rhin.

Car, sans avoir gagné de vaste territoire en Europe, l'Angleterre était bien, en dernière analyse, la grande gagnante de la guerre de Succession. C'était à son initiative que la guerre s'était finie. Sa marine, la première du monde, primait en mer du Nord, en Méditerranée comme dans l'Atlantique. Elle interprétait l'Asiento de façon excessive comme un véritable monopole commercial en Amérique espagnole. L'union personnelle avec le Hanovre lui donnait voix au chapitre en Allemagne et en Europe du Nord. Ses points d'appui en Méditerranée en faisaient l'arbitre des contestations subsistant entre Bourbons et

Habsbourg dans cette région du monde. La neutralisation de fait des anciens Pays-Bas espagnols créait un glacis qui la protégeait d'entreprises venant du continent.

À l'inverse, la Hollande, qui avait été le centre nerveux de la coalition contre la France, n'était plus qu'un brillant second de la Grande-Bretagne. La crainte obsessionnelle d'une agression louis-quatorzienne avait fait oublier aux dirigeants des Provinces-Unies toute autre considération. Outre leur Barrière, les Hollandais avaient gagné… la libre exportation des harengs vers la France, commerce sans doute lucratif, mais qui ne suffisait pas à maintenir un rang de grande puissance.

En théorie, la guerre de Succession s'était terminée sur un compromis sans vainqueurs ni vaincus. En fait, il y avait bien des vaincus, mais leur faible poids politique les faisait aisément effacer de la scène européenne. Tels étaient les Catalans, qui auraient voulu une principauté autonome sous l'autorité de Charles VI. Tels encore les Hongrois, abandonnés par Louis XIV, tels les Acadiens, sujets français passés sous souveraineté britannique. Tels enfin les Gonzague de Mantoue, alliés du Roi-Soleil, déclarés félons par l'empereur et dont les domaines avaient été partagés entre le Habsbourg de Vienne et le duc de Savoie.

La paix d'Utrecht provoqua une explosion de joie dans toute l'Europe. « Heureuse année et mille fois heureuse qui nous donne la paix, note le curé du village flamand de Rumegies en 1713. On a fait par tout le pays des réjouissances incroyables. On s'est signalé dans cette paroisse. Le mayeur du lieu a publié la paix sur la place, vis-à-vis un beau feu de joie, couronné de fleurs, avec les acclamations de "Vive le roi !" et de plusieurs décharges de tous les fusils du village, de manière qu'on peut dire qu'aucun village ne s'est distingué comme celui-ci, tant la joie était générale de cette paix et de se revoir encore sujet de Louis XIV. »

Les contemporains divergeaient dans l'interprétation de la paix. La puissance nouvelle de la Grande-Bretagne n'était pas encore clairement perçue. Parmi les alliés, beaucoup redoutaient encore les ambitions de Louis XIV. En avril 1713, le philosophe Leibniz se faisait l'interprète des inquiétudes d'une partie de

l'opinion néerlandaise et allemande : « On abandonne au roi de
France plus qu'il n'avait osé souhaiter. Le voilà maître de l'Espagne et des Indes, du commerce et des richesses de l'Europe. »

Mais les monuments commémoratifs de la guerre de
Succession ne sont ni en France ni en Espagne : c'est le
palais de Blenheim, près d'Oxford, mémorial des victoires de
Marlborough, dont la construction se poursuivit jusqu'aux
années 1730. C'est la basilique de Superga au-dessus de Turin,
construite par Juvarra à partir de 1717 pour commémorer la
délivrance de la ville par le prince Eugène dix ans plus tôt. C'est
l'ode pour l'anniversaire de la reine Anne, *Eternal Source of Light
divine*, composée par Haendel en février 1713 :

> *United Nations shall combine*
> *To distant Climes their Sound combine*
> *That Anna's actions are divine*
> *And this the most important Day!*
> *The Day that gave great Anna Birth*
> *Who fix'd a lasting peace on Earth*[3].

Quatre mois plus tard, le 13 juillet 1713, le même Haendel
faisait jouer à Saint-Paul de Londres son *Te Deum* et *Jubilate*
pour la paix d'Utrecht.

---

3. « Les nations unies s'allieront / Et répandront dans les climats lointains /
Que les actes d'Anne sont divins / Et que le jour le plus notable / Est celui qui a
donné naissance à la grande Anne / Qui a instauré sur la terre une paix durable. »

3

L'homme de l'année 1715

Louis XIV s'étant éteint un an après le traité de Baden, l'orientation de l'après-guerre français revint à son neveu Philippe d'Orléans, qu'une succession de morts imprévues fit passer du statut de prince en semi-disgrâce à celui de régent du royaume. Philippe arrivait au pouvoir à l'âge de quarante ans, avec derrière lui une carrière déjà longue d'homme de guerre et de prince ambitieux. Le public voyait surtout en lui une vivante antithèse de son oncle défunt. Sa régence laissait prévoir l'arrivée aux affaires d'une nouvelle génération de dirigeants et la mise en œuvre d'une nouvelle ligne politique.

Louis XIV avait vécu jusqu'à l'âge avancé de soixante-dix-sept ans et régné par lui-même pendant cinquante-quatre ans. Ce long gouvernement avait en quelque sorte arrêté la marche du temps : la France des années 1700 était dirigée par un homme formé au milieu du XVIIᵉ siècle. Philippe, au contraire, était à l'image de ses contemporains et même, par plusieurs aspects, un dirigeant d'avant-garde[1].

---

1. La biographie classique de Philippe d'Orléans par Jean-Christian Petitfils, *Le Régent*, 1986, est à compléter par Jean-Pierre Thomas, *Le Régent et le cardinal Dubois ou l'art de l'ambiguïté*, 2004, ainsi que par le recueil dirigé par Denis Reynaud et Chantal Thomas, *Le Régent entre fable et histoire*, 2003.

Le neveu du Roi-Soleil

Le nouveau régent était le fils du frère de Louis XIV, Philippe, duc d'Anjou puis d'Orléans, et d'Élisabeth-Charlotte de Bavière, princesse palatine. Le premier, désigné sous le titre de « Monsieur », avait été surtout connu pour ses mœurs, qualifiées tantôt d'« italiennes » et tantôt de « grecques ». Son tempérament efféminé ne l'avait pas empêché de briller sur les champs de bataille, au grand dépit de son frère aîné. La seconde épouse de Monsieur – que les historiens appellent « Madame Palatine », pour la distinguer de la première Madame, Henriette d'Angleterre – possédait au contraire un tempérament masculin. « J'ai regretté toute ma vie d'être femme, avouait-elle à sa cousine la raugrave Louise, et, à dire vrai, cela m'eût convenu davantage d'être électeur plutôt que Madame. » Tandis que son époux se complaisait dans les fêtes et les potins, la seconde Madame vivait retirée, s'adonnait à la lecture et à la rédaction de sa correspondance. Ce couple mal assorti parvint cependant à engendrer plusieurs enfants.

Leur fils Philippe, né en 1675, d'abord titré duc de Chartres, se distingua rapidement parmi les autres princes de la Maison de France. De son père, il avait hérité la folle bravoure, de sa mère le goût pour les choses de l'esprit. Au physique, il ne ressemblait ni à l'un ni à l'autre. Gracieux sans être beau, Philippe était « de taille médiocre au plus, fort plein, sans être gros, l'air et le port aisé et fort noble, le visage large, agréable, fort haut en couleur, le poil noir et la perruque de même » (Saint-Simon). « Quoiqu'il eût fort mal dansé, et médiocrement réussi à l'académie, ajoute le mémorialiste, il avait dans le visage, dans le geste, dans toutes ses manières, une grâce infinie, et si naturelle qu'elle ornait jusqu'à ses moindres actions, et les plus communes. » De son précepteur, l'abbé Dubois, Philippe reçut une instruction poussée, où l'histoire ancienne et moderne, entendue comme une préparation à la politique, tenait une grande place. Le programme d'enseignement proposé par l'abbé posait en effet que son élève, « tenant un premier rang dans l'État », était « né pour commander ». Aux matières académiques enseignées par le précepteur s'ajoutaient l'équitation, l'escrime, la danse et la musique, matières dispensées par des maîtres particuliers.

En 1692, Louis XIV imposa le mariage de son neveu avec sa fille légitimée Mlle de Blois, née de ses amours avec Mme de Montespan. Madame Palatine, en Allemande attachée à la pureté des lignages, se désola de cette union entachée de bâtardise, mais l'opération n'en fut pas moins profitable à la Maison d'Orléans : à cette occasion, Louis XIV donna le Palais-Royal en pleine propriété à son frère; la nouvelle duchesse de Chartres reçut une dot colossale de 2 millions de livres et une pension annuelle de 150 000 livres.

Le ménage ne fut pas heureux. Déniaisé à l'âge de treize ans par une dame de la cour, Philippe mit bientôt enceinte la fille d'un domestique du Palais-Royal, puis séduisit une comédienne. Le prince passait ses nuits en orgies parmi les danseuses de l'Opéra et noua une liaison avec l'une d'elles, Florence Pellerin, dite Mlle Florence, qu'il installa rue des Petits-Champs, à proximité du Palais-Royal. En 1698, Florence accoucha d'un fils, le premier enfant mâle de Philippe.

L'année suivante, le duc de Chartres remplaça Florence par l'actrice Christine Charlotte Desmares, déjà passée par le lit du grand dauphin... et de beaucoup d'autres. En 1702, elle accoucha d'une fille, nommée « Philippe-Angélique de Froissy », qui fut plus tard comtesse de Ségur et mère d'un maréchal de France. Actrices, servantes et courtisanes défilaient dans le lit princier à un rythme soutenu. Le prince ne déserta pas pour autant le lit de son épouse : entre 1693 et 1716, la duchesse eut huit enfants, sept filles et un fils, Louis, né en 1703.

Le duc de Chartres fit ses premières armes pendant la guerre de la Ligue d'Augsbourg, pendant laquelle son courage fit un fâcheux contraste avec la timidité du duc du Maine, le fils préféré du roi, issu, comme la duchesse de Chartres, de ses amours avec Mme de Montespan. « Mon fils s'est très mal trouvé, enrageait Madame, de son zèle à montrer sa bravoure; on ne le lui a pas encore pardonné. On aime mieux les bâtards que le neveu; et comme, Dieu merci, mon fils a du cœur tandis que le boiteux [le duc du Maine] est un poltron, l'on ne veut pas que ni mon fils ni les princes du sang qui ont aussi du cœur se trouvent à l'armée. » Malgré ses succès, Philippe ne reçut pas de commandement d'importance. La vie tumultueuse de son neveu indisposait un Louis XIV vieillissant, marié secrètement avec

Mme de Maintenon, revenu à la religion et qui, par un plaisant contraste avec la vie fort libre de sa jeunesse, jouait volontiers le parangon des bonnes mœurs. Le duc de Chartres, au contraire, se piquait d'être un « esprit fort ». « La foi est éteinte en ce pays, au point qu'on ne trouve plus un seul jeune homme qui ne veuille être athée », déplorait Madame Palatine en évoquant les fréquentations de son fils.

En 1701, Monsieur mourut et son fils, devenu duc d'Orléans, hérita de la plupart des honneurs et prérogatives dont jouissait son père. Philippe accéda à de hauts commandements pendant la guerre de succession d'Espagne. Vaincu devant Turin en 1706, il remporta de grands succès en Espagne en 1707 et 1708, sauva le trône de Philippe V et montra l'étoffe d'un grand capitaine. Mais le roi d'Espagne prit bientôt ombrage de l'importance prise par son cousin, qu'il soupçonnait, non sans raison, de convoiter sa couronne. Le duc d'Orléans, rappelé en France, ne servit plus jusqu'à la fin de la guerre.

Philippe avait également compromis sa position auprès de Louis XIV en faisant d'une fille d'honneur de Madame, Mlle de Séry, sa favorite attitrée. En 1702, Mlle de Séry donna naissance à un fils, prénommé Jean-Philippe, qui fut légitimé quatre ans plus tard sous le nom de chevalier d'Orléans. À la faveur de ses succès en Espagne, le duc d'Orléans obtint la permission de faire porter à sa maîtresse le nom d'une terre titrée : il acheta la baronnie d'Argenton, en Berry, la fit ériger en comté et Mlle de Séry se fit dès alors appeler « comtesse d'Argenton ». En 1709, Philippe et Mme d'Argenton, qui posait en seconde duchesse d'Orléans, reçurent l'électeur de Bavière à Saint-Cloud. C'en était trop : Louis XIV et Mme de Maintenon explosèrent. L'entourage du prince lui fit comprendre que tant que la comtesse d'Argenton serait auprès de lui, il n'obtiendrait plus rien du roi. Philippe obtempéra et renvoya sa favorite.

La récompense ne se fit pas attendre : le 6 juillet 1710, Mlle d'Orléans, fille aînée du prince, épousa le duc de Berry, troisième petit-fils du roi. d'altesse sérénissime, la nouvelle duchesse devenait altesse royale. Les Orléans se rapprochaient ainsi de la branche aînée de la Maison royale. « J'espère que ce mariage nous unira encore davantage », dit Louis XIV à

Madame, qui répondit que cette alliance la comblait « d'honneur et de joie ».

L'embellie fut de courte durée. Les morts successives et rapprochées du grand dauphin, du duc et de la duchesse de Bourgogne, du petit duc de Bretagne, en 1711 et 1712, parurent suspectes à beaucoup. La rumeur publique accusa d'empoisonnement le duc d'Orléans, dont on connaissait le goût pour la chimie et les sciences occultes. Très jeune, le prince s'était intéressé aux sciences et avait établi un laboratoire de chimie au Palais-Royal, où, avec l'aide du savant hollandais Guillaume Homberg, il se livrait à des expériences sur la fusion des métaux, recherchant sans doute, comme beaucoup d'autres avant lui, le secret de la pierre philosophale. Fasciné par le surnaturel, il fréquentait « toutes sortes de gens obscurs », cherchait à invoquer le diable, se faisait prédire l'avenir. Il faisait un coupable idéal.

Averti des bruits qui couraient sur son compte, le duc d'Orléans proposa de se constituer prisonnier à la Bastille. Louis XIV refusa pour éviter le scandale. On ignore si le roi partageait les soupçons de tant de ses sujets de la cour et de la ville. À Maréchal, son premier chirurgien, il aurait dit que son neveu n'était qu'« un fanfaron de crimes », ce qui donne à penser qu'il l'exonérait des accusations qui circulaient à son encontre. Toujours est-il que Philippe se retrouva dans une position paradoxale jusqu'à la mort du roi. Jamais il n'avait été aussi proche du trône et jamais autant tenu à l'écart des affaires.

Le duc de Berry, appelé à la régence si Louis XIV décédait avant la majorité du petit duc d'Anjou, passait pour un parfait imbécile. Nul ne doutait que, devenu régent, il aurait subi l'influence de son beau-père d'Orléans. Mais un accident de chasse l'emporta le 14 mai 1714. Philippe devint le plus proche parent mâle du jeune dauphin, le régent en puissance... et l'héritier de la couronne si le futur Louis XV mourait sans descendance.

Louis XIV, poussé par son entourage, semble avoir tout tenté pour restreindre le pouvoir futur de son neveu. Les princes légitimés issus de Mme de Montespan – le duc du Maine et le comte de Toulouse – furent élevés au rang de princes du sang. Dans son testament, rédigé le 2 août 1714 et dont les clauses furent tenues secrètes, le roi fixa la composition du futur Conseil de régence, entièrement formé de ministres et de courtisans qui étaient ses créatures. Le duc du Maine recevait le commandement des troupes de la Maison du roi. Philippe d'Orléans, réduit au titre de « chef du Conseil de régence », devait être un fantôme de régent.

Le 2 septembre 1715

Le piège commença à se disloquer dès avant la mort du roi, dans les premiers mois de 1715, à mesure que la santé du vieux monarque se détériorait. Les courtisans et diplomates sentaient le vent tourner. Louis XIV lui-même le devinait, qui multipliait les dispositions pour hausser le statut de ses fils légitimés, comme pour mieux les préserver de futurs revers de fortune. Durant l'agonie du souverain, on l'a vu, la tragi-comédie prit un tour burlesque : au gré des hauts et des bas du bulletin de santé royal, les antichambres du duc d'Orléans se remplissaient ou se vidaient ; le chancelier Voysin, confident des dernières volontés de Louis XIV, monnayait son ralliement à Philippe en lui révélant les clauses secrètes du testament du roi ; de son côté, à coups de promesses de charges ou de pensions, le prince achetait la complaisance de hauts magistrats et des officiers dont les unités se trouvaient à proximité de la capitale.

Le lendemain de la mort de Louis XIV, Philippe d'Orléans se rendit au palais de la Cité, dans l'enceinte du parlement de Paris, première cour de justice du royaume, convoquée pour l'occasion. Pour cette séance du lundi 2 septembre 1715, la grand-chambre du Parlement accueillait, outre les magistrats, les princes du sang et les ducs et pairs de France. Le matin, le duc d'Orléans prit la parole pour répéter les dernières paroles qu'il prêtait au roi défunt : « Mon neveu, je vous ai conservé les droits de votre naissance. Je crois avoir tout réglé après ma mort, mais comme on ne peut tout prévoir, vous ajouterez ou changerez ce que vous jugerez convenable. Je vous recommande le dauphin et de soulager l'État. » Il demanda que la compagnie délibère sur sa régence avant d'examiner le testament de Louis XIV et annonça qu'il rétablirait le droit de remontrance. La Cour décida cependant d'entendre d'abord la lecture du testament ainsi que des codicilles qui lui étaient annexés. Les auditeurs découvrirent alors les dispositions prises par le Roi-Soleil pour limiter l'autorité de son neveu.

Le prince, qui n'ignorait rien du contenu du testament, feignit la surprise, s'étonna de la contradiction entre ses termes et les propos tenus par le roi sur son lit de mort. Philippe demanda enfin que la régence lui fût accordée pleine et entière. L'avocat général Joly de Fleury l'approuva, « car la raison veut que le plus proche de la Couronne ait l'administration de toutes les affaires ». Le duc d'Orléans fut alors déclaré régent du royaume par acclamation. Il annonça la création de « Conseils particuliers » pour assister le Conseil de régence.

L'après-midi, il fut convenu que le prince devrait se conformer à l'avis du Conseil de régence, « dans toutes les affaires, à l'exception des charges, emplois, bénéfices et grâces, qu'il pourra accorder à qui bon lui semblera après avoir consulté le Conseil de régence ». Par ailleurs, Philippe d'Orléans désignerait les membres de ce Conseil : de ce fait, il ne cesserait pas d'être le maître du jeu. Le duc du Maine conserva la surintendance de l'éducation du jeune Louis XV, mais dut renoncer au commandement de la Maison militaire du roi. Le Régent était explicitement chargé de la sûreté du roi : ainsi étaient repoussés les soupçons d'infanticide que ses adversaires avaient voulu faire peser sur lui.

En dépit des manœuvres de Louis XIV et de Mme de Maintenon, le duc d'Orléans était apparu comme le seul chef possible une fois le roi décédé et les ralliements s'étaient multipliés. Le duc du Maine, prince dépourvu de charisme et de prestige militaire, n'avait pu ni constituer de parti autour de lui ni incarner une alternative crédible.

Le 9 septembre 1715 au matin, au grand dépit de la vieille cour, le petit Louis XV quitta Versailles pour le château de Vincennes. Les Parisiens purent le voir sur les boulevards, dans son carrosse, vêtu de violet, couleur du deuil royal. Le soir, ils virent passer un autre roi : c'était le corps de Louis XIV que l'on menait de Versailles à Saint-Denis en passant par Montmartre. Le convoi était escorté par les cavaliers de la Maison du roi, torches allumées, et le public regarda ce spectacle comme une illumination et, « plein de la joie d'avoir vu un roi vivant, n'avait pas toute la douleur que devait causer la mort d'un si grand roi » (Mathieu Marais). Le 12 septembre eut lieu un lit de justice, c'est-à-dire une séance solennelle du parlement de Paris tenue en présence du roi, venu de Vincennes pour l'occasion. Le Premier président de Mesmes harangua le petit Louis XV : « Au moment où le plus grand roi du monde cesse de vivre, Votre Majesté, par le droit de sa naissance, commence de régner. C'est le motif de l'auguste cérémonie qui assemble aujourd'hui dans ce sanctuaire de la justice, la Cour des pairs et tout ce qu'il y a de plus grand dans le royaume. Tous s'empressent à l'envi de vous contempler sur votre lit de justice, comme l'image visible de Dieu sur la Terre. » Les décisions prises dix jours plus tôt furent solennellement proclamées au nom du jeune monarque.

Le temps des roués

Paris découvrit alors son nouveau maître, un prince de la plus ancienne Maison royale d'Europe, mais dont la dignité naturelle n'avait rien de la majesté effrayante de Louis XIV. Quand l'oncle régnait par le silence et la distance, le neveu gouvernait par la parole. « Son éloquence, rapporte Saint-Simon, était naturelle jusque dans les discours les plus communs et les plus journaliers, dont la justesse était égale sur les sciences les plus abstraites qu'il rendait claires, sur les affaires de gouvernement, de politique, de finance, de justice, de guerre, de cour, de conversation ordinaire, et de toutes sortes d'arts et de mécanique. » Philippe d'Orléans, aimable, bienveillant et accessible, accordait volontiers de longues audiences. « Sa familiarité et la facilité de son accès, ajoute le mémorialiste, plaisaient extrêmement ; mais l'abus qu'on en faisait était excessif. »

Les contemporains s'accordent à reconnaître le caractère bienveillant de Philippe. Montesquieu admire combien le duc d'Orléans se montra indifférent aux outrages qu'on lui avait faits : « Lorsque celui-ci parvint au gouvernement, il récompensa ses amis et soulagea ses ennemis de leurs justes craintes : ils se trouvèrent tranquilles à l'ombre de son autorité. » Et Madame Palatine d'abonder dans un style moins élevé : « Ah ! Mon Dieu, il n'est que trop bon, il pardonne tout ce qu'on fait contre lui et ne fait qu'en rire. »

Mais bonté n'est ni faiblesse ni inertie. Philippe d'Orléans voulait gouverner et aimait gouverner. Sous des apparences légères, il était un bourreau de travail, levé à l'aurore et attaché à sa table jusqu'à six heures du soir. Le matin, il lisait le courrier et donnait audience. Se passant de déjeuner, il se contentait d'une tasse de chocolat, servie à deux heures. L'après-midi, il tenait le Conseil de régence ou recevait ministres et conseillers.

Mais le public oubliait les journées du Régent pour ne retenir que ses soirées moins édifiantes, consacrées à la bonne chère et à d'autres plaisirs. Sa loge de l'Opéra étant de plain-pied avec ses appartements du Palais-Royal, le prince se montrait souvent aux spectacles. Il passait ses nuits en compagnie de gentilshommes libertins qu'il surnommait ses « roués », « méchants drôles, débauchés et impies qui font profession d'athéisme » (Madame Palatine). On y comptait quelques survivants de la cour de feu Monsieur – le marquis de Nancré, le marquis d'Effiat, le marquis de Simiane –, des aristocrates de la génération du Régent – le duc de Brancas, le marquis de Nocé, le marquis de Canillac, le comte de Broglie, le marquis de La Fare – et quelques jeunes débauchés comme le duc de Richelieu, l'« Alcibiade français », qui « ressemblait à l'Amour ». Aux côtés des roués, on trouvait les « rouées », grandes dames aux mœurs légères, qui furent les maîtresses « alternatives et concurrentes » du Régent – Mme de Parabère, la comtesse de Sabran, la comtesse d'Averne, la princesse de Léon, la duchesse de Gesvres, la duchesse de Falari – et la propre fille du prince, la duchesse de Berry.

Pendant les soupers, la porte du Régent était interdite à qui ce que fût, quelque pressante que pût être l'affaire qui l'amenait. Cuisiniers et domestiques étaient renvoyés. Les convives, roués et rouées, faisaient eux-mêmes la cuisine, et le Régent en personne mettait la main à l'ouvrage. Le souper préparé, on se mettait à table, on buvait, on médisait, on contait des grivoiseries. « On disait des ordures à gorge déployée et des impiétés à qui mieux mieux, rapporte Saint-Simon, qui n'était pas de ces soirées, et, quand on avait fait bien du bruit et qu'on était bien ivre, on s'allait coucher. » On est loin des orgies romaines que dépeignait la rumeur et que la chronique scandaleuse a grossies à plaisir.

La marquise de Parabère, fille de la dame d'atour de la duchesse de Berry, fut la « sultane-reine » de la Régence : « Elle est de belle taille, grande et bien faite, concède Madame Palatine ; elle a le visage brun et elle ne se farde pas ; une jolie bouche et de jolis yeux ; elle a peu d'esprit, mais c'est un beau morceau de chair fraîche. » Bonne fourchette et solide buveuse, Mme de Parabère ne se mêlait pas des affaires d'État, mais n'était pas plus fidèle à son amant que ce dernier ne l'était à la duchesse d'Orléans. Le public suivait les hauts et les bas des amours du prince et de la Parabère, et se félicitait des raccommodements. Le Régent « se porte mieux, note Mathieu Marais : cet amour est nécessaire à sa santé et à son repos, et même aux affaires, qui en vont mieux quand il n'est pas brouillé » !

En 1721, le Régent rompit avec Mme de Parabère, et afficha une nouvelle maîtresse, Mme d'Averne. M. d'Averne, mari non moins complaisant que M. de Parabère, fut fait gouverneur de Navarrenx, dans le Béarn, et grand-croix de l'ordre de Saint-Louis. En juillet, le Régent offrit à la dame une magnifique fête de nuit, dans les jardins de Saint-Cloud, « illuminés, rapporte un contemporain, de plus de vingt mille lumières, qui faisaient, avec les cascades et les jets d'eau, un effet magique ». Mais l'année suivante, la comtesse d'Averne fut disgraciée, car sa présence donnait « un mauvais exemple au roi ».

Quels déplaisirs, quelle tristesse intérieure Philippe d'Orléans noyait-il dans le vin et dans la débauche ? Peut-être l'absence de ses parents, l'échec de son mariage, voire une certaine inaptitude à aimer. Pour Montesquieu, le malheur du Régent était « un goût malade, qui le portait à se montrer pire qu'il n'était ; il avait une certaine hypocrisie à l'égard des vices, qu'il faisait qu'il affectait de paraître en avoir, comme un témoignage de liberté et d'indépendance ».

Au fond, Philippe d'Orléans était un homme seul. Il trouvait peu de secours dans sa famille. Demeurée allemande et protestante dans le fond de son cœur, Madame Palatine vivait depuis quarante ans en exilée de l'intérieur. Retirée au Palais-Royal, elle jugeait mal la situation politique et était incapable d'apporter à son fils des conseils avisés. La duchesse d'Orléans, elle, se trouvait dans une situation pour le moins ambiguë. Épouse du Régent, elle était aussi la sœur de ses adversaires, le duc du Maine et le comte de Toulouse.

La duchesse de Berry, fille préférée du Régent, causait à Philippe les plus graves soucis. Orgueilleuse comme sa mère, brillante comme son père, elle menait une vie des plus agitées.

Elle avait trompé le malheureux duc de Berry presque immédiatement après leurs noces et ne s'assagit pas après son veuvage. Sous la Régence, elle s'éprit de Rion, lieutenant de ses gardes, et l'épousa secrètement en 1718. Passionnée de jeu, elle perdit en une soirée 1 800 000 livres contre l'ambassadeur de Portugal. Participante des soupers du Palais-Royal, elle était réputée pour ses abus d'alcool et de mangeaille. En dépit ou à cause de tous ces excès, la duchesse de Berry restait l'enfant chérie du duc d'Orléans. Elle le savait, en usait et en abusait. On accusa le Régent d'inceste. « Mon fils et sa fille s'aiment tant, avouait Madame Palatine, que malheureusement cela a fait dire de vilaines choses sur leur compte. »

Des épigrammes et des chansons sans nombre salirent le père et la fille. L'auteur de l'un de ces textes, paru au début de 1716, était un nommé François-Marie Arouet, fils d'un notaire parisien. Formé au collège de Louis-le-Grand, le jeune homme s'était introduit en des cercles où régnait le libertinage de mœurs ou d'esprit, celui du grand prieur de Vendôme au Temple et celui de la duchesse du Maine au château de Sceaux, deux sociétés qui ne passaient pas pour favorables à Philippe d'Orléans. L'insolent fut prié d'aller passer quelques temps au château de Sully-sur-Loire, demeure du duc de Sully, un habitué du Temple, pour « corriger son imprudence et tempérer sa vivacité ».

La leçon ne suffit pas, puisque l'année suivante Arouet fit circuler un tract en latin intitulé *Regnante puero* (« Sous le règne d'un enfant »), où Philippe d'Orléans était de nouveau accusé d'inceste mais aussi d'avoir empoisonné le duc et la duchesse de Bourgogne et de nourrir des desseins identiques à l'encontre du jeune Louis XV. Cette fois, le Régent fit incarcérer le poète à la Bastille. Entré dans la forteresse le 16 mai 1717, Arouet y resta presque un an et en sortit en ayant pris le nom de plume de Voltaire – sans doute anagramme d'« Arouet l. j. », (Arouet le jeune) – avant d'être exilé à Châtenay, près de Sceaux.

Libéré, Voltaire composa sa tragédie d'*Œdipe*. Le 18 novembre 1718, le duc d'Orléans assista à la première, qui fut un triomphe. Philippe, peu rancunier ou peu sensible aux allusions à son inceste prétendu que certains voulaient voir dans la pièce, octroya une pension à l'auteur. La tragédie publiée, dédiée à

Madame Palatine, valut à Voltaire la réputation de meilleur poète français de l'époque.

Au début de 1719, la duchesse de Berry eut une attaque d'apoplexie. Elle mourut le 21 juillet, à l'âge de vingt-quatre ans.

Parmi les fidèles de Philippe, les personnalités sûres ou influentes faisaient autant défaut que dans sa famille. Leurs mœurs dissolues discréditaient les vieux ou jeunes libertins gravitant autour du Palais-Royal ; longtemps tenus dans une opposition larvée, ils étaient dépourvus d'expérience politique. Le dévot et vertueux duc de Saint-Simon, ami d'enfance du duc d'Orléans et transfuge de l'entourage du duc de Bourgogne, offrait un contraste complet avec le cercle des « roués ». La lecture de ses *Mémoires* montre qu'il ne fut guère plus utile au prince : obnubilé par ses préventions aristocratiques, esprit chimérique mais réticent devant l'action, il se cantonna dans l'emploi du conseiller écouté mais non entendu, cassandre ou prophète de malheur.

Force fut donc au Régent de se servir soit de personnalités expérimentées issues de l'ancienne classe dirigeante, voire de milieux qui lui étaient au départ hostiles, comme le duc de Noailles, soit d'hommes nouveaux qui lui devraient tout, tels que l'Écossais John Law ou l'abbé Dubois.

Les goûts réunis

Si différent de Louis XIV par maints aspects de sa personnalité, Philippe d'Orléans se rapprochait de son oncle par son goût pour les arts et par son tempérament de mécène. Comme le Roi-Soleil et comme Monsieur, il aimait l'architecture, la peinture et la musique, constitua de magnifiques collections, encouragea les poètes et les savants. « Mon fils, se lamentait Madame Palatine, préfère la société des gens du commun, des peintres, des musiciens, à celle des gens de qualité. »

Louis XIV avait chanté et joué de la guitare ; son neveu jouait de la flûte, de la guitare, du clavecin et de la viole[2]. « Rien n'est tant à la mode présentement que la musique, écrivait Madame

2. Cet aspect méconnu de la personnalité de Philippe d'Orléans a été mis en évidence par Jean-Paul Montagnier : *Un mécène musicien, Philippe d'Orléans,*

en 1695. Je dis souvent à mon fils qu'il en deviendra fou, quand je l'entends parler sans cesse de "bémol", "bécar", "béfa", "bémi", et autres choses de ce genre auxquelles je n'entends rien. » Philippe bénéficia des leçons de Charles-Hubert Gervais, qui fut intendant puis maître de sa musique, et aussi de celles de Marc-Antoine Charpentier. Il composa lui-même, d'abord un motet, le *Laudate Jerusalem Dominum*, puis, sur un livret du marquis de La Fare, son capitaine des gardes, un opéra, *Penthée*, exécuté à Fontainebleau en 1703 et au Palais-Royal en 1706 : c'était une célébration de Bacchus, divinité tutélaire du vin, « qui donne de la force aux bras les plus débiles ». Un second opéra, *Suite d'Armide, ou Jérusalem délivrée*, vit le jour en 1704. Sans doute aidé par les musiciens de son entourage, Philippe y alterne morceaux dans le goût français, dans la lignée de Lully, et morceaux de style italien. Le prince affectait en effet de protéger la musique italienne, par opposition à la musique française, cultivée à Versailles sous les auspices de son oncle.

De son père, Philippe d'Orléans avait hérité de magnifiques résidences, les principales étant le Palais-Royal, à Paris, et le château de Saint-Cloud, bien placé entre la capitale et Versailles et qui servait surtout de résidence d'été[3]. Monsieur avait fait de Saint-Cloud, assis au sommet d'une colline surplombant la Seine, un petit Versailles, à la situation plus heureuse que celle de son illustre modèle. On en admirait les jardins, aménagés par Le Nôtre et Hardouin-Mansart, et les intérieurs, ornés de peintures de Jean Nocret et de Pierre Mignard, en particulier une galerie d'Apollon rivale de la galerie des Glaces.

Philippe eut peu à faire à Saint-Cloud, mais au Palais-Royal il prolongea l'œuvre de son père. Monsieur avait établi une « Galerie neuve » dans une aile bâtie le long de la rue de Richelieu. Son fils la fit décorer par le peintre Antoine Coypel, qui orna la voûte et les murs de scènes tirées de l'*Énéide*. La Galerie neuve devint ainsi la « galerie d'Énée ». Sous la Régence,

régent, 1996, et *Charles-Hubert Gervais, un musicien au service du Régent et de Louis XV*, 2001.

3. Sur les demeures du Régent, on consultera avec profit *Le Palais-Royal*, catalogue de l'exposition du musée Carnavalet, 1988, et le volume collectif *Saint-Cloud : le palais retrouvé*, 2013.

l'architecte Gilles-Marie Oppenordt, un des initiateurs du style rocaille, aménagea au bout de cette galerie un magnifique salon « à l'italienne », sur deux étages, tendu de damas cramoisi, où le prince présenta les plus célèbres tableaux italiens de sa collection. C'est tout en arpentant cette galerie et ce salon que le Régent recevait ses visiteurs et dirigeait le royaume de France.

Avec un héritage architectural déjà fort riche, Philippe n'éprouva pas le besoin de se faire bâtisseur. Il n'eut à son actif qu'une seule commande, un petit hôtel contigu au Palais-Royal et ouvrant sur ses jardins, construit par Germain Boffrand en 1704 et 1705 pour loger la comtesse d'Argenton. La décoration de l'hôtel évoquait la passion du prince pour sa favorite : dans le grand salon, Coypel peignit ainsi un plafond intitulé *Le Triomphe de l'amour sur les dieux*. Offert à Mme d'Argenton en 1707, revendu par elle en 1711, racheté par le Régent en 1720, l'hôtel abrita son fidèle Dubois, puis devint la chancellerie d'Orléans.

Comme Louis XIV, Philippe d'Orléans fut un grand amateur d'art. Son père avait amassé des tapisseries, des pièces d'orfèvrerie, des porcelaines et des curiosités de Chine. Sa mère se plaisait à accumuler des camées, des intailles et des monnaies antiques. Philippe, lui, montra une préférence marquée pour les tableaux. Ayant pris des leçons de dessin, de miniature et de peinture, il peignit des panneaux au Palais-Royal, un plafond à Meudon et des tableaux de paysage. En 1699, sa mère annonce à la duchesse de Hanovre que le prince peint pour elle « un tableau dont le sujet est emprunté à la Fable ». Admirateur de Coypel, de La Fosse et de Jouvenet parmi ses contemporains, il s'attacha surtout à collectionner les œuvres des maîtres des XVIe et XVIIe siècles. Pendant la Régence, grands seigneurs et parlementaires lui offrirent ou lui vendirent des toiles pour se ménager ses faveurs. En mission en Hollande en 1716, Dubois acheta pour son maître la célèbre série de Nicolas Poussin *Les Sept Sacrements*. Cinq ans plus tard, par l'intermédiaire du collectionneur Pierre Crozat, le Régent acheta à Rome l'ancienne collection de la reine Christine de Suède, riche de deux cent soixante tableaux, dessins, statues et objets d'art.

Philippe jouissait de ces œuvres en esthète. Un guide touristique de 1719 rapporte que le prince renouvelait les tableaux de son cabinet « de temps en temps, pour en considérer l'harmonie dans différentes situations ». À la mort du Régent, sa collection comptait quatre cent soixante-trois pièces. Comme celle de Louis XIV, elle donnait la première place à la peinture italienne, surtout vénitienne et bolonaise : trente et un Titien, dix-neuf Véronèse, quatorze Tintoret, trente-sept Carrache, dix-huit Guido Reni, neuf Albane, neuf Dominiquin, six Guerchin et quatre Corrège ! Le prince possédait également quinze tableaux attribués à Raphaël. Les maîtres du Nord n'étaient pas négligés : le Régent avait quatorze Van Dyck, dix-neuf Rubens, six Rembrandt, quatre Holbein. Chez les Français, Poussin occupait la première place avec douze toiles. Exposée dans les appartements du Palais-Royal, la collection était largement ouverte aux amateurs et aux artistes qui désiraient effectuer des copies.

Ces bâtiments, ce décor, ces collections du Régent témoignent d'un goût « Régence » apparu en fait vingt ans avant 1715 : l'architecture se faisait moins solennelle, les distributions plus commodes et plus confortables, dans les intérieurs le marbre cédait la place aux boiseries peintes en blanc et or ou ornées de grotesques, des miroirs et des tableaux à sujets galants voisinaient avec les portraits officiels et les sujets de piété. Ce style était né non à Paris, mais à Versailles et au Trianon, quand Louis XIV faisait observer à Hardouin-Mansart « que les sujets sont trop sérieux et qu'il faut qu'il y ait de la jeunesse mêlée dans tout ce que l'on fera ». « Il faut de l'enfance répandue partout » : cette formule du Roi-Soleil aurait convenu au Régent.

Tel qu'il était, avec ses vertus et ses vices, Philippe d'Orléans avait les qualités nécessaires pour gouverner un grand et vieux royaume et pour parler sur un pied d'égalité avec des souverains qui s'appelaient Charles VI, George Ier, Philippe V, Frédéric-Guillaume Ier, Victor-Amédée II ou Pierre Ier. Il avait une vaste culture, l'expérience de la guerre et de la diplomatie, un charisme personnel indéniable, un esprit curieux, une volonté bien arrêtée.

On peut cependant se demander si ce prince des Lumières était en harmonie avec le pays qu'il allait diriger. Par son comportement personnel, mêlant impiété affichée et désordres publics, Philippe se faisait le porte-drapeau d'une jeune génération de

l'agilité du pouvoir royal des périodes d'agitation et d'expérimentation politique. Le gouvernement de Philippe d'Orléans ne

4

Que la fête commence

Le 23 mars 1975 sortit sur les écrans français un film de
Bertrand Tavernier intitulé *Que la fête commence*. Le cinéaste
faisait de la Régence une ère de décadence préludant à la
Révolution, parti pris qui passa pour audacieux et assura au
film un vif succès public et critique dans la France de Valéry
Giscard d'Estaing. La thèse de Tavernier ne faisait pourtant que
reprendre les analyses de l'historiographie la plus traditionnelle,
tantôt hostile à l'« immoralité » de la Régence, tantôt fascinée
par les anecdotes licencieuses dont la régence du neveu de
Louis XIV est fertile.

Le gouvernement de Philippe d'Orléans a dérouté les contemporains eux-mêmes, troublés par la personnalité du nouveau
maître comme par ses hésitations et ses revirements. «Vous me
demandez ce que c'est que la Régence, écrit Montesquieu. C'est
une succession de projets manqués et d'idées indépendantes ;
des saillies mises en air de système ; un mélange de faiblesse et
d'autorité. »

Derrière le vernis superficiel de la Régence galante se cache
une période autrement dramatique et complexe, pendant
laquelle le Régent et ses conseillers durent affronter de multiples transitions : de la guerre à la paix, de Versailles à Paris, de
l'autoritarisme louis-quatorzien à un libéralisme tout relatif, de
la prépondérance française à une géopolitique fragmentée où la
France affaiblie était astreinte à la prudence. Dans la tradition
de la monarchie française, les régences sont des moments de

fragilité du pouvoir royal, des périodes d'agitation et d'expérimentation politique. Le gouvernement de Philippe d'Orléans ne fit pas exception à la règle[1].

Un après-guerre

La Régence fut d'abord un après-guerre, et, de ce fait, une époque de troubles et de violence. Les longs conflits du règne de Louis XIV avaient maintenu sous les armes pendant des années des centaines de milliers d'hommes de toutes classes. Ils avaient créé un type humain nouveau : l'officier de carrière, professionnel discipliné, bon administrateur de sa troupe plutôt que héros guerrier. Rendus à la vie civile par la paix, officiers et soldats se retrouvèrent désœuvrés, désargentés et déshabitués des règles de la société.

Les affaires de viol et de violences dont se rendaient coupables de hauts personnages se multiplièrent. La plus célèbre impliqua un capitaine de cavalerie mis en réforme, le comte de Horn, âgé de vingt-deux ans. Avec deux complices, il attira un spéculateur dans un cabaret et le poignarda pour s'emparer de son portefeuille. Surpris par un employé, les trois assassins furent arrêtés. Les plus grands seigneurs du royaume s'empressèrent pour obtenir la grâce du comte. Le Régent, pour une fois inflexible, la refusa. Il refusa même d'accorder au criminel la faveur d'avoir la tête tranchée, ainsi qu'il était d'usage pour les gentilshommes : le comte de Horn fut roué en place de Grève, comme ses complices roturiers, le 26 mars 1720. Malgré une législation très sévère, les duels revinrent à la mode. Philippe d'Orléans, qui partageait les préjugés de la caste militaire à laquelle il appartenait, ne réprima ces violences que très mollement.

Mendicité et vagabondage se répandirent. Pour y remédier, on imagina d'interdire la mendicité à Paris. On décida d'expédier

1. Notre vision de la Régence a été renouvelée par les pages qu'Emmanuel Le Roy Ladurie consacre à cette période dans *L'Ancien Régime de Louis XIII à Louis XV, 1610-1770*, 1991. Le livre récent de Laurent Lemarchand *Paris ou Versailles ? La monarchie absolue entre deux capitales, 1715-1723*, 2014, se situe dans cette lignée.

mendiants et filles publiques en Louisiane, ce qui compenserait le déficit de l'émigration volontaire : c'est l'histoire de Manon Lescaut et du chevalier des Grieux contée par l'abbé Prévost. Le grand banditisme connut également un développement inquiétant. Des voleurs attaquaient les diligences ; les forêts n'étaient pas sûres, et les voyageurs isolés étaient souvent attaqués. À Paris même, on était dépouillé ou assassiné. Cartouche, ancien laquais et ancien soldat, devint chef d'une bande d'une centaine de brigands parisiens organisée suivant les principes de la discipline militaire et qui rançonnait les carrosses entre Paris et Versailles.

Un fléau supplémentaire frappa le royaume : la peste. Le 25 mai 1720, un vaisseau de commerce, *Le Grand Saint-Antoine*, arrivant de Syrie avec une cargaison d'étoffes, apporta la peste à Marseille. La quarantaine n'avait pas été respectée : au lieu des quarante jours d'isolement à bord, les passagers débarquèrent au bout de dix-neuf. Les hommes qui avaient déchargé la cargaison le 23 et le 24 juin comptèrent parmi les premiers morts. Le 9 juillet, la peste était officiellement déclarée à Marseille. La ville se vida de ses habitants, qui s'enfuirent vers la campagne. Le 31, pour éviter la contagion, le parlement d'Aix mit la ville et ses environs en quarantaine sous peine de mort. Au plus fort de l'épidémie, mille personnes mouraient chaque jour dans la cité phocéenne. Ceux que la maladie épargnait étaient menacés par la famine, car tous les échanges étaient interrompus. Les rues étaient remplies de malades, de mourants et de cadavres, seuls les forçats restant affectés au ramassage des dépouilles. Le fléau s'étendit à toute la Provence, puis au Languedoc, au Dauphiné et au Comtat Venaissin. Le 14 septembre, le Régent interdit de se rendre dans les régions contaminées. Pour juguler l'épidémie, il envoya à Marseille, désertée par ses praticiens, des médecins de Paris et de Montpellier, qui reçurent le traitement, astronomique pour l'époque, de 10 000 livres par mois, soit la moitié de la pension annuelle d'un ministre sous Louis XIV ! En janvier 1721, un Bureau de santé fut institué auprès du gouvernement pour proposer des mesures pour enrayer l'épidémie. Le 12 février 1723, on annonça la fin de la peste à Marseille et en Provence. La maladie avait fait 120 000 victimes. Mais elle ne s'était pas étendue à l'ensemble du royaume, signe de l'efficacité grandissante de l'État royal.

De Versailles à Paris

Par son testament, Louis XIV avait prescrit que le petit Louis XV serait transféré à Vincennes où l'air était réputé meilleur qu'à Versailles. Mais Vincennes ne fut qu'un détour. Le 30 décembre 1715, le jeune roi s'installa aux Tuileries : pour sept années, Versailles retomba dans l'oubli et Paris redevint le cœur politique du royaume.

La capitale était un géant démographique – 500 000 habitants –, un immense marché de consommation, non un lieu de production ou de commerce de gros. Mais l'industrie du luxe faisait exception, et l'importance économique de la ville allait croissant. À la faveur des banqueroutes lyonnaises de la guerre de succession d'Espagne, la capitale politique du royaume devint la capitale financière de la France, ce que sanctionna la création de la Bourse en 1721.

Depuis les années 1670, Paris était une ville « ouverte », c'est-à-dire dépourvue de fortifications, celles-ci ayant été remplacées par un boulevard planté d'arbres sur décision de Louis XIV. Le royaume paraissait alors si puissant qu'aucune invasion ne semblait plus à craindre, et seul Vauban, prêchant dans le désert, rêvait de donner à Paris une nouvelle enceinte conforme aux règles de l'art. Ce Paris, que les visiteurs trouvaient immense, nous semblerait au contraire bien modeste : au nord, il s'arrêtait aux actuels Grands Boulevards, héritiers du boulevard louis-quatorzien ; au sud, les jardins du Luxembourg touchaient la campagne ; à l'est, la rue du Faubourg-Saint-Antoine faisait figure d'artère de banlieue. À l'ouest, le tout récent hôtel d'Évreux – notre palais de l'Élysée – paraissait une maison de plaisance, posée à l'extrême limite des quartiers bâtis en dehors de la ville ; sur la rive gauche, la Bièvre coulait encore librement.

Après les nombreux travaux entrepris par le Roi-Soleil pour faire de sa capitale une « nouvelle Rome », Paris ne connut plus aucune grande réalisation publique pendant trente ans. Le projet d'une nouvelle place Royale à la gloire de Louis XV, évoqué par Robert de Cotte en 1716, n'aboutit qu'en 1756 : c'est notre place de la Concorde. Si la construction publique languit, l'architecture privée fleurit, grâce aux fortunes financières issues de la guerre de Succession ou du Système de Law. Le lotissement de la place Louis-le-Grand, notre place Vendôme, s'acheva dans les années 1720. On vit s'élever l'hôtel de Soubise, l'hôtel de Rohan et l'hôtel d'Évreux sur la rive droite, le Palais-Bourbon, l'hôtel de Lassay, l'hôtel de Matignon et l'hôtel de Biron sur la rive gauche.

Bien loin de vouloir agrandir Paris, le pouvoir voulait en limiter la croissance. En 1724, l'architecte de la ville, Jean Beausire, fut chargé de lever un plan détaillé des faubourgs : ce « Travail des Limites » avait pour objet d'interdire la construction de nouvelles maisons. Le premier plan scientifique de la ville à être conçu comme une carte géographique fut réalisé entre 1725 et 1727, et publié par l'abbé Delagrive en 1728, sous l'intitulé « Nouveau plan de Paris et de ses faubourgs ».

Tel était le Paris de la Régence, qu'évoque encore pour nous un autre plan, le célèbre « plan de Turgot », gravé entre 1734 et 1739, belle réalisation infidèle montrant les bâtiments à vol d'oiseau, destinée à servir de cadeau pour les visiteurs de marque.

Naissance et mort de la polysynodie

Dans les dernières années du règne de Louis XIV, des critiques s'étaient fait entendre à l'encontre du gouvernement du Roi-Soleil. On reprochait au monarque de « gouverner par lui-même », en s'appuyant sur un cercle restreint de ministres et de conseillers, pour la plupart issus de la noblesse de robe, et de tenir à l'écart les princes du sang et les grands seigneurs, soutiens naturels du trône. Dans l'ombre, certains hauts personnages projetaient le retour aux affaires de l'ancienne noblesse et un mode de gestion moins concentré des affaires de l'État. En 1711, des proches du duc de Bourgogne avaient suggéré l'instauration de Conseils spécialisés qui prépareraient le travail d'un « Conseil général de régence ». Les états provinciaux et les états généraux seraient convoqués régulièrement et voteraient les impôts.

Parmi ces opposants de l'ombre, figurait le duc de Saint-Simon, jeune aristocrate qui avait quitté l'armée en 1702, par dépit de n'avoir pas été nommé officier général, et qui était mal vu de Louis XIV et de Mme de Maintenon. Saint-Simon rêvait d'abaisser les ministres issus de la « vile bourgeoisie » et d'organiser le retour aux affaires de l'aristocratie. Il comptait pour ce faire sur l'accession au trône du duc de Bourgogne, mais la mort inattendue de ce dernier vint ruiner ses plans. Il reporta ses espérances sur Philippe d'Orléans, dont il avait été l'un des compagnons de jeux et avec qui il avait servi durant les campagnes de la guerre de la Ligue d'Augsbourg. Le duc fit office de relais entre le laboratoire d'idées, désormais dispersé, du défunt duc de Bourgogne, et celui, en formation, du futur Régent.

Quand Louis XIV passa de vie à trépas, tout était prêt pour remettre en cause son système de gouvernement. Dès le 15 septembre 1715, une déclaration royale institua les « Conseils particuliers », annoncés par le Régent le 2 septembre précédent. Ces Conseils étaient des ministères collégiaux qui devaient préparer les décisions du Conseil de régence et du Régent. Le Conseil de Conscience traitait des affaires ecclésiastiques. Les Conseils des Affaires étrangères, de la Guerre et de la Marine se substituaient aux anciens secrétaires d'État pour diriger les départements ministériels de mêmes intitulés ; un Conseil des Affaires du dedans du royaume se chargeait, pour la première fois, des affaires internes de l'État – c'était un ministère de l'Intérieur avant l'heure. Le Conseil de Finances remplaçait, lui, le contrôleur général des Finances. Le 14 décembre, un Conseil de Commerce vint s'ajouter aux six précédents. Tel fut ce régime que l'histoire a retenu sous le nom de « polysynodie » ou gouvernement par plusieurs Conseils[2].

Le Conseil de régence tint sa première séance à Vincennes le 28 septembre 1715. Faute d'avoir de nombreux partisans à sa disposition, le Régent y avait nommé une majorité de dignitaires de la « vieille cour », anciens serviteurs de Louis XIV. Comme il était d'usage, Philippe d'Orléans y avait fait entrer les princes du sang d'âge adulte, le duc de Bourbon, le duc du Maine, le comte de Toulouse, et le chancelier de France, Daniel-François Voysin. Il y avait aussi admis les maréchaux de Villeroy et d'Harcourt, le marquis de Torcy, demeuré surintendant des Postes, avec voix

2. Cette nouvelle organisation politique a été réévaluée par Alexandre Dupilet, *La Régence absolue : Philippe d'Orléans et la Polysynodie*, 2011.

délibérative, les secrétaires d'État La Vrillière et Pontchartrain, avec voix consultative seulement. Les seuls partisans avérés du Régent étaient le duc de Saint-Simon, le maréchal de Bezons et l'ancien évêque de Troyes, Bouthillier de Chavigny.

Les présidents des nouveaux Conseils furent pris dans la haute noblesse : cardinal de Noailles (Conscience), maréchal d'Huxelles (Affaires étrangères), maréchal de Villars (Guerre), maréchal d'Estrées (Marine), duc d'Antin (Affaires du dedans du royaume), maréchal de Villeroy (Commerce), duc de Noailles (Finances). Parmi les simples conseillers, une bonne moitié appartenait à l'aristocratie, le reste venait du Conseil du roi, du parlement de Paris ou des intendances. On remarquait l'arrivée au pouvoir de nombreux gallicans, hostiles à la politique religieuse menée par Louis XIV.

Le personnage le plus brillant de ce nouveau personnel gouvernemental était le duc de Noailles... marié depuis 1698 à la nièce de Madame de Maintenon et qui gardait d'étroites relations avec cette dernière. Grâce à cette alliance, Noailles n'avait cessé de cumuler les hautes charges – gouverneur du Roussillon, gouverneur de Berry, lieutenant général des armées, capitaine de la première compagnie des gardes du corps du roi – mais il avait fallu la mort du roi pour qu'il arrive au maniement des grandes affaires. Ainsi tenait-il à la vieille cour comme à la nouvelle.

Pour Philippe, les concessions faites à la haute noblesse, aux parlements, aux catholiques gallicans, hostiles aux jésuites et à Rome, étaient des compromis nécessaires en temps de régence. En septembre 1715, il écrivait au pape Clément XI que son gouvernement tenait « en quelque manière le milieu entre une autorité absolue et une entière liberté ». Avec la polysynodie, le Régent faisait coup double : il ralliait l'aristocratie autour de lui et expérimentait un nouveau modèle d'organisation gouvernementale.

En arrivant au pouvoir, le Régent et Noailles trouvèrent les finances du royaume dans un piètre état. Les guerres du Roi-Soleil avaient laissé une dette de 2 400 000 000 de livres... Noailles engagea un plan d'économies. On réduisit les effectifs de l'armée, on supprima des offices inutiles, on créa une chambre de justice, chargée de poursuivre les financiers qui s'étaient enrichis à l'excès pendant la guerre de succession d'Espagne.

La polysynodie fonctionna trois années durant. Les querelles de préséance entre conseillers, les querelles d'attributions entre Conseils et la multiplicité des parties en présence entravèrent quelque peu la bonne marche des dossiers. « La pluralité des gens à qui on avait affaire rendait tout difficile et les expéditions lentes », note le duc d'Antin. Le Régent abandonna la ligne de rigueur défendue par le duc de Noailles pour la politique de relance prônée par l'Écossais John Law. Démissionné de la présidence du Conseil de Finances en janvier 1718, Noailles fut remplacé par le garde des Sceaux d'Argenson, nouvel homme fort du gouvernement. En février 1718, le parlement de Paris osa faire observer que les Conseils « paraissaient beaucoup moins utiles aux sujets du roi qu'on ne l'avait espéré et très onéreux à ses finances ».

En même temps, l'abbé Dubois mettait en garde Philippe contre les dangers du système polysynodique et lui vantait les avantages du « gouvernement du feu roi », manière de gouverner « si commode, si absolue et que les nouveaux établissements ont fait regretter ». Louis XV devenu majeur, les présidents des Conseils seraient autant de concurrents potentiels de Philippe d'Orléans dans la faveur du nouveau maître. L'abbé, plaidant sa propre cause, recommandait à Son Altesse royale de mettre dans ce gouvernement des personnes « d'un caractère si sûr, si dévouées à sa personne et si désintéressées à ne jamais s'éloigner d'Elle que non seulement elles ne puissent lui manquer en rien d'essentiel mais qu'elles forment leurs ambitions à travailler en tout temps sous Elle ».

En septembre 1718, le Régent supprima les Conseils de Conscience, des Affaires étrangères, des Affaires du dedans du royaume et de la Guerre. Claude Le Blanc fut nommé secrétaire d'État de la Guerre et l'abbé Dubois secrétaire d'État des Affaires étrangères. À Brive-la-Gaillarde, ville natale de l'abbé, on alluma des feux de joie en l'honneur de l'enfant du pays.

Les expérimentations politiques avaient pris fin. Le mode de gouvernement de Louis XIV revenait à l'ordre du jour.

Les folies du Système

Mais le Régent n'était pas encore revenu d'une autre expérience, économique celle-là, celle du Système de Law[3].

L'idée de consolider la dette de l'État en l'adossant à une compagnie de commerce était dans l'air depuis une vingtaine d'années lorsque Louis XIV mourut. Le grand passeur de cette idée auprès du gouvernement fut un étranger sans naissance, encore inconnu à la veille de la mort du Roi-Soleil : l'Écossais John Law, né à Édimbourg en 1671. Son père, William Law, était un riche orfèvre. Après ses études, le jeune Law s'était installé à Londres, avait dilapidé son héritage et était devenu joueur professionnel. En 1694, après un duel lors duquel il tua son adversaire, il dut s'exiler sur le continent. En 1705, il publia *Money and Trade* (*De la monnaie et du commerce*), court traité où il présentait un plan de redressement économique pour l'Écosse. Il y proposait la création d'un papier-monnaie gagé sur des biens fonciers. Ses propositions furent rejetées, et l'Écossais mena une vie errante entre la France, les Provinces-Unies et l'Écosse, jouant et spéculant sur les changes. Dans les premières années du XVIIIe siècle, Law présenta tour à tour ses projets au contrôleur général Desmaretz et au duc de Savoie, sans rencontrer d'écho favorable. En 1714, après avoir fait fortune grâce à ses trafics sur les monnaies et grâce au jeu, il s'installa à Paris, place Vendôme, et mena grand train. Homme seul, il s'entourait de mystère et passait pour être appuyé par les jacobites. Bientôt, Law – nom que les Français prononçaient « Lass » – fut présenté au duc d'Orléans. L'aventurier séduisit le Régent et trouva même grâce aux yeux du peu bienveillant Saint-Simon. En septembre 1715, Law proposa à Philippe d'Orléans un plan de réformes en trois volets :

– la constitution d'une compagnie de commerce englobant toutes les compagnies existantes en une compagnie anonyme avec un budget de 20 millions de livres ;

3. Le livre d'Edgar Faure, *La Banqueroute de Law, 17 juillet 1720*, 1977, reste la référence sur l'histoire du « Système ». Les idées de Law sont explicitées par Nicolas Buat dans une biographie à paraître aux Belles-Lettres.

– la création d'une banque, sur le modèle de la Banque d'Angleterre, chargée d'acquitter en vingt-cinq ans la dette de l'État ;

– un plan de développement économique fondé sur une agriculture productiviste, la création de manufactures et une politique commerciale agressive.

La puissance de ce plan d'ensemble frappa le Régent. L'expansion du crédit devait revivifier la machine économique. « La monnaie, expliquait Law, est dans l'État ce que le sang est dans le corps humain, sans l'un on ne saurait vivre, sans l'autre on ne saurait agir ; la circulation est nécessaire à l'un comme à l'autre et le crédit figure dans le commerce comme les esprits ou la partie la plus subtile du sang. » Si le Conseil de régence rejeta le plan dans l'immédiat, le Régent permit à Law de le réaliser par étapes au cours des quatre années qui suivirent.

En mai 1716, Law obtint l'autorisation de créer la Banque générale, banque privée placée sous la protection du duc d'Orléans. Cet établissement recevait des dépôts, octroyait des crédits et émettait un papier-monnaie qui était toujours échangeable contre de la monnaie sonnante et trébuchante.

En septembre 1717, Law passa à la seconde partie de son plan : la fondation d'une grande compagnie de commerce et de colonisation. Cette « Compagnie d'Occident » était formée sur un plan emprunté à Crozat : le capital, d'un montant de 100 millions, formé de billets d'État, était assis sur la ferme du tabac et sur le privilège exclusif de l'exploitation de la Louisiane. La Compagnie avait également le monopole de la vente des peaux de castor provenant du Canada et de la Louisiane. Les actions de la Compagnie pouvaient être obtenues en échange de titres de créance sur l'État : de cette manière, les créanciers de l'État devenaient actionnaires de la Compagnie, et la dette se trouvait résorbée. Dès l'origine, la Banque générale fut l'un des principaux actionnaires de la Compagnie, et les deux établissements étaient étroitement liés.

En décembre 1718, la Banque générale devint Banque royale, Law restant directeur. Un nouveau papier-monnaie fut créé : la livre papier, déclinée en coupures de dix mille, mille, cent et dix livres, destinée à remplacer les espèces. Dans une atmosphère d'hallucination collective, la spéculation sur les actions atteignit des sommets. Le Régent et Law perdirent la tête : grisés par le succès, ils firent marcher la planche à billets et émirent les actions sans compter.

Brusquement, en février 1720, la débâcle succéda à l'enthousiasme. La mise en valeur de la Louisiane se révélait plus difficile que prévu, et les actions de la Compagnie ne rapportaient que de maigres dividendes. Le revirement ne vint pas de ces échecs coloniaux, mais des « réalisations » : de gros actionnaires revendaient leurs parts pour acheter des terres. Sentant le vent tourner, d'autres actionnaires vendirent leurs actions de la Compagnie et convertirent les billets de la banque en monnaie métallique. Dans l'opération, le duc de Bourbon aurait gagné environ 25 millions de livres… Des transferts de fonds à l'étranger ajoutèrent à l'inquiétude.

Le 22 février, pour sauver son système, Law intégra la Banque royale à la Compagnie des Indes, dont il fut nommé « inspecteur général de la part du roi ». L'Écossais tenta d'imposer la monnaie de papier en faisant interdire les paiements en espèces et même la détention de plus de cinq livres en or ou en argent. Le 27 mai, pour apaiser le public, de plus en plus désemparé, le Régent fit mettre Law à la Bastille. Mais ce dernier revint en grâce une semaine plus tard, retrouva son titre de conseiller d'État d'épée avec séance au Conseil de régence, et fut promu surintendant du Commerce.

Le 17 juillet 1720, la banque suspendit ses paiements. La panique engendra l'émeute. Au petit matin, les porteurs de billets se pressaient à la porte de la banque pour obtenir leur remboursement. Dans la cohue, plusieurs personnes, étouffées, s'évanouirent. Une foule hurlante se porta alors vers le Palais-Royal et réclama le Régent. Law dut se cacher à l'intérieur du palais. On parla de fronde et de coup d'État. Il fallait en finir. Le 25 octobre 1720, le Régent fit fermer la Bourse de commerce de Paris. Le 1er novembre, les billets de la banque furent démonétisés. « On réduit le papier à sa valeur intrinsèque », raillait Voltaire. Le 14 décembre, Law quitta Paris. Le promoteur du Système espéra toujours son rappel. Il mourut à Venise, ruiné, en 1729.

La Compagnie française des Indes subsista, réduite à ses opérations de commerce, et elle dut assumer le passif de la banque. En 1721 et 1722 eurent lieu les opérations du visa des actions et des billets de la banque. Leurs détenteurs furent remboursés en rentes perpétuelles ou en rentes viagères à faible intérêt. Le Système s'achevait par une crise financière, mais le papier-monnaie avait stimulé l'activité économique. L'inflation avait relancé le bâtiment, l'artisanat, le commerce, désendetté la paysannerie et l'État. Bien des rentiers étaient ruinés, mais la France était plus prospère en 1720 qu'en 1715.

La Régence autoritaire

En théorie, le Conseil de régence aurait pu constituer un contre-pouvoir à l'autorité absolue du Régent. Mais ce Conseil, fort de douze membres en 1716, en compta quatorze en 1717, dix-sept en 1718, vingt-neuf en 1719, trente-trois en 1721... et trente-cinq en 1722. L'augmentation de son effectif alla de pair avec la diminution de son importance réelle. Très vite, il parut impossible d'y discuter d'affaires secrètes. « Dans les commencements, écrit le maréchal de Villars, ces Conseils étaient réellement des Conseils. Quelque temps après, ils n'en eurent plus que les apparences, et enfin il n'y fut plus question que d'entendre lire la gazette, à la réserve de quelques procès rapportés par des maîtres des requêtes. » À partir de 1718, le Conseil de régence ne fut plus qu'une chambre d'enregistrement des décisions prises dans le cabinet de Philippe d'Orléans.

L'opposition de la haute aristocratie avait été habilement jugulée. Philippe avait acheté la complaisance des Condé en admettant le duc de Bourbon au Conseil de régence et en lui permettant de s'enrichir grâce au Système. Il avait anéanti les prétentions du duc du Maine et du comte de Toulouse : en juillet 1717, un édit priva les princes légitimés de la qualité de princes du sang et du droit de succéder à la Couronne, et reconnut le droit de la nation à choisir un roi « au cas que dans la suite des temps la race des princes légitimes de la Maison de Bourbon vînt à s'éteindre »; l'année suivante, un nouvel édit réduisit les légitimés au simple rang de duc et pair de France.

Le Régent reprit également en main les parlements, qui faisaient fréquemment obstacle à sa politique depuis qu'il leur avait rendu le droit de remontrance. Le lit de justice du 26 août 1718, tenu de façon symbolique aux Tuileries, non au palais de la Cité, réglementa l'usage des remontrances et donna au Régent la surintendance de l'éducation du roi, que le duc du Maine, privé de son statut de prince, ne pouvait plus assurer. En juillet 1720, Philippe exila le parlement de Paris à Pontoise pour ne le rappeler qu'à la fin de l'année. Après quoi, les cours souveraines se tinrent tranquilles pendant une dizaine d'années. La politique religieuse du Régent, qui avait d'abord penché vers le gallicanisme, revint bientôt à l'orthodoxie louis-quatorzienne.

L'illusion d'une régence « libérale » s'était dissipée. Au-delà de la différence des caractères, il apparaissait que, comme Louis XIV, Philippe d'Orléans était adepte d'un gouvernement personnel, fondé sur le secret et la concertation avec un nombre restreint de conseillers. Pour le Régent et pour son fidèle Dubois, la monarchie absolue était sans conteste le meilleur des systèmes politiques. Elle seule garantissait l'ordre et le calme à l'intérieur, la puissance de l'État à l'extérieur. Toutes ambitions de royauté mises à part, Philippe d'Orléans se faisait une haute idée de son rôle de régent. Fidéicommissaire d'un pouvoir qui n'était pas sien, le prince voulut assurer le passage du témoin entre Louis XIV et Louis XV, transmettre à l'arrière-petit-fils l'intégralité de l'héritage du Grand Roi. Lorsque le parlement de Paris se permit de lui demander des comptes, il répondit, hors de lui, « que l'autorité royale lui ayant été confiée, il ne permettrait pas qu'elle fût avilie sous sa régence et qu'il voulait la rendre au roi telle qu'il l'avait reçue ». Il était donc logique qu'il se refuse à convoquer les États généraux ou à remettre en cause la révocation de l'édit de Nantes.

Philippe d'Orléans, que l'on accusait de vouloir empoisonner Louis XV pour s'emparer du trône, se consacra au contraire à son éducation et à sa formation de monarque. Le Régent se considérait un peu comme le père de son souverain, mais lui témoignait toujours les plus grands égards, l'abordant et le quittant « avec des révérences et un air de respect qui charmait et qui apprenait à vivre à tout le monde » (Saint-Simon). Louis XIV et Mme de Maintenon avaient entouré le futur roi de septuagénaires hostiles à Philippe d'Orléans : la duchesse de Ventadour, sa gouvernante, responsable de lui jusqu'à ses sept ans ; le maréchal de Villeroy, gouverneur du roi, qui prit ses fonctions en février 1717 ; l'ancien évêque de Fréjus, André Hercule de

Fleury, son précepteur ; l'abbé Vittement, son sous-précepteur ; l'abbé Claude Fleury, son confesseur. L'éducation donnée au jeune roi fut très complète : écriture, latin, histoire, géographie, dessin, mathématiques, danse. Louis XV étudiait tous les jours, le matin et l'après-midi, y compris les dimanches et les jours de fête. « J'ai vu le jeune monarque, écrit le héros des *Lettres persanes*. Sa physionomie est majestueuse, mais charmante : une belle éducation semble concourir avec un heureux naturel et promet déjà un grand prince. »

Maître absolu du pays, Philippe donna un rôle toujours croissant à son plus vieux fidèle, l'abbé Dubois, nommé conseiller au Conseil de régence en 1719, archevêque de Cambrai en 1720 et cardinal en 1721. Dubois avait triomphé de toutes les cabales et réussi à conserver la faveur de son maître à travers vents et marées. Avec la chute du Système et de son inventeur, John Law, il avait perdu son seul concurrent dangereux dans la faveur du Régent.

Le retour à l'ordre louis-quatorzien s'affirma chaque jour un peu plus. Le 15 juin 1722, la cour quitta les Tuileries pour retourner à Versailles et Dubois y eut, signe prémonitoire, l'ancien logement de Louvois. Le jour même, le Régent exila le duc de Noailles, le maréchal d'Huxelles et le marquis de Canillac, adversaires bien connus de Dubois. Le 10 août, Philippe en fit autant de Villeroy qui s'était s'opposé aux entretiens particuliers entre le prince et son pupille. On le remplaça dans la charge de gouverneur du roi par l'insignifiant duc de Charost, « bon homme, fort dévot et qui ne pense pas à mal ». Le 21 août, Dubois fut déclaré principal ministre et prêta serment entre les mains du roi. Le garde des Sceaux, le contrôleur général des Finances et les secrétaires d'État lui étaient subordonnés. Ils travailleraient sous ses ordres et ne feraient de rapport au Régent qu'en présence du cardinal ou avec son autorisation.

Le Régent et Dubois entreprirent dès lors de donner au jeune Louis XV une formation politique. Cinq leçons d'une demi-heure étaient prévues chaque semaine. La première eut lieu le 26 août 1722. Le cardinal lisait un mémoire sur un sujet d'administration, et le duc d'Orléans en donnait l'explication en quelques mots. Le 25 octobre, Louis XV fut sacré à Reims. Ce fut l'apothéose de la Régence, mais aussi celle de Dubois, organisateur de la cérémonie, qui y assista sur une estrade, à gauche du prie-Dieu du roi, en compagnie des cardinaux de Rohan, de Polignac et de Bissy.

Le 16 février 1723, Louis XV atteignit ses treize ans, âge de la majorité royale. La Régence était théoriquement terminée mais le duc d'Orléans resta à la tête du gouvernement, comme président de tous les Conseils, avec le cardinal Dubois comme Premier ministre. Le Conseil d'État comprenait le duc d'Orléans, le duc de Chartres, son fils, le duc de Bourbon, le cardinal Dubois et Fleury, l'ancien évêque de Fréjus, qui bénéficiait de son influence sur le jeune Louis XV.

Mais le temps était compté au maître comme au disciple. Rongé par un cancer de la vessie, le cardinal-ministre garda le lit à partir du mois d'août. Le 9, Philippe d'Orléans le convainquit de tenter une opération, qui eut lieu aussitôt. Dubois mourut le lendemain, le 10 août 1723. Le duc d'Orléans reprit sur ses épaules le poids des affaires, succédant à son ancien précepteur comme Premier ministre, mais sa santé le trahit à son tour. Saint-Simon, qui le rencontra en octobre, s'effraya de trouver « un homme la tête basse, d'un rouge pourpre, avec un air hébété, qui ne me vit seulement pas approcher ». Le 2 décembre, à six heures du soir, le prince s'interrompit dans son travail pour donner des audiences. Au milieu d'un entretien avec la duchesse de Falari, Philippe parut s'endormir, puis s'affaissa brusquement, terrassé par une attaque d'apoplexie. Le soir même, le duc de Bourbon était déclaré Premier ministre. À ce prince, qui gouverna trois années, succéda l'habile vieillard Fleury, bientôt cardinal et Premier ministre sans le titre : le personnel politique louis-quatorzien allait ainsi se maintenir aux affaires pendant deux décennies encore.

Après avoir rapporté la fin subite d'« un maître du royaume constitué à vivre un siècle », le duc de Saint-Simon, désabusé, conclut : « Tel est ce monde et son néant. » Il restait au petit duc, vaincu de l'histoire, trente années à vivre et à assister, impuissant, au triomphe de Fleury puis au retour aux affaires de l'inusable duc de Noailles. Saint-Simon les consacra à la rédaction des *Mémoires* qui restituent ou plutôt recréent la fin du Grand Siècle et les folles années de la Régence.

L'Europe française ?

On a reproché à Philippe d'Orléans l'abandon des réformes politiques décidées en 1715 et l'échec des réformes économiques et financières menées sous l'inspiration de John Law. On a mis en cause tantôt son manque de persévérance, tantôt son goût excessif pour les nouveautés. « Il s'imagine, écrit de lui Montesquieu, que le peuple, qui pense avec tant de lenteur, suivra la rapidité de son génie et qu'il ouvrira les yeux dans un moment pour regarder comme des abus des choses que les temps, les exemples et la raison même lui ont fait regarder comme des lois. »

C'est oublier que la France, géant démographique et agricole, était un corps plus difficile à remuer que la Hollande et l'Angleterre, de taille plus réduite et pour qui le commerce de mer était un besoin vital. C'est oublier aussi que malgré les déboires du Système de Law, la France de la Régence connut une nette croissance économique. Apprenant le décès du Régent, l'avocat Barbier notait dans son *Journal* qu'« en général le royaume n'a jamais été si riche ni si florissant ». Vingt ans plus tard, le marquis d'Argenson remarquait que Philippe d'Orléans « laissa, en mourant, l'intérieur du royaume beaucoup plus peuplé, plus riche et plus heureux qu'il ne l'avait été sous Louis XIV, et même des sommes assez considérables dans les coffres du roi ».

C'est oublier, enfin, le principal succès de Philippe d'Orléans : le maintien de la tranquillité du royaume, qui en dépit de la minorité ne connut ni nouvelle Fronde ni guerre civile. Pourtant, comme le rappelle Montesquieu dans les *Lettres persanes*, « le règne du feu roi a été si long que la fin en avait fait oublier le commencement ». Les troubles de la minorité de Louis XIV occupaient les esprits ; on lisait les Mémoires des frondeurs, et notamment ceux du cardinal de Retz, publiés en 1717 à titre posthume. Il faut porter au crédit du Régent le fait que cet engouement soit resté littéraire, sans se traduire par de graves troubles publics. Si le gouvernement central subit des bouleversements momentanés, l'administration générale de l'État continua à se structurer en parfaite continuité avec le temps des cardinaux-ministres et du Roi-Soleil. Les intendants restèrent en place. De nouvelles administrations se constituèrent, tel le corps des Ponts et Chaussées en 1716.

À la prospérité économique retrouvée correspondit un essor intellectuel et artistique remarquable. Cet essor fut d'abord la conséquence et la continuation de la floraison des belles années du règne de Louis XIV. Les gloires littéraires du Grand Siècle – Corneille, Racine, Molière, La Fontaine, La Bruyère, Pascal, Bossuet – étaient devenues des classiques, admirés et imités pour tels. Le 5 mars 1716, le Régent fit rejouer l'*Athalie* de Racine à la Comédie-Française.

Il y eut en fait disjonction entre le point extrême de la puissance française, que l'on peut situer entre 1660 et 1690, et le rayonnement intellectuel et artistique de la France en Europe, qui est postérieur. À l'orée du XVIIIe siècle, Charles XII de Suède avait un maître de français et apprenait cette langue en lisant la *Vie du roi Henri le Grand* composée par Hardouin de Péréfixe pour le jeune Louis XIV. Le jeune monarque se faisait envoyer de Paris des dessins coloriés représentant les uniformes des gardes du corps du Roi-Soleil ; il engageait des chanteurs, des danseurs et des acteurs français pour se produire devant la cour de Stockholm.

Les témoignages ne manquent pas de cet engouement européen pour les modes françaises, les lettres françaises, la musique française, alors même que les guerres de Louis XIV et son absolutisme avaient suscité partout des sentiments antifrançais. L'Europe entière avait adopté l'« habit à la française » – ensemble formé du justaucorps, de la veste et de la culotte – et l'abondante perruque imposée par le Grand Roi. Les dames de tout le continent portaient la fontange, incommode édifice de fil d'archal, de rubans et de cheveux, qui mettait le « visage des femmes au milieu de leur corps » et dont le nom venait d'une ancienne favorite du Roi-Soleil. Seule l'Angleterre avait résisté aux fontanges et il fallut la venue à Paris de la duchesse de Shrewsbury, épouse de l'ambassadeur de Grande-Bretagne, à la veille de la paix d'Utrecht, pour que cette mode reflue dans la capitale, puis dans toute l'Europe.

En France même, il se manifesta peu d'idées nouvelles, puisque les idées propres au premier âge des Lumières, que l'historien Paul Hazard a désigné comme la « crise de la conscience européenne », s'étaient dessinées dès les années 1680, mais ces idées connurent une diffusion sans précédent grâce au relâchement de la censure et à l'arrivée sur la scène d'une nouvelle génération d'auteurs. Un quart de siècle plus tôt, Bayle avait fait la critique des dogmes de la religion et Locke avait remis en cause les doctrines de la monarchie absolue. Mais le grand public ne lisait ni Bayle ni Locke. Au contraire, les *Lettres persanes*, publiées en 1721 et ignorées par la police du Régent, jouirent d'un grand succès public. En utilisant le procédé commode de l'œil neuf, Montesquieu attaque très directement l'Église, la papauté, l'eucharistie, la Trinité. Son héros ne cesse de proférer des sentences mal pensantes : « Le Pape est le chef des chrétiens. C'est une vieille idole qu'on encense par habitude »; « Ce magicien s'appelle le Pape. Tantôt il lui fait croire que trois ne sont qu'un, que le pain qu'on mange n'est pas du pain ou que le vin qu'on boit n'est pas du vin, et mille autres choses de cette espèce ». C'étaient les idées de l'athée Philippe d'Orléans, mais exprimées au grand jour alors que le prince les réservait au cercle restreint des roués.

Quant à Voltaire, il écrivait dès 1722 dans une *Épître à Julie* qui ne fut publiée que beaucoup plus tard une réfutation en règle du christianisme – « Et si sur l'imposture il fonde sa doctrine / C'est un bonheur encor d'être trompé par lui » – et mettait en place son idéal de déisme, religion sans dogme autour d'un Dieu bienfaisant et tolérant. Ces idées se retrouvent masquées dans son poème épique de *La Henriade*, qui veut être l'*Énéide* de la France, publié en 1728. Le poème, qui traite des guerres de religion et exalte la figure d'Henri IV, monarque tolérant, « ce roi généreux / qui força les Français à devenir heureux ».

Dès les dernières années du règne de Louis XIV, le théâtre et les beaux-arts portent la marque d'une société déjà laïcisée, où l'argent règne en maître – *Le Légataire universel* est de 1708, *Turcaret* de 1709. L'amour se conçoit aisément en dehors du mariage, comme dans *Le Pèlerinage à l'île de Cythère* de Watteau ou dans les comédies de Marivaux, *Arlequin poli par l'Amour* (1720), *La Surprise de l'Amour* (1722), *La Double Inconstance* (1723). « Tout se tournait en gaieté et en plaisanteries dans la régence de Philippe d'Orléans, constate Voltaire; c'était le même esprit que du temps de la Fronde, à la guerre civile près; ce caractère de la nation, le Régent l'avait fait renaître après la sévère tristesse des dernières années de Louis XIV. »

Des assemblées de gens de lettres ou de savants existaient en France depuis le début du XVIIe siècle. Avec le sentiment que l'opinion était moins surveillée, ces sociétés se multiplièrent, leur rôle s'accrut et leurs discussions dépassèrent les questions purement littéraires. La plus renommée de ces assemblées, celle de la marquise de Lambert, se tenait à l'hôtel de Nevers, rue de Richelieu, non loin du Palais-Royal, depuis 1710. Dans la journée, la marquise animait un « bureau d'esprit », que fréquentaient les hommes de lettres et où se menaient maintes intrigues académiques. Le soir, elle recevait les courtisans. Le salon de Mme de Lambert accueillait Fontenelle, secrétaire perpétuel de l'Académie des sciences, le président Hénault, l'abbé de Saint-Pierre et le jeune Montesquieu, qui faisait ses débuts à Paris et qui dut à la marquise son élection à l'Académie française.

À partir de 1724, l'abbé Alary et l'abbé de Saint-Pierre animèrent à l'entresol de l'hôtel du président Hénault, place Vendôme, un cercle plus audacieux, où l'on parlait affaires d'État et diplomatie. On y rencontrait le chevalier Ramsay, jacobite et franc-maçon, et Montesquieu y fit peut-être quelques apparitions. Le cardinal de Fleury mit fin à ce « club de l'Entresol » en 1731, sous prétexte que « ces sortes de matières conduisent ordinairement plus loin que l'on ne voudrait ». Mais le mouvement était en marche, par lequel se dessinait une opinion publique qui allait devenir un contre-pouvoir. Une opinion publique qui naquit aussi de la multiplication des écoles élémentaires – l'ordonnance royale de 1724 prévoyait une école gratuite par paroisse –, des cafés, des journaux, des académies et des sociétés savantes.

Les académies et les salons de Paris jouissaient dans le reste de l'Europe d'un très grand prestige, et c'est en ce sens que l'on peut parler d'une « Europe française ». Pour autant, les Lumières ne furent nullement un phénomène français, mais un mouvement européen, dont la France ne représente qu'une partie, et pas nécessairement la plus novatrice.

Le renouveau de la pensée française vint d'influences extérieures : les relations de voyageurs qui se multipliaient depuis la seconde partie du XVIIe siècle connaissaient un succès croissant. En découvrant les mœurs de la Turquie, de la Perse, de la Chine, de l'Afrique ou des Indiens d'Amérique, les lecteurs relativisaient la portée des normes en vigueur en Occident. Avec la paix d'Utrecht, les relations avec le reste de l'Europe étaient facilitées. Bolingbroke, en exil en France, fit connaître à Voltaire la pensée de Locke. On a vu que le même Voltaire, passé outre-Manche en 1726 après avoir été bâtonné sur ordre du chevalier de Rohan, y découvrit le théâtre de Shakespeare, la poésie de Pope, les satires de Swift et de John Gay et la physique de Newton. Mais la coloration libertine, au double sens du mot, voire antichrétienne, des Lumières est accentuée en France. Elle s'oppose aux Lumières de l'Europe protestante, où triomphait le piétisme, mouvement protestant qui mettait l'accent sur la libre expérience religieuse de l'individu.

L'affirmation d'une supériorité française en matière culturelle n'en fut pas moins un lieu commun dans l'Europe du temps. Les Français y crurent, les étrangers plus ou moins, et l'historiographie s'y est longtemps laissé prendre. Il semble en fait que ces proclamations agirent comme une compensation à l'affaiblissement relatif du royaume des Lys après les traités d'Utrecht. Les Français regagnaient sur le terrain des lettres ce qu'ils avaient perdu sur les champs de bataille.

La Régence fut moins un temps de rupture avec le Grand Siècle, comme on le dit trop souvent, que de continuité, de poursuite d'évolutions politiques, administratives, économiques, culturelles, qui s'étaient dessinées plusieurs décennies plus tôt : une « transition conservatrice », suivant la formule d'Emmanuel Le Roy Ladurie.

Après cinq années d'expérimentation, le Régent se conforma au modèle laissé par Louis XIV. Les institutions de l'État reprirent leur cours initial ; les réformes économiques et financières firent long feu. Est-ce à dire que tout avait changé mais sans que rien ne change ?

Que non pas. Les années de la Régence marquent un nouveau climat. Il n'est pas indifférent que pour la première fois de son histoire la France ait été gouvernée par un athée. Avec le gouvernement de Philippe prit en fait racine une profonde singularité de la France, celle d'une culture en passe de se définir contre la religion, tandis que dans le reste de l'Europe les Lumières demeuraient chrétiennes. Telle est une des origines lointaines de cette laïcité farouche qui anime encore la France trois siècles plus tard et qui fait l'étonnement du reste du monde.

DEUXIÈME PARTIE

LA PAIX ET LA GUERRE

5

La succession protestante

Comme la France du Régent, l'Angleterre de George Ier se trouvait en 1715 dans une situation incertaine. Après avoir tenu le rôle de Carthage, Londres allait-elle être « une nouvelle Rome en Occident », promise à devenir, « comme l'ancienne, la souveraine maîtresse de l'univers », suivant la formule du poète Toland ?

Pour l'historien, qui connaît la suite, les traités de 1713 marquent une étape majeure dans la formation de cet Empire britannique qui allait dominer les mers jusqu'aux guerres mondiales du xxe siècle, et l'Angleterre du commencement du xviiie siècle apparaît, avec la Russie de Pierre Ier, comme la puissance émergente du temps.

Sur le moment, la fortune de la Grande-Bretagne apparut beaucoup moins assurée. Plusieurs décennies durant, la perspective d'une contre-révolution, qui viendrait remettre en cause la « Glorieuse Révolution » de 1688, resta présente, pesant sur la vie politique intérieure du royaume comme sur le jeu des chancelleries européennes.

La révolution financière

Comment un État isolé, longtemps déchiré par les discordes civiles et les dissensions religieuses, était-il devenu une puissance de premier plan ? Comment une île peuplée de 7 millions d'âmes – 6 millions d'Anglais, un million d'Écossais – avait-elle pu mener une guerre quasi ininterrompue pendant un quart de siècle contre un royaume presque trois fois plus peuplé? Comment était-elle devenue la pièce maîtresse de la grande coalition montée contre la France, au détriment des Provinces-Unies ou de l'Empire? Les Européens de 1715 s'étonnaient encore de la rapide ascension d'Albion.

La réponse à ces questions ne réside exclusivement ni dans l'insularité de l'Angleterre, ni dans sa marine, ni dans son commerce; elle tient aussi beaucoup aux transformations de son administration intérieure intervenues après 1688. Pour soutenir l'effort de guerre contre la France, un groupe d'experts, où figuraient des banquiers hollandais et des réfugiés français, avait conçu un train de mesures que des historiens britanniques ont baptisé *Financial Revolution* (« Révolution financière »)[1]. À partir de 1692, Guillaume III avait mis en place un système d'emprunt à long terme garanti par un revenu fiscal affecté. La Banque d'Angleterre, créée en 1694, prêta d'emblée l'ensemble de son capital à la Couronne et servit d'instrument de gestion de cette dette publique.

Avec la création de la Banque d'Angleterre s'ouvre l'histoire de la monnaie fiduciaire : les billets de la banque furent les premiers instruments de ce type à connaître une circulation européenne. Les billets étaient assis sur une encaisse argent, elle-même confortée par la grande refrappe des espèces organisée par Isaac Newton : les pièces, frappées au balancier et non plus au marteau, étaient désormais plus difficiles à imiter et impossibles à rogner. L'entreprise herculéenne d'une refrappe de tout le monnayage en circulation aurait pris neuf ans si elle avait été effectuée par la seule Monnaie de Londres. Elle exigea la création d'hôtels des monnaies temporaires pourvus de machines dans les provinces. Locke avait écrit que le sterling devait rester une « unité fondamentale invariable » et la stabilité de la livre sterling, à partir de la refonte de 1696-1698, fut un facteur important de confiance, à l'inverse des mouvements de yoyo de la livre tournois jusqu'en 1726.

1. Une interprétation stimulante de cette « révolution » est donnée par Carl Wennerlind, *Casualties of Credit : The English Financial Revolution, 1620-1720*, 2011.

La fiscalité anglaise était plus juste et plus efficace que celle du continent, car collectée directement par des agents publics et non plus affermée. La taxe foncière créée en 1692 pesait sur tous les propriétaires, nobles comme roturiers; mais une majeure partie des recettes provenait des impôts indirects, sur la consommation et les douanes. « Après avoir vu les subsides extraordinaires que les sujets paient en Angleterre, il faut estimer que l'on est trop heureux d'être en France », écrivait un observateur français en 1708. En 1714, la dette publique, objet d'un effroi général, montait à 54 millions de livres sterling contre un million en 1688. Son service consommait 3 millions par an sur 10 millions de revenu. Mais, à la différence de la dette française, la dette britannique inspirait confiance aux créanciers.

À partir des années 1690, le gouvernement anglais emprunta sur une échelle et aux taux les plus bas jamais observés. Ce n'était pas l'or anglais, mais le crédit anglais qui avait soutenu la Grande Alliance. Davenant écrivait alors : « De tous les êtres qui n'existent que dans l'esprit des hommes, rien n'est plus fantasque et agréable que le crédit. Il ne peut jamais être contraint; il dépend de l'opinion; il dépend de nos passions, espérance et crainte; il vient souvent sans être cherché et s'en va souvent sans raison; et une fois perdu, il est fort difficile à recouvrer. » Mais prudence! « Le crédit, avertissait Isaac Newton, est un remède d'à présent contre la pauvreté, mais, comme les meilleurs remèdes en médecine, il agit puissamment et a des effets toxiques. » Voltaire en avait conscience qui, en arrangeant les faits, imputait la défaite française de Turin aux 50 millions prêtés par les marchands de Londres au prince Eugène. « Messieurs, j'ai reçu votre argent, et je me flatte de l'avoir employé à votre satisfaction », aurait écrit le prince à ses prêteurs britanniques.

L'Angleterre sortait de la guerre avec une grande marine, tandis que celle de la France, sacrifiée à l'armée de terre, était à rebâtir. Depuis le traité Methuen de 1703, le Portugal était un protectorat britannique de fait et le porto concurrençait le claret sur la table des riches Londoniens. Avec Minorque et Gibraltar, la Grande-Bretagne contrôlait la Méditerranée occidentale. Grâce à l'Asiento, l'Angleterre s'était emparée d'une grande part du commerce dans l'empire colonial espagnol.

D'où la célèbre péroraison de la dixième *Lettre philosophique*, où Voltaire oppose le tempérament britannique au tempérament français, le marchand anglais qui « ose se comparer, non sans quelque raison, à un citoyen romain » et le petit marquis français qui méprise les négociants : « Je ne sais pourtant lequel est le plus utile à un État, ou un seigneur bien poudré qui sait précisément à quelle heure le roi se lève, à quelle heure il se couche, et qui se donne des airs de grandeur en jouant le rôle d'esclave dans l'antichambre d'un ministre, ou un négociant qui enrichit son pays, donne de son cabinet des ordres à Surate et au Caire, et contribue au bonheur du monde. »

« *Eternal Source of Light Divine* »

Cette prospérité n'allait pas sans inquiétude, car les deux partis dominants, Tories et Whigs, étaient susceptibles de remettre en cause le fragile équilibre des pouvoirs. Les Tories étaient le *Church Party*, le parti de l'Église établie d'Angleterre. Ils passaient pour nostalgiques des Stuarts, voire étaient suspects pour une partie d'entre eux de souhaiter une seconde restauration. Monarchistes et anglicans, ils étaient hostiles aux Hollandais, républicains et calvinistes. Leur base électorale était la propriété foncière. Les Whigs, à l'inverse, se prononçaient en faveur de la tolérance pour toutes les confessions protestantes. Une fraction d'entre eux était accusée de pencher pour la République, d'être les héritiers de Cromwell. Le parti englobait aussi bien des aristocrates de haut rang que des commerçants des villes, des anglicans que des protestants *dissenters* (dissidents).

La possibilité d'une nouvelle restauration des Stuarts était régulièrement évoquée depuis le renversement de Jacques II en 1688. Les souverains exilés, installés par Louis XIV au château de Saint-Germain-en-Laye, entretenaient des liaisons avec leurs partisans dispersés à travers l'Europe : on désignait sous le nom de « jacobites » – ou tenants du roi Jacques – ces Anglais, Écossais et Irlandais qui avaient choisi de partager le sort du monarque déchu. La cour de Saint-Germain gardait des rapports avec les milieux tories qui, outre-Manche, restaient attachés à la dynastie légitime ; elle entretenait des accointances ambiguës au sommet de l'État. Marlborough et Godolphin avaient ainsi laissé entendre aux jacobites qu'une restauration serait possible à terme : la reine Anne était censée prendre intérêt au sort de son demi-frère, le fils de Jacques II, désigné par ses fidèles comme « Jacques III » et par ses adversaires comme « le Prétendant ». Ces prétendues sympathies jacobites offraient aux ministres d'Anne un excellent moyen pour se tenir au courant des faits et gestes de la cour de Saint-Germain. Ce double jeu avait aussi l'avantage d'encourager les jacobites de l'intérieur à se tenir tranquilles, dans l'attente d'une restauration censée survenir par des voies légales.

Pour contrer les espérances des Stuarts exilés, Guillaume d'Orange et ses ministres avaient fait passer en 1701 l'« Acte d'établissement » – aujourd'hui encore en vigueur –, qui assurait la succession à la couronne d'Angleterre à la plus proche héritière protestante d'Anne, Sophie, électrice douairière de Hanovre, petite-fille du roi Jacques Ier, et à ses héritiers, au détriment de... cinquante-quatre princes et princesses catholiques plus proches parents des Stuarts ! Les catholiques et les protestants ayant épousé des catholiques étaient formellement exclus de la succession.

Devenue reine, Anne s'était montrée farouchement attachée à la succession protestante, qui était la meilleure justification de son accession au trône. « Si la reine a un bon titre à régner, constatait lucidement le comte de Marchmont en 1702, le Prétendant n'en a pas ; et s'il en a un, la reine et sa descendance n'en ont aucun. Il n'y a pas de milieu. » Au même moment, Anne écrivait à la duchesse de Marlborough : « Aussi longtemps que le jeune homme en France [son demi-frère "Jacques III"] est vivant – et d'après les lois de la nature il le sera plus longtemps que moi – nul ne peut douter qu'il y aura des complots contre ma couronne et contre ma vie. »

Anne est longtemps passée pour une souveraine faible et dominée par des querelles d'entourage. En fait, loin d'être indifférente à la marche des affaires, la reine présidait le cabinet deux fois par semaine et assistait aux séances importantes de la Chambre des lords. Soucieuse d'affirmer sa légitimité au-delà de la rupture de 1688, elle rétablit la coutume du toucher des écrouelles et fut le dernier souverain anglais à le pratiquer.

Dans son dernier discours au Parlement, Guillaume avait recommandé l'union de l'Angleterre avec l'Écosse. Anne mit ce projet à exécution et l'acte d'Union fut promulgué en 1707 : les royaumes d'Angleterre et d'Écosse étaient réunis en un unique royaume de Grande-Bretagne et les deux parlements fusionnés en un seul. Seize pairs écossais, élus par les lairds d'Écosse, siégeaient à la Chambre des lords. Quarante-cinq sièges étaient attribués à l'Écosse à la Chambre des communes. La reine Anne eut une ligne politique claire : éviter le retour de la guerre civile – tout comme en France le Régent voulut éviter le retour de la Fronde – et maintenir la succession protestante.

Le comte d'Oxford, ministre alors prépondérant, jouait, lui, double jeu : tout en servant la reine Anne, il entretenait des rapports ininterrompus avec les jacobites et préparait une possible restauration. Mais, le 7 août 1714, Anne renvoya Oxford. Elle mourut quatre jours plus tard et l'électeur de Hanovre, plus proche parent protestant de la défunte, fut aussitôt proclamé George Ier, « par la grâce de Dieu, roi de Grande-Bretagne, de France et d'Irlande ». Le couronnement eut lieu à Westminster le 31 octobre. Dans son sermon, l'évêque d'Oxford remercia le Tout-Puissant d'avoir donné à la Grande-Bretagne un nouveau David et de l'avoir préservée d'un monarque « élevé dans les maximes de la tyrannie française et dans les principes de la superstition papiste ».

Le nouveau roi, âgé de cinquante-quatre ans, avait une solide expérience politique et militaire[2]. Il avait fait sa première campagne contre les Turcs en 1683, avait succédé à son père Ernest-Auguste comme électeur de Hanovre en 1698. En 1707, l'empereur Joseph l'avait nommé *Reichsfeldmarschall* et lui avait donné le commandement de l'armée de l'Empire. De taille médiocre, de figure « fine et aisée », George était réputé froid et sérieux, extrêmement réservé en public. Il savait l'allemand, le français et le latin, avait un vernis d'italien, d'anglais et de néerlandais, étudiait la géographie, l'histoire moderne et l'art de la guerre. Comme Louis XIV, il aimait l'architecture, les jardins et

2. La biographie du souverain par Ragnhild Hatton, *George I : Elector and King*, 1978, brosse un portrait à la fois subtil et empreint de sympathie pour le personnage.

les collections de peintures. Sa cour électorale était cosmopolite, comprenant des Allemands de diverses régions, des Italiens catholiques et des huguenots réfugiés. Divorcé en 1694, il vivait avec sa favorite, Mélusine de Schulenburg, qu'il fit duchesse de Munster et de Kendal.

Depuis 1701, George suivait attentivement la politique intérieure britannique. Fidèle à la ligne impériale durant la guerre de Succession, il protesta contre le renvoi de Godolphin et de Marlborough et continua la lutte contre la France après que l'Angleterre se fut retirée du conflit. C'est donc très logiquement que, dès après son arrivée en Angleterre, George Ier démit le duc d'Ormonde et rétablit Marlborough dans ses fonctions de commandant en chef. Il renvoya également les ministres de la reine défunte, coupables d'avoir accordé à la France une paix trop avantageuse – les Whigs les accusaient « d'avoir vendu la nation à la France, à l'Espagne et au Prétendant » (Bolingbroke). Orientées par le roi et le nouveau gouvernement, les élections, en janvier 1715, donnèrent aux Whigs la majorité aux Communes.

Le « Fifteen »

Tandis que George paraissait une personnalité assez terne – au moins en apparence – le Prétendant jacobite était jeune, bien fait et passait pour brave. On buvait volontiers, dans certaines tavernes anglaises, à la santé du « roi au-delà des mers »[3].

Depuis plusieurs années, les Français songeaient à tirer parti de ces sympathies. Dès 1703, Louis XIV avait envoyé un émissaire en Écosse pour jauger les chances d'un débarquement jacobite. Une nouvelle mission partit en 1707, au moment des pourparlers qui menèrent à l'acte d'Union. Elle donna à penser que le moment était favorable pour intervenir : ce fut chose faite l'année suivante, mais la flotte qui portait le Prétendant ne

3. Pour un récit classique de la rébellion jacobite de 1715, on se reportera à John Baynes, *The Jacobite Rising of 1715*, 1970, qui s'intéresse essentiellement aux opérations militaires. De nouvelles perspectives historiographiques sont tracées, à l'aide de sources jusqu'ici inédites, par Daniel Szechi, *1715 : The Great Jacobite Rebellion*, 2006.

put débarquer. Après le traité d'Utrecht, le Prétendant ne put
plus compter sur le soutien ouvert de Louis XIV. Il dut quitter
la France pour la Lorraine et ce fut depuis son exil lorrain, le
29 août 1714, que Jacques III émit une protestation solennelle
contre l'élévation au trône « d'une famille étrangère, étrangère à
notre pays, éloignée par le sang et ignorant même notre langue ».

L'arrivée en Angleterre d'un roi allemand offrait au prétendant Stuart une occasion à saisir. L'agitation jacobite commença
à Londres dès avril 1715. Le 28 mai, on coupa les cordes des
cloches pour les empêcher de sonner le jour de l'anniversaire
du roi George ; on brisa les fenêtres des maisons illuminées en
l'honneur du souverain. Des combats de rue opposèrent les
« Jacks », partisans de Jacques III, aux « loyalistes ».

Il manquait un homme d'action pour prendre la tête du
parti jacobite. Le retournement de conjoncture politique en
Angleterre apporta au Prétendant deux auxiliaires de poids : le
vicomte Bolingbroke et le duc d'Ormonde. Le premier, réfugié
en France en avril 1715, se rallia à Jacques III. Le roi en exil lui
donna le titre de comte, que la reine Anne lui avait constamment
refusé, et le nomma son secrétaire d'État. Las ! La présence
auprès du Prétendant de ce politicien expérimenté se révéla en
définitive funeste : trop bavard, Bolingbroke révélait les secrets
du parti jacobite à sa maîtresse française, Mme de Tencin, qui
renseignait à son tour l'abbé Dubois et par lui le comte de Stair,
l'ambassadeur de Grande-Bretagne à Paris. L'autre grand transfuge tory, le duc d'Ormonde, ancien capitaine général de l'armée
britannique, passait pour doué d'une grande bravoure personnelle mais d'une médiocre connaissance de l'art de la guerre. Ce
fut sur lui que reposa la responsabilité majeure de l'insurrection.

L'entourage de Jacques III semble avoir conçu un plan en
trois points : le soulèvement jacobite devait partir du sud-ouest
de l'Angleterre, où le Prétendant débarquerait et se ferait reconnaître comme roi légitime avant de marcher sur Londres ; dans
le même temps, un soulèvement secondaire serait déclenché
dans les Highlands d'Écosse et prendrait pour cibles Édimbourg
et Glasgow ; enfin, un troisième théâtre d'opérations s'ouvrirait
dans le nord de l'Angleterre, et les jacobites du Northumberland
donneraient la main à ceux d'Écosse.

Ormonde, après que le Parlement eut voté contre lui une procédure d'*empeachment*, avait quitté Londres, mais, au lieu de prendre la direction du soulèvement, le duc, se croyant menacé d'arrestation, perdit la tête et prit la fuite pour le continent le 21 juillet. À la mi-juillet, lord Stair avait annoncé à son gouvernement le projet d'invasion jacobite et aussitôt les préparatifs commencèrent pour repousser l'attaque. Le jour même de la fuite d'Ormonde, une réunion d'urgence du cabinet britannique décida que, l'armée étant peu sûre, George Ier devait se réfugier en Hollande si une force jacobite se rapprochait de Londres. Le roi demanda aux États généraux des Provinces-Unies l'envoi en Angleterre d'un corps de 6 000 hommes. La seule présence de cette force professionnelle suffit à décourager les indécis. Fin septembre, les principaux chefs jacobites anglais furent arrêtés. Mal renseignés et hésitants, les comploteurs avaient laissé le temps travailler contre eux. Le 28 octobre, Ormonde débarqua de nouveau en Angleterre pour se mettre à la tête d'un soulèvement... qui n'avait pas eu lieu. Le Prétendant, qui attendait à Saint-Malo, comptant rejoindre Ormonde quelques jours plus tard, dut renoncer à traverser la Manche.

Jacques III reporta dès lors ses espoirs sur l'Écosse, où la rébellion avait pris une tournure beaucoup plus sérieuse. Au nord du mur d'Hadrien, le parti jacobite s'était donné pour chef un notable expérimenté, le comte de Mar, qui avait occupé des emplois importants sous le roi Guillaume et la reine Anne, en dernier lieu celui de secrétaire d'État pour l'Écosse. Personnalité ductile, il avait longtemps louvoyé entre Whigs et Tories, ce qui lui avait valu le surnom de *Bobbing John* (« John le Flottant »). Ce ne fut qu'après avoir vu ses offres de service refusées par le roi George qu'il regagna l'Écosse pour prendre la tête des jacobites. Le 5 septembre, le comte réunit une assemblée clandestine de lairds et de chefs de clan dans ses domaines des Highlands. Le 17 septembre, au village de Braemar, il fit lever un drapeau portant les armes d'Écosse et le monogramme du roi Jacques : la rébellion avait commencé.

Mar multiplia lettres, déclarations et manifestes en faveur de sa cause tout en commençant à rassembler une armée. Les clans des Highlands ne tardèrent pas à répondre à son appel et le 27 septembre la ville de Perth tomba au pouvoir des jacobites.

Mais l'Écosse était loin d'être unanime en faveur de l'ancienne dynastie. Édimbourg et Glasgow, où le gouvernement central envoya rapidement des renforts, proclamèrent leur haine du « prétendant papiste ». Par ailleurs, les navires chargés d'armes et de munitions que les jacobites avaient rassemblés au Havre et dans d'autres ports de la Manche ne furent jamais autorisés à appareiller : le Régent les fit décharger. Beaucoup de grandes familles se tenaient sur leur réserve ou étaient partagées. Une rébellion est un gros jeu : gagner, c'est tout gagner; perdre, c'est tout perdre. D'où les hésitations, les retournements de veste, le partage de certaines familles entre les deux camps afin de donner des gages des deux côtés.

Pour contrer la rébellion, le cabinet de Londres envoya en Écosse le duc d'Argyll, chef du clan Campbell, qui avait servi en Flandre sous Marlborough puis commandé les forces britanniques en Espagne. Argyll arriva à Édimbourg le 25 septembre après six jours de marche forcée. La situation y était très dangereuse. Le 19 septembre, le château d'Édimbourg avait manqué de peu d'être pris par surprise. La rébellion s'étant rendue maîtresse de la quasi-totalité du nord du pays, Argyll rassembla son armée près de Stirling, position stratégique, car le pont de Stirling sur le Forth commandait le passage entre le nord et le sud de l'Écosse.

Le 17 octobre, le troisième soulèvement prévu par les jacobites s'était déclenché en Northumberland. Trois possibilités s'offraient aux rebelles anglais : marcher vers le nord et prendre à revers le duc d'Argyll; descendre vers le sud, en espérant soulever les populations du Lancashire; rester sur place pour défaire les troupes fidèles au gouvernement central et s'établir solidement. Après une trop longue indécision, le deuxième parti l'emporta. Le 18 novembre, les jacobites arrivèrent à Lancastre. Leur choix se révéla malheureux. Si les gentilshommes catholiques se ralliaient à eux, les Tories restaient dans l'expectative. On se rendit compte alors qu'il y avait loin d'un toast à la santé du « roi au-delà des mers » à l'entrée en rébellion ouverte et que les Tories n'étaient pas d'humeur « à aventurer leurs carcasses plus loin que la taverne ».

De Lancastre, la petite armée jacobite descendit sur Preston, petite cité sise sur la rivière Ribble, et commit l'erreur de

s'y retrancher en apprenant l'arrivée de renforts gouverne-
mentaux. Elle laissa ainsi le temps aux forces loyalistes du
Northumberland de rejoindre les troupes envoyées du sud par
le gouvernement central et d'investir la ville. Le 25 novembre,
après de durs combats, les jacobites capitulaient. La « bataille
de Preston » n'avait pas été une bataille et à peine un siège ; elle
n'en fut pas moins sanglante : 42 tués et blessés chez les jacobites, 276 parmi les forces gouvernementales. Les 1 500 prisonniers étaient écossais pour les deux tiers.

Pendant ce temps, en Écosse, Mar avait décidé d'emmener
son armée vers le sud et de franchir le Forth. Le duc d'Argyll
fit mouvement à sa rencontre et les deux armées s'affrontèrent
sur le plateau de Sheriffmuir le 24 novembre. À 9 000 jacobites,
Argyll opposait des forces trois fois inférieures, mais plus aguerries. L'engagement fut incertain, les deux généraux perdant
rapidement le contrôle des opérations. À la fin de la journée,
les pertes de l'armée régulière étaient supérieures, mais elle
n'était pas détruite et les jacobites avaient dû renoncer à passer
le Forth. Le moral des rebelles était atteint. On apprit bientôt
qu'au nord les Whigs avaient repris le contrôle d'Inverness, la
principale ville des Highlands. Les hommes des clans, découragés, commencèrent à déserter pour regagner leurs territoires ;
des notables firent de discrètes ouvertures auprès d'Argyll pour
négocier leur ralliement.

Entre-temps, le Prétendant avait échappé aux assassins
lancés à ses trousses par lord Stair et, après s'être caché plusieurs semaines à Dunkerque, avait pris la mer le 27 décembre.
Mais quand il débarqua au nord d'Aberdeen, le 2 janvier 1716,
sa cause était déjà perdue. Le cabinet britannique avait mis à
profit la fin de novembre et les premières semaines de décembre
pour envoyer des renforts et en particulier les fameuses troupes
hollandaises prêtées par les Provinces-Unies. Il apparut bien
vite que Jacques III arrivait de France sans troupes et sans
munitions. Le 11 février 1716, le duc d'Argyll entra dans Perth,
évacué la veille par les jacobites. Le 16 février, le Prétendant
rembarquait pour la France, emmenant avec lui le comte de
Mar.

Le général Gordon, nommé commandant en chef de l'armée
jacobite, n'eut plus qu'à négocier les termes de sa reddition.

Tandis que les hommes des Highlands rentraient à peu près sans dommages dans leurs terres, les autres partisans de la cause jacobite devaient fuir pour échapper aux charges de haute trahison. Un certain nombre d'entre eux parvint à monter sur des frégates françaises qui les menèrent jusqu'à Göteborg, où ils entrèrent dans l'armée du roi de Suède. Le duc d'Argyll mit ses troupes en garnison dans le sud de l'Écosse, où elles se signalèrent par différents pillages et mauvais traitements.

George Ier imposa une répression modérée : 700 des prisonniers faits à Preston et dans les escarmouches survenues en Écosse furent condamnés à la déportation aux Antilles. Il y eut 34 exécutions en Lancashire ; une seule en Écosse. Sur les sept lords capturés à Preston et jugés à Londres, seuls deux, le comte de Derwentwater et le vicomte de Kenmure, furent exécutés. Suivant l'ancienne coutume, les condamnés furent d'abord pendus puis ranimés à l'eau froide, attachés à une table pour être étripés, puis leur corps fut coupé en quatre morceaux qui furent exposés pour donner à méditer sur les dangers de la haute trahison. Deux autres lords s'échappèrent et les trois autres furent graciés dès 1717. Les prisonniers de différentes conditions furent élargis à la faveur de l'amnistie de 1717.

L'échec du *Fifteen* – le « Quinze », pour désigner le millésime 1715, nom qui resta à la rébellion – démontra la solidité de la jeune dynastie hanovrienne. L'amnistie décrétée par George Ier assura la réconciliation des Tories avec la Maison de Hanovre.

Un avant-poste sur le continent

Au plus fort de la crise, l'alliance avec les Provinces-Unies avait pesé lourd en faveur de la dynastie de Hanovre. Sollicité par George Ier et ses ministres, Heinsius avait répondu sans tarder à la demande d'aide britannique. Il ne lui fallut que deux jours pour convaincre les États généraux d'envoyer un corps de troupes outre-Manche. Ces soldats arrivèrent en Angleterre et en Écosse fin novembre, trop tard pour jouer un rôle décisif dans les combats, mais assez tôt pour que le soutien des Provinces-Unies à la succession protestante apparaisse comme inébranlable.

La récompense de la fidélité des Provinces-Unies fut la conclusion, sous la médiation et la garantie de la Grande-Bretagne, du traité de la Barrière, qui fut signé à Anvers le 16 novembre 1715 et ratifié par l'empereur Charles VI le 31 janvier 1716. Pour les Hollandais, la Barrière était le *palladium* des Provinces-Unies, le ciment de l'alliance entre l'empereur et les puissances maritimes, le « nœud indissoluble d'une nouvelle Triple Alliance, qui selon moi sera de bien plus grande durée que la première » (Van Goslinga à Van Slingelandt, avril 1715). Namur, Tournai, Menin, Warneton, Ypres, fort de la Knokke et Furnes seraient occupés par les troupes hollandaises, Dendermonde par une garnison hollando-impériale. L'empereur cédait à la République les forteresses de la Meuse, Venlo et Stevenweert, et s'engageait à détruire les fortifications de Liège et de Huy. Une armée de 30 000 à 35 000 hommes défendrait les places de la Barrière, dont les deux tiers viendraient des Provinces-Unies. Pour leur entretien, les Pays-Bas autrichiens paieraient aux États généraux un subside annuel de 1 million 250 000 florins. Le traité garantissait en outre l'ouverture des Pays-Bas autrichiens aux produits néerlandais et la fermeture de l'Escaut au trafic maritime. La suprématie commerciale néerlandaise devait ainsi être préservée pour plusieurs décennies.

Mais le fardeau de la dette accumulé pendant la guerre de Succession – 128 millions de florins en 1713 – avait un effet paralysant sur les capacités d'initiative politique et militaire de la République[4]. L'armée, réduite à 40 000 hommes, retrouvait ses effectifs d'avant le conflit alors même que de nouvelles puissances maintenaient sur le pied de guerre des forces considérables. Le rang de la République en était diminué d'autant : elle n'était plus qu'une puissance moyenne, qui voyait croître à ses frontières les ambitions de la Prusse, convoitant Berg et Juliers. Les objectifs politiques de la Hollande se bornaient désormais à garantir l'exécution des traités de 1713 et 1714 et le maintien de la paix en Europe. Une Grande Assemblée (*Grote Vergadering*)

---

4. Le déclin des Provinces-Unies est analysé par Jonathan Israel, *The Dutch Republic. Its Rise, Greatness and Fall, 1477-1806*, 1995. Sur les rapports entre la République et la Grande-Bretagne, on dispose de la thèse de Ragnhild Hatton, *Diplomatic Relations between Great Britain and the Dutch Republic, 1714-1721*, 1950.

des États généraux, convoquée à la fin de 1716 pour procéder à des réformes constitutionnelles, ne déboucha sur aucun résultat.

En 1720, après la mort d'Heinsius, deux candidats principaux s'affrontèrent pour sa succession : Van Slingelangt, candidat « britannique », était partisan d'une politique internationale active ; Isaac Van Hoornbeeck, candidat « français », tenait pour la non-intervention. Ce fut le dernier qui l'emporta. Dindons de la paix du Nord après l'avoir été de la paix d'Utrecht, les Hollandais devinrent pacifiques et neutralistes à un point qui inquiéta leur allié britannique. Les Anglais dénonçaient alors les « fausses et pernicieuses maximes » des régents d'Amsterdam « de ne prendre point part aux affaires étrangères, de tâcher de subsister sans alliances ou engagements ».

À partir des années 1720, on observa un déclin des villes de Hollande, de leur commerce et de leur industrie, Amsterdam étant moins affectée que les autres cités. Les causes de ce déclin étaient multiples : le commerce avec l'Amérique espagnole ne retrouva jamais sa prospérité du XVIIe siècle ; les Provinces-Unies subirent la concurrence des Pays-Bas du Sud, devenus plus dynamiques démographiquement et économiquement en dépit de l'absence de domaine colonial ; la production industrielle crût dans les Pays-Bas méridionaux, mais aussi en Allemagne et en Grande-Bretagne ; le mercantilisme qui prévalait dans toute l'Europe du Nord fermait les marchés les uns après les autres ; tandis que la Grande-Bretagne compensa ces fermetures en se réorientant vers l'Irlande, vers le Portugal et son Empire, vers l'Inde et les Caraïbes, les Provinces-Unies ne surent pas opérer une semblable reconversion. Les pêcheries hollandaises subirent la concurrence croissante de la Suède, du Danemark et de la Norvège. Les armateurs hollandais remplacèrent le commerce outre-Atlantique par l'importation du bois et du blé de la Baltique, négoce moins profitable. Le paradoxe est qu'en dépit de ce déclin la finance hollandaise resta une force majeure pendant des décennies… mais qu'elle alimenta la croissance hors des Pays-Bas, notamment en Angleterre.

Conscients de ce déclin, les observateurs l'expliquèrent en termes politiques et moraux plus qu'économiques, par le goût excessif du luxe ou par la soumission des élites aux « manières françaises ». D'autres pensaient que le rétablissement du stathoudérat rendrait leur ressort aux institutions de la République, mais ce rétablissement n'intervint qu'en 1747.

En 1728, un membre du Board of Trade britannique appelait les Provinces-Unies « un avant-poste [de l'Angleterre] sur le continent ». Quelques années plus tard, Frédéric II de Prusse les désignait plus crûment comme une « chaloupe remorquée par le vaisseau de guerre britannique ».

Aux murs de Westminster

Dans la crise du *Fifteen* comme dans les années qui suivirent, le flegme germanique de George Ier fit merveille. Le roi agit avec assez de résolution pour sauver sa couronne et assez de tact pour éviter d'aigrir davantage les divisions existant entre ses sujets. Vivant à Londres, davantage en contact avec l'opinion qu'un Louis XIV à Versailles, George était à même de jouer le rôle délicat qui lui était imparti. Il avait mis fin au toucher des écrouelles, qu'il considérait comme une superstition, mais n'en pensait pas moins être roi « par droit héréditaire », ce qui n'était pas le point de vue des Whigs. En bon disciple de Pufendorf, il tenait le bien commun pour la suprême loi, ne prétendait pas être monarque absolu, mais se refusait à jouer un rôle de simple soliveau. Contrairement à ce qu'affirme une légende bien établie, il présida les réunions du cabinet et y fit entrer son fils le prince de Galles aussi bien qu'au Conseil privé.

Il ne devint pas pour autant un souverain populaire. Comme jadis le roi-stathouder, le roi-électeur était accusé de n'être pas assez britannique. Beaucoup d'Anglais adhéraient à l'opinion de Bolingbroke suivant laquelle les Hanovre étaient des « voyageurs allemands en terre étrangère ». Le roi et le prince de Galles comprenaient l'anglais mais préféraient parler à leurs interlocuteurs et leur répondre en français. La famille royale était trilingue (allemand, français, anglais). Après 1720, George utilisa davantage l'anglais, à l'écrit comme à l'oral, mais son anglais rudimentaire obligeait ses ministres à lui soumettre des documents rédigés en français.

Ses détracteurs lui reprochaient aussi d'avoir amené outre-Manche une clique allemande qui s'engraissait aux crochets de la Couronne. Une médaille frappée lors de l'accession de George au trône ne montrait-elle pas le cheval héraldique de la Saxe bondissant du Hanovre vers le sud de l'Angleterre ? Les Hanovriens qui suivirent le roi George en Angleterre, vilipendés par les Anglais, furent en fait peu nombreux et leur influence demeura limitée. Le plus célèbre est Haendel, maître de chapelle de l'électeur. Sa première grande composition pour George Ier fut la fameuse *Water Music* jouée pour le souverain à l'occasion du déplacement de la barge royale sur la Tamise, lors d'un dîner à Chelsea le 17 juillet 1717.

On soupçonnait aussi le roi de se préoccuper davantage des intérêts du Hanovre que de ceux de son royaume insulaire. Les séjours réguliers du monarque sur le continent entretenaient la méfiance de ses sujets britanniques : George retourna en Allemagne à six reprises, en 1716, 1719, 1720, 1723, 1725 et 1727. Il mourut au début du sixième voyage, en arrivant à Osnabrück, le 22 juin 1727. Le cocasse est que les sujets allemands de George nourrissaient des craintes symétriques. En avril 1724, le ministre hanovrien Bothmer écrivait à son collègue Bernstorff : « Le Hanovre sera bientôt une province de la Grande-Bretagne, tout comme l'Irlande l'est à présent. » Significativement, la réhabilitation du roi-électeur en Grande-Bretagne a été l'œuvre d'une historienne venue de Norvège et familière du monde germanique, Ragnhild Hatton.

La révolution de 1688 avait changé la nature de la monarchie britannique. Elle était devenue un système mixte, comportant des éléments monarchiques, aristocratiques et parlementaires. Le système politique à deux Chambres, dont une élective, assurait une assise assez large à la classe dirigeante, en même temps que son renouvellement régulier : 200 à 250 membres à la Chambre des lords ; 480 membres à la Chambre des communes. Le Parlement d'Irlande subsistait mais, fermé aux catholiques, n'était que très médiocrement représentatif. L'évolution vers un régime proprement parlementaire fut lente. La loi de septennalité, votée en 1716, prorogea les pouvoirs de la Chambre whig élue en 1715, ce qui assura la stabilité du gouvernement, mais accrut l'importance des Communes. L'entrée en opposition d'une partie des Whigs, entre 1717 et 1720, aida à construire le concept d'une « opposition de Sa Majesté ». Robert Walpole, considéré comme ministre prépondérant à partir de 1722, ne fut nullement le chef du gouvernement sous George Ier. « *The Great Man* », suivant le sobriquet du temps, ne devint réellement Premier ministre qu'après 1727 et se maintint aux affaires en pratiquant sans vergogne la corruption et l'achat des votes.

Vu du continent, l'édifice institutionnel paraissait extraordinairement libéral, et Voltaire le célébrait dans *La Henriade* :

> Aux murs de Westminster, on voit paraître ensemble
> Trois pouvoirs étonnés du nœud qui les rassemble,
> Les députés du peuple, et les grands, et le roi,
> Divisés d'intérêt, réunis par la loi ;
> Tous trois membres sacrés de ce corps invincible,
> Dangereux à lui-même, à ses voisins terrible.
> Heureux lorsque le peuple, instruit dans son devoir,
> Respecte, autant qu'il doit, le souverain pouvoir !
> Plus heureux lorsqu'un roi, doux, juste et politique,
> Respecte, autant qu'il doit, la liberté publique !

Avant que Voltaire en fasse l'éloge dans *La Henriade* ou dans ses *Lettres anglaises*, Leibniz écrivait à un correspondant anglais : « Combien parfaite est votre constitution et combien elle est en accord avec les exigences de la raison ! »

Voltaire et Montesquieu à Londres

Les deux plus grands écrivains français du temps, Voltaire et Montesquieu, séjournèrent successivement en Angleterre. Le Londres où ils débarquèrent était un peu ce que sera New York trois siècles plus tard : une ville-monde, qui forçait l'admiration des visiteurs et les saisissait d'étonnement. La capitale comptait 750 000 habitants, soit un dixième de la population de l'Angleterre. Capitale politique et économique du royaume, elle était en même temps un port international, qui concurrençait Amsterdam comme entrepôt de l'Europe et où affluaient le tabac, le café, le sucre, le thé et les denrées coloniales. Son paysage, marqué par le dôme de Saint-Paul, réplique anglicane de Saint-Pierre de Rome et symbole des prétentions impériales de la nouvelle métropole, et les flèches des cinquante-deux églises paroissiales reconstruites après le grand incendie du siècle précédent, évoquaient bien une nouvelle Rome, mais une Rome cosmopolite. « Il y a, écrivait un voyageur français de 1725, des juifs, des protestants allemands, hollandais, suédois, danois, français ; des luthériens, des anabaptistes, des millénaires, des brownistes, des indépendants ou puritains et des trembleurs ou quakers. » Tandis que la construction d'églises se ralentit dans le Paris du XVIIIe siècle, le mouvement se poursuivit à Londres. En 1710, pour accompagner la croissance démographique, le Parlement décida la construction de cinquante églises supplémentaires.

Comme en France, la guerre n'avait pas empêché l'enrichissement des classes dirigeantes, bien au contraire. Tandis que de magnifiques hôtels particuliers s'élevaient à Paris, les visiteurs étrangers s'extasiaient devant les palais et les jardins de l'Angleterre. Le principe du « square », ensemble de maisons régulières ordonnées autour d'un jardin privatif, prit forme dans les années 1720 et 1730 avec Grosvenor Square, à Mayfair, et Cavendish Square, dans le West End. D'autres opérations immobilières, mêlant souci de grandeur romaine et spéculation, eurent lieu hors de Londres. À Bath, John Wood commença en 1728 la construction de Queen Square : c'était l'architecture des palais de la Renaissance mise à la portée des classes moyennes. La liberté de la presse avait favorisé une floraison scientifique, artistique et littéraire sans précédent, avec des savants comme Newton, des littérateurs comme Swift, Defoe, Pope et Addison, des architectes comme Wren, Gibbons et Vanbrugh, des peintres comme Kneller et Dahl.

Voltaire, arrivé à Londres en 1726, apprit l'anglais en fréquentant les théâtres et écrivit directement dans cette langue son *Essay upon the Civil Wars of France*, publié à Londres en 1728. L'écrivain résida d'abord chez sir Everard Fawkener, un riche négociant en soieries, à qui il dédia sa tragédie *Zaïre* en 1732. Il y retrouva Bolingbroke, rencontré en France sept ans plus tôt, fit la connaissance du poète Alexander Pope, de Jonathan Swift et de John Gay. Il noua des relations amicales au sein de l'aristocratie anglaise, qu'il trouva plus entreprenante que la française et plus instruite car souvent passée par Oxford et Cambridge, sollicita pour *La Henriade* le patronage royal de George Ier – qu'il n'hésita pas à comparer à Henri IV –, et après la mort du roi, dédia le poème à la reine Caroline, épouse de George II.

Voltaire fit découvrir l'œuvre d'Isaac Newton aux Français et popularisa l'anecdote de la pomme, devenue aujourd'hui universellement célèbre. Le Français exilé assista aux funérailles de Newton à Westminster le 8 avril 1727. Il vit le cercueil du savant porté par le *Lord Chancellor*, deux ducs et trois comtes et suivi par les membres de la Royal Society. Alors que le souvenir des coups de bâton reçus du chevalier de Rohan était encore cuisant dans sa mémoire, l'impression de cette cérémonie fut indélébile : le fils du notaire Arouet découvrait une société capable de promouvoir les capitalistes et les savants. « Entrez à Westminster, écrit-il dans les *Lettres philosophiques*, ce ne sont pas les tombeaux des rois qu'on y admire ; ce sont les monuments que la nation a érigés aux plus grands hommes qui ont contribué à sa gloire. »

Les impressions de Montesquieu, arrivé à Londres deux ans plus tard, furent plus nuancées. Grand propriétaire terrien et ancien président à mortier au parlement de Bordeaux, l'auteur des *Lettres persanes* avait moins d'appétence pour la société méritocratique. « L'argent est ici souverainement estimé, note-t-il durant son voyage ; l'honneur et la vertu peu. » Londres lui parut sale, les Anglais peu aimables, la corruption généralisée, la religion méprisée. Mais le président salua aussi le « plus libre pays qui soit au monde » grâce au jeu des contre-pouvoirs : le voyage d'Angleterre allait nourrir les réflexions développées dans l'*Esprit des lois*.

Le rôle joué par la Grande-Bretagne dans la paix d'Utrecht et les différents succès intérieurs et extérieurs du régime hanovrien dans les années qui suivirent eurent sur l'histoire de l'Europe et du monde des répercussions considérables, dont l'effet se fait toujours sentir trois siècles plus tard.

Il se produisit alors un basculement de l'Europe vers le Nord protestant au détriment du Midi catholique, basculement que les contemporains les plus lucides avaient pressenti dès les années 1690 mais qui devint de plus en plus sensible. L'Espagne, l'Italie, la Méditerranée, le Saint-Siège, tous ces théâtres et ces acteurs majeurs de l'histoire européenne depuis la Renaissance passèrent désormais au second plan. Les deux plus puissants monarques

catholiques sortaient diminués de leur longue confrontation :
Utrecht avait brisé à la fois la prétention universaliste des
Habsbourg et la tension des Bourbons vers la prépondérance. Du
point de vue britannique, les puissances s'équilibraient maintenant sur le continent, pour le plus grand profit d'Albion.

Ce nouvel état de fait devait façonner les mentalités et les
représentations jusqu'à nos jours. Bien avant certains journa-
listes du XXIe siècle, les auteurs du premier XVIIIe siècle – qu'il
s'agisse du jésuite Labat ou du mécréant Voltaire – se plaisent
à opposer au Nord protestant, tolérant et industrieux, un Sud
catholique, fanatique et fainéant. Tandis que l'hidalgo castillan
se complaît dans une orgueilleuse paresse ou dans le spectacle
des autodafés, que le Clitandre français chasse, converse ou
joue les jolis cœurs, l'Anglais fonde des manufactures, ouvre des
comptoirs, développe des plantations. Autant de stéréotypes qui
structurent le discours public jusqu'au XXe siècle aussi bien qu'au
lendemain de la paix d'Utrecht.

Les succès de la Grande-Bretagne eurent enfin des implica-
tions politiques plus larges. Jusqu'à ce que l'Angleterre s'impose
comme une grande puissance internationale, les penseurs politiques s'accordaient pour penser que le régime délibérant – sous
le nom de république ou de monarchie limitée – ne convenait
qu'à des États de petites dimensions, comme les Provinces-
Unies, Gênes ou la République de Venise. Le modèle d'efficacité
étatique maximale était offert par la monarchie absolue à la
française, telle que l'avaient façonnée les cardinaux-ministres
et le Roi-Soleil. À ce modèle, encore bien vivace en ce début de
XVIIIe siècle, *Britannia* opposait désormais un contre-modèle de
valeur équivalente.

De cette exaltation de l'Angleterre hanovrienne le génial
Haendel a donné la traduction sonore : les *Coronation Anthems*
composés pour le couronnement de George II, en 1727. Il n'est
pas indifférent qu'ils aient été rejoués au couronnement de
chaque souverain qui soit monté depuis lors sur le trône de saint
Édouard.

6

Une entente peu cordiale

Au lendemain de la mort de Louis XIV, rien n'était moins assuré que le maintien de la paix en Europe, tant les mécontents étaient nombreux, les ambitions vives et les appétits encore aiguisés. L'antipathie entre la France et l'Angleterre était solidement établie. « On a fait l'observation que tous les insulaires sont toujours plus faux et plus méchants que les habitants de la terre ferme », écrivait sans ciller Madame Palatine. Et pourtant la paix prévalut, par l'action conjointe de deux hommes sous-estimés de leurs contemporains : le roi George Ier et le régent Philippe d'Orléans.

Tous deux étaient des usurpateurs, en fait ou en puissance. George ne tenait pas sa couronne de la naissance, fondement alors reconnu pour le plus légitime de la souveraineté, mais des lois et des traités, qui paraissaient des garanties beaucoup plus faibles. L'ombre du prétendant Stuart menaçait sa tranquillité. Philippe, quant à lui, ne devait la régence qu'aux renonciations consenties par Philippe V d'Espagne lors du traité d'Utrecht. Si le jeune Louis XV était venu à mourir, c'est encore sur ces renonciations qu'il aurait dû s'appuyer pour revendiquer la couronne contre les dispositions les plus traditionnelles de la loi salique.

L'insolent lord Stair

L'initiative du rapprochement vint du roi de Grande-Bretagne avant même la mort de Louis XIV. Philippe d'Orléans et George de Hanovre étaient cousins issus de germain. Il y avait eu une longue amitié épistolaire entre leurs mères respectives, Madame Palatine et l'électrice Sophie de Hanovre.

Après le succès des Whigs aux élections de janvier 1715, George Ier remplaça l'ambassadeur de Grande-Bretagne en France, le Tory Matthew Prior, par un Whig plus sûr, le lord écossais Stair, dont nous avons vu le rôle au moment du *Fifteen*. Grand, bien fait, la tête haute, l'air insolent, Stair avait servi sous Marlborough pendant la guerre de Succession, « haïssait merveilleusement la France » (Saint-Simon) et n'était pas suspect de complaisance pour les Bourbons. Ses instructions, rédigées par Stanhope, le chargèrent de se rapprocher du duc d'Orléans et de l'assurer « en notre nom combien nous sommes prêts à favoriser et soutenir son droit à la couronne de France ». L'ambassadeur surveilla étroitement la santé déclinante de Louis XIV et multiplia les ouvertures quand la fin du Roi-Soleil lui parut prochaine. Au mois de juillet, il rencontra secrètement l'abbé Dubois. En août, il prit langue directement avec le duc d'Orléans et réclama, pour prix de la réconciliation franco-britannique, l'arrêt des travaux du port de Mardyck, l'expulsion du Prétendant au-delà des Alpes et l'interdiction pour les jacobites de résider à Paris ou à la cour.

Dès le 3 septembre, le nouveau maître de la France écrivait à George Ier pour lui notifier son accession à la régence et sa volonté de resserrer les liens d'amitié entre les deux royaumes. Du côté britannique comme du côté français, la nécessité d'une réconciliation partait d'une appréciation réaliste des rapports de force. Dans un mémoire de décembre 1715, intitulé *Réflexions sur la situation politique*, le diplomate Horace Walpole écrivait : « L'expérience de deux guerres longues et d'une grande dépense a fait voir que la France est une puissance égale aux forces unies du roi [d'Angleterre], de l'Empereur et des États [généraux des Provinces-Unies]. La paix présente étant si avantageuse à la France, il s'ensuit qu'aucune de ces trois puissances n'est en état ni n'oserait entreprendre d'attaquer la France sans la concurrence des deux autres [...]. Si donc la France veut se contenter à observer les conditions de la paix, l'Europe jouira d'un parfait repos. » La Grande-Bretagne voyait en outre avec inquiétude l'accroissement de la puissance russe dans la Baltique et dans le nord de l'Europe, qui menaçait son commerce ainsi que les possessions allemandes du roi George.

Il fallut pourtant deux années pour en venir à une réconciliation en forme et vaincre les réticences des deux côtés de la Manche. Du côté anglais, la majorité de l'opinion tenait la paix d'Utrecht pour trop favorable à la France ; cette dernière restait si puissante et si menaçante que seul le maintien de la Grande Alliance de La Haye pourrait lui faire contrepoids. En juin 1715, Stanhope et Walpole mirent en accusation les membres du ministère tory, déclaré « vendu à la France », notamment Bolingbroke, Oxford, Ormonde et Strafford. Bolingbroke, on l'a vu, s'était déjà exilé sur le continent, Ormonde l'imita. Oxford fut enfermé dans la Tour de Londres. Il y demeura jusqu'en 1717, date à laquelle, les esprits s'étant apaisés, il fut relevé des charges pesant contre lui.

Du côté français, l'opinion de la cour et de la ville était éminemment favorable aux jacobites. Le Régent lui-même hésitait. Durant la crise du *Fifteen*, il parut balancer, séduit par la perspective de donner sa fille en mariage à un Jacques III qui monterait sur le trône d'Angleterre. Pressé par Stair, il avait fait décharger les navires chargés de munitions pour les jacobites qui avaient été réunis au Havre, mais il avait laissé le Prétendant et le duc d'Ormonde s'embarquer depuis la France. Dubois, son principal conseiller occulte, le pressait cependant de ne pas s'engager : « Vous songez peut-être à fournir au chevalier de Saint-Georges une armée et des subsides. Quelle sera la récompense de ces sacrifices ? Une guerre où vous trouverez en face de vous tous les anciens ennemis de la France et à côté de vous une poignée de jacobites qui conspirent mieux qu'ils ne se battent. »

La tension commença à retomber en mars 1716, après que le Prétendant se fut exilé dans le Comtat Venaissin, possession du pape. Mais les Britanniques ne se tenaient pas pour satisfaits : ils persistaient à exiger l'envoi du Prétendant au-delà des Alpes, la destruction de Dunkerque et de Mardyck et l'interdiction pour les jacobites de séjourner en France.

Dubois et Stanhope

Il se révéla que la négociation était difficile à mener à Paris. Le maréchal d'Huxelles, président du Conseil des Affaires étrangères, était hostile à une alliance anglaise et n'avait pas d'excellentes relations avec le Régent. Lord Stair indisposait les Français par ses manières hautaines. Le dossier passa donc entre les deux mains de deux personnalités qui jouissaient de la confiance respectivement du roi d'Angleterre et du Régent, le secrétaire d'État Stanhope et l'abbé Dubois[1].

James Stanhope avait derrière lui une carrière européenne. Né à Paris en 1673 d'un père diplomate, il avait fait ses études à Oxford avant de suivre son père en Espagne et en Italie et de servir dans l'armée pendant la guerre de la Ligue d'Augsbourg. Il avait séjourné en France après la paix de Ryswick et rencontré le duc de Chartres et Dubois. Pendant la guerre de Succession, il accéda à de hauts commandements, s'empara de Minorque (1708) et recommanda au ministère de conserver l'île après la paix comme un point d'ancrage en Méditerranée. Élu aux Communes depuis 1701, il y siégeait dans l'intervalle des campagnes. Mais ses succès espagnols prirent fin avec la bataille de Brihuega, au cours de laquelle il tomba entre les mains des Français. Prisonnier sur parole à Paris pendant un an et demi, il ne fut libéré qu'en juillet 1712. Whig convaincu, Stanhope protégeait les *dissenters* et songeait à des mesures de tolérance à l'égard des catholiques. À son accession au trône, George Ier le nomma secrétaire d'État, faisant de lui, sinon un Premier ministre, du moins la personnalité dominante du ministère. Stanhope fut le ministre prépondérant de George depuis 1716 jusqu'à sa mort en 1721, estimé dans toute l'Europe pour « beaucoup d'esprit, de génie et de ressources » (Saint-Simon). Mais le roi-électeur gardait la haute main sur les affaires étrangères et le choix de la paix fut sien.

À l'inverse, Guillaume Dubois était un homme de l'ombre. Saint-Simon en a laissé un portrait célèbre par son extrême noirceur : « L'abbé Dubois était un petit homme maigre, effilé,

---

1. Ce chapitre est redevable à la biographie inédite de Guillaume Dubois par Alexandre Dupilet, à paraître chez Tallandier.

chafouin, à perruque blonde, à mine de fouine, à physionomie d'esprit [...]. Tous les vices combattaient en lui à qui en demeurerait le maître [...]. L'avarice, la débauche, l'ambition étaient ses dieux; la perfidie, la flatterie, les servages, ses moyens; l'impiété parfaite, son repos [...]. Il excellait en basses intrigues, il en vivait, et ne pouvait s'en passer, mais toujours avec un but où toutes ses démarches tendaient, avec une patience qui n'avait de terme que le succès. » Né en 1656, Dubois était le fils d'un apothicaire de Brive-la-Gaillarde. Ses brillants résultats au collège de Brive lui valurent une bourse accordée par le marquis de Pompadour, lieutenant général de la province, pour aller à Paris achever ses études au collège Saint-Michel, près de la place Maubert. Pour améliorer son maigre ordinaire, le jeune homme donnait des leçons particulières. Il s'introduisit par ce biais dans l'aristocratie et fut présenté au précepteur du duc de Chartres, M. de Saint-Laurent. En 1683, le précepteur fit engager Dubois comme sous-précepteur. Quatre ans plus tard, Saint-Laurent étant décédé, Dubois fut promu précepteur en titre à la demande de son jeune pupille. Une fois l'éducation du prince terminée, le précepteur le suivit dans ses campagnes de la guerre de la Ligue d'Augsbourg. « C'est un abbé dont on ferait sans peine un vaillant mousquetaire », aurait dit de lui le maréchal de Luxembourg. Devenu duc d'Orléans, Philippe fit de Dubois son secrétaire des commandements et du cabinet, une des charges importantes de sa Maison. En janvier 1716, il le nomma conseiller d'État d'Église, dignité occupée avant lui par des évêques ou des ecclésiastiques issus des plus grandes familles du royaume : l'abbé pouvait désormais représenter dignement son maître au-dehors.

Au printemps 1716, une correspondance se noua entre Dubois et Stanhope au sujet du Prétendant, revenu sur le continent après l'échec du *Fifteen* et dont les Britanniques voulaient l'éloignement. Le secrétaire d'État écrivait à l'abbé : «Vous savez ce qui nous blesse et vous êtes les maîtres de faire cesser tout fondement de jalousie. Quand Monseigneur le Régent y aura bien fait attention, je suis persuadé qu'éclairé comme il est, il trouvera que c'est une très mauvaise politique et très contraire à ses intérêts personnels que de nous obliger d'être toujours dans un état plus violent que n'est celui d'une guerre ouverte. »

Dubois promit de s'employer dans le sens souhaité : « Outre l'intérêt de nos deux maîtres, je déclare que je serai ravi que vous ne bussiez que du meilleur vin de France, au lieu de vin de Portugal, et moi du cidre de Goldpepin au lieu de notre gros cidre de Normandie. »

Les négociations décisives eurent lieu pendant le premier voyage de George Ier sur le continent, entre juillet 1716 et janvier 1717. Tandis que Townshend, secrétaire d'État au Département du Nord, était resté à Londres, Stanhope accompagnait le roi. Dubois se rendit secrètement à La Haye sous le nom emprunté d'« abbé de Saint-Albin », qui était celui d'un des fils naturels du Régent. Les deux hommes se rencontrèrent à La Haye puis à Hanovre. Leur première entrevue eut lieu le 29 juillet 1716. La glace fut vite rompue : « Vous et moi, dit Stanhope, ferions plus en une heure qu'il ne s'en ferait en six mois dans des conférences. » En août, Dubois partit pour Hanovre et logea chez Stanhope. Les succès du tsar Pierre en Europe du Nord incitaient George Ier à conclure une alliance et ceux de l'empereur dans les Balkans suscitaient des sentiments analogues chez les Français. Les deux hommes discutèrent également des moyens de réconcilier l'empereur Charles VI et Philippe V, encore juridiquement en état de guerre. Ils furent les premiers à évoquer l'idée de l'échange entre la Sicile et la Sardaigne, de manière à rétablir dans son intégrité le « royaume des Deux-Siciles ». C'était ce que les Britanniques allaient appeler le « plan pour le Sud ».

L'accord se fit sur les points suivants : le Prétendant devrait s'exiler au-delà des Alpes après la signature du traité, non par anticipation ; le port de Mardyck, que les Français avaient choisi pour remplacer Dunkerque, serait démoli ; la France donnerait une nouvelle fois sa garantie à la succession protestante. En retour, la Grande-Bretagne garantirait son aide au Régent en cas de décès de Louis XV. Les préliminaires furent signés le 24 août à minuit ; le premier traité fut signé par Stanhope et Dubois le 9 octobre à Hanovre ; le traité définitif par Dubois et lord Cadogan le 28 novembre à La Haye. Cette fois, l'abbé paraissait au grand jour, avec la qualité d'ambassadeur et plénipotentiaire de Sa Majesté très-chrétienne.

Le 4 janvier 1717, toujours à La Haye, les Provinces-Unies se joignirent à la France et à l'Angleterre, après que Dubois eut quelque peu forcé la main d'Heinsius. Ce fut ce qu'on nomma la Triple Alliance de La Haye. «Votre voyage a sauvé bien du sang humain », dit à Dubois le négociateur britannique. Quant à George Ier, il reçut l'abbé sur son yacht et lui accorda de longues et bienveillantes audiences. Le 6 février, le Prétendant quittait Avignon pour Turin et de là pour les États de l'Église. La paix d'Utrecht était confirmée et la coalition antifrançaise dissoute. « Il est clair, exultait Dubois, que cette alliance déterminera le système de l'Europe pour longtemps et donnera à la France une supériorité qu'elle ne pourra acquérir autrement. » À son retour à Paris, l'ancien précepteur reçut l'abbaye de Saint-Riquier. Le 26 mars 1717, il entra au Conseil des Affaires étrangères. En avril, le Régent lui donna la charge de secrétaire de la chambre et du cabinet du roi.

Ces récompenses étaient méritées : l'accord tenait du miracle, tant l'hostilité y était vive des deux côtés de la Manche. À Paris, le maréchal d'Huxelles y voyait une trahison de l'alliance espagnole et bourbonienne. À Londres, seul le roi George était partisan convaincu du traité. Tout en négociant avec Dubois, Stanhope eût préféré une alliance avec l'empereur; son collègue Townshend était si opposé à un accord avec la France que George dut le remplacer. Walpole et Cadogan, autres personnalités du ministère, n'étaient guère mieux disposés à l'égard du voisin continental.

Vers la Quadruple Alliance

Les diplomates britanniques portèrent désormais leur attention sur le « plan pour le Sud ». Ce plan avait pour objectif de « trouver une base équitable pour une paix perpétuelle entre Sa Majesté impériale et Sa Majesté catholique et entre Sa Majesté impériale et le roi de Sicile », car Londres tenait que la stabilisation de l'Europe ne serait pas définitive tant que l'empereur germanique et le roi d'Espagne resteraient virtuellement en guerre.

Pour les réconcilier, les Britanniques avaient imaginé un système complexe de compensations. Charles VI renoncerait solennellement à la couronne d'Espagne et Philippe V aux anciennes possessions espagnoles en Italie. Victor-Amédée échangerait la Sicile contre la Sardaigne et le royaume des Deux-Siciles, ainsi reconstitué, reviendrait dans son intégralité à l'empereur. De son côté, le fils de Philippe V et d'Élisabeth Farnèse, Don Carlos, né en 1716, serait déclaré comme héritier des possessions des Farnèse et des Médicis, reconnues comme fiefs d'Empire.

Charles VI et Philippe V seraient tous deux gagnants, l'arrangement étant conclu aux dépens des petits princes d'Italie. Le grand perdant de l'affaire, Victor-Amédée, payait un comportement notoirement ondoyant qui l'avait rendu suspect à ses alliés comme à ses ennemis : les Britanniques eux-mêmes, dont il était le protégé, le surnommaient l'« archi-Machiavel du siècle »! La combinaison portait la marque des idées du philosophe Pufendorf, le maître à penser de George Ier : la paix, non la guerre, est l'état naturel des relations entre les hommes; la conciliation entre les intérêts des États, par la négociation et des échanges de territoires, devait permettre de maintenir la paix à l'échelle européenne.

Mais le « plan pour le Sud » rencontra l'hostilité des principaux intéressés et d'abord celle de l'Espagne, où la scène politique était dominée par la reine Élisabeth Farnèse et son favori, l'abbé Alberoni. Comme Dubois en France, l'Italien Alberoni était ce que les aristocrates appelaient aimablement un « homme de rien ». Fils d'un jardinier de Plaisance, il était entré dans les ordres, s'était introduit dans l'entourage du duc de Vendôme et avait été nommé résident du duc de Parme à Madrid. Ce fut d'après sa suggestion, dit-on, qu'en 1714 la princesse des Ursins avait imprudemment choisi Élisabeth Farnèse, fille du duc de Parme, comme seconde épouse de Philippe V. Sitôt arrivée en Espagne, la nouvelle reine avait chassé Mme des Ursins et la principale influence à la cour de Madrid était passée des Français aux Italiens.

Les rênes du gouvernement, tenues en apparence par le cardinal del Giudice, grand inquisiteur, étaient rapidement passées entre les mains d'Alberoni. Fait grand d'Espagne, duc, évêque de Malaga et bientôt cardinal, Alberoni lança un train de réformes politiques et économiques destinées à rendre à l'Espagne son rang de grande puissance. Des ministres sur le modèle français doublèrent les vieux Conseils de gouvernement ; des intendants, inspirés eux aussi des intendants louis-quatorziens, furent envoyés dans les provinces. Les impôts augmentèrent notablement, surtout dans les provinces jadis autonomes qui avaient soutenu l'archiduc Charles : Catalogne, Aragon et royaume de Valence. Alberoni entreprit de grands armements navals en Catalogne, en Andalousie et en Biscaye et acheta des navires en France à des propriétaires privés.

Son objectif à court terme était de regagner sur les Habsbourg le terrain perdu en Italie, zone d'influence privilégiée de l'Espagne depuis la Renaissance jusqu'à la paix d'Utrecht. Cette politique correspondait aux ambitions dynastiques de la reine Élisabeth Farnèse, mais aussi aux aspirations des grandes familles italiennes intégrées à l'aristocratie espagnole. Elle pouvait rencontrer des sympathies plus ou moins actives en Italie, où la prépondérance impériale était redoutée : le pape se sentait pris en tenailles entre le Milanais au nord et le royaume de Naples au sud ; le Piémont lorgnait sur Milan ; les princes de moindre importance redoutaient le sort du duc de Mantoue, dépouillé de ses États par l'empereur.

En juillet 1717, profitant de ce que les troupes impériales étaient occupées dans les Balkans, Philippe V fit partir de Barcelone une flotte qui débarqua des troupes en Sardaigne. Cagliari tomba le 30 septembre. Un essai de contre-offensive des impériaux échoua. À Vienne, le prince Eugène, privilégiant le front balkanique, obtint de Charles VI le maintien de la défensive en Italie. Les émissaires de la France, de la Grande-Bretagne, des Provinces-Unies et de l'empereur se réunirent à Londres à la fin de l'année. Charles VI, incapable de conserver ses territoires de la péninsule sans l'aide des puissances maritimes, dut accéder au plan conçu par l'Angleterre. Le 4 avril 1718, il adhéra à la Triple Alliance, qui devint du même coup la Quadruple Alliance.

L'Espagne n'en poursuivit pas moins sa politique de reconquête. Le 1er juillet 1718, les troupes de Philippe V débarquèrent par surprise en Sicile et s'emparèrent de Palerme. Cette fois, les puissances européennes se décidèrent à intervenir : le 11 août suivant, la flotte britannique attaqua la flotte espagnole au large du cap Passaro et la détruisit presque entièrement. Les vaincus se plaignirent en vain de la « conduite barbare de la Grande-Bretagne » qui avait livré bataille alors que les deux pays étaient en paix. Les troupes espagnoles en Sicile étaient coupées de leurs bases, à la merci d'un débarquement des impériaux.

La guerre avec la Quadruple Alliance devenait inévitable. La rupture avec la France eut pour prétexte les menées de l'ambassadeur d'Espagne à Paris, le prince de Cellamare. Ce dernier avait pris langue avec la duchesse du Maine pour renverser le Régent. Il était question de faire déclarer Louis XV majeur et de convoquer les États généraux ou de donner la régence à Philippe V... dont le représentant en France n'aurait été autre que le duc du Maine. Le cardinal de Polignac, favori de la duchesse, prêtait sa plume à la rédaction de manifestes. Le 5 décembre 1718, Dubois, averti de la conspiration, fit arrêter deux messagers de Cellamare à Poitiers ; des documents furent saisis, notamment une lettre de Cellamare à Philippe V, où figurait cette phrase : « Gardez-vous bien, Sire, de renoncer à la couronne de France. Si vous le faites, le jeune roi ne sera pas en vie dans trois mois. » Le 9 décembre, le Régent ordonna une perquisition chez l'ambassadeur, en présence du secrétaire d'État Le Blanc et de l'abbé Dubois. Le Blanc s'empara d'un paquet de lettres compromettantes.

Cellamare, conduit à Blois, y resta interné pendant deux mois, avant d'être renvoyé en Espagne. Le Régent et Dubois diffusèrent les lettres du diplomate, pour museler définitivement le parti de la vieille cour et monter l'opinion contre Philippe V. Le 29 décembre, le duc et la duchesse du Maine furent arrêtés, leurs enfants exilés. Le cardinal de Polignac fut exilé dans son abbaye d'Anchin, en Flandre, et les comparses mis à la Bastille.

En janvier 1719, la Grande-Bretagne et la France déclarèrent la guerre à l'Espagne. Un *Manifeste du roi de France sur le sujet de rupture entre la France et l'Espagne*, rédigé par Fontenelle, fut affiché dans tout le royaume : il attaquait Alberoni plutôt que son souverain. Philippe V répandit des proclamations par lesquelles il invitait les « bons Français » à s'unir à lui, mais ne rencontra guère d'écho. Le 20 avril, une armée française de 20 000 hommes, commandée par le maréchal de Berwick, franchit la Bidassoa et alla brûler le grand arsenal de marine de la côte nord de l'Espagne, Pasajes. Le 27 mai, les Français mirent le siège devant Fontarabie, qui se rendit le 16 juin. Ils assiégèrent ensuite Saint-Sébastien, qui tomba le 17 août. À l'automne, les opérations se transportèrent en direction de la Catalogne. Dans le même temps, les Anglais ravageaient les ports de la côte Atlantique de l'Espagne. En septembre, ils débarquèrent près de Vigo, en Galice, et détruisirent le port et la flotte qu'il abritait.

Les Espagnols cherchèrent une compensation à leurs déboires militaires en tentant de susciter des troubles en France et en Grande-Bretagne. Une flotte espagnole aurait dû emmener le Prétendant et le duc d'Ormonde en Écosse. Elle fut dispersée par la tempête au large de La Corogne en avril. Un petit corps hispano-jacobite débarqué au nord-ouest des Highlands fut défait à la bataille de Glen Shiel le 10 juin. En juillet, Philippe V promit son aide à l'« association patriotique bretonne » formée de gentilshommes bretons mécontents emmenés par le marquis de Pontcallec. Le 30 octobre, un navire espagnol débarqua quelques soldats en Bretagne, mais le château de Pontcallec était déjà occupé et ses adhérents dispersés. Les conjurés prirent peur et rembarquèrent presque aussitôt avec le petit corps expéditionnaire de Philippe V. Arrêtés, Pontcallec et ses complices furent internés à Nantes. Le marquis et trois de ses adhérents les plus compromis, convaincus de « crime de lèse-majesté et félonie », furent décapités l'année suivante.

Le 5 décembre 1719, Alberoni avait été disgracié à la demande expresse des Britanniques et des Français. « Nous devons cet exemple à l'Europe, écrivait Stanhope à Dubois, pour intimider tout ministre téméraire qui voudrait impunément s'attaquer aux traités et aux princes personnellement par les voies les plus indignes. » Chassé d'Espagne, Alberoni dut traverser le sud de la France, avec l'autorisation du Régent, pour regagner son Italie natale. Le 17 février 1720, Philippe V adhéra à la Quadruple Alliance. En mai, les vaisseaux britanniques rapatrièrent les troupes espagnoles de Sardaigne et de Sicile. Comme prévu, le duc de Savoie reçut la Sardaigne en compensation de la Sicile, et cette dernière fut remise à l'empereur. L'infant Don Carlos fut désigné héritier des duchés de Parme et de Plaisance et du grand-duché de Toscane, dont les souverains étaient sans descendance mâle.

Les Italiens étaient les dindons de la farce. Victor-Amédée échangeait un riche royaume peuplé de plus d'un million d'âmes,

exportateur de denrées agricoles et manufacturières, contre une
île aride et arriérée, qui ne comptait que 300 000 habitants. « Il
n'y a ni eau, ni air; l'eau est presque toute saumâtre ou salée; ils
n'ont point de beurre ou celui qu'ils ont est comme de la vieille
graisse », notait Montesquieu avec dédain. Les Siciliens, qui préféraient les Espagnols aux Piémontais et aux Allemands, étaient
livrés aux Habsbourg. Les possessions du grand-duc de Toscane
et du duc de Parme servaient de monnaie d'échange sans que les
intéressés eussent leur mot à dire.

La réconciliation entre la France et l'Espagne fut scellée
l'année suivante. Le 27 mars 1721, les deux pays signaient un
pacte d'alliance défensive. En novembre, un double mariage
sanctionna l'harmonie retrouvée : Louis XV épouserait l'infante
Marie-Anne-Victoire, fille de Philippe V, tandis que l'infant
Louis, prince des Asturies, fils de Philippe V, serait uni à Louise-
Élisabeth d'Orléans, Mlle de Montpensier, fille du Régent. En
attendant d'être en âge de convoler, Marie-Anne-Victoire serait
élevée en France. L'« infante-reine » y resta de 1722 jusqu'en
1725, date à laquelle un nouveau retournement de conjoncture
politique amena son renvoi et le mariage de Louis XV avec
Marie Leszczynska.

Les Britanniques s'inquiétèrent de ce rapprochement franco-
espagnol. Pour les apaiser, Dubois fit savoir au roi George qu'il
n'y avait « rien dans ce qui a précédé et dans les suites qu'on
peut espérer de ces deux mariages qui ne doive contribuer au
soutien de l'ouvrage pour la tranquillité de l'Europe dont le
roi d'Angleterre est l'auteur, qui n'affermisse le gouvernement
et le système de Son Altesse royale après la majorité autant
que pendant la minorité et qui ne fortifie l'intime liaison de
S.A.R. avec le roi de la Grande-Bretagne ». En février 1721,
Stanhope mourut d'une attaque pendant une séance houleuse
de la Chambre des communes; quelques jours plus tard son
collègue James Craggs décédait de la petite vérole. Leurs successeurs, Townshend et Carteret, « deux grands ennemis de la
France, indépendamment de la raison d'État » (Saint-Simon), ne
remirent pourtant pas en cause l'alliance franco-anglaise, dont la
solidité dépassait les sympathies des individus.

Un premier retournement des alliances

Miné par une dépression chronique, découragé par l'échec d'Alberoni et par sa défaite face à la France, Philippe V se résolut à abdiquer. La décision, prise dès 1720, fut rendue publique au début de 1724. Philippe et son épouse se retirèrent à la Granja de San Ildefonse, tandis que le prince des Asturies montait sur le trône sous le nom de Louis Ier. Mais le jeune souverain mourut au bout de huit mois et son père se laissa convaincre de remonter sur le trône.

Philippe V et Élisabeth Farnèse remirent alors sur le métier leur projet d'installation de l'infant Don Carlos à Parme et à Florence. Lors du congrès international tenu à Cambrai en 1724, ils ne purent obtenir des Français et des Britanniques la garantie d'employer la force en faveur de l'infant s'il le fallait. Les souverains espagnols se tinrent désormais pour dupes de la Quadruple Alliance et se tournèrent directement vers l'empereur.

Le 20 janvier 1725, l'envoyé espagnol Ripperda proposa à Charles VI une combinaison audacieuse : Don Carlos, établi à Parme et Florence, épouserait l'archiduchesse Marie-Thérèse et serait déclaré roi des Romains, c'est-à-dire héritier présomptif de la couronne impériale. L'infant Don Felipe épouserait l'archiduchesse Marie-Anne. Après la mort de Charles VI, Don Carlos deviendrait empereur, tandis que Don Felipe recevrait Milan, Parme et la Toscane. Les Pays-Bas autrichiens retourneraient à l'Espagne. L'empereur Charles VI s'engagerait à soutenir la rétrocession de Gibraltar et Minorque par l'Angleterre.

Le 10 février, l'empereur reçut Ripperda en audience. Entre-temps, les Français avaient renvoyé en Espagne l'infante-reine et récupéré la veuve de Louis Ier. Plus aucun obstacle ne se dressait face à une alliance austro-espagnole. Le 30 avril et le 1er mai 1725, l'empereur et le roi d'Espagne signèrent un traité de paix, de commerce et d'amitié. L'Espagne adhérait à la Pragmatique Sanction, qui faisait de Marie-Thérèse l'unique héritière de Charles VI, première reconnaissance internationale de cette disposition chère à l'empereur. Aucune mention n'était faite des projets de mariage évoqués par Ripperda, mais l'empereur promettait d'attribuer Parme et la Toscane à Don Carlos quand ces principautés viendraient à vaquer. La Compagnie d'Ostende, création de Charles VI, recevait le droit de commercer avec ses propres denrées dans tout le domaine espagnol.

Le 5 novembre 1725, Espagne et Autriche conclurent une alliance secrète encore plus étroite, qui prévoyait le cas d'une guerre contre la France ou contre les Ottomans. Un copieux programme révisionniste visait la France, à laquelle les deux parties prévoyaient d'ôter la Bourgogne, la Franche-Comté, Strasbourg, Metz, Toul et Verdun ainsi que la portion de la Navarre située au nord des Pyrénées. Les trois archiduchesses devaient épouser respectivement Don Carlos et les deux infants. Dans le courant de 1726, la Russie, la Bavière, les électeurs de Cologne, de Trèves et de Mayence et la Prusse rejoignirent l'alliance et garantirent la Pragmatique Sanction.

Toujours attentifs au maintien de l'équilibre sur le continent, les Britanniques étouffèrent la coalition dans l'œuf en attaquant en Amérique centrale les navires qui apportaient en Europe l'argent qui était le nerf de l'alliance austro-espagnole. Ripperda eut le même sort qu'Alberoni : renvoyé le 14 mai 1726 pour son inefficacité et ses indiscrétions, il se réfugia à l'ambassade de Grande-Bretagne et y dévoila les articles secrets du traité austro-espagnol, dont l'engagement de Charles VI à soutenir la rétrocession de Gibraltar à Philippe V. Furieux, le roi fit arrêter son ex-ministre au sein de l'ambassade, en contravention avec le privilège d'extraterritorialité. Ripperda parvint à s'enfuir au Maroc. Il y conseilla le sultan contre l'Espagne et mourut parmi les musulmans en 1737.

Une nouvelle guerre européenne semblait possible, opposant les Anglais et les Français, d'un côté, aux Autrichiens et aux Espagnols, de l'autre. En février 1727, les troupes espagnoles se déployèrent devant Gibraltar. La pacification vint du cardinal de Fleury, qui proposa la réunion d'un congrès pour résoudre le conflit anglo-espagnol. Ce congrès se réunit à Paris le 31 mai 1727. Des préliminaires de paix furent signés pour mettre fin à une guerre... qui n'était pas encore déclarée et à laquelle ni la France ni l'Autriche n'avaient encore pris part.

Un nouveau congrès se réunit à Soissons, sous la présidence du cardinal de Fleury, le 18 juin 1728, sans obtenir de résultat. Charles VI, échaudé par l'opposition des puissances maritimes, laissa tomber le projet de mariages entre les infants et les archiduchesses, ce qui scella la fin de l'éphémère alliance austro-espagnole.

Entre-temps, au début de 1729, la reine Marie Leszczynska accoucha d'un dauphin. Cette naissance mettait fin aux espoirs de Philippe V de succéder à un Louis XV décédant sans héritier et permettait une réconciliation plus franche entre les deux branches de la Maison de Bourbon. Les intérêts de l'Espagne, de la France, de la Grande-Bretagne et des Provinces-Unies commençaient à converger, ce qui conduisit le 9 novembre 1729 au traité de Séville. L'Espagne renonçait à contrer le commerce britannique et à récupérer Gibraltar.

De crise en crise, les équilibres issus des traités d'Utrecht se maintinrent pendant une trentaine d'années – les «Trente Heureuses» (Emmanuel Le Roy Ladurie) – et aucun des conflits limités suscités par des princes de second rang ne tourna en guerre générale. L'alliance franco-anglaise, cette première «Entente cordiale», avait montré son efficacité.

Peu d'alliances furent aussi décriées des deux côtés de la Manche. On accusa le Régent de défendre les intérêts de la Maison d'Orléans et George Ier ceux de la Maison de Hanovre préférentiellement à ceux de la France et de la Grande-Bretagne. Pourtant, le duc de Bourbon puis le cardinal de Fleury continuèrent la politique de Philippe d'Orléans, tandis que George II et Walpole prolongèrent celle de George Ier et de Stanhope.

C'est bien que, au-delà des options personnelles des uns et des autres, les intérêts des États concouraient pour la paix. En France comme en Grande-Bretagne, les dirigeants ressentaient la nécessité de refaire les forces du pays, de rétablir les finances, de maintenir un ordre intérieur fragile. «La France a besoin de repos, écrivait Robethon, le secrétaire de George Ier, c'est ce qui l'obligera à en donner aux autres.» Des deux côtés de la Manche, les ambitions territoriales étaient passées au second plan. Pour la Grande-Bretagne, l'essentiel était de maintenir sur le continent un équilibre entre le roi de France et l'empereur, tout en assurant l'hégémonie maritime et commerciale des Britanniques.

Du côté français, le désir d'agrandissement, si vif au siècle précédent, avait laissé place à la « politique bourgeoise » du cardinal de Fleury, continuateur du Régent, plus soucieux du gouvernement intérieur que d'aventures extérieures. « Il faut aimer le bonheur des peuples et la gloire du royaume, mais, dans la concurrence, il faut que la gloire cède au bonheur, écrivait le marquis d'Argenson au début des années 1730. Ce n'est plus le temps des conquêtes. La France en particulier a de quoi se contenter de sa grandeur et de son arrondissement. » L'idée s'imposait que le royaume des Bourbons, établi sur les frontières arrêtées aux traités de Nimègue et de Ryswick, était désormais un pays achevé : l'Hexagone – la chose sinon le mot – était devenu la forme naturelle de la France.

7

L'Empire introuvable

Un second Charles Quint : telle était l'idée que se faisait de lui-même Charles VI, « par la grâce de Dieu, empereur toujours auguste des Romains, roi de Germanie, d'Espagne, de Hongrie, de Bohême, des Deux-Siciles, de Jérusalem et des Indes, archiduc d'Autriche, duc de Bourgogne, de Brabant, de Milan, prince de Souabe et de Catalogne, margrave du Saint Empire romain, comte de Habsbourg, de Flandre et de Tyrol »[1].

À l'Ouest, Charles avait été le grand bénéficiaire, au moins sur le papier, des traités d'Utrecht et de Rastadt. À l'Est, grâce au prince Eugène, il remportait les fruits de trente années de victoires sur les Ottomans. Après les traités d'Utrecht, la monarchie des Habsbourg semblait en mesure de remplacer la France comme puissance prépondérante sur le continent.

C'est pourtant une marginalisation progressive que subit Charles VI au temps de l'alliance franco-anglaise, et la lente décomposition de son rêve impérial.

AEIOU

« L'empereur Charles VI, rapporte un témoin, est d'une taille moyenne et chargée d'embonpoint. Il a le teint basané et vermeil, l'œil vif, la lèvre grosse, comme l'ont eue presque tous ceux

1. Bernd Rill, *Karl VI. Habsburg als barocke Großmacht*, 1992, étudie la personnalité de l'empereur et l'évolution des États héréditaires sous son règne.

de sa Maison. » Au monarque intellectuel et musicien qu'avait été son père Léopold Ier, de culture latine et italienne, avait succédé un empereur tout aussi polyglotte – il parlait couramment l'espagnol, le français, l'italien, l'allemand, possédait des notions de catalan et de hongrois – mais de culture allemande. Marqué par les années passées en Espagne, il avait conservé le titre de roi d'Espagne et s'entourait de familiers espagnols, évidemment détestés des courtisans viennois et qui emplissaient le « Conseil d'Italie » qu'il avait institué.

L'empereur menait un train de vie fort simple, au sein de sa famille où il s'exprimait de préférence en dialecte viennois. « Il ne fait plus nulle autre dépense, écrit un observateur en 1724, qu'à l'entretien de ses troupes, étant presque incroyable la simplicité de ses équipages et de ses habillements et surtout des bâtiments et ameublements de sa cour ; il n'y a pas un ministre qui ne soit logé plus magnifiquement. » Visitant la Hofburg en 1729, le baron de Pöllnitz jugeait que l'empereur était, parmi les souverains d'Europe, « un des plus mal logés ». La résidence viennoise de l'empereur était un palais agrandi à travers les siècles, qui paraissait fort démodé au début du XVIIIe, tandis que Schönbrunn n'était encore qu'un château suburbain bien loin de pouvoir être comparé à Versailles. Au cours de son règne, Charles résida de plus en plus souvent à Schönbrunn et dans ses autres maisons de campagne. Comme la plupart des princes de son temps, il avait la passion de la chasse, moins en tant qu'entraînement à la guerre, comme le recommande Machiavel, que comme défouloir, parce qu'elle est le « seul moyen de bouger et de sortir de la maison ». Le nombre de bêtes qu'il tirait lui-même par an s'éleva jusqu'à 1 400. En 1717, il abattit vingt-deux ours dans les environs de Vienne.

Il y avait un saisissant contraste entre l'austérité et la vie retirée de l'empereur, et le faste de sa cour les jours de gala, où l'on ne voyait « qu'or et diamants ». Près de 40 000 personnes dépendaient plus ou moins directement de la cour de Vienne et ses dépenses, en dépit du peu d'éclat qu'elle produisait, absorbaient une bonne part du budget impérial. Parmi les frais les plus curieux, on note les douze mesures quotidiennes de vin de Hongrie consignées comme « boisson soporifique » pour l'impératrice douairière Wilhelmine-Amélie, veuve de Joseph Ier, et les deux tonneaux de tokay destinés à mouiller les miettes de pain des perroquets de l'empereur... Comme ses prédécesseurs, Charles était prisonnier du vieux cérémonial espagnol, lui-même issu des usages de la Maison de Bourgogne, qui donnait à sa cour « un air de contrainte ». « Tout le monde crie contre cette étiquette, rapporte le baron de Pöllnitz. L'empereur lui-même paraît quelquefois en être ennuyé, et cependant elle est observée comme un point de religion et comme s'il fallait un concile œcuménique pour la réformer. »

George Ier, Philippe d'Orléans, Dubois, Stanhope, Fleury et Walpole partageaient une même conception, pragmatique et dépassionnée de la politique internationale. Mais d'autres acteurs géopolitiques n'obéissaient pas encore à ce mode de pensée. Charles VI était du nombre. Il avait été élevé par son gouverneur, Florian, prince de Liechtenstein, dans le respect des traditions de la Maison d'Autriche. Destiné par Léopold à la couronne d'Espagne, il avait contracté la « gravité convenable à la nation dont il devait être le maître ». Il se faisait de la dignité impériale une haute idée, empreinte d'universalisme et de religiosité. Empereur romain, héritier de Charlemagne et de Charles Quint, dont il portait le prénom, il considérait qu'il était destiné par Dieu à régner sur les peuples de la chrétienté. La célèbre devise « AEIOU », antérieure à Charles VI, résumait les prétentions impériales : elle se déchiffrait en latin *Austriae Est Imperare Orbi Universo* (« Il appartient à l'Autriche de gouverner le monde ») et en allemand *Alles Erdteil Ist Österreich Untertan* (« Toute partie du monde est un sujet de l'Autriche »).

Cet universalisme était profondément chrétien. Charles VI pensait être l'instrument du Ciel dans la défense de la foi catholique. Comme l'Espagne jadis, l'Autriche était la ligne de front de la chrétienté face aux musulmans. Si, aux yeux du monde, c'était grâce à la vaillance de ses troupes et à l'imprévoyance du sultan que le prince Eugène avait écrasé les Ottomans à Zenta, pour l'empereur, le rôle majeur revenait à Dieu, qui avait transformé ses prières en victoire. Cette *Pietas austriaca* conduisait le souverain à une forme de modestie. Sur les médailles frappées à l'occasion de la paix de Passarowitz, Charles n'était pas représenté : ce n'était pas un homme qui avait vaincu à Petrovaradin et Belgrade, mais la vraie foi.

Le monument emblématique du règne de Charles ne fut pas un palais mais une église, la Karlskirche de Vienne, paroisse de la cour, construite par l'architecte Fischer von Erlach à partir de 1716 : le sanctuaire évoque la Rome baroque des papes, mais aussi celle des Césars, encadrée qu'elle est par deux colonnes monumentales qui rappellent à la fois les colonnes du Temple de Jérusalem, la colonne Trajane de Rome et les colonnes d'Hercule figurant sur la devise de la Maison d'Autriche depuis Charles Quint.

Alors que dans la France de Louis XIV et du jeune Louis XV, malgré une piété affichée, prévalait une vision réaliste des affaires internationales, la pensée politique de l'empereur Charles VI restait tournée vers le Moyen Âge. Dans la tradition chevaleresque, Charles attachait du prix à la parole donnée. C'était avec la plus grande répugnance qu'il avait abandonné ses sujets catalans. Les symboles conservaient dans son esprit une importance majeure : les titulatures, les couronnes, les ordres étaient à ses yeux des enjeux aussi réels que les territoires. La représentation du pouvoir était le pouvoir même : sur son lit de mort, Charles, dit-on, remarqua que deux flambeaux seulement brûlaient au pied de sa couche ; soucieux du cérémonial jusqu'au bout, il se serait arraché à son agonie pour en réclamer quatre, « en tant qu'empereur du Saint-Empire ».

L'ironie de l'histoire voulut que cet empereur profondément religieux eut pour meilleur serviteur Eugène de Savoie, prince sceptique et tenant de la pure raison d'État. Quand Charles VI rêvait revanche, reconquête et empire universel, Eugène, artisan du possible, préférait la négociation à la guerre. Comme le remarquait après la mort du prince le jésuite Peikhardt, « aussitôt que l'on pouvait espérer la paix, il était déjà fatigué de la victoire ».

La Vienne des années 1720 illustre les limites des ambitions impériales. Résidence de l'empereur, elle n'était pas réellement la capitale de l'Empire, car trop excentrée et trop peu peuplée – peut-être 150 000 habitants. Ses édifices les plus prestigieux n'étaient pas les palais des Habsbourg, mais ceux des grandes familles qui les servaient. La ville était « petite, gênée par les fortifications », notait Montesquieu, de passage en 1728. Tandis que les grandes capitales de l'Europe étaient désormais des villes ouvertes, Vienne, traumatisée par le siège de 1683, restait prudemment enfermée dans l'enceinte du Ring, qui ne fut abattue... que sous François-Joseph, à partir de 1857.

La Pragmatique Sanction

Pour Charles VI, affaires d'État et affaires de famille étaient une seule et même chose. L'héritage d'une ferme et celui d'un État relevaient à ses yeux des mêmes bases juridiques. Dans cette conception patrimoniale et dynastique de la politique, une descendance mâle était une condition indispensable à la survie de l'État. Depuis longtemps, les Habsbourg redoutaient le fractionnement de leurs États à l'occasion d'une succession, comme il était arrivé à tant de Maisons souveraines de l'Empire. Déjà le testament de l'arrière-grand-père de Charles, l'empereur Ferdinand II, stipulait l'indivisibilité de la monarchie.

Or, la Maison de Habsbourg se trouvait de ce point de vue dans une position délicate. De la nombreuse postérité de l'empereur Léopold, seuls deux fils avaient survécu. Le premier, Joseph, empereur de 1705 à 1711, n'avait laissé que deux filles, les « archiduchesses joséphines ». Charles, le second fils, successeur de son frère, avait épousé Élisabeth-Christine de Brunswick en 1708, mais leur union était demeurée stérile pendant huit ans. Pour y remédier, le couple impérial avait fait des cures à Karlsbad. On alla jusqu'à peindre des scènes érotiques stimulantes aux murs de leur chambre à coucher... sans résultat.

En 1713, Charles VI promulgua un acte intitulé « Pragmatique Sanction » en vertu duquel la succession des États héréditaires des Habsbourg reviendrait, à défaut d'héritier mâle, à la fille aînée de l'empereur régnant. Un fils lui naquit enfin le 12 avril 1716, mais il mourut dès le 7 novembre. Après la perte de ce fils tant espéré, Charles se soumit à la volonté divine et prit pour objet de sa méditation spirituelle le Père qui a offert son Fils pour la rédemption du monde.

L'impératrice Élisabeth-Christine donna ensuite naissance à trois archiduchesses : Marie-Thérèse, née en 1717, Marie-Anne, née en 1718, Marie-Amélie, née en 1724. Charles espéra de nouveau un fils. Les Bohémiens le persuadèrent qu'un couronnement et une onction en tant que roi de Bohême lui permettraient d'engendrer une descendance mâle : ce couronnement eut lieu à Prague en 1723, mais l'impératrice ne donna plus de nouvel héritier à la Maison de Habsbourg.

L'empereur était alors engagé dans de grandes manœuvres destinées à obtenir l'adhésion des différentes puissances à la Pragmatique Sanction. Sa nièce Marie-Josèphe, ayant épousé Auguste, fils du roi de Saxe et de Pologne, renonça à ses droits de succession en août 1719, de même qu'en octobre son époux et le père de celui-ci. Sa seconde nièce, Marie-Amélie, épousa en 1722 l'électeur de Bavière, aux mêmes conditions.

En Hongrie, les magnats firent des difficultés à reconnaître la Pragmatique Sanction, car l'accord de 1687 instaurant une monarchie héréditaire dans le royaume de saint Étienne ne prévoyait qu'une succession Habsbourg en ligne masculine. L'empereur n'obtint leur adhésion à la Pragmatique qu'en 1723. L'Espagne la reconnut en 1725. La Prusse fit de même en 1728 et promit de reconnaître roi des Romains le futur époux de Marie-Thérèse, pourvu qu'il fût un prince de « vieux sang allemand ».

La Pragmatique Sanction fut proposée à la Diète de Ratisbonne le 11 janvier 1732 et y fut ratifiée comme loi d'Empire le 3 février. Charles VI crut triompher, mais le prince Eugène modéra son enthousiasme : « Une caisse remplie et une armée capable de frapper sont plus importantes que quelques papiers. » Le vice-chancelier Schönborn avait suggéré d'assurer l'autorité de la Pragmatique par une alliance avec les princes d'Empire dirigée contre les principaux opposants potentiels, Bavière et Saxe, mais une telle politique de puissance n'était pas le fait de Charles VI, pieux et imbu de juridisme.

À l'orée des années 1730, les conclusions de la Conférence secrète du 9 février 1725 restaient toujours valides : Bavière et Saxe convoitaient des territoires habsbourgeois; les Pays-Bas autrichiens étaient mités par la Barrière des Hollandais et guignés par la France; les Hongrois, calmes pour le moment, succomberaient à la tentation séparatiste dans des temps plus difficiles. Des tentatives de revanche de la part des Ottomans n'étaient pas à exclure. L'Espagne voulait reprendre pied en Italie. La Pragmatique Sanction n'était pas universellement reconnue par l'Europe. L'empereur ne pouvait compter absolument ni sur l'Angleterre, ni sur la Prusse, ni sur la Russie.

La Compagnie d'Ostende

En dépit de ses préoccupations essentiellement dynastiques et territoriales, Charles VI n'était pas aveugle aux nouveaux facteurs de pouvoir. La complète dépendance dans laquelle il s'était trouvé vis-à-vis de l'Angleterre pendant son long séjour en Espagne lui avait fait toucher du doigt l'importance de la puissance maritime et commerciale.

Ce constat rejoignit les préoccupations de négociants anversois et de banquiers jacobites, qui, à l'abri de l'autorité impériale, souhaitaient profiter d'une ouverture des Indes et de l'empire colonial espagnol au grand commerce flamand. Après la paix d'Utrecht, les armements se multiplièrent dans les Pays-Bas nouvellement autrichiens, et les noms des navires lancés par ce consortium reflétaient la protection espérée des Habsbourg : *La Flandre impériale, Le Prince Eugène, L'Empereur Charles, La Maison d'Autriche*. Le Malouin Godefroy Gollet de La Merveille affréta une frégate nommée *Charles VI*, débarqua sur la côte de Coromandel en 1719, non loin du poste danois de Tranquebar, et fonda près du poste anglais de Madras la factorerie de Cabelon (Koblon).

À ces initiatives individuelles succéda en 1722 la création d'une grande compagnie de commerce sur le modèle anglais ou français, la « Compagnie impériale et royale des Indes établie dans les Pays-Bas autrichiens sous la protection de saint Charles », plus connue sous le nom de Compagnie d'Ostende. En raison du traité de la Barrière, le port d'Anvers et la navigation sur l'Escaut ne pouvaient être utilisés à des fins commerciales. Ostende fut donc choisi pour siège de la Compagnie et grand port de la monarchie habsbourgeoise.

Les statuts, rédigés en français par le marquis de Prié, gouverneur des Pays-Bas, prévoyaient un capital initial de 6 millions de florins. La Compagnie recevait un privilège impérial pour le commerce vers les Indes orientales et occidentales, la Chine et la Guinée. Elle verserait 6 % de droits pour les denrées importées mais rien pour les denrées exportées. L'empereur, en échange des privilèges accordés, devait recevoir un huitième des bénéfices. Les profits ainsi perçus devaient servir à l'entretien des places fortes des Pays-Bas, mesure censée rendre la Compagnie plus sympathique aux autorités britanniques et hollandaises. Les négociants d'Anvers, de Bruxelles, de Bruges et de Gand prirent des parts et servirent parfois de paravent à leurs collègues anglais et hollandais. Le prince Eugène, gouverneur général des Pays-Bas, faisait partie des principaux actionnaires de la Compagnie.

La Compagnie d'Ostende recruta des Hollandais catholiques partis des Provinces-Unies, des Anglais, des Écossais et des Irlandais jacobites, mais aussi des Malouins écartés de la Compagnie française des Indes par Law. Elle reprit à son compte la factorerie de Cabelon, qui devint une petite ville, où l'on construisit une église catholique et des manufactures de coton. En 1723, le nabab du Bengale mit à la disposition de la Compagnie la station de Bankibazar dans le delta du Gange. Des voyages lucratifs eurent lieu vers la Chine. La Compagnie prospéra et importa massivement des étoffes du Bengale et des cargaisons de thé de Chine, au détriment du commerce de Londres et d'Amsterdam.

La réaction des puissances atlantiques fut vive. Dès 1718, l'envoyé anglais à Vienne avait demandé que l'empereur cesse de confier des passeports à des commerçants-voyageurs d'Ostende. En 1721 et 1722, interdiction fut faite aux Britanniques de prendre part à la Compagnie d'Ostende ; l'ambassadeur de Grande-Bretagne à Vienne manifesta son mécontentement, disant que l'empereur « devrait se souvenir de l'aide anglaise durant la guerre de Succession ». L'année suivante, la France interdit à son tour, sous peine de bannissement, l'entrée des sujets du roi très-chrétien dans la Compagnie d'Ostende. Les Britanniques déclarèrent criminel le commerce du thé par l'intermédiaire de la Compagnie. Un navire parti d'Ostende fut saisi par les Britanniques à Bencoolen, sur la côte sud de Sumatra, et sa cargaison vendue. La faiblesse de la Compagnie apparut alors au grand jour : à la différence de ses compétiteurs anglais, français ou espagnols, le commerce autrichien ne pouvait compter sur une protection navale efficace, même vis-à-vis des Barbaresques.

La réconciliation de Charles VI et de Philippe V sembla ouvrir à la Compagnie des perspectives nouvelles. L'inquiétude crut quand le traité de Vienne d'avril 1725 donna à la Compagnie le droit de commercer dans l'empire colonial espagnol. L'argent avait toujours été le talon d'Achille des Habsbourg, dont les ressources fiscales étaient très inférieures à celles dont bénéficiait le très absolu roi de France. Avec la Compagnie, la Maison d'Autriche avait découvert la poule aux œufs d'or, la « seule ressource, écrivaient les diplomates français, dont elle ait encore besoin pour assurer sa despoticité [sic] dans l'Empire et sa puissance en dehors de l'Allemagne ». La pression de Londres, de Versailles et de La Haye ne se relâcha pas. Le prince Eugène vendit ses actions.

L'année suivante, la Grande-Bretagne, la France et les Provinces-Unies demandèrent à l'empereur la suppression de la Compagnie. Les Provinces-Unies augmentèrent l'effectif de leur armée jusqu'à 50 000 hommes. Pour obtenir la reconnaissance de la Pragmatique Sanction, Charles VI obtempéra : le traité du 31 mai 1727 prévoyait la suspension de la Compagnie d'Ostende pour sept ans. Les intérêts flamands se dispersèrent dès lors dans des entreprises de détail. En 1731, l'empereur paya un nouveau rapprochement avec l'Angleterre de la dissolution définitive de la Compagnie. En moins de dix ans d'existence, elle avait encaissé 12 millions de florins, rapporté 2 millions de droits de douane et entraîné un vif développement de l'économie des Pays-Bas.

Les entreprises maritimes de Charles VI vers le sud connurent un sort analogue. Désireux de créer une flotte autrichienne, l'empereur établit un arsenal à Trieste, y fit construire quatre vaisseaux de ligne, auxquels s'ajoutèrent trois bâtiments achetés à Naples. Les équipages venaient de l'Istrie et de la côte dalmate. En 1721, une Compagnie Orientale se constitua sous protection impériale. Des consulats autrichiens ouvrirent à Tunis et Tripoli en 1725, à Alger en 1727. Mais le succès ne suivit pas : les articles en fer de Styrie, de Carinthie et de Carniole étaient concurrencés en Italie par le fer suédois, moins cher malgré la distance. En raison de leur caractère stratégique, l'empereur interdisait leur exportation vers la Turquie. Ce fructueux trafic échappa donc à la Compagnie pour être assuré par des bâtiments grecs prétendument possédés par des musulmans.

Le dernier effort de Charles VI pour constituer ses États héréditaires en grande puissance économique intervint en 1729, avec la fondation de la Compagnie autrichienne du Levant, destinée à disputer à la France son rôle d'intermédiaire principal du commerce avec l'Empire ottoman, avec Trieste pour port de départ. La guerre austro-turque de 1736 porta à l'entreprise un coup fatal.

Les Pays-Bas et l'Italie

L'échec des entreprises économiques et commerciales de Charles VI semble un point de détail dans une scène internationale dominée par la question de la Pragmatique Sanction. Il contribua pourtant au basculement de la monarchie habsbourgeoise vers l'Est et à l'effacement du rêve impérial[2].

En dépit de la possession des Pays-Bas et de Trieste, la monarchie devenait une puissance purement continentale. Ayant renoncé à l'Espagne, ayant abandonné le projet de la Compagnie d'Ostende, l'empereur était allié aux puissances maritimes, mais sans avoir d'autre intérêt commun avec elles que la lutte contre la prépondérance française. Les Pays-Bas devenus autrichiens se trouvaient neutralisés de fait. « L'empereur, constate Montesquieu, serait un des grands princes du monde si les Pays-Bas étaient abîmés par un tremblement de terre : c'est son faible que les Pays-Bas. » Le prince Eugène, qui en était gouverneur général, ne prit jamais la peine de les visiter. Les Britanniques en vinrent d'ailleurs à se plaindre des défenses insuffisantes de cette région dans l'hypothèse d'une invasion française. Avec la cession de la Lorraine à la France, en 1738, la portion occidentale, « lotharingienne », de l'Empire se trouva réduite à quelques souvenirs féodaux, comme l'investiture du duché de Savoie conférée par l'empereur au roi de Sardaigne.

En Italie, l'empereur paraissait avoir la voie libre pour asseoir son hégémonie, d'autant que le nord de la péninsule appartenait depuis le Moyen Âge à ce « royaume d'Italie » qui était une des composantes traditionnelles du Saint Empire. Les États de la péninsule, vassaux de l'empereur pour la plupart, étaient moins des acteurs que des sujets des relations internationales. « On dit : une ligue avec les princes d'Italie ! Mais comment se liguer avec rien ? », raillait Montesquieu. Après sa défaite en Morée, Venise s'était définitivement endormie pour n'être plus qu'une étape du Grand Tour, avec ses canaux, ses gondoles, son carnaval,

---

2. On trouvera une intéressante réévaluation du Saint Empire romain germanique, traditionnellement déprécié par les Français, dans le livre de Jean-François Noël, *Le Saint-Empire*, 1986.

son doge monté sur le *Bucentaure* et sa constitution aristocratique pittoresque. Entourée de toutes parts par les possessions impériales, la Sérénissime, « vieille putain qui vend ses meubles » (Montesquieu), n'avait plus de politique étrangère, plongée qu'elle était « dans un certain état d'indolence et un certain désespoir qui fait qu'on n'ose pas jeter les yeux sur sa situation ». L'empereur y était « extraordinairement craint et extraordinairement haï ».

Les États du pape étaient dans la même situation et Rome, fastueux mélange de ruines romaines et de palais baroques, continuait de flotter dans l'enceinte antique d'Aurélien. Aux yeux des Européens, elle était tout simplement la « plus belle ville du monde » et la basilique Saint-Pierre le plus noble édifice de la chrétienté, où tout est « simple, naturel, auguste, et par conséquent sublime » (Charles de Brosses). Après la floraison architecturale voulue par les pontifes bâtisseurs du XVIIe siècle, le temps était aux réalisations limitées, mais d'un goût délicat : escalier menant de la place d'Espagne à la Trinité-des-Monts, place de Saint-Ignace, fontaine de Trevi. On se moquait en revanche de la médiocre gestion de l'État apostolique et de la pauvreté du Latium. « Le gouvernement, écrit le président de Brosses, est aussi mauvais qu'il soit possible de s'en figurer un à plaisir. Machiavel et Morus se sont plu à forger l'idée d'une utopie ; on trouve ici la réalité du contraire. Imaginez ce que c'est qu'un peuple dont le quart est de prêtres, le quart de statues, le quart de gens qui ne travaillent guère et le quart de gens qui ne font rien du tout, où il n'y a ni agriculture, ni commerce, ni mécanique, au milieu d'une campagne fertile et sur un fleuve navigable. »

Le plus puissant et le plus ambitieux des potentats de la péninsule, le roi de Sardaigne, portait le titre de vicaire de l'Empire en Italie. Seul prince italien à avoir tiré avantage des traités d'Utrecht, Victor-Amédée n'en avait pas moins été muté de la Sicile à la Sardaigne comme on déplaçait un intendant de province. Il se consolait en confiant à Juvarra la transformation de Turin en une capitale monumentale entourée d'une « couronne exquise » de résidences royales. Le nouveau roi de Sardaigne construisait un État centralisé et autoritaire, sur le modèle français. Le grand-duché de Toscane, les duchés de Parme et de Modène étaient eux dans un état de complète nullité diplomatique et militaire. Ils assistaient impuissants aux tractations qui devaient les attribuer tantôt aux Habsbourg et tantôt aux Bourbons. « On traite de l'Italie, écrivait le comte Maffei en 1736, on délibère de ses peuples comme on le ferait de troupeaux de moutons ou d'autres vils animaux. »

La politique italienne de Charles VI se révéla pourtant décevante. Le roi de Sardaigne restait en embuscade, espérant mettre un jour la main sur le duché de Milan. Après vingt-cinq années d'intrigues diplomatiques byzantines et d'opérations militaires médiocres, l'Espagne réussit à reprendre pied dans le royaume de Naples, où il s'avérait que l'empereur était impuissant sans l'aide de la Royal Navy, et les Habsbourg durent accepter la Toscane en lot de consolation. Au milieu du XVIIIe siècle, l'Italie était un musée à ciel ouvert et le champ clos où s'affrontaient les puissances, et l'Empire n'y jouait plus qu'un rôle secondaire.

« Nec Soli cedit »

Le Saint Empire romain était donc plus que jamais un Empire « de la nation allemande » (Heiliges römisches Reich deutscher Nation), qui tendait à se confondre avec l'Allemagne. Là, l'empereur conservait la collation de certains bénéfices ecclésiastiques, le droit de conférer des lettres de noblesse et des privilèges, celui de toucher les droits pécuniaires liés à l'investiture des fiefs immédiats de l'Empire. Le Conseil aulique d'Empire (Reichshofrat) jouait le rôle d'une Cour de cassation pour tout l'Empire. Mais, en Allemagne même, le statut de l'empereur avait changé et l'idée impériale était menacée. Ceux qui voulaient réduire Charles VI à n'être plus qu'un prince allemand parmi d'autres l'accusaient de s'intéresser davantage à ses États hors Empire qu'à l'Empire. La catholique Bavière, éternelle rivale, déclarait à la Diète que l'Empire ne devait pas garantir pour les Habsbourg des territoires comme la Hongrie et Naples, situés en dehors du Reich. La politique religieuse de Charles, oscillant entre rénovation catholique et neutralité impériale, ne pouvait que diminuer son prestige. En 1731, combinant persécution religieuse et mercantilisme, il déporta 1 200 protestants de la province autrichienne du Salzkammergut en Transylvanie, de façon à utiliser leur potentiel de colons et de contribuables. En revanche, quand le prince-évêque de Salzbourg décida d'expulser les paysans luthériens de ses États, à l'indignation des princes protestants, l'empereur invita le prélat à respecter des délais et le déplacement fut travesti en une invitation du roi de Prusse aux intéressés de s'installer progressivement en Prusse orientale.

Le roi de Prusse Frédéric-Guillaume se sentait l'obligé de la Maison impériale, à qui les Hohenzollern devaient leur récente couronne. En 1732, la diplomatie française le jugeait encore comme « un des esclaves les plus aveugles de la cour de Vienne ». Avec ses États dispersés sur 750 kilomètres de Königsberg à Clèves et son million de sujets, le Prussien faisait assez pâle figure. Mais Berlin devenait une capitale royale et internationale, dont la population était formée pour un tiers de huguenots français. Le palais transformé par Schlüter, l'arsenal d'architecture française, les statues équestres inspirées de celles de Louis XIV formaient un décor marqué par le Grand Siècle. La devise royale montrait un aigle volant vers le soleil avec la légende latine *Nec Soli cedit* (« Il ne cède pas au Soleil même »). Et Frédéric-Guillaume, tout en menant une diplomatie fort prudente, forgeait un État bien administré et une armée disciplinée. L'université de Halle, fondée en 1694, dispensait des cours des « sciences camérales » (*Kameralwissenschaften*), sciences de l'administration et des finances publiques, où se formaient les futurs serviteurs de l'État. Les contemporains de Frédéric-Guillaume se moquaient de son goût pour les grenadiers géants qu'il faisait rechercher dans toute l'Europe pour sa garde. Mais les géants étaient les arbres qui cachaient la forêt d'une armée de 100 000 hommes. Le temps n'était plus loin où les Hohenzollern seraient pour les Habsbourg des concurrents directs en Allemagne et un point d'attraction pour les autres États du Reich.

Les autres princes de l'Empire se prenaient à rêver d'une ascension analogue. L'électeur palatin s'était imaginé roi d'Austrasie. Le margrave de Bade aspirait au trône de Pologne. Le duc de Wurtemberg se voyait roi de Franconie. Châteaux et villes nouvelles plus ou moins inspirés de Versailles traduisaient dans la pierre ces aspirations des seconds rôles du Reich : à Karlsruhe et à Rastadt comme à Versailles, le palais du prince est le centre d'où tout rayonne. Les voyageurs notaient l'antipathie entre l'Allemagne du Nord et l'Autriche : «Vous remarquerez, notait Montesquieu en 1728, que ceux qui sont de l'Empire s'accommodent plus avec les étrangers qu'avec les Autrichiens. »

Rencontrant Frédéric-Guillaume en 1732, Charles VI lui fit bien sentir qu'il le considérait comme un parvenu. Le mécontentement des Hohenzollern montait sourdement. Montrant le Kronprinz Frédéric, le Roi-Sergent aurait dit peu avant sa mort : « En voilà un qui me vengera un jour. » Les morts presque simultanées de Charles VI et de Frédéric-Guillaume, en 1740, marquèrent un changement d'époque. L'affrontement des deux principaux États du Saint Empire allait commencer et préluder à sa disparition. À la différence de son père, Frédéric II était décidé à tirer parti de la forte armée prussienne et prêt, au besoin, à se rapprocher de la France, de l'Angleterre ou de la Russie, pour se retourner contre son suzerain. Il méprisait un Empire qui, vu de Berlin, lui semblait un cadavre pompeux. Dès qu'il apprit la mort de Charles VI, Frédéric envisagea une conflagration européenne et décida de s'emparer de la Silésie. L'armée du Roi-Sergent allait enfin servir.

De l'Empire à l'Autriche

Se détournant peu à peu de l'Empire et de ses appendices belges et italiens, la monarchie des Habsbourg retrouvait une certaine cohérence géographique autour de l'espace danubien, réunissant archiduché d'Autriche, royaume de Bohême, Silésie et royaume de Hongrie. Mais l'ensemble ainsi en voie de constitution était fragile. Le réseau de transport était faiblement développé. Faute d'unité législative, notamment en matière de poids et mesures, il n'y avait pas d'espace économique unifié. Si le haut personnel politique était majoritairement de langue et de culture allemande, l'État était multinational. Partout, l'empereur devait se soumettre aux traditions locales. En 1728, Charles VI dut ainsi voyager pendant un mois pour recevoir à Graz l'hommage des États de Styrie et confirmer leurs privilèges.

La Hongrie était un cas à part. La libération du joug turc y avait exalté le sentiment national et l'opinion était mécontente de la domination catholique autrichienne qui tranchait avec l'égalité entre confessions chrétiennes qui avait régné sous les Ottomans. C'est pourquoi, durant la guerre de Succession, les Hongrois étaient entrés en révolte contre les Habsbourg. Le fils du prince de Transylvanie, François Rakoczi, avait fini par dénier à l'empereur le titre de roi de Hongrie et cherché des alliances extérieures, françaises ou russes. À la fin de la guerre, Charles VI réussit à reprendre le dessus. Un de ses premiers actes d'empereur fut de signer avec les insurgés repentis le traité de Szatmar, qui comportait une amnistie générale. En mai 1711, le souverain écrivait au chancelier de Bohême, le comte Wratislaw, au sujet de ses sujets hongrois : « Je veux leur retirer l'appréhension qu'ils vont être opprimés par les Allemands et leur monter que je leur fais confiance et les estime. » L'année suivante, il se fit couronner roi de Hongrie à Presbourg.

La paix revenue, il s'agit de repeupler la plaine hongroise, dévastée par des années de guerre contre les Turcs et de guerre civile, suivant le principe caméraliste *Ubi populus, ibi obolus* (« Là où est le peuple, là est l'argent »). Des Hongrois habitant le centre du royaume gagnèrent la plaine pannonienne tandis que des Slovaques, des Croates, des Serbes, des Roumains et des Ruthènes s'installaient à sa périphérie. Dans le même temps, le gouvernement de Vienne encouragea l'immigration de paysans allemands venus surtout des hautes vallées du Rhin et du Danube auxquels furent promises des exemptions d'impôts durant sept à quinze ans. Ces « Souabes du Danube » (*Donauschwaben*) s'installèrent notamment autour de Fünfkirchen (Pecs), et dans le banat de Temesvar.

Les « confins militaires », zones établies au contact des Ottomans en Croatie et en Slavonie, puis au Banat et en Transylvanie, directement subordonnées à l'empereur, jouaient également un rôle dans la surveillance du turbulent royaume de saint Étienne. À la cour, certains pensaient que la germanisation de la périphérie de la Hongrie préviendrait de futures rébellions hongroises. Charles VI, surtout soucieux de restauration catholique, demeura étranger à ces idées.

La monarchie des Habsbourg, assise au cœur de l'Europe mais sans vraie cohérence territoriale, souffrait de faiblesses stratégiques fondamentales. Elle avait des intérêts en Allemagne, en Italie et dans les Balkans, mais offrait aussi des flancs ouverts dans ces trois régions. Les ressources limitées de l'empereur lui interdisaient d'agir à la fois sur le Danube et sur le Rhin. Dans les Balkans, son expansion vers l'Est le heurtait aux Ottomans, mais le mettait également en concurrence avec la Russie, qui elle aussi voulait marcher sur Constantinople.

À la fin de son règne, Charles VI avait perdu une grande partie des avantages remportés dans les années 1710. Les princes allemands s'agitaient dans l'attente de la succession. L'Italie lui échappait. Les Ottomans avaient regagné une partie du territoire perdu en 1718.

Avec l'entrée en scène de la Prusse et de la Russie, l'équilibre européen allait se fonder sur une pentarchie aux alliances variables – Angleterre, Autriche, France, Prusse, Russie. Dans ce nouveau contexte, la survie de l'empire de Marie-Thérèse ne dut rien à la Pragmatique Sanction promulguée par son père, et tout aux nécessités induites par cet équilibre. Comme l'Empire ottoman, l'Autriche allait devoir son existence, pendant plus d'un siècle et demi, moins à ses propres forces qu'au fait qu'il convenait à ses partenaires de la maintenir en vie.

8

Le triomphe de la paix

L'idée d'équilibre européen, sous-jacente au règlement de la guerre de succession d'Espagne, n'était pas tout à fait neuve. L'on peut en faire remonter les prémices au traumatisme causé par les horreurs de la guerre de Trente Ans, à la lutte entre Habsbourg et Valois, voire à celle entre Capétiens et Plantagenêts, et même au traité de Verdun de 843.

La guerre de Succession a également suscité des réflexions originales, d'ordre à la fois politique et géopolitique, sur la paix, sur la guerre, sur les relations entre les États, sur la nature même des États. En ce sens, il y eut bien, autour de 1715, une rupture dans le mouvement des idées[1].

Le droit des gens

Depuis l'origine, l'Europe a rêvé d'unité : unité politique autour de l'institution impériale, héritée de Rome; unité religieuse autour du pape, chef visible de l'Église dont le Christ est le chef invisible. À la fin du Moyen Âge, ces deux rêves d'unité avaient fait naufrage presque simultanément, avec la montée en puissance des royaumes nationaux et la Réforme protestante.

---

1. Ce chapitre reprend une réflexion développée par Lucien Bély dans *Espions et ambassadeurs*, 1988 et dans *L'Art de la paix en Europe : naissance de la diplomatie moderne, XVIe-XVIIIe siècles*, 2007. Jean-Pierre Bois, *La Paix : histoire politique et militaire*, 2012, replace la question dans une perspective de longue durée.

Comme en compensation, la formalisation des relations inter-nationales avait commencé à peu près au même moment : la pratique des congrès diplomatiques, issue des conciles, commence au XVIᵉ siècle ; l'envoi d'émissaires permanents, installés à demeure, correspondant avec leurs maîtres respectifs, et non plus seulement d'ambassades temporaires, se généralise dans la première moitié du siècle. La négociation entre les parties remplace l'arbitrage d'un tiers comme moyen principal du maintien ou du rétablissement de la paix.

En 1623, dans *Le Nouveau Cynée*, Émeric Crucé avait proposé l'institution d'une assemblée diplomatique permanente, installée à Venise, ville neutre, où seraient portés les différends entre États. Dans ses *Économies royales*, rédigées dans les années 1630, Sully rapporte un projet analogue, en l'imputant à Henri IV : selon ce « grand dessein », la « République chrétienne » aurait compris cinq royaumes héréditaires – la France, l'Espagne, la Grande-Bretagne, la Suède et la Lombardie –, six monarchies électives – le Saint-Siège, l'Empire, la Hongrie, la Bohême, la Pologne et le Danemark –, trois républiques fédératives – la Confédération italique, les Pays-Bas et les Suisses –, et une république aristo-cratique, la seigneurie de Venise. Un « Sénat de la République chrétienne », composé de soixante membres, quatre nommés par chaque État, se serait réuni dans une ville du centre de l'Europe pour aplanir les querelles entre États, mais aussi les désaccords entre les souverains et leurs sujets.

Ces fantasmagories trouvèrent une traduction politique avec les congrès de Westphalie, ouverts en décembre 1644, qui durent conclure la guerre de Trente Ans et que le diplomate français Abel Servien décrivait comme « une espèce de concile politique où presque toutes les nations de l'Europe auront des députés ». Toute l'Europe y fut représentée, à l'exception du roi d'Angle-terre, du tsar et du sultan. La pratique des congrès internatio-naux devint dès lors courante : congrès de Nimègue pour finir la guerre de Hollande, congrès de Ryswick pour terminer la guerre de la Ligue d'Augsbourg, congrès d'Utrecht pour mettre fin à la guerre de succession d'Espagne.

Avec ces congrès et la diffusion de l'œuvre d'auteurs tels que Grotius ou Pufendorf, se mit en place un « droit des gens » (au sens latin de *jus gentium*, « droit des nations ») ou droit international, dont quelques principes s'imposèrent à toute l'Europe : respect des traités, égalité entre nations européennes, immunité diplomatique.

En même temps s'était constituée, dans le courant du XVIIᵉ siècle, une « doctrine des intérêts des États », qui est l'ancêtre de notre moderne géopolitique. Fondée sur l'observation pragmatique, cette doctrine prétendait mettre au jour, au-delà de la psychologie des princes ou des principes religieux et moraux, les données concrètes – historiques, géographiques, politiques, économiques, culturelles – qui devaient guider les choix des différentes puissances. Dans cette lignée, on peut citer, dans la première partie du siècle, le premier duc de Rohan, chef du parti protestant à l'époque de Richelieu, ou encore, dans la seconde partie, plusieurs conseillers plus ou moins officieux de Louis XIV : Vauban, Chamlay, Callières, partagés entre action diplomatique et militaire et écriture de traités théoriques. Ces auteurs, d'inspiration rationaliste, tout en accordant une grande importance au « caractère » supposé des différents peuples, tendaient à minimiser les motivations religieuses, dynastiques ou idéologiques pour ne plus examiner que les « véritables intérêts » ou ce qu'ils considéraient comme tel.

Dans un mémoire rédigé vers 1700, « Intérêt présent des États de la chrétienté », Vauban imaginait ainsi un redécoupage de l'Europe après la succession d'Espagne qui serait fondé sur la géographie et non plus sur le droit dynastique : l'Espagne échangerait ses territoires de Flandres et d'Italie contre le Portugal ; la France se renfermerait « entre le sommet des Alpes et des Pyrénées, des Suisses et des deux mers », et par une politique d'échanges territoriaux acquerrait la Lorraine, le Luxembourg, le Comtat Venaissin et la principauté d'Orange – ébauche de la théorie des « frontières naturelles ». Six ans plus tard, dans son « Projet de paix assez raisonnable », Vauban étendrait sa doctrine des « bornes naturelles » à l'ensemble des puissances européennes, tout en la résumant pour la France par une formule demeurée célèbre : « La France a des bornes naturelles au-delà desquelles il semble que le bon sens ne permette pas de porter ses pensées. Tout ce qu'elle a entrepris au-delà des deux mers, du Rhin, des Alpes et des Pyrénées lui a toujours mal réussi. » Il n'y avait aucun intérêt à soutenir Philippe V, car « les parentés entre souverains sont de faibles liens quand il y va de leurs intérêts ».

Paradoxalement, la réflexion de Vauban, ingénieur et maréchal qui avait derrière lui près d'un demi-siècle de carrière militaire, se fonde sur un refus de la guerre. La France et l'Europe sont en conflit presque ininterrompu depuis plusieurs décennies ; les peuples sont réduits à la misère ; des territoires entiers sont dépeuplés. Il est temps d'en finir, d'établir une paix durable et de développer les voies de communication, l'agriculture, le commerce et les manufactures.

Les rêves de l'abbé de Saint-Pierre

Un contemporain de Vauban, l'abbé de Saint-Pierre, nourrissait des préoccupations analogues. Charles-Irénée Castel de Saint-Pierre appartenait à une famille noble de Normandie, qui cousinait avec le duc de Ventadour, le maréchal de Bellefonds et le maréchal de Villars. Après des études au collège des jésuites de Caen, il hérita, monta à Paris où il vécut de ses rentes, tout en se liant avec des savants et des philosophes : le Père Malebranche, Nicole et Fontenelle, qui devint son ami et son protecteur. Ce dernier l'introduisit dans la société de Mme de Lambert et le fit élire à l'Académie française en 1695, avant qu'il n'ait rien publié. Dans son discours de réception, l'abbé de Saint-Pierre fit, comme d'usage, l'éloge de Louis XIV, mais, sous couleur de louer le roi, il formait des vœux pour la conclusion d'une paix avec les Alliés réunis contre la France : « Le calme rappellera leur raison égarée, et avec des yeux que l'envie ne troublera plus ils verront enfin que cette grande puissance du roi, dont ils ont été si longtemps alarmés, a pour bornes insurmontables cette même sagesse et ces mêmes vertus qui l'ont formée. Heureux de n'avoir pu l'affaiblir, ils ne la regarderont plus que comme la tranquillité de l'Europe et comme l'unique asile contre l'oppression et les ambitieux. » La paix allait être la grande idée de la vie de Saint-Pierre.

L'année de son élection à l'Académie, il acheta la charge d'aumônier de Madame Palatine, qui lui donnait un prétexte pour aller à Versailles sans l'occuper beaucoup, la princesse étant, on l'a vu, restée protestante de cœur. Saint-Pierre mûrit ses doctrines au sein d'une petite cour qui passait avec raison pour mal pensante : peu dévote, libertine de mœurs et d'idées, secrètement critique vis-à-vis de l'absolutisme du Roi-Soleil. Le 28 juin 1711, Madame avertit sa tante l'électrice de Hanovre que l'abbé de Saint-Pierre, ayant fait « projets sur projets pour arriver à la paix perpétuelle », voulait écrire un livre sur le sujet et elle lui en envoya un premier cahier. « Je doute, conclut la princesse dubitative, qu'il achève l'ouvrage ; on s'est bien moqué de lui déjà. »

Deux ans plus tard, Saint-Pierre accompagna l'abbé de Polignac à Utrecht comme secrétaire. Il y publia, chez le libraire Antoine Schouten, son *Projet pour rendre la paix perpétuelle en Europe*. Le livre contenait « des moyens simples et efficaces pour pacifier l'Europe et pour rendre la paix désormais perpétuelle ». Pour gagner l'adhésion de Louis XIV et de ses ministres, l'auteur prétendait prolonger le prétendu « grand dessein » d'Henri IV exposé par Sully dans les *Économies royales*. À la différence de Sully et de Vauban, Saint-Pierre ne prévoyait pas de remaniement territorial de l'Europe. « Pour faciliter la formation de cette alliance, prescrivait d'abord l'auteur, les Alliés sont convenus de prendre pour point fondamental la possession actuelle et l'exécution des derniers traités ; afin de rendre la grande alliance plus forte et plus solide en la rendant plus nombreuse et plus puissante, les Alliés sont convenus que tous les souverains chrétiens seront invités d'y entrer par la signature de ce pacte fondamental. » La Moscovie, oubliée dans le projet de Sully et tenue pour barbare par Vauban, était incluse dans cette « Union européenne ».

Le traité d'alliance imaginé par Saint-Pierre se composait de quatre autres articles :

« Article 2. Chaque allié contribuera, à proportion des revenus actuels et des charges de son État, à la sûreté et aux dépenses communes de la grande alliance. Cette contribution sera réglée par les plénipotentiaires des grands alliés dans le lieu de leur assemblée perpétuelle, à la pluralité des voix pour la provision et aux trois quarts des voix pour la définitive.

« Article 3. Les grands alliés, pour terminer entre eux leurs différends présents et à venir, ont renoncé et renoncent pour jamais, pour eux et leurs successeurs, à la voie des armes, et sont convenus de prendre toujours dorénavant la voie de conciliation par la médiation du reste des grands alliés dans le lieu ordinaire de l'assemblée générale.

« Article 4. Si quelqu'un d'entre les grands alliés refuse d'exécuter les jugements et les règlements de la grande alliance, négocie des traités contraires, fait des préparatifs de guerre, la grande alliance armera et agira contre lui offensivement jusqu'à ce qu'il ait exécuté lesdits jugements ou règlements, ou donné sûreté de réparer les torts causés par ses hostilités et de rembourser les frais de la guerre suivant l'estimation qui en sera faite par les commissaires de l'alliance.

« Article 5. Les Alliés sont convenus que les plénipotentiaires, à la pluralité des voix, régleront dans leur assemblée perpétuelle tous les articles qui seront jugés nécessaires pour procurer à la grande alliance plus de sûreté, de solidité, et tous les autres avantages possibles ; mais l'on ne pourra rien changer aux articles fondamentaux que du consentement de tous les alliés. »

Ainsi étaient institués un impôt européen, une armée européenne, une législation européenne et une Assemblée européenne. La « grande alliance » ou « Union européenne » ainsi formée ressemblait fort à celle qui s'était nouée douze ans plus tôt contre Louis XIV, à ceci près qu'elle comprenait désormais la France, ses alliés et les puissances demeurées neutres.

Dans ce projet, les Turcs sont exclus mais « l'Union, pour entretenir la paix et le commerce avec eux et s'exempter de se tenir armée contre eux, pourrait faire un traité avec eux ». Les sultans auront un « résident à la ville de la paix » et le titre d'« associé » tout en contribuant aux revenus de l'Union. Plutôt que de chasser le Turc d'Europe, il faut le recevoir « en l'état qu'il est dans l'Union européenne » pour éviter une guerre difficile. « Étant en association avec la Société européenne, les Ottomans auraient sûreté de la conservation de la paix au-dedans et aux dehors de leurs États » et « prendraient bientôt les méthodes des États chrétiens pour l'éducation de la jeunesse et pour l'avancement des arts et des sciences ».

La « ville de l'Assemblée » ou « ville de la Paix », sorte de Bruxelles avant la lettre, pouvait être Utrecht, dont Saint-Pierre vante la proximité avec Amsterdam, le climat sain, la population industrieuse et la campagne riante, propre à accueillir les maisons de vacances des sénateurs ou députés de l'Assemblée. La seigneurie d'Utrecht formerait une manière de district fédéral, la « République d'Utrecht » ou « territoire de la République européenne ».

Dès le 1ᵉʳ septembre 1712, Saint-Pierre avait adressé un exemplaire de son livre à Torcy, avec ses vœux pour la réussite de la paix générale. Il envoya également son projet à Leibniz, l'intellectuel alors le plus prestigieux d'Europe, qui agitait des idées assez semblables depuis plusieurs décennies. Ce dernier répondit par un compliment mi-figue mi-raisin : « Pour faire cesser la guerre, il faudrait qu'un autre Henri IV, avec quelques grands princes de son temps, goûtât votre projet. Le mal est qu'il est difficile de le faire entendre aux grands princes. Un particulier n'ose s'y émanciper, et j'ai même peur que de petits souverains n'osassent le proposer aux grands. Un ministre le pourrait peut-être faire à l'article de la mort. Cependant il peut être toujours bon d'en informer le public ; quelqu'un en pourra être touché quand on y pensera le moins. » À un autre correspondant, Leibniz écrivit qu'il n'y avait de paix perpétuelle que dans les cimetières.

Au-delà de sa faisabilité immédiate, le projet de l'abbé de Saint-Pierre marque un glissement de la culture politique. Aux yeux de l'abbé comme à ceux de Vauban, les affaires de l'Europe ne sont plus des affaires de famille, mais la construction d'un dialogue entre États. Du droit dynastique, du droit patrimonial, de la légitimité monarchique, il n'est plus question. Et le modèle de gouvernement proposé à l'Union est emprunté à la constitution des républiques aristocratiques, Provinces-Unies ou République de Venise, plutôt qu'à la France de Louis XIV.

Le projet de Saint-Pierre, tout chimérique qu'il parût d'abord, marqua les esprits. Dans la correspondance qu'il entretint avec Madame Palatine durant les dernières années de sa vie, Leibniz le mentionne à plusieurs reprises, en liaison avec les pourparlers qui devaient mener à la Triple Alliance. En mai 1716, le philosophe croyait une paix prolongée possible « pourvu que chacune des puissances s'en tienne à ce qu'elle a » et envisageait le règlement des litiges « par des arbitres impartiaux » conformément aux idées de Saint-Pierre. En octobre, il regrettait d'avoir manqué l'abbé Dubois lors de son voyage à Hanovre : aux yeux de Leibniz, Dubois avait « jeté les bases solides d'une paix générale européenne », concrétisant les projets de l'auteur du *Projet de paix perpétuelle*.

Leibniz reprochait cependant à l'abbé de Saint-Pierre d'anéantir la « constitution de l'Empire romain, à quoi l'empereur ne voudra ni ne pourra consentir », en considérant les principautés d'Italie et d'Allemagne comme autant d'États indépendants. « J'intercède auprès de lui en faveur du Saint Empire romain et lui conseille, en patriote allemand, de le laisser en son état actuel, comme étant le corps même de l'Europe et offrant déjà (à peu de chose près) la composition qu'il veut donner à toute l'Europe. L'Empire avec sa constitution pourrait entrer dans son union européenne et être garanti par celle-ci comme d'ailleurs cela a eu lieu à la paix de Westphalie et autres traités ; en laissant l'Empire tel qu'il est il réduira d'un bon tiers la besogne qu'il aura de faire entrer dans son union les potentats de l'Europe. » Le Régent et sa mère rejoignaient la critique réaliste de Leibniz. « Cet abbé au moins dans ses courses à travers l'Europe n'a à redouter le mauvais temps ni le mal de mer », ironisait Madame Palatine dans une lettre du 5 novembre 1716, en faisant le parallèle de Dubois et de Saint-Pierre.

L'abbé de Saint-Pierre n'allait pas tarder à découvrir les limites du libéralisme politique du Régent. En avril 1718, toujours passionné par les matières de gouvernement, il fit paraître un *Discours sur la polysynodie*, où il exaltait ce système collégial et désignait les ministres de Louis XIV comme des « vizirs » et leurs départements comme des « vizirats ». Il y lâchait aussi quelques phrases imprudentes à l'égard du monarque défunt : « On pourra bien, écrivait-il, lui donner le surnom de Louis le Puissant, Louis le Redoutable, car nul de ses prédécesseurs n'a été si puissant et ne s'est fait tant redouter ; mais les moins habiles ne lui donneront jamais le surnom de Louis le Grand tout court, et ne confondront jamais la puissance avec la véritable grandeur. Cette grande puissance, à moins qu'elle n'ait été employée à procurer de grands bienfaits aux hommes en général et aux sujets en particulier, ne fera jamais un grand homme. » Le maréchal de Villeroy et les membres de la vieille cour protestèrent. Le duc d'Orléans, déjà rallié au gouvernement louis-quatorzien, céda aux imprécations du maréchal, fit interdire le livre et exclure l'abbé de l'Académie française. « Voilà, ironisa Mme de Tencin, la première victoire que ce maréchal a remportée sur les ennemis du roi. » Sans le vouloir, Saint-Pierre avait donné l'« extrême-onction » aux Conseils de la polysynodie, qui disparurent trois mois plus tard.

Dix ans après, Saint-Pierre, persévérant, fit paraître un *Abrégé du projet de paix perpétuelle, inventé par le roi Henri le Grand, approuvé par la reine Élisabeth*, où il considérait que l'évolution récente de la scène européenne donnait raison à ses théories : « L'histoire, la philosophie et l'expérience nous apprennent [...] que les hommes ont commencé par ignorer les arts et par être par conséquent dans la pauvreté et dans la disette. À cet âge de fer a succédé parmi les nations l'âge d'airain, c'est-à-dire une police moins grossière. À cet âge d'airain a succédé l'âge d'argent, c'est l'âge où nous vivons en Europe. Nous touchons pour ainsi dire au commencement de l'âge d'or, nous n'avons besoin pour y entrer que de quelques règnes sages. » Le manuscrit fut soumis à Jacques Hardion, censeur royal et garde des livres du cabinet du roi. Comme Leibniz et Madame Palatine, le censeur afficha son scepticisme : « Si l'on considère les hommes tels qu'ils sont et tels qu'ils seront toujours, on jugera que le système de M. l'abbé de Saint-Pierre n'est qu'un être de raison, et l'on se bornera à louer son zèle et ses bonnes intentions. » En conséquence, Hardion conclut au refus d'un privilège et d'une épître dédicatoire à Louis XV. Le livre paraîtrait sous le régime de la permission tacite, qui n'emportait pas d'approbation officielle.

C'est de la philosophie optimiste de Saint-Pierre que se nourrit le fameux club de l'Entresol, où diplomates et hauts magistrats discutaient politique internationale et administration intérieure. Mais cette démarche était trop audacieuse dans une monarchie qui tenait les matières d'État pour secrètes et l'on a vu que le cardinal de Fleury fit cesser ces assemblées en 1731.

Congrès de Cambrai et congrès de Soissons

Les projets de l'abbé de Saint-Pierre trouvèrent cependant quelque écho dans la réalité diplomatique. Le 26 janvier 1724 s'ouvrit à Cambrai un congrès international qui devait apaiser les différends entre l'empereur et le roi d'Espagne. La procédure, qui peut paraître banale à un lecteur du XXIe siècle, était alors toute nouvelle. Les congrès précédents avaient été des négociations destinées à finir une guerre. C'était la première fois qu'une réunion multipartite se tenait en temps de paix, à seule fin de résoudre pacifiquement des désaccords entre États de manière à éviter un conflit ouvert. L'affaire était en gestation depuis 1720. La France et la Grande-Bretagne devaient servir de médiatrices entre l'Espagne et l'empereur. Le pape, le duc de Lorraine, les princes d'Italie envoyèrent également des ministres. En juillet 1722, Voltaire, de passage à Cambrai, plaisantait le congrès dans une lettre au cardinal Dubois : « Nous arrivons, Monseigneur, dans votre métropole, où je crois que tous les ambassadeurs et tous les cuisiniers de l'Europe se sont donné rendez-vous. Il semble que tous les ministres d'Allemagne ne soient à Cambrai que pour faire boire à la santé de l'empereur. Pour Messieurs les ambassadeurs d'Espagne, l'un entend deux messes par jour, l'autre dirige la troupe des comédiens. Les ministres anglais envoient beaucoup de courriers en Champagne, et peu à Londres. Au reste, personne n'attend ici Votre Éminence : on ne pense pas que vous quittiez le Palais-Royal pour venir visiter vos ouailles. Vous seriez trop fâché, et nous aussi, s'il vous fallait quitter le ministère pour l'apostolat. » Saint-Simon, renseigné par le cardinal Gualterio, confirme que « les cuisiniers eurent plus d'affaires que leurs maîtres ».

Effectivement, les discussions n'aboutirent à rien, car ni l'empereur ni le roi d'Espagne n'étaient prêts à de quelconques concessions. Les diplomates britanniques trouvèrent les Espagnols « difficiles et captieux » et les impériaux imbus de l'habituelle « hauteur autrichienne ». En outre, Français et Anglais, censés faire cause commune, nourrissaient bien des arrière-pensées. Whitworth, plénipotentiaire britannique, considérait ainsi que « la situation, la puissance, les maximes de gouvernement et la religion de la France » rendaient « une amitié solide entre la Grande-Bretagne et cette Couronne impraticable ». La majorité des Français étaient « jacobites de cœur ». Le principal événement du congrès fut l'émission par le pape d'une protestation anticipée contre tout ce qui pourrait se décider au détriment du Saint-Siège. On en était là quand arriva la nouvelle du renvoi de l'infante par les Français. Philippe V ordonna aussitôt à ses plénipotentiaires de se retirer de Cambrai. En avril 1725, Espagnols et Autrichiens, sans passer par la médiation des alliés, signaient une alliance à Vienne. Le congrès, qui finissait en « naufrage général » (Whitworth), fut dissous en mai 1725. Il avait été marqué par l'adoption de nouvelles procédures pour éviter les querelles de préséance : réduction du cérémonial au minimum, égalité de traitement entre les plénipotentiaires, séances autour d'une table ronde où l'on se placerait au hasard.

La procédure du congrès revint à l'honneur deux ans plus tard lors des préliminaires de paix signés à Paris en mai 1727 : le traité prévoyait que les modalités de la paix définitive seraient débattues lors d'un congrès tenu à Aix-la-Chapelle. Fleury obtint le déplacement de cette assemblée à Cambrai, puis à Soissons, en arguant de son grand âge qui lui interdisait de longs déplacements. Le *Mercure de France*, organe officiel, annonça au monde que Soissons était « située dans une agréable vallée », sa campagne « abondante en pain, en vin et en gibier ». Pour faire honneur au royaume, les autorités firent effectuer des travaux d'embellissement : une rue de l'Égout, réaménagée pour faciliter l'accès au château, prit le nom de rue de la Paix ; les remparts, nivelés, laissèrent place à une promenade ; on installa deux cent vingt lanternes dans les rues ; on procéda à l'évacuation des immondices.

Le congrès s'ouvrit au château de Soissons le 14 juin 1728. Les autorités françaises avaient aménagé la grande salle pour les assemblées générales : la grande table couverte d'un tapis vert à franges d'or était entourée de fauteuils tous semblables. Chaque puissance disposait d'une salle particulière, ornée de tapisseries de la Couronne. Dans un premier temps, on avait disposé dans la grande salle la tenture de l'*Histoire du roi*, illustrant les conquêtes de Louis XIV... qui déplut aux diplomates étrangers et fut prestement remplacée par l'*Histoire de Josué* d'après Raphaël. Chacune des puissances signataires des préliminaires avait délégué trois plénipotentiaires. Les habituels comparses italiens et allemands étaient également en nombre. Le 17 juin, on adopta un règlement en quatorze articles pour la police du congrès, afin de prévenir les disputes de préséance et les querelles entre les domestiques des plénipotentiaires.

Il y eut une ouverture solennelle des séances, présidée par Fleury, dont un tableau conservé à Versailles a fixé le souvenir. Le cardinal-ministre y lut un discours qui peut être tenu pour un chef-d'œuvre de langue de bois : « Je commence par témoigner à

Vos Excellences combien je suis sensible à la condescendance qui les a portées à se rendre à Soissons pour y tenir le congrès. Le but qu'on s'y propose est d'aplanir tout ce qui pourrait tendre à une rupture. Je dois rendre ce témoignage à tous les ambassadeurs plénipotentiaires avec qui j'ai conféré qu'ils ont fait paraître tant de modération et des dispositions si favorables pour l'œuvre salutaire qui nous rassemble qu'on a tout lieu d'espérer une heureuse issue du congrès. Ils ont déjà donné d'avance des preuves de leur sagesse et de leur complaisance mutuelle en réglant toutes les difficultés touchant le rang et le cérémonial, de même que leur éloignement pour le vain appareil d'une magnificence superflue qui, quoique frivole en apparence, peut néanmoins avoir de très fâcheuses suites. » On peut sourire de cette phraséologie lénifiante, qui donne à la langue onusienne une longue généalogie. Elle n'en contribua pas moins à installer une ambiance, à construire sinon une société du moins une sociabilité de la paix qui offrait au règlement des conflits un terreau favorable.

Quelques conférences se tinrent les jours suivants, le cardinal faisant la navette entre Soissons et Compiègne, où se trouvait la cour. Puis les principaux négociateurs partirent pour Paris et Versailles, laissant les seconds couteaux à Soissons, qui tinrent une centaine de séances. « Soissons, écrivait le grand pensionnaire Slingelandt, sera pendant le cours de cette négociation où seront le Cardinal et les principaux négociateurs. » Les diplomates demeurés à Soissons donnèrent des festins, organisèrent des chasses, louèrent des maisons de campagne. L'ambassadeur d'Espagne éblouit ses collègues en les traitant dans de la vaisselle d'or, tandis que l'ambassadeur de Grande-Bretagne fit rôtir un bœuf entier pour les pauvres de la ville. L'intendant de Soissons, François Richer d'Aube, faisait les honneurs de la cité et régalait les membres du congrès. Le 20 juillet, Penterriedter, le troisième plénipotentiaire impérial, mourut, d'une pleurésie suivant la version officielle, pour avoir fait trop d'honneur à la cuisine française d'après les méchantes langues. On l'enterra en grande pompe dans l'église de l'abbaye de Saint-Léger. Le congrès se défit lentement dans le cours de l'année 1729. Il n'en resta que le règlement pour sa police, qui fut intégré au corpus du droit des gens.

Onze ans plus tard, le cardinal de Fleury écrivait plaisamment à Fontenelle qu'Anglais et Espagnols auraient dû prendre une dose de l'« élixir du *Projet de paix perpétuelle* ». Averti par son ancien collègue, l'abbé de Saint-Pierre écrivit à son tour au ministre : « Je suis fort aise, Monseigneur, que vous m'ayez ordonné d'appliquer mon remède universel pour guérir la fièvre de nos voisins ; vous m'avez ainsi autorisé à vous demander quel homme il y a en Europe qui puisse plus habilement que vous faire l'application de ce remède. Je ne suis que l'apothicaire de l'Europe, vous en êtes le médecin. »

Les satires ne manquèrent pas contre les projets mirifiques de paix perpétuelle et les congrès où l'on banquetait au lieu de négocier, tandis que les vrais enjeux de pouvoir se traitaient en d'autres lieux. Mais ces idées et ces procédures nouvelles méritent mieux que de l'ironie. Elles marquent bien le changement de psychologie survenu en Europe dans la décennie qui suivit les traités d'Utrecht, la diffusion d'une « idéologie de la paix », suivant l'expression de Lucien Bély, qui s'était dessinée à l'orée des négociations.

La menace de la monarchie universelle restait un argument rhétorique lancé tantôt contre les Français tantôt contre les impériaux, mais nul n'y croyait plus guère. « C'est une question qu'on peut faire, note Montesquieu dans ses *Réflexions sur la monarchie universelle en Europe*, si dans l'état où est actuellement l'Europe, il peut arriver qu'un peuple y ait, comme les Romains, une supériorité constante sur les autres. Je crois qu'une pareille chose est devenue moralement impossible. »

Dans un environnement où les enjeux économiques et commerciaux croissaient en importance, un conflit armé semblait désormais présenter plus de difficultés que d'avantages pour les parties en présence. « L'Europe, poursuit Montesquieu, n'est plus qu'une nation composée de plusieurs, la France et l'Angleterre ont besoin de l'opulence de la Pologne et de la Moscovie comme une de leurs provinces a besoin des autres, et l'État qui croit augmenter sa puissance par la ruine de celui qui le touche s'affaiblit ordinairement avec lui. »

Tandis que depuis des siècles la guerre était un phénomène normal, régulier, presque saisonnier, et la paix une heureuse exception, on assiste à partir de ce début de XVIIIe siècle à un retournement des valeurs : la guerre devient un état exceptionnel, la paix l'état normal des relations entre les États européens.

TROISIÈME PARTIE

LES EMPIRES IMMOBILES

L'EMPIRE OTTOMAN EN 1718

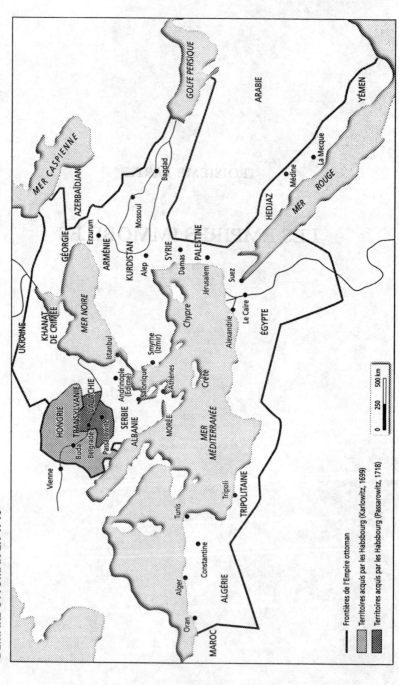

MAROC

ALGÉRIE
Oran
Alger
Constantine
Tunis

TRIPOLITAINE
Tripoli

MER MÉDITERRANÉE

Vienne
HONGRIE
Buda
TRANSYLVANIE
Belgrade
Passarowitz
VALACHIE
SERBIE
ALBANIE
MORÉE
Athènes
Crète

UKRAINE
KHANAT DE CRIMÉE
MER NOIRE
Istanbul
Andrinople (Edirne)
Salonique
Smyrne (Izmir)
Chypre

GÉORGIE
AZERBAÏDJAN
MER CASPIENNE
ARMÉNIE
Erzurum
KURDISTAN
Alep
Mossoul
Bagdad

SYRIE
Damas
PALESTINE
Jérusalem
Le Caire
Alexandrie
ÉGYPTE

ARABIE

GOLFE PERSIQUE

HEDJAZ
MER ROUGE
Suez
Médine
La Mecque
YÉMEN

0   250   500 km

— Frontières de l'Empire ottoman

▨ Territoires acquis par les Habsbourg (Karlowitz, 1699)

▨ Territoires acquis par les Habsbourg (Passarowitz, 1718)

9

L'âge des Tulipes

« Tête de Turc ». L'expression, si banale qu'on en a oublié l'origine, dit tout ce qu'étaient les Ottomans pour l'Europe chrétienne : l'ennemi immédiat, héréditaire, toujours menaçant, près de submerger l'Occident, avec qui l'état de guerre était la situation normale et la paix une simple trêve.

Seule monarchie musulmane imbriquée dans le monde chrétien, l'Empire ottoman avait été, aux XVᵉ et XVIᵉ siècle, un État d'avant-garde, prompt à adopter les innovations militaires conçues en Occident, qu'il s'agît d'artillerie ou de marine. « Il n'y a pas de nation au monde, écrivait l'ambassadeur impérial en 1560, qui ait montré une plus grande aptitude que les Turcs à se servir des inventions utiles des étrangers. » Seule l'imprimerie avait fait l'objet d'un rejet absolu, car elle semblait compromettre le caractère sacré du Livre saint. Si juifs, Arméniens et Grecs établirent des ateliers typographiques dans l'Empire, l'imprimerie en caractères arabes demeura interdite.

Pendant près de deux siècles, l'essor technologique et l'expansion maritime des États chrétiens au-delà des mers avaient coexisté avec l'expansion turque sur terre et en Méditerranée. Mais, à partir de la fin du XVIIᵉ siècle, il n'en alla plus de même. On commença à parler en Europe de la décadence de la Porte ottomane.

Les historiens d'aujourd'hui sont mal à l'aise avec cette question du déclin, terme réprouvé, politiquement incorrect, trop vague et trop vaste, empreint des significations morales que lui assignent les traditions historiographiques chrétienne et musulmane. Un lent déclin, ou un déclin relatif, n'est pas moins difficile à caractériser qu'une lente expansion, et ses causes ne sont pas moins délicates à saisir[1].

Le temps des revers

Le reflux de la monarchie ottomane commença en 1683. Cette année-là, l'armée turque avait assiégé Vienne, mettant les Habsbourg à deux doigts de leur perte, mais elle avait été écrasée par une coalition chrétienne emmenée par le roi de Pologne Jean III Sobieski. À partir de cette date, la Porte connut des revers militaires si cinglants et si répétés que l'hypothèse de sa disparition commença à agiter les chancelleries européennes. Depuis la prise de Constantinople par les Turcs, les projets plus ou moins fantaisistes de croisade anti-ottomane n'avaient jamais manqué. Désormais, il ne s'agissait plus de rêveries à coloration religieuse, mais de politique sérieuse, inspirée par la doctrine réaliste des « intérêts des États ». Dix ans après le siège manqué de Vienne, le marquis de Châteauneuf, ambassadeur de France à Constantinople, prévenait Louis XIV que l'Empire ottoman se trouvait « dans un état de faiblesse qu'on n'aurait jamais pu prévoir ». Pour Châteauneuf, en trois campagnes, l'armée allemande pouvait descendre le Danube et l'empereur arriver devant Constantinople. Dans cette hypothèse, le diplomate suggérait à son maître de s'emparer de la Crète. « Si la Providence, qui a prescrit des bornes à la durée des plus puissantes monarchies, avait marqué la fin de celle des Turcs en Europe sous le règne de Votre Majesté, sa modération, concluait le diplomate, ne saurait La dispenser de prendre de loin des mesures pour n'être pas

1. La bibliographie est beaucoup plus riche sur la période faste de l'Empire ottoman – le XVIᵉ siècle – que sur sa phase de déclin. On se reportera à l'ouvrage collectif dirigé par Robert Mantran, *Histoire de l'Empire ottoman*, 1989, et, pour les crises politiques périodiques, au livre de Gilles Veinstein, *Le Sérail ébranlé : essai sur les morts, dépositions et avènements de sultans ottomans, XVᵉ-XIXᵉ siècles*, 2003. Comme beaucoup d'historiens turcs, Baki Tezcan, *The Second Ottoman Empire : Political and Social Transformation in the Early Modern World*, 2010, préfère parler de transition ou de transformation plutôt que de déclin.

simple spectateur du partage que les autres princes feraient entre eux des débris de ce vaste empire. »

Tandis que les Habsbourg guerroyaient contre les Ottomans en Europe orientale, les Russes les attaquaient par le Nord. À deux reprises, en 1687 et 1689, la régente Sophie et le prince Galitzine lancèrent leur armée contre la Crimée tatare, vassale des Ottomans, mais les Russes, peu habitués au manque d'eau et de fourrage, furent repoussés en subissant des pertes effroyables. En 1694, le jeune tsar Pierre Ier, qui venait de ravir le pouvoir à sa demi-sœur Sophie, entra en guerre à son tour, et prit la tête d'une campagne contre la forteresse turque d'Azov, sur le Don, à une vingtaine de kilomètres en amont de la mer d'Azov. Place ottomane depuis 1475, Azov barrait aux barques cosaques l'accès à la mer Noire. Cette première campagne fut un échec, comme celle menée l'année suivante. Le tsar ne prit la ville qu'à la troisième tentative, en 1696. Il y créa une base navale et, le 13 septembre 1699, le vaisseau de ligne russe *Krepost* (*Forteresse*), construit sur le Don, traversa la mer Noire et vint mouiller à Constantinople, aux yeux des Turcs interdits.

Malmenés par les Habsbourg dans les Balkans et par les Russes en Ukraine, les Ottomans se résignèrent à négocier avec les infidèles. Par le traité signé à Karlowitz le 26 janvier 1699, ils abandonnèrent la Hongrie et la Transylvanie à l'empereur. Par celui de Constantinople du 13 juillet 1700, ils cédèrent à la Russie le littoral nord de la mer d'Azov, les forteresses d'Azov et de Taganrog. Le traité mettait fin au tribut versé par la Russie au khanat de Crimée et instituait une trêve de trente ans. Une zone inhabitée de la steppe ukrainienne devait séparer les terres des Tatars de celle des Russes. Enfin, Pierre obtenait le droit d'avoir un ambassadeur permanent à la Porte, à l'instar des puissances occidentales : le premier fut Emelian Oukraintsev, le négociateur du traité. En 1701, Pierre Tolstoï, successeur d'Oukraintsev à Constantinople, confiait au tsar les inquiétudes des Turcs : « Rien ne les terrifie autant que notre flotte. Le bruit a couru que soixante-dix grands navires avaient été construits à Arkhangelsk, et ils croient que, quand cela sera nécessaire, ces navires passeront de l'océan Atlantique dans la mer Méditerranée et remonteront jusqu'à Constantinople. »

Résilience de l'Empire

Après ces désastres, certains dirigeants de l'Empire ottoman commencèrent à percevoir la nécessité de réformes. Tout en maintenant la paix extérieure, le grand vizir Amdjazâde Huseyn Pacha lança un train de mesures de rénovation intérieure : sédentarisation des nomades, diminution du nombre des janissaires, modernisation de la marine, baisse des impôts. Mais la réforme trouva des obstacles invincibles quand le grand vizir voulut s'attaquer aux services du gouvernement et du palais. Le *cheikh-ul-Islam*, Feyzullah Efendi, principale autorité religieuse de l'Empire, prit la tête de l'opposition conservatrice, plaça ses partisans et bloqua les initiatives du vizir. En septembre 1702, Huseyn Pacha, malade et découragé, démissionna ; il mourut peu après.

Feyzullah Efendi domina la scène politique pendant un an, avant de tomber à son tour. Le 22 août 1703, le sultan Mustafa abdiquait en faveur de son frère Ahmet III. Le règne commença sous le double sceau de la menace extérieure et de l'instabilité intérieure. En 1711, l'ambassadeur français Ferriol déplorait que la Porte fût le « théâtre de l'inconstance » ; il avait vu se succéder quatorze grands vizirs pendant son ambassade ! La France, épuisée par la guerre de succession d'Espagne, aurait bien voulu voir les Turcs reprendre « leur esprit de grandeur et de fierté » à l'encontre des Habsbourg. « Mon unique but, conclut Ferriol, a été de tirer les Turcs de leur assoupissement. » Mais les Ottomans, échaudés par leurs défaites des années 1690, ne surent pas profiter de l'occasion que leur offraient la guerre de Succession et la révolte de la Hongrie pour regagner le terrain perdu dans les Balkans.

Au grand dépit des Français, ce n'est pas contre les Habsbourg que les Ottomans reprirent la guerre, mais contre les Russes. Par l'intermédiaire de son ambassadeur Pierre Tolstoï, Pierre Ier avait réclamé l'expulsion du roi de Suède Charles XII, réfugié en territoire ottoman après sa défaite de Poltava, et présenté un ultimatum au sultan. Offensé, Ahmet III déclara la guerre à la Russie le 21 novembre 1710. La guerre venait trop tôt au gré de Pierre, mais, exalté par ses succès contre les Suédois, le tsar proclama à son tour la guerre sainte « contre les ennemis du Christ ». Son plan consistait à marcher depuis l'Ukraine jusqu'au bas Danube, à traverser le fleuve, à donner la main aux principautés chrétiennes vassales des Ottomans et à s'enfoncer dans l'Empire jusqu'à Andrinople, voire jusqu'à Constantinople même. Pierre lança une proclamation aux chrétiens de l'Empire turc, les appelant à faire en sorte que « les descendants du païen Mahomet soient rejetés dans leur ancien domaine, les sables et les steppes de l'Arabie ». Dans le même temps, il écrivait à l'évêque du Montenegro, Danilo Petrovic : « Nous ne souhaitons d'autre gloire que la libération des chrétiens d'ici de la tyrannie païenne et d'exalter l'Église orthodoxe. »

L'appel de Pierre rencontra un certain écho dans les principautés roumaines, vassales de la Porte, où se déroulèrent la majeure partie des opérations. Les deux hospodars (princes) de Moldavie et de Valachie entrèrent en pourparlers avec les Russes. Finalement, seul Dimitrie Cantemir, hospodar de Moldavie, joignit ses troupes à celles de Pierre. Ni les Valaques ni les Bulgares ne bougèrent. Cantemir accueillit le tsar dans sa capitale, Iassy, d'où l'armée russe descendit vers le sud, le long de la vallée du Prout. L'armée ottomane, commandée par le grand vizir Baltadji Mehemet Pacha, s'était concentrée près du Danube pour dissuader les sujets chrétiens de la Porte de faire cause commune avec l'envahisseur.

Baltadji était réputé « homme de grande douceur, d'esprit, de bon sens et d'expérience dans le gouvernement », mais dépourvu d'expérience militaire, et l'on pensait qu'il serait « embarrassé dans le commandement d'une grande armée ». Il n'en parvint pas moins, avec l'aide de ses alliés tatars et cosaques, à bloquer l'armée russe, à la subjuguer par le nombre et à l'encercler entièrement près du village de Falciu, entre le Prout et des marécages. 120 000 fantassins et 80 000 cavaliers entouraient 38 000 Russes, dont Pierre et son épouse ; une puissante artillerie commença à bombarder le camp où les Russes s'étaient retranchés. Le tsar fit hisser le drapeau blanc. Le khan de Crimée et les généraux suédois et polonais qui se trouvaient autour de Baltadji le pressaient de donner l'assaut. Pendant quelques heures, le ministre ottoman eut le sort de la Russie entre les mains.

Mais le grand vizir, au lieu d'écraser le tsar, accepta de négocier un traité : Azov et Taganrog seraient rendus au sultan, la flotte de la mer Noire abandonnée, les forts du bas Dniepr rasés, la Pologne évacuée par les Russes. On accusa Baltadji de s'être laissé corrompre par un pot-de-vin offert par l'épouse de Pierre, voire cette dernière d'avoir usé de ses charmes auprès du vizir. Baltadji semble en fait avoir voulu finir la campagne avant une intervention des impériaux. Pour les Russes, les fruits de la guerre de 1696 étaient perdus, mais le tsar sauvait sa personne et son armée. Le traité fut signé le 23 juillet 1711 au grand dépit de Charles XII et du khan de Crimée. « Ma bonne fortune, conclut Pierre, a consisté à recevoir seulement cinquante coups de bâton alors que j'étais condamné à en recevoir cent. » Pour son courage, la tsarine reçut l'ordre de Sainte-Catherine ; elle s'était comportée « non pas comme une femme, mais comme un homme ». Pierre se consola de son échec en allant prendre les eaux à Karlsbad.

La Moldavie fut livrée aux ravages des Tatars et son hospodar se réfugia en Russie avec quelques fidèles. Cantemir y reçut le titre de prince, de vastes domaines et devint conseiller du tsar. Il mit à profit sa connaissance intime de l'État turc pour rédiger en latin une *Histoire de l'Empire ottoman* (*Incrementa et decrementa aulae othomanicae*), et un *Système ou état de la religion mahométane*. L'hospodar de Valachie, Constantin Brâncoveanu, était resté sur sa réserve, mais ses cousins Cantacuzène dénoncèrent ses contacts avec les Russes. Déposé, transféré à Constantinople, le prince fut torturé et exécuté avec quatre de ses fils.

Pierre tardant à exécuter les clauses du traité du Prout, les hostilités reprirent à la fin de 1711. Ce ne fut qu'avec le traité d'Andrinople (24 juin 1713), qui proclamait une trêve de vingt-cinq ans, que la guerre prit réellement fin. La mer Noire redevenait un lac ottoman.

La guerre de Morée

Enhardis par leur succès contre les Russes, les Ottomans entreprirent de regagner le terrain perdu sur les Occidentaux. En décembre 1714, le nouveau grand vizir Silahdar Ali Pacha, gendre du sultan, « féroce, brutal, avare, sans règle et sans équité » – *dixit* la diplomatie française –, fit déclarer la guerre à la République de

Venise et se lança à la conquête de la Morée, enclave vénitienne dans la Grèce ottomane[2]. Des détachements de Tatars de Crimée accompagnaient les troupes régulières et semaient la terreur.

En moins d'un an, les fortifications vénitiennes du Péloponnèse, édifiées à grands frais depuis la paix de Karlowitz, tombèrent les unes après les autres sous les coups de l'armée ottomane commandée par le grand vizir. Le haut fait de la campagne de 1715 fut la prise d'assaut de la forteresse Palamède, que les Vénitiens venaient de faire bâtir au-dessus de Nauplie, capitale de la Morée. Quant aux Grecs, hostiles au prosélytisme catholique, ils accueillirent favorablement le retour des Ottomans.

Ces derniers se prirent alors à rêver de ravir la Dalmatie aux Vénitiens, voire de reconquérir la Hongrie ou de lancer un raid sur Rome. Venise réclama le secours de l'Europe contre l'« ennemi commun ». En septembre 1715, le doge demanda au pape Clément XI de s'employer dans ce sens. Mais le temps des guerres saintes était passé : la Pologne fit la sourde oreille ; Philippe V d'Espagne préféra employer sa flotte contre la Sicile. Seul l'empereur Charles VI, ennemi traditionnel des Turcs, répondit à l'appel. Des volontaires de toute l'Europe joignirent l'armée impériale. « L'enthousiasme où ils étaient de se voir dans un pays si éloigné et de voir des Turcs leur faisait imaginer que la guerre contre cette nation était quelque chose de plus grand et de plus extraordinaire que celle qui se fait entre les chrétiens », note le maréchal de camp La Colonie, officier français au service de l'électeur de Bavière.

En mars 1716, un émissaire turc signa un accord avec deux officiers français qui se trouvaient à Amsterdam, le marquis de Langalerie et le comte de Linange, pour aller pendant six ans à Constantinople entraîner soldats et marins ottomans. Les deux aventuriers s'offraient à organiser des opérations mirifiques : un raid maritime contre Lorette et l'invasion des États pontificaux... grâce à des pirates de Madagascar. Les impériaux prirent l'affaire au sérieux. L'ambassadeur de l'empereur à La Haye alerta Vienne et Rome. En mai, Langalerie s'enfuit en Allemagne, fut arrêté et transféré à Vienne. En juillet, Heinsius fit extrader Linange. Jugés

2. Le déroulement des opérations est retracé par Kenneth M. Setton, *Venice, Austria and the Turks in the Seventeenth Century*, 1991.

à Vienne, les deux hommes furent condamnés à la prison à vie. Langalerie mourut à Raab en 1717. Linange, le « comte imaginaire », fut interné dans la prison de Spielberg, en Moravie, et l'on n'entendit plus jamais parler de lui.

En juin 1716, le sultan déclara la guerre à l'empereur et fit étrangler le prince de Valachie Stéphane Cantacuzène, coupable d'avoir entretenu une correspondance avec Vienne. De ce côté, la partie se révéla trop forte. Dans l'espoir de reconquérir la Hongrie, les Ottomans tentèrent de prendre Petrovaradin, citadelle située sur la rive droite du Danube, mais furent battus à plate couture : Silahdar Pacha fut écrasé par le prince Eugène devant la ville le 5 août 1716 et périt dans la bataille.

En juillet, les Turcs avaient débarqué à Corfou, la plus importante des îles Ioniennes, vénitiennes depuis le Moyen Âge, et avaient mis le siège devant la ville même. Le général prussien Matthias Johann von der Schulenburg, passé du service de l'empereur à celui de la Sérénissime, dirigeait la défense de la cité. Le 18 août, Schulenburg défit les Ottomans, qui rembarquèrent. De retour à Venise, le général fut accueilli en sauveur : en novembre, il assista à la représentation de *Juditha triumphans*, oratorio composé en l'honneur de sa victoire par Vivaldi, où Judith représentait Venise et Holopherne le Turc ottoman.

Temesvar tomba aux mains des impériaux en octobre 1716, Belgrade capitula à son tour en août 1717, malgré l'arrivée d'une armée de secours que le prince Eugène mit en fuite. La guerre prit un arrière-goût de croisade : après la prise de Belgrade, les familles musulmanes eurent quatre jours pour quitter la ville par bateau avec leurs biens ; les chrétiens renégats furent empalés à l'entrée du camp impérial ; l'empereur Charles VI fit repeupler la ville par des habitants des régions frontalières et transformer les mosquées en églises ; le sultan Ahmet III demanda à l'empereur moghol Farrukhsiyar de l'aider par ses prières contre la menace que les puissances chrétiennes faisaient peser sur le monde musulman.

Les opérations avaient démontré l'infériorité de l'armée ottomane par rapport aux armées européennes. Les Turcs avaient l'avantage du nombre, mais leurs troupes réglées, janissaires et spahis, étaient moins nombreuses que celles levées pour la durée de la campagne par les pachas et les vassaux du sultan, moins disciplinées, moins bien armées et moins aguerries. Formées de Turcs d'Europe et d'Anatolie, mais aussi de Tartares, de Kurdes et d'Arabes, elles n'avaient pas la cohésion des régiments occidentaux. La Colonie, témoin du siège de Belgrade, s'étonnait de la diversité du camp ottoman, qui de loin ressemblait à « un grand parterre plein de fleurs de toutes les couleurs ». Beaucoup de Turcs se servaient du sabre, de la lance, de l'arc et des flèches plutôt que d'armes à feu. À l'inverse, l'armée du prince Eugène, malgré sa composition multinationale, était mieux dans la main de son chef. Formée de troupes professionnelles, endurcies dans les campagnes de la guerre de Succession, elle suivait des règles de discipline, d'ordonnance et de tactique communes à toute l'Europe.

Le gouvernement du Régent, qui restait en théorie l'allié de la Porte, se trouvait en position délicate. Venise employait des déserteurs français de la guerre de Succession : faits prisonniers par les Turcs, ils furent rapatriés par les soins de l'ambassadeur et des consuls de France. Beaucoup de marins français se battaient aussi sous le pavillon vénitien ou celui de Malte. Les corsaires « francs » – dont certains étaient français – faisaient une rude guerre aux navires et aux côtes ottomanes.

Le 5 juin 1718, un congrès de paix s'ouvrit à Passarowitz[3]. L'empereur y formula des exigences de triomphateur : la conservation des territoires déjà occupés par ses armées, la libre navigation sur le Danube jusqu'à son embouchure, le droit de protection des franciscains de Jérusalem. Le 21 juillet, le nouveau grand vizir, Damat Ibrahim Pacha, se résigna à signer la paix. Les Ottomans perdaient le banat de Temesvar, la Valachie occidentale et le nord de la Serbie avec Belgrade. Charles VI obtenait satisfaction sur presque toutes ses revendications. Il jouissait désormais d'une position prépondérante dans les Balkans. La Hongrie était à couvert des raids ottomans et à l'inverse les armées impériales gagnaient des positions qui pouvaient préluder à la conquête d'autres possessions turques en Europe. En revanche, l'empereur, qui avait éprouvé la faiblesse de son allié vénitien, ne

3. Outre les travaux anciens d'histoire diplomatique, on dispose du recueil dirigé par Charles Ingrao, Jovan Pesalj et Nikola Samardzic, *The Peace of Passarowitz, 1718*, 2011.

soutint pas les prétentions de la Sérénissime. Les Vénitiens durent renoncer à leur domination trop coûteuse dans le Péloponnèse et se contenter de garder Corfou et Sainte-Maure (Leucade) : le rôle de la République en tant que puissance navale était terminé. La paix avec les puissances chrétiennes allait durer pendant tout le vizirat d'Ibrahim, jusqu'en 1730.

Les Ottomans, vaincus à l'Ouest, se retournèrent vers l'Orient et voulurent profiter de la dislocation de l'Empire séfévide. Ils occupèrent la Géorgie en 1723, l'Arménie en 1724, Tabriz en 1725 et l'Iran occidental. La France s'entremit entre l'Empire ottoman et la Russie, autre puissance intéressée au dépècement de la Perse, pour éviter qu'en se faisant la guerre les deux empires ne perdent leur rôle de contrepoids à la puissance des Habsbourg. Le marquis de Bonnac, ambassadeur de France à Constantinople, assista donc aux conférences qui aboutirent au traité du 8 juillet 1724 fixant les frontières entre la Russie et l'Empire ottoman en Asie. Après ce succès, le sultan permit au marquis de porter à son audience la pelisse de zibeline réservée jusque-là aux ambassadeurs impériaux.

Ahmet III et les tulipes

La guerre contre la Russie de 1711, celle contre Venise et l'empereur de 1716-1718, celle contre la Perse de 1722-1724 avaient montré que si l'État ottoman était affaibli, il n'était nullement moribond. Malgré les avantages remportés à Passarowitz, il n'était plus question pour les Allemands d'arriver en trois campagnes à Constantinople. En dépit de ses revers face aux puissances chrétiennes, l'Empire demeurait gigantesque, étendu sur trois continents – Asie, Europe et Afrique –, peuplé d'environ 25 millions d'habitants, davantage que tout autre État occidental. Son actif marché intérieur, fondé sur un dense réseau de caravansérails, de bazars et de marchés locaux, était irrigué par le cabotage et les caravanes chamelières.

Si le commerce avec l'Europe ne constituait pas pour l'Empire ottoman un enjeu fondamental, il en était un pour les négociants français qui exportaient vers Constantinople et les comptoirs du Levant les draps du Languedoc, l'indigo, les soieries de Lyon, les toiles peintes de Marseille et différents articles de luxe, pour une valeur estimée à environ 15 millions de livres chaque année. En retour, la France importait des matières premières – céréales, coton, soies, café, noix de galle –, pour une valeur à peu près équivalente. Marseille avait le monopole de ces échanges. Le café de Moka et d'Arabie méridionale passait par la mer Rouge, Le Caire et Suez avant d'arriver en Europe et l'on pensait déjà à creuser un canal reliant mer Rouge et Méditerranée.

Pour les Européens, l'Empire ottoman c'était d'abord Constantinople, vers laquelle une puissante nostalgie poussait les chrétientés d'Orient et d'Occident, et qui, de Moscou à l'Atlantique, suscitait une convoitise à la fois politique et archéologique. Les voyageurs arrivant sur les bords du Bosphore saluaient les dimensions de la ville, la plus grande et la plus peuplée d'Europe – 700 000 habitants environ –, la beauté de sa situation, « la plus agréable et la plus avantageuse de l'univers » (Tournefort), et les panoramas qu'elle offrait, le paysage piqueté de dômes et de minarets effilés. Comme ceux des siècles antérieurs et postérieurs, ils allaient visiter Sainte-Sophie et les murailles qui conservaient le souvenir de l'antique Byzance. En tout visiteur européen sommeillait un archéologue amateur : pendant son exil, Charles XII fit ainsi réaliser de nombreux dessins de Sainte-Sophie, des plans de Constantinople et des Dardanelles, mais aussi des antiquités d'Anatolie, de Syrie et d'Égypte.

Les Occidentaux admiraient les mosquées, particulièrement la célèbre Süleymaniye, mais étaient quelque peu déçus de trouver les rues fort étroites et la plupart des maisons particulières en bois. Ils notaient le dynamisme du commerce, Constantinople détrônant peu à peu Smyrne comme centre des échanges internationaux de l'Empire. Ils s'étonnaient de trouver si peu de femmes dans les rues et rêvaient aux abords du Sérail, fascinés par les récits qui couraient sur le harem du Grand Seigneur. Ils résidaient volontiers à Péra, quartier situé au nord de la Corne d'Or, où les chrétiens étaient en majorité. Les sujets de Louis XIV et de Louis XV pouvaient s'y enorgueillir du « palais de France », somptueuse résidence de leur ambassadeur, sans cesse embellie depuis le xvie siècle. Sans aucun doute, Constantinople était encore la capitale d'un puissant empire, mais les observateurs ne laissaient pas ignorer à leurs patrons occidentaux que les forts gardant la Corne d'Or ne tiendraient pas face à une flotte dotée d'une puissante artillerie et que les canons ottomans étaient de modèles anciens et peu efficaces.

Les voyageurs européens trouvaient aussi dans la capitale ottomane davantage d'interlocuteurs propres aux échanges intellectuels que dans le reste du monde musulman. Les grandes familles phanariotes et roumaines envoyaient leurs enfants faire leurs études en Italie, à Rome, Bologne ou Padoue, et devenaient ainsi des passeurs des progrès en cours dans le monde occidental... mais aussi des traîtres en puissance. Dans les classes supérieures musulmanes, les esprits curieux ne manquaient pas. Dimitrie Cantemir raconte que durant son séjour dans la capitale ottomane, il fréquenta des « libertins » turcs, « qui ne croient pas tout ce qui se lit dans le Coran, mais retiennent en eux-mêmes leurs sentiments ». Au reste, la prudence restait de mise dans les rapports entre Européens et Orientaux : « Il faut bien se garder de croire, note le marquis de Bonnac, qu'une chose qui paraît juste à Paris ou à Marseille le soit à Constantinople. »

La vie quotidienne des Ottomans n'était pas sans charme. Charles XII de Suède, exilé sur les bords du Bosphore, s'émer-veillait de la propreté des Turcs et aussi de leur piété sereine et scrupuleuse. Lady Montagu, épouse de l'ambassadeur britan-nique à la Porte, découvrit une vie de sérail bien éloignée des fantasmes occidentaux et la pratique ottomane de l'inoculation contre la variole, ancêtre de la vaccination. En 1721, l'ambassa-drice fit inoculer sa fille de trois ans et l'année suivante convain-quit la famille royale de faire inoculer deux petits-enfants du roi George : un progrès médical venait ainsi de Constantinople.

Dans les provinces, le tableau était moins flatteur. L'autorité de la Porte, qui n'était représentée que par quelques centaines ou milliers de janissaires, allait s'affaiblissant. En Afrique du Nord, des aristocraties locales turques arabisées s'étaient érigées en pouvoirs autonomes sous la suzeraineté éminente mais fort théorique de Constantinople. En 1700, le dey d'Alger Mustafa fit part à Louis XIV de son investiture suivant une phraséologie bien significative : « Les officiers et janissaires de l'armée victo-rieuse et les officiers du Divan avec les principaux seigneurs de la ville et du royaume d'Alger, s'étant assemblés, m'ont tous, d'un commun accord et d'une résolution unanime, installé à

la dignité de dey et gouverneur de la ville et royaume d'Alger ».
Du sultan, il n'était nullement question. La Tunisie se rendit
autonome à son tour en 1705, pour faire face à la menace d'une
invasion algérienne. La Tripolitaine suivit en 1711. Le dernier
essai de reprise en main de l'Afrique du Nord eut lieu en 1729.
Istanbul voulut installer à Alger un pacha à sa nomination : son
navire dut mouiller au cap Matifou et interdiction lui fut faite
de mettre pied à terre, sous peine de voir ouvrir le feu sur son
vaisseau. En Syrie, les grandes familles arabes devinrent des
puissances avec lesquelles les gouverneurs ottomans devaient
composer. Les États occidentaux tentaient de s'ingérer dans
le sort des communautés chrétiennes, Louis XIV et Louis XV
déclarant ainsi prendre en leur « protection et sauvegarde spéciale la nation entière des Maronites ». L'Empire abritait les
Lieux saints de Jérusalem et de Bethléem, et les Européens
y envoyaient des missions archéologiques, qui pouvaient être
considérées comme prétexte à espionnage.

Paradoxalement, cet affaiblissement du pouvoir effectif du
sultan ne déboucha nulle part sur une remise en cause de sa
légitimité. Pour ses sujets d'Europe, d'Asie et d'Afrique, le *devlet-
i-osmaniye* – l'État ottoman – était l'autorité éminente du monde
musulman sunnite. *Memâlik-i-osmanye* (les « territoires ottomans ») et *memâlik-i-islâmiye* (les « territoires musulmans ») étaient
termes synonymes. Les chérifs de La Mecque s'adressaient au
sultan ottoman comme au « calife du messager de Dieu ».

Le prestige de la Porte ottomane s'étendait loin au-delà de
l'Empire. Les Ouzbeks, les khans de Crimée, les chefs musulmans d'Asie du Sud-Est, comme le sultan de Sumatra, recon-
naissaient le sultan comme le chef éminent, temporel et spirituel,
du monde musulman. En 1727, l'Afghan Achraf Chah, éphémère maître de la Perse, fit mentionner le nom d'Ahmet III dans
les mosquées pendant le prône du vendredi. Dix ans plus tard,
Nader Chah, vainqueur d'Achraf, envoya une grande ambassade
à Istanbul. Dans sa missive à Mahmoud Ier, il l'appelait « calife
de l'Islam », « ombre de Dieu sur la Terre », « soleil lumineux du
ciel du califat » et priait pour la solidité des piliers de son califat.

Le prince qui occupa trente années durant le trône de
Constantinople n'avait pourtant pas grand charisme. Élevé en
captif à l'intérieur du sérail, monté sur le trône à la suite de

la révolution de palais qui avait emporté son frère Mustafa II, Ahmet III était un sultan triste, morose, d'humeur méfiante et mélancolique. « L'empereur régnant est un prince livré à la mollesse », lit-on dans les instructions données à Bonnac en 1716. Les portraits du souverain réalisés par Vanmour, le peintre de l'ambassade de France, montrent un modèle à la mine ahurie, les yeux exorbités.

Par prudence et par avarice, Ahmet aspirait plutôt à la paix. « Ce prince, déplorent les Français, n'aime point la guerre et en craint les événements et en appréhende la dépense. » Durant sa captivité, il avait eu pour secrétaire un nommé Ibrahim Pacha, d'origine arménienne. Devenu sultan, Ahmet III éleva ce favori jusqu'à la charge de grand vizir et lui donna pour épouse sa fille Fatima. Les Français considéraient Ibrahim comme très capable – « Il a une parfaite connaissance des intrigues du sérail ; il est affable, d'un esprit vif et pénétrant, porté naturellement à la douceur et n'usant de rigueur qu'à l'extrémité » – et pacifique par nécessité. Comme, en temps de guerre, le grand vizir était censé se mettre à la tête de l'armée ottomane, Ibrahim Pacha voulait le maintien de la paix de façon à éviter de commettre sa fortune au hasard d'une bataille perdue. « Comment, disait-il à l'ambassadeur de France, faire la guerre avec les troupes que vous voyez, dans le temps que tout nous abandonne, et que la France, dont nous pouvions espérer tôt ou tard quelque diversion, fait la guerre contre l'Espagne pour les Allemands ? Il me faut du temps pour rétablir cet empire. Nous songerons ensuite à reprendre ce que nous allons abandonner. »

Pendant douze ans, de 1718 à 1730, Ahmet III laissa gouverner Ibrahim. Amateur de bâtiments, de jardins et de fleurs, le sultan fit élever des pavillons de plaisance à l'architecture inspirée de l'Occident. De ces travaux, seule subsiste la fontaine dite d'Ahmet III, kiosque rectangulaire couvert de cinq coupoles, construit devant la porte principale du palais de Topkapi en 1728. Les tulipes qui parsemaient les tissus ottomans et le goût du sultan pour les fleurs et les jardins ont valu à son règne le nom d'âge des Tulipes.

L'ambassadeur ottoman

Malgré la médiocrité du sultan et la prudence de son vizir, l'âge des Tulipes fut loin d'être une période d'immobilisme. Les Ottomans avaient expliqué leurs revers des années 1680 et 1690 par l'abandon des bonnes lois et des bonnes coutumes du temps de Soliman le Magnifique. Les réformes entreprises par Amdjazâde Huseyn Pacha vers 1700 avaient pour but de rétablir cet âge d'or. Le grand vizir pensait résoudre des difficultés intérieures en relançant la machine ottomane de puissance conquérante.

Vingt ans après, ce constat ne suffisait plus. En Orient comme en Occident, les observateurs notaient le décalage technique croissant entre les Européens et les Turcs. « Ces barbares ont tellement abandonné les arts, écrit le héros des *Lettres persanes*, qu'ils ont négligé jusqu'à l'art militaire. Pendant que les nations d'Europe se raffinent tous les jours, ils restent dans leur ancienne ignorance et ils ne s'avisent de prendre leurs nouvelles inventions qu'après qu'elles s'en sont servies mille fois contre eux. Ils n'ont aucune expérience sur la mer, point d'habileté dans la manœuvre. »

L'Empire ottoman avait vécu jusque là dans une ignorance superbe de l'Occident alors que celui-ci, grâce à ses diplomates, ses marchands et ses antiquaires, ne cessait de parfaire sa connaissance historique, géographique et militaire de l'Empire. Les communications n'avaient lieu que dans un sens : des Européens séjournaient en Orient, non l'inverse. Les contacts avaient lieu le plus souvent par l'entremise de sujets non musulmans de l'Empire, grecs, arméniens ou juifs, qui fournissaient par exemple les drogmans, ou interprètes, assurant les communications entre la Porte et les ambassadeurs européens.

Pour comprendre les raisons des progrès des États chrétiens, la Porte envoya des ambassades à Paris (1720-1721), Moscou (1722-1723), Vienne (1729-1730) et Varsovie (1730). Pour justifier l'envoi d'une ambassade turque en France, Ibrahim Pacha tira prétexte de la reconstruction de la coupole de l'église du Saint-Sépulcre de Jérusalem. Les puissances chrétiennes se disputaient depuis plusieurs décennies l'honneur de diriger ce chantier. Après de longues intrigues entre États occidentaux, d'une part, et entre Latins et Grecs, de l'autre, le marquis de Bonnac finit par obtenir ce droit pour la France et les travaux commencèrent en juin 1719. Le grand vizir prétendit qu'il fallait « donner part au roi du consentement » que le sultan avait donné au chantier « à sa considération ». Sur les instances de Bonnac, le sultan fit choix pour ambassadeur d'un dignitaire de haut rang, Mehemet Saïd Efendi, ancien plénipotentiaire à Passarowitz. Les diplomates impériaux et vénitiens soupçonnèrent un projet d'alliance de revers dirigée contre l'empereur, tandis que, parmi les Turcs, qui « n'aiment point les choses nouvelles », certains dénonçaient l'entreprise comme un moyen trouvé par le grand vizir pour détourner à son profit les sommes réunies par les princes chrétiens pour restaurer le Saint-Sépulcre[4].

Outre ses objectifs proprement politiques, la mission de Mehemet Efendi avait un motif d'information générale sur les « nouveautés » en cours en Occident. Il était prescrit à l'ambassadeur « de faire une étude approfondie des moyens de civilisation et d'éducation et de faire un rapport sur ceux capables d'être appliqués ». Les Ottomans étaient particulièrement curieux du Système de Law, dont ils avaient entendu parler comme d'un moyen miraculeux de résorber les « dettes immenses dont l'État se trouvait chargé à la mort du feu roi ».

Emmené par un navire français, Mehemet arriva en France en un moment où les ardeurs réformatrices de la Régence étaient tout à fait retombées. La polysynodie avait laissé la place aux anciens secrétaires d'État. Le Système de Law venait de faire naufrage. La peste ravageait Marseille et la Provence. L'ambassadeur aborda à Toulon, où il fit la quarantaine, puis, évitant la vallée du Rhône, encore infectée par l'épidémie, reprit la mer pour Sète, où il subit une seconde quarantaine, puis remonta vers le nord par Toulouse, Bordeaux, Poitiers, Chambord, qui lui parut « un encensoir à six dômes », Blois, Orléans et enfin Paris.

L'intérêt de Mehemet, orienté par ses hôtes, se porta sur les grandes réalisations techniques et architecturales du règne

4. Gilles Veinstein a publié une édition commentée de la relation de cette ambassade : *Mehmed Efendi. Le Paradis des Infidèles : un ambassadeur ottoman en France sous la Régence*, 2004.

de Louis XIV : canal de Languedoc, machine de Marly, Observatoire, hôtel des Invalides, manufacture des Gobelins, plans-reliefs conservés dans la Grande Galerie du Louvre. On l'emmena à l'Opéra et on lui fit voir les joyaux de la Couronne. Hors de Paris, il fit le tour classique des résidences royales et princières : Versailles, Marly, Trianon, Meudon, Saint-Cloud, Chantilly et Fontainebleau. Le programme de visites concocté à son intention ne différait pas de celui qui avait été proposé à l'ambassadeur de Perse en 1715 ou à Pierre le Grand en 1717[5].

Durant son séjour, l'ambassadeur, semblable en cela à ses collègues occidentaux, montra une attention extrême aux détails de protocole et en particulier aux honneurs qui lui étaient consentis. Il ne devait le céder en rien ni à son devancier persan venu cinq ans plus tôt, ni aux émissaires des États chrétiens, toute différence de religion mise à part. Désireuses d'obtenir la contrepartie pour leur ambassadeur à Constantinople, les autorités françaises ne lésinèrent pas sur les moyens et sur les honneurs. Mehemet et sa suite furent entièrement défrayés. Ils furent reçus, harangués et fêtés dans toutes les villes qu'ils traversèrent. Le 16 mars 1721, l'ambassadeur eut droit à une entrée solennelle dans Paris sous la conduite du maréchal d'Estrées. « Quoique je n'eusse pas un équipage assez beau pour une pareille cérémonie, écrit Mehemet immodestement, cependant, par le secours de Dieu, on avoua qu'il ne s'était jamais vu une entrée si superbe à Paris. » Il logea à l'hôtel des Ambassadeurs extraordinaires, rue de Tournon, qui avait été aménagé à son intention, eut une audience d'apparat aux Tuileries et fut plusieurs fois admis à rencontrer le jeune Louis XV.

À l'instar de ses sujets, le petit roi s'enchanta à considérer l'ambassadeur et ses tenues exotiques. Les rapports avec Philippe d'Orléans, dont l'abord était facile, furent aussi excellents. Le courant passa également avec le maréchal de Villeroy, dont le goût bien connu pour le faste et le cérémonial rencontrait les passions des Orientaux. Il passa beaucoup plus mal avec l'abbé Dubois. Mehemet méprisait, comme les Français eux-mêmes, les origines modestes de ce « pauvre curé devenu chef de l'église de Cambrai » et s'indignait de voir jouer les

5. Le parcours de ces visiteurs est détaillé ci-dessous, chapitres 9 et 16.

grands vizirs à un secrétaire d'État qui n'était encore qu'un vizir parmi d'autres. Il lui reprocha en outre d'avoir mis peu de bonne volonté à faire rechercher les prisonniers turcs qui pouvaient se trouver aux galères de Marseille. Les Ottomans étaient inquiets de la conclusion de la Quadruple Alliance. L'ambassadeur avait reçu mission de nouer une alliance de revers contre les Habsbourg. Fidèles à leur système pacifique, le Régent et Dubois ne donnèrent pas suite à ces propositions et la faute en retomba sur Dubois. Mehemet repartit donc assez mécontent de la partie politique de sa négociation, en dépit du traitement honorable dont il avait bénéficié pendant son séjour en France.

La vie de l'ambassadeur était publique, ce qui le rendait d'autant plus scrupuleux à observer et à faire observer les préceptes de la religion musulmane. Mehemet conduisait les prières quotidiennes et observait le jeûne du Ramadan. Ses gens ne mangeaient que de la viande abattue par leurs soins. L'ambassadeur punissait ceux qui avaient consommé de l'alcool… mais buvait en cachette et à son retour commanda pour lui-même mille bouteilles de champagne et neuf cents bouteilles de bourgogne. Mais le trait de mœurs qui impressionnait davantage les Français était la propreté des Turcs et leur usage quotidien des bains.

Le fils de Mehemet, Saïd Efendi, semble avoir été un peu plus curieux que son père. Il se promena seul dans Paris, alla à l'Opéra et se mit à apprendre le français. Il s'intégra si bien que de jeunes aristocrates françaises délurées l'enivrèrent et passèrent avec lui deux journées de débauche dans le labyrinthe de Versailles. Le père et le fils rencontrèrent l'abbé Bignon, président des Académies et bibliothécaire du roi, et visitèrent la Bibliothèque du roi, où ils furent étonnés de voir une multitude de corans et de manuscrits arabes, turcs et persans. L'ambassadeur reçut en présent une édition latine imprimée d'Aristote « qu'il avait témoigné être bien aise d'avoir ».

Sur le chemin du retour, les honneurs ne furent pas moindres qu'à l'aller. En septembre 1721, Lyon, dont Villeroy était gouverneur, voulut surpasser Paris par la splendeur de son accueil. Il y eut entrée, cavalcade, fêtes sur l'eau, illuminations, feux d'artifice, concert où fut chanté l'acte turc de *L'Europe Galante* de Campra.

De retour à Constantinople, l'ambassadeur fit l'éloge de ce qu'il avait vu en France. « Comme il est grand parleur, écrit le marquis de Bonnac, il n'entretient encore ses amis et ceux qui l'écoutent que de la beauté de ce qu'il a vu dans le royaume [...]. On doit avouer que, par la description qu'il a faite de ce qu'il a vu, il est le premier des Turcs qui ait osé donner à la Porte une idée convenable de la grandeur et de la puissance de nos rois, et qui pourra avoir son utilité dans les suites. »

Dans le rapport qu'il écrivit à la suite de sa mission, Mehemet témoigne peu d'attention pour les nouveautés militaires. Il paraît plus sensible au fastueux décor légué par le Grand Siècle : jardins à la française dont il vante la symétrie, chatoiement des tapisseries de l'*Histoire du roi*, éclat des opéras et des ballets de Lully et de Delalande. Il est spécialement attentif à l'art des jardins, aux fleurs et aux plantes nouvelles rapportées de Chine et du Nouveau Monde. Comme Pierre le Grand en 1717, Mehemet s'était rendu à Bercy pour visiter le cabinet de Pajot d'Ons-en-Bray et ses curiosités de mécanique et d'histoire naturelle. À son retour, il commanda des instruments d'optique, des étoffes, des objets d'ébénisterie, des estampes représentant les châteaux, les villes et les jardins de France, des fleurs par milliers et « de gros perroquets qui sont de plusieurs couleurs comme incarnat, jaune et bleu ». L'intérêt pour les arts d'agrément l'emportait sur l'étude des progrès techniques. Dans les mœurs françaises, l'ambassadeur remarqua surtout le respect que les hommes témoignaient pour les femmes et la liberté de mouvement dont jouissaient ces dernières. « Les plus grands seigneurs, s'étonne-t-il, feront des honnêtetés incroyables aux femmes du plus bas état, de sorte que les femmes font ce qu'elles veulent et vont en tel lieu qu'il leur plaît; leurs commandements passent partout. »

Une imprimerie à Istanbul

La relation tirée par Mehemet Saïd Efendi de son ambassade paraît de prime abord bien anecdotique et pour tout dire bien décevante par rapport aux objectifs fixés. Mais l'auteur remit lui-même le document au marquis de Bonnac et il n'est pas à exclure que la version transmise ait été quelque peu édulcorée en vue d'une diffusion en France.

Les signes ne manquent pas en tout cas d'une effervescence, à Constantinople et dans ses environs, après les ambassades des années 1720. On construisit des palais, des maisons de plaisance et des jardins inspirés de l'Occident. On recruta des artistes étrangers. L'armée et la marine firent plus que jamais place aux renégats venus d'Europe. Le plus célèbre fut le comte de Bonneval, un des vainqueurs de Belgrade, qui, fâché avec le prince Eugène, passa aux Ottomans en 1729, se convertit à l'islam et, sous le nom de Bonneval Pacha, inspira une réforme de l'armée.

La prise de conscience de l'ascendant pris par l'Europe occidentale apparaît clairement dans un mémoire adressé au grand vizir en 1726 par le diplomate Ibrahim Müteferrika, un nouveau converti d'origine hongroise. Ibrahim constate d'abord l'extension territoriale prise par les chrétiens « dans plusieurs royaumes et empires du Nouveau Monde, appelé autrement Amérique, lequel est devenu le siège de cette méchante engeance » ainsi qu'en Asie et en Afrique. L'auteur impute cette expansion aux progrès navals des Européens : « Cette race souple et rusée, poussée par la force de son génie, entreprit d'abord de traverser et de croiser toutes les mers avec ses vaisseaux et de pénétrer dans tous les climats. » Les Occidentaux ont profité « de l'extrême indolence des musulmans et de leur indifférence marquée pour la connaissance des affaires de leurs ennemis », et leur expansion menace désormais les territoires de l'Islam.

Il convient donc de s'interroger sur les causes de l'essor des Européens. « Comment, de vaincus et subjugués qu'ils étaient, sont-ils devenus à leur tour victorieux et triomphants ? » L'auteur du mémoire invite à examiner les maximes de gouvernement, les méthodes d'organisation, les lois civiles et judiciaires des Occidentaux. Il insiste en particulier sur leur « gouvernement militaire » : « nouvelle tactique fondée sur des principes admirables et une ordonnance surprenante », « bel ordre et bonne discipline des troupes régulières dressées et exercées par le moyen de sages ordonnances ». La clef du problème est moins technologique qu'intellectuelle.

L'année suivante, sous la protection du grand vizir, Müteferrika et Saïd Efendi, le fils de l'ancien ambassadeur de la Porte en

France, établirent à Constantinople une première imprimerie en caractères arabes. Le *cheikh-ul-Islam*, principale autorité religieuse de l'Empire, avait donné son accord sous réserve que l'établissement s'abstienne d'imprimer le Coran ou tout autre ouvrage religieux. Les presses furent empruntées aux imprimeries grecques et arméniennes puis importées de Paris et de Leyde. L'imprimerie publia des livres arabes, persans et turcs mais aussi des livres d'histoire, de géographie et de sciences traduits du français et de l'anglais.

L'occidentalisation très superficielle promue par Ahmet III et son gendre suscita de vives oppositions. En 1730, un projet de campagne contre la Perse entraîna une révolte de janissaires soutenus par les oulémas et les adversaires d'Ibrahim. S'ensuivirent l'exécution du grand vizir, puis l'abdication d'Ahmet III lui-même. Le 1er octobre, Mahmoud Ier, un des fils de Mustafa II, fut proclamé sultan. Les édifices d'inspiration européenne qu'Ahmet avait fait construire furent abattus. Les suspects tombèrent en disgrâce : l'ambassadeur Mehemet Efendi, exilé comme gouverneur de Chypre, y mourut en 1732.

Les réformateurs ne s'avouèrent pas vaincus. En 1732, Ibrahim imprima son mémoire de 1726 et le présenta au sultan. Mahmoud confia la réforme de l'artillerie à Bonneval Pacha et ce dernier fonda en 1734 une école d'ingénieurs. Mais la pression des oulémas conservateurs entraîna la fermeture de l'imprimerie en 1742 et celle de l'école en 1750.

« J'ai vu avec étonnement, écrit Usbek, le héros des *Lettres persanes*, la faiblesse de l'empire des Osmanlins. Ce corps malade ne se soutient pas par un régime doux et tempéré, mais par des remèdes violents, qui l'épuisent et le minent sans cesse. » Le Persan annonce que l'État ottoman sera, avant deux siècles, le « théâtre des triomphes de quelque conquérant ». La configuration qui fait de l'Empire ottoman l'« homme malade de l'Europe », suivant une formule du tsar Nicolas Ier, est déjà en place. La France et la Grande-Bretagne ont intérêt à la survie de l'État turc, tandis que la Russie et l'Autriche travaillent à sa perte. Cet équilibre instable va durer deux siècles encore, jusqu'à la Première Guerre mondiale.

Le constat et la prophétie d'Usbek sont tous deux exacts, mais ils n'éclairent pas les causes profondes du déclin de l'Empire. Comme les auteurs du xviie siècle, Montesquieu ne voit que troubles intestins au sommet du gouvernement turc, complots de sérail et sanglantes révolutions de palais. Les historiens contemporains qui, comme Robert Mantran, se sont penchés sur la question expliquent ce déclin par la nature militaire du régime : l'État ottoman, reposant sur une armée puissante et coûteuse, ne se serait maintenu qu'à la faveur de conquêtes permanentes ; il aurait été incapable de supporter un état d'équilibre territorial prolongé.

C'est encore la constitution militaire de l'Empire qui expliquerait son incapacité à se réformer. Les Ottomans du xviiie siècle croyaient rattraper leur retard par rapport à l'Occident, qui s'était manifesté par des défaites militaires, en s'inspirant de quelques techniques militaires, sans comprendre que c'était le système entier d'éducation et d'administration qu'il aurait fallu remettre en cause.

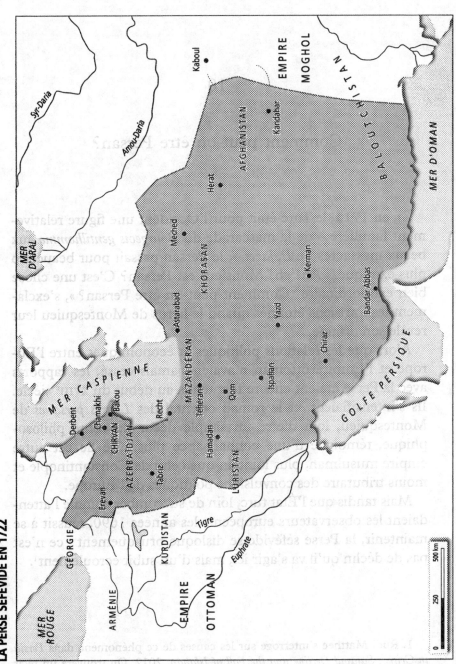

LA PERSE SÉFÉVIDE EN 1722

EMPIRE MOGHOL

BALOUTCHISTAN

MER D'OMAN

Kaboul

Kandahar

AFGHANISTAN

Herat

Meched

KHORASAN

Kerman

Bandar-Abbas

Yazd

Chiraz

GOLFE PERSIQUE

Astarabad

MAZANDÉRAN

Ispahan

Qom

Téhéran

MER CASPIENNE

Recht

Bâkou

Chamakhi

CHIRVAN

Derbent

Hamadan

AZERBAÏDJAN

LURISTAN

Tabriz

KURDISTAN

Tigre

Erevan

GÉORGIE

ARMÉNIE

EMPIRE OTTOMAN

MER ROUGE

Euphrate

Syr-Daria

Amou-Daria

MER D'ARAL

0   250   500 km

10

Comment peut-on être Persan?

Si, en 1715, le Turc était pour l'Occident une figure relativement familière – de la mascarade du *Bourgeois gentilhomme* aux
beaux massacres de *Bajazet* –, le Persan passait pour beaucoup
plus exotique. « Ah! ah! Monsieur est Persan? C'est une chose
bien extraordinaire! Comment peut-on être Persan? », s'excla-
ment les Parisiens étonnés quand le héros de Montesquieu leur
révèle son origine.

Alors que les relations politiques et économiques entre l'Europe et l'Empire ottoman n'avaient jamais cessé, les rapports
avec la Perse étaient encore fort ténus au début du XVIIIe siècle.
Ils s'intensifiaient, et le roman oriental des *Lettres persanes* de
Montesquieu, loin d'être un simple décor de conte philosophique, témoigne d'une connaissance plus sûre de cet autre
empire musulman, plus lointain que celui de Constantinople et
moins tributaire des convulsions politiques de l'Europe.

Mais tandis que l'État turc, loin de succomber comme l'attendaient les observateurs européens des années 1690, réussit à se
maintenir, la Perse séfévide se disloque brusquement : ce n'est
pas de déclin qu'il va s'agir ici, mais d'un subit écroulement[1].

---

1. Rudi Matthee s'interroge sur les causes de ce phénomène dans *Persia
in Crisis : Safavid Decline and the Fall of Isfahan*, 2012. On trouvera un récit
flamboyant de la crise dans le livre de Michael Axworthy, *The Sword of Persia :
Nader Shah, from Tribal Warrior to Conquering Tyrant*, 2006.

L'ambassadeur de Perse à Versailles

Le 19 février 1715, la Grande Galerie de Versailles s'emplit de courtisans aux costumes plus chamarrés qu'à l'ordinaire. Louis XIV lui-même avait revêtu un habit d'une exceptionnelle richesse, cousu d'une profusion de diamants tirés des joyaux de la Couronne. Le souverain avait ordonné tous ces fastes pour une réception qui allait être la dernière grande cérémonie de son règne : l'audience donnée à l'ambassadeur du chah de Perse[2].

L'initiative de l'ambassade ne venait pas des Français mais bien du chah Hossein. Au commencement du siècle, ce dernier avait souhaité l'appui d'une escadre française pour s'emparer de Mascate, place forte de la piraterie arabe dans le golfe Persique. En échange de ce soutien naval, Hossein était disposé à concéder aux Français un comptoir dans le Golfe. Mais la guerre de succession d'Espagne ralentit les communications entre l'Europe et la Perse. Un premier projet d'ambassade en France, en 1704, ne fut pas mis à exécution, en raison d'intrigues menées par les Anglais et les Hollandais. Quatre ans plus tard, la France envoya des émissaires à Ispahan, les Marseillais Jean-Baptiste Fabre et Pierre-Victor Michel, qui signèrent un traité d'alliance et de commerce. La France se voyait accorder des privilèges commerciaux et s'engageait à envoyer en Perse des vaisseaux et des ouvriers pour la construction d'armements et d'objets de précision. Mais le traité ne fut pas ratifié, car considéré comme trop onéreux par la partie française.

L'arrivée en Perse de la nouvelle de la victoire des Français à Denain relança le projet d'ambassade auprès de Louis XIV. Une nouvelle fois, il s'agissait de conclure un traité de commerce doublé d'un accord politique pour la conquête de Mascate. Pour conserver le secret de la mission, Hossein ne désigna pas lui-même son ambassadeur, mais délégua ce choix au gouverneur de la province d'Erevan. Ce dernier prétendit d'abord envoyer

2. Le baron de Breteuil, introducteur des ambassadeurs, a laissé un récit circonstancié de cette ambassade et des audiences qui l'ont ponctuée. Maurice Herbette, *Une ambassade persane sous Louis XIV d'après des documents inédits*, 1907, a recueilli de nombreux témoignages sur le périple de Mohammed Reza.

en France le second personnage de la province, Mirza Sadek, qui se déroba. La mission retomba de ce fait sur la troisième autorité locale, Mohammed Reza Beg, *kalender* ou percepteur des impôts. Les présents destinés à Louis XIV furent confiés à un marchand arménien, Agobjan, qui les cacha dans des ballots de soie, et partit en avant-garde.

Les Persans ayant choisi de voyager par voie de terre, il leur fallait traverser l'Empire ottoman, qui regardait d'un mauvais œil l'établissement d'un contact direct entre les puissances occidentales et son ennemi héréditaire chiite. Le marchand emmena les ballots de soie jusqu'à Smyrne, où ils furent embarqués pour la France. L'ambassadeur, qui voyageait sous l'identité d'emprunt peu convaincante d'un pèlerin se rendant à La Mecque, prit par Kars et Erzeroum, avant d'arriver à Smyrne. Par crainte d'être arrêté à la douane, il gagna Constantinople, où il espérait que l'ambassadeur de France l'aiderait à sortir de Turquie. Arrivé dans la capitale, Mohammed fut arrêté, interrogé et continua de nier qu'il était l'ambassadeur de Perse. Il fallut employer des arguments sonnants et trébuchants et l'intermédiaire des réseaux arméniens pour que les fonctionnaires de la Porte se laissent convaincre. Le Persan, obligé de se joindre à la caravane de La Mecque, lui faussa compagnie à Alexandrette et s'embarqua enfin pour l'Europe le 18 septembre 1714. Le 8 octobre, il atteignait Malte et le 23, Marseille. Le drogman de l'ambassadeur de France à Constantinople, Padéry, l'avait accompagné pour lui servir de traducteur.

Contrairement aux usages, Mohammed Reza exigea de faire une entrée solennelle dans la cité phocéenne. Il y entra donc, avec pour toute suite son interprète et deux officiers. À quelque temps de là, il offrit une collation aux notables et les Marseillais purent goûter le *nân* ou pain iranien, le riz pilaf et les sorbets. L'ambassadeur se montra dans Marseille, visita la galère réale et entendit les opéras de Lully *Amadis* et *Bellérophon*.

En novembre, Louis XIV envoya à Marseille M. de Saint-Olon, l'un de ses gentilshommes ordinaires, pour recevoir l'ambassadeur et l'accompagner jusqu'à Paris. Le choix était judicieux, car Saint-Olon n'était pas ignorant des mœurs musulmanes et levantines : après avoir été envoyé à Gênes en 1682, il l'avait été au Maroc en 1693, et son frère était évêque de Babylone. Après une première entrevue, le diplomate rendit à Torcy un compte

peu enthousiaste du comportement de l'ambassadeur persan :
« Il accompagne tout ce qu'il dit et fait de tant de hauteur qu'il
semble être venu plutôt pour nous donner la loi que pour écouter
la justice de nos remontrances. » Un autre contemporain peignait
Mohammed Reza « fier, rude, brusque, fantasque, inconstant
dans ses résolutions, ne voulant écouter ni la raison, ni le bon
sens, les règles de la politique ni celles de la bienséance ».

La remontée de Marseille jusqu'à Paris eut lieu à train de
sénateur, l'ambassadeur se faisant accompagner par les troupes
et entrant comme en triomphe dans chaque cité traversée, au
mépris des instructions royales. Les autorités le haranguaient, les
notables le recevaient et le comblaient de présents : du nougat à
Montélimar, des confitures à Valence, des bougies et des fruits
exotiques à Nevers. Le cortège parvint à Charenton le 26 janvier
1715. Mohammed Reza y logea dans la maison d'un échevin de
Paris, Dionis, dont les jardins en terrasses dominaient la Seine.

Le 28, le baron de Breteuil, introducteur des ambassadeurs,
vint trouver le Persan, qui se prétendait souffrant. Le premier
contact fut médiocre : « L'ambassadeur, rapporte Breteuil, était
resté couché auprès du feu, la tête tournée du côté de la porte,
sur des tapis de Perse et une espèce de matelas d'environ deux
ou trois pouces d'épaisseur, dont l'étoffe ressemble assez à notre
moquette ; et comme leur manière est d'avoir toujours les jambes
reployées sous eux et que l'ambassadeur est très petit, j'avoue
qu'au premier coup d'œil il me parut que c'était un gros singe qui
était couché auprès du feu. Je ne doute pas que la première fois
que les Persans voient un Européen assis sur une chaise, ils ne
trouvent la posture aussi ridicule que celle de l'ambassadeur me
l'a semblé dans cette première apparition. » De longues et pénibles
négociations suivirent pour régler les détails d'étiquette de l'entrée solennelle de l'ambassadeur dans Paris. Celle-ci eut lieu le
7 février. Par dérogation aux usages, Mohammed Reza Beg monta
dans le carrosse royal avec le maréchal de Matignon et le baron de
Breteuil, mais, arrivé au faubourg Saint-Antoine, il en descendit
pour monter à cheval, et ses accompagnateurs firent de même. Le
cortège traversa Paris au milieu d'une foule de badauds admirant
les troupes, les trompettes, le porte-épée, le porte-étendard, les
gardes et les laquais de l'émissaire du chah, et arriva à l'hôtel des
Ambassadeurs extraordinaires, rue de Tournon.

Le 19 février, l'ambassadeur se rendit à Versailles pour l'audience royale qui devait être le principal événement de son ambassade. Cette cérémonie devait rappeler les audiences accordées au doge de Gênes et aux ambassadeurs siamois qui avaient marqué la belle époque du règne de Louis XIV. Sur les conseils de Breteuil, le monarque consentit à reproduire le cérémonial exceptionnel pratiqué en ces occasions : on installa le trône royal sur une estrade placée au bout de la Grande Galerie ; le roi parut revêtu des diamants de la Couronne et toute la cour revêtit des habits magnifiques. Sur l'estrade, Louis XIV était entouré des princes de son sang ; le petit dauphin, futur Louis XV, à sa droite ; le duc d'Orléans, futur Régent, à sa gauche. Dans la foule, incognito, se trouvaient l'électeur de Bavière, le prince électoral de Saxe et le prince de Transylvanie, Rakoczi.

Le cortège de l'ambassadeur traversa l'avant-cour du château occupée par deux mille hommes des gardes-françaises et des gardes-suisses dont les tambours battirent en son honneur. Dans la cour royale, ce furent les gardes de la porte et ceux de la prévôté de l'Hôtel. Les curieux avaient à ce point afflué dans les cours et à l'intérieur du château et la presse était telle que Mohammed Reza se trouva séparé de sa suite.

Le Persan gravit l'escalier des Ambassadeurs, traversa le Grand Appartement et la Grande Galerie avant de parvenir, en se frayant un chemin à grand-peine, jusqu'au trône où il remit la lettre du chah de Perse à Louis XIV. Au lieu de la harangue habituelle dans ces circonstances, il y eut ensuite une manière de brève conversation entre le roi et l'émissaire, puis ce dernier se retira, toujours pressé par la foule. Les présents du chah, qui se composaient de 106 perles, 280 turquoises et deux boîtes d'or emplies de baume de mumie, parurent bien modestes aux Français. On remarqua aussi avec étonnement que, contrairement à l'habitude, les princes étaient restés découverts pendant toute l'audience : c'est que Mohammed, comme musulman, ne pouvait enlever son turban ; il était donc assimilé par la fiction cérémonielle à un ambassadeur qui serait demeuré découvert tout au long de la cérémonie.

Vivant aux frais du roi, Mohammed Reza Beg se trouva bien à Paris et ne témoigna aucun empressement à conclure ses négociations et à retourner dans son pays. S'il adopta le lit européen, il continua de s'asseoir en tailleur, à la persane, et stupéfia les Parisiens par son souci d'hygiène, qui conduisit à lui faire construire une salle de bains. La chose était si peu commune que l'on mit bientôt en vente une estampe montrant l'ambassadeur dans son bain. À Paris comme à Marseille, on s'étonna du régime de Mohammed Reza, qui ne buvait pas de vin mais du thé, du café et du chocolat, et qui ne sortait jamais sans sa pipe. On imputait d'ailleurs à l'usage immodéré de l'opium certaines de ses extravagances.

Mohammed vit l'hôtel des Invalides, la manufacture des Gobelins, le château de Vincennes et la foire Saint-Germain. Il se rendit plusieurs fois à l'Opéra. Cependant, l'ambassadeur ne montrait aucune curiosité pour visiter Paris et ses environs ou pour s'instruire des mœurs des Français. Il passait sa journée à fumer la pipe, à prendre du café devant ses admiratrices et aller s'exercer au lancer de javelot à cheval sur les remparts.

Le 13 août, l'ambassadeur se rendit une nouvelle fois à Versailles, eut du roi une audience de congé qui fut la dernière action publique de Louis XIV et signa un traité avec les ministres Torcy, Pontchartrain et Desmaretz. Mohammed Reza Beg avait pour instruction de faire ratifier le traité de 1708 et d'obtenir l'aide de la flotte française pour entreprendre le siège de Mascate. Le nouveau traité confirmait celui de 1708 mais y ajoutait l'exemption des droits de douane et la clause de la nation la plus favorisée; à l'inverse, les marchands persans venant à Marseille recevraient des privilèges identiques et le droit d'avoir un consul. Le lendemain, l'ambassadeur reçut des présents destinés à faire valoir l'industrie française : montres, pendules, fusils, pistolets, pièces d'étoffe, tapis de la Savonnerie. Le 22 août, Louis XIV signa une lettre au chah Hossein où, à mots couverts, il laissait entendre qu'en autorisant architectes et ingénieurs à suivre Mohammed Reza en Perse il préparait une alliance militaire en vue du siège de Mascate.

L'ambassadeur quitta Paris le 30 août par voie d'eau pour Rouen. Il y parvint le 2 septembre et écrivit à Torcy une lettre de condoléances pour la mort de Louis XIV. Le 13, il s'embarqua au Havre sur la frégate *L'Astrée*. Détail romanesque, il emmenait avec lui, cachée dans une caisse, une Mme d'Épinay dont il avait fait sa maîtresse. Mohammed Reza débarqua à Copenhague et gagna la Russie par voie de terre. Au terme d'un extravagant périple, il atteignit Erevan en mai 1717. Dans le cours de son voyage, sa suite s'était dispersée, les présents destinés au chah avaient été vendus. Apprenant la disgrâce du vizir qui avait conçu son ambassade, Mohammed Reza se suicida. Mme d'Épinay, convertie entre-temps à l'islam, apporta à Ispahan ce qui restait des présents royaux; l'ingénieur français Lajoue, qui avait suivi l'ambassadeur, s'installa à Erevan.

Le consul de France à Ispahan, Gardanne, ne put obtenir du chah Hossein la ratification du traité de Versailles. Il fallut la révolte de 1722 pour que Padéry, devenu à son tour consul de France, puisse convaincre le chah de procéder à cette ratification. À cette date, la Perse s'enfonçait dans le chaos et le traité n'avait plus grand sens.

Des esprits chagrins ont tenu Mohammed Reza Beg pour un imposteur, soit aventurier ayant abusé de la crédulité des Français, soit homme de paille produit par Jérôme de Pontchartrain pour amuser la vieillesse de Louis XIV. L'hypothèse est soutenue par Madame Palatine dans sa correspondance, par Montesquieu dans les *Lettres persanes* et par Saint-Simon dans ses *Mémoires*. Ces différents témoins, trop heureux de se gausser du Roi-Soleil, s'inspirent en fait de la mystification turque qui termine *Le Bourgeois Gentilhomme*.

Avec la distance du temps, les « extravagances » du Persan nous paraissent fort proches des passions de ses contemporains français. Comme eux, Mohammed Reza Beg avait l'obsession de son rang et la manie de l'étiquette. Si loin de son pays, si démuni de moyens, il lui fallait monter sur ses ergots. Les entrées publiques qu'il exigeait de faire dans les villes qu'il traversait participaient du désir d'exalter la grandeur de la Perse. « Étant l'ambassadeur d'un roi beaucoup supérieur aux rois d'Espagne et autres », il prétendait à un traitement supérieur et ne pouvait souffrir de comparaison. Mohammed Reza avait peut-être compris que le protocole français ne consentait aux émissaires des souverains non chrétiens que des honneurs inférieurs à ceux dont jouissaient les puissances européennes.

Les « *Lettres persanes* »

L'ambassade de Mohammed Reza a inspiré un des monuments de la littérature française : les *Lettres persanes* de Montesquieu, publiées en 1721[3]. Tandis que le Persan Usbek découvre l'Empire ottoman puis l'Europe occidentale, ses femmes se disputent et cherchent à déjouer la surveillance des eunuques noirs chargés de leur garde. Le temps passant, le désordre s'installe dans le sérail et les mœurs se relâchent. Le roman finit par le massacre des femmes rebelles et le suicide de Roxane, l'épouse favorite, inspiratrice cachée de la rébellion.

Le caractère « persan » de ces lettres est rarement pris au sérieux. En faisant décrire la France du Régent par des voyageurs venus d'Ispahan, Usbek et Rica, Montesquieu aurait eu pour premier objectif d'énoncer des vérités peu orthodoxes sans encourir les foudres de la censure. Le roman de sérail qui occupe une bonne moitié des lettres ne serait qu'une fantaisie érotique destinée à satisfaire les fantasmes des Occidentaux. Le volet persan des *Lettres persanes* mérite en fait un examen plus serré. Il nous montre d'abord ce qu'un Français cultivé, lecteur des relations de voyage de Tavernier et Chardin, parues dans la seconde moitié du XVIIe siècle, pouvait savoir de la Perse séfévide. Il témoigne aussi d'une vraie réflexion sur les mœurs des musulmans et sur l'Islam, qui n'est pas qu'un masque destiné à voiler les attaques contre le christianisme.

Montesquieu a une nette conscience de la grande fracture religieuse entre chiites et sunnites, qui recouvre la rivalité entre les Persans et les « perfides Osmanlins », sectateurs du « détestable Omar ». Il est instruit des interdits portant sur le vin et le porc, de la vénération des chiites pour Ali, des pèlerinages à Qom, de l'importance des communautés arméniennes et zoroastriennes en Perse. Tout au long du roman, ses héros développent un parallèle entre monde musulman et monde chrétien, dont la

3. Catherine Volpilhac-Auger et Philip Stewart ont dirigé l'édition critique des *Lettres persanes* publiée en 2004. On se reportera aux différents articles du *Dictionnaire Montesquieu* en ligne et au recueil dirigé par Christophe Martin, *Les Lettres persanes de Montesquieu*, 2013.

conclusion est que les deux univers s'opposent moins par les dogmes religieux que par les mœurs : Montesquieu pose en particulier le problème de la condition féminine, débattu aussi bien à travers les lettres comportant des discussions philosophiques que dans celles qui développent l'intrigue du sérail d'Usbek.

Derrière le récit érotique, avec eunuques blancs et eunuques noirs, odalisques et rêves voluptueux, se cache un plaidoyer pour la liberté des femmes, pour l'égale dignité du désir féminin et du désir masculin. Significativement, le dernier mot du roman revient à Roxane, l'épouse infidèle, qui meurt en clamant à l'époux trompé sa haine et son mépris : « Comment as-tu pensé que je fusse assez crédule pour m'imaginer que je ne fusse dans le monde que pour adorer tes caprices ? Que, pendant que tu te permets tout, tu eusses le droit d'affliger tous mes désirs ? Non ! J'ai pu vivre dans la servitude, mais j'ai toujours été libre : j'ai réformé tes lois sur celles de la Nature, et mon esprit s'est toujours tenu dans l'indépendance. »

Les *Lettres persanes* reprennent les constatations faites traditionnellement par les voyageurs européens dans le monde musulman, mais pour en tirer des conclusions différentes. Quand ceux-ci décrivaient l'enfermement des femmes musulmanes, ils n'étaient pas nécessairement critiques. Bien au contraire, ils approuvaient une heureuse pudeur qui tranchait avec la liberté excessive dont jouissaient, à leur avis, les femmes d'Occident. Leurs récits rejoignaient ainsi un discours misogyne qui connaissait en Europe un regain périodique, à mesure de la lente mais constante amélioration de la condition féminine. Montesquieu, à l'inverse, intègre sa réflexion sur le sérail à une méditation plus vaste sur la politique et la société, sur la liberté d'Occident et sur le despotisme, sur un monde en expansion face à un monde en déclin.

Le déclin de l'Empire

Les prétentions de l'ambassadeur Mohammed Reza tenaient peut-être à la faiblesse relative de la puissance qu'il représentait, aussi bien par rapport à la Turquie d'Ahmet III qu'en comparaison de la France de Louis XIV. La Perse séfévide était moins vaste et moins peuplée – sans doute 8 millions d'habitants au milieu du XVIIe siècle – que l'Empire ottoman, mais semblait de prime abord plus solidement constituée. Après des commencements marqués par un messianisme chiite belliqueux, la dynastie régnante avait fait le choix de la paix, en particulier face aux Turcs dont la puissance était indéniablement supérieure.

Les souverains séfévides prétendaient descendre d'Ali, le premier imam, et être les serviteurs et les représentants sur Terre de l'imam caché, le chiisme rejoignant ainsi l'ancienne conception de la monarchie iranienne de droit divin. Au contraire de ce qui se passait à Constantinople, la succession au trône se faisait le plus souvent sans heurts. Aucun chah du XVIIe siècle ne mourut de mort violente ni ne fut déposé. Quand le Français Chardin voyageait en Perse, dans les années 1660 et 1670, le sort du paysan persan lui paraissait meilleur que celui du paysan français. Ispahan était alors une de villes les plus prospères du monde, peuplée de 500 000 habitants. Les voyageurs y allaient voir le Meidan, la plus vaste place ordonnancée jamais conçue, et les superbes édifices qui la bordaient – palais d'Ali Qapou, mosquée du Chah, mosquée du Cheikh Lotfallah et medersa de la Mère du Chah. Aux abords de la ville, on admirait le palais-jardin du Chah à Farahabad et les ponts monumentaux franchissant le Zayandé-roud.

L'Empire séfévide s'étendait sur un espace beaucoup plus vaste que l'Iran d'aujourd'hui, recouvrant les territoires actuels de l'Arménie, de la Géorgie, de l'Azerbaïdjan, du Turkménistan et de l'Afghanistan. Fondé par des Turcs kurdophones, il regardait vers le nord et l'ouest, où étaient à la fois ses ennemis les plus redoutables et ses provinces les plus fertiles, et négligeait le Sud étouffant, le *garmsir* ou pays de la chaleur, et le golfe Persique. Anglais et Hollandais y avaient depuis longtemps des comptoirs, tandis que les Français étaient présents par l'intermédiaire de missionnaires catholiques qui œuvraient, comme dans l'Empire ottoman, pour réunir à Rome les chrétiens orientaux, en particulier les Arméniens.

L'explication classique du déclin de l'Empire, partagée par les témoins orientaux et occidentaux, part de la médiocrité des souverains qui occupèrent le trône à la fin du XVIIe siècle. Le régime centralisé fondé par des chahs forts et autoritaires devait dégénérer sous des princes faibles et sans volonté. Les agents de la Compagnie hollandaise des Indes décrivent ainsi les deux derniers chahs séfévides, Suleyman et Hossein, comme « esclaves de Bacchus et de Vénus ». La dernière parole de Suleyman, mort le 29 juillet 1694, aurait été : « Apportez-moi du vin ! » Les deux souverains vécurent enfermés dans leur harem, entourés d'eunuques et de courtisans serviles, sans prise directe sur la réalité. Vers 1715, un nommé Weber décrit le chah Hossein comme un prince « âgé de quarante ans et d'un naturel indolent, entièrement livré à ses plaisirs, terminant tous ses différends avec les Turcs, les Indiens et ses autres voisins par l'entremise de ses gouverneurs et à force d'argent ». Le Français Paul Lucas dépeint le chah comme un prince « d'un fort bon naturel », car « on lui fait accroire ce que l'on veut ». En 1717, Arthème Volinsky, envoyé russe à Ispahan, renvoie un son de cloche identique : « Là, il y a un chef qui n'est pas au-dessus de ses sujets, et je suis sûr qu'on peut rarement trouver pareil imbécile, même parmi les gens du commun, sans parler des têtes couronnées. C'est pour cela qu'il ne fait jamais rien par lui-même mais s'en remet pour tout à son vizir, plus bête que n'importe quelle bête et pourtant si bien en faveur que le chah prête attention à tout ce qui sort de sa bouche et fait ce qu'il lui dit. » À ceux qui lui faisaient une demande, Hossein avait pour coutume de répondre, dans le dialecte turc azéri qui était sa langue de famille : *« Yakhshi dir »* (« Cela est bon »), et ses courtisans l'avaient irrespectueusement surnommé *Yakhshi dir.*

La seule inflexion donnée par Hossein à la marche des affaires avait été une promotion renouvelée du chiisme, ce qui ne pouvait que contribuer à indisposer ceux de ses sujets restés fidèles au sunnisme. Sous l'influence du *cheikh ul-Islam* Mohammed Baqer Majlesi, le chah fit détruire solennellement les bouteilles de vin contenues dans les caves de son prédécesseur, édicta des règlements contre la consommation d'alcool et d'opium, la musique, la danse et la prostitution. Des mesures répressives frappèrent les chrétiens, les zoroastriens et les soufis. Le principal déplacement de sa cour hors d'Ispahan fut un grand pèlerinage à Qom et Meched, entraînant 60 000 personnes à la suite du chah, qui dura près d'une année et contribua à accroître la détresse des finances publiques. En l'absence d'Hossein, la populace d'Ispahan se rassembla sur le Meidan, et jeta des pierres sur le palais d'Ali Qapou tout en criant des injures à l'adresse du souverain.

Des épisodes climatiques arides semblent avoir précipité une décomposition qui prit la forme d'une révolte de la périphérie contre le centre. Une périphérie souvent restée fidèle au sunnisme : Dürri Effendi, envoyé ottoman en Perse en 1721, prétendait qu'un tiers de la population de l'Empire était encore sunnite. En 1699, une première révolte éclata au Baloutchistan, aux marges des deux Empires perse et moghol. En 1706, ce fut le tour des Lesghiens du Daghestan, cette fois aux frontières nord-ouest de l'Empire. Trois ans plus tard, l'Afghan Mir Veis assassina le gouverneur géorgien de Kandahar et mit la main sur la province. Son fils Mahmoud Khan lui succéda alors qu'Hérat se révoltait contre le pouvoir central. Tout l'Afghanistan perse échappait désormais à l'autorité d'Ispahan.

Entre 1717 et 1720, le Kurdistan et le Chirvan se soulevèrent à leur tour sur fond d'antagonismes religieux. En août 1721, les sunnites de Chamakhi, la capitale du Chirvan, ouvrirent leurs portes aux Lesghiens. Les vainqueurs massacrèrent la population chiite, tandis que la foule mettait en pièces le gouverneur et ses parents avant de livrer leurs corps aux chiens. Les deux provinces passèrent bientôt sous l'autorité de l'Empire ottoman.

La chute d'Ispahan

À l'automne de 1719, Mahmoud Khan quitta Kandahar pour assiéger Kerman, la principale ville du sud-est de la Perse, qu'il prit le 4 novembre 1720. La population de la cité fut contrainte d'adhérer au sunnisme. Une seconde expédition, en 1721, échoua devant Kerman et Yazd. Sans se décourager, Mahmoud Khan s'enfonça en terre iranienne et marcha sur Ispahan. Au début de mars 1722, il arriva devant Golnabad, à 20 kilomètres de la capitale. Le 3 mars, le chah envoya contre lui une armée forte de 40 000 hommes, placée sous les ordres du grand vizir Mohammed Qoli Khan. Aux côtés de la garde impériale, commandée par un Géorgien, figuraient un corps de cavalerie aux ordres de Seyed Abdollah, le gouverneur de la province d'Arabistan, un contingent tribal du Luristan et de nombreuses recrues levées à la hâte et mal équipées. L'artillerie, forte de vingt-quatre canons, était commandée par le *tupchibachi* Ahmed Khan, assisté par un artilleur français, Philippe Colombe. « Qu'il était beau, s'exclame le drogman Padéry, de voir cette première sortie ! Tout brillait de pierreries, d'or et d'argent ; on eût dit qu'ils sortaient pour une joute plutôt que pour une expédition militaire. »

Le 7 mars, les Persans passèrent Golnabad et marchèrent sur le camp afghan. L'affrontement eut lieu le lendemain, jour fixé par les astrologues d'Hossein comme le plus favorable à la bataille. Les Afghans, au nombre de 11 000, eurent à soutenir l'assaut d'une force quatre fois supérieure, mais ils bénéficièrent de l'absence d'unité dans le commandement persan et d'une arme nouvelle, les *zamburak*, des canons légers montés sur des chameaux, dont ils surent tirer un parti habile. L'artillerie impériale, mal déployée, fut rapidement mise hors d'état de nuire par les Afghans, le *tupchibachi* et son adjoint français périrent dans le combat. De son côté, Seyed Abdollah avait laissé ses hommes piller le camp des Afghans, les détournant du centre des opérations. Quant au grand vizir, il semble avoir quitté le champ de bataille le premier, sans avoir combattu, et porta donc une lourde responsabilité dans le désastre. Le temps était passé des revers subis aux marges de l'Empire : cette fois, la principale armée impériale était détruite au cœur du plateau iranien, aux portes mêmes de la capitale.

Quelques jours plus tard, Mahmoud Khan mit le siège devant Ispahan. Ses troupes occupèrent le palais de Farahabad et mirent au pillage le faubourg arménien de Julfa. Le siège de la capitale séfévide dura sept mois. Les secours attendus, notamment de Géorgie, ne vinrent pas. Les Géorgiens, voyant monter l'étoile du tsar Pierre, méditaient un transfert d'obédience des Séfévides déclinants aux Romanov en pleine ascension. Dans la nuit du 7 au 8 juin, le troisième fils du chah, Tahmasp, réussit à quitter la ville à la tête de mille cavaliers, mais ne put rallier les gouverneurs de province pour organiser une armée de secours. Fin juin, des Bakhtiari, nomades du sud-ouest de la Perse, tentèrent vainement de faire passer un convoi de vivres. Dans la cité coupée du monde, on vécut les épreuves ordinaires dans ce genre de circonstances : abattage systématique des arbres, soupes d'herbe et de vieux cuir, bientôt anthropophagie. Le 23 octobre 1722, Hossein capitula. Il se rendit au camp de Farahabad et abdiqua entre les mains de Mahmoud en accrochant à son turban le *Jiqe*, aigrette en plumes de héron qui était le symbole du pouvoir souverain. Le chah déchu dit à son vainqueur : « Mon fils, puisque l'Être suprême ne souhaite plus que je règne et puisque le moment qu'il a choisi pour que vous montiez sur le trône est venu, je vous cède mon empire de tout mon cœur et je forme des vœux pour que vous le gouverniez en pleine prospérité. »

Ispahan, qui comptait plus de 500 000 habitants en 1710, n'en avait plus que 100 000 après le siège et l'occupation qui s'ensuivit. Plus de 80 000 habitants étaient morts des privations subies pendant le blocus, le reste avait fui. « Ainsi est tombée la puissante monarchie persane, par les mains de sept ou huit mille rebelles, qui furent d'abord tenus pour si insignifiants que cette cour orgueilleuse et paresseuse ne crut nécessaire de faire aucun préparatif jusqu'à ce que le danger arrive à ses portes mêmes », s'étonnait Owen Phillips, agent de la Compagnie anglaise des Indes dans la capitale séfévide.

À la nouvelle de la chute d'Ispahan, le désordre atteignit à son comble dans l'Empire. Partout, gouverneurs et seigneurs de la guerre s'érigèrent en princes indépendants. Les Afghans n'étaient maîtres que de la capitale et de ses abords. Le prince Tahmasp, d'abord réfugié dans la province caspienne du Mazandéran, y trouva l'appui des Turcs Qadjars et des Russes. Pendant ce temps, l'ouest de l'Empire perse – Arménie, Géorgie, Chirvan, Azerbaïdjan, provinces d'Hamadan et de Kermanchah – tombait aux mains des Ottomans.

En Occident, la chute soudaine des Séfévides parut stupéfiante. Dans l'*Histoire de la dernière révolution de Perse*, parue en 1728, on avouait que l'événement n'avait « pas laissé de causer beaucoup d'étonnement », d'autant qu'il se réalisait « au profit d'une poignée, pour ainsi dire, de barbares, qui ne s'attendaient à rien moins ». Comme la plupart des observateurs, chrétiens et musulmans, l'auteur rejette la responsabilité du désastre sur Hossein, « prince le plus humain et le plus doux mais aussi le plus imbécile qui ait jamais gouverné la Perse ». Dans *De l'Esprit des lois*, Montesquieu interprète ainsi la chute des Séfévides comme une preuve du caractère propre au gouvernement despotique, qui exige la férocité du prince : pour le philosophe, c'est la faiblesse d'Hossein qui a provoqué sa chute.

L'expédition de Perse

En 1717, le diplomate russe Arthème Volinsky avait signé un traité de commerce avec Hossein et était reparti d'Ispahan édifié quant au mauvais état de l'Empire perse. Nommé gouverneur d'Astrakhan à son retour, il poussa Pierre Ier à l'action contre cette monarchie affaiblie. Après sa victoire dans la guerre du Nord, le tsar songeait à prendre sa revanche sur les Ottomans qui avaient été bien près de le mettre à terre dix ans plus tôt. La décomposition de la Perse lui offrait l'occasion de leur faire obstacle dans le Caucase.

Pierre, accompagné de l'impératrice Catherine, quitta Moscou en mai 1722, gagna Kazan puis Astrakhan, où se concentra une armée forte de 50 000 fantassins et cavaliers, accompagnée de 200 navires de transport. Une imprimerie de campagne, dirigée par le prince Cantemir, diffusait des proclamations en turc et en persan. Le 15 juin, le tsar publia ainsi un manifeste pour annoncer son entrée en campagne : il prétendait faire la guerre pour secourir Hossein contre les Afghans et ses autres sujets révoltés. Le 18 juin, l'infanterie russe s'embarqua sur la Caspienne tandis que la cavalerie traversait la steppe du Terek, longeant la côte. Les potentats musulmans du Caucase firent leur soumission à l'empereur. En août, Pierre débarqua au nord de Derbent, position clé sur la route nord-sud du littoral caspien. La ville se rendit sans combattre et le *naib* Imam Kuli Khan offrit au tsar les clefs de la ville.

Les opérations militaires trouvaient leur justification dans les recherches archéologiques menées sur ordre de l'empereur. Au cours de sa descente vers la Perse, Pierre fit fouiller les ruines de Bolgar, sur la Volga, et relever des inscriptions. Il chargea le gouverneur de Sibérie de faire fouiller les tombes scythes et d'expédier les objets d'art qui y étaient renfermés à la Kunstkamera de Saint-Pétersbourg. Il appartenait aux savants antiquaires de tirer de ces restes un parallèle entre les Russes et les Grecs, entre l'ancien et le nouvel Alexandre.

Pierre voulait pousser vers le Sud, et, rééditant la manœuvre tentée dans les Balkans en 1711, s'appuyer sur les populations chrétiennes du Caucase, Géorgiens et Arméniens. Il projetait de prendre Bakou, de bifurquer sur la Géorgie pour y conclure alliance avec son prince et de repartir vers le nord jusqu'à Astrakhan. Mais rien ne se passa comme prévu : fin août, une tempête détruisit la flottille de ravitaillement de la Caspienne, Bakou ne tomba pas, la chaleur devint insupportable. Abandonnant les Géorgiens, Pierre repartit vers Astrakhan, qu'il atteignit le 4 octobre.

L'armée russe poursuivit cependant l'occupation des rives de la Caspienne. En mars 1723, une flotte débarqua un corps expéditionnaire sur la rive sud de la mer et s'empara du port persan de Recht, capitale de la province de Ghilan. En juillet, une autre flottille se présenta devant Bakou, qui tomba après quatre jours de bombardements. Le chah Tahmasp, impuissant, conclut la paix : le 12 septembre 1723, son envoyé à Saint-Pétersbourg signait un traité selon lequel la Perse cédait à la Russie Bakou et ses trois provinces maritimes de la Caspienne, Ghilan, Mazandéran et Astarabad. Les Ottomans ne l'entendaient pas de cette oreille. Leurs troupes pénétrèrent en Géorgie et prirent Tbilissi et Erevan au moment où les Russes entraient dans Bakou. Le grand vizir écrivit au khan du Chirvan pour l'assurer de la protection ottomane en cas d'agression russe. La guerre, qui paraissait inévitable, fut pourtant évitée : la Porte conquit l'Azerbaïdjan tandis que les Russes se contentaient de rester sur les côtes.

Un nouveau traité russo-turc, signé à Constantinople sous médiation française le 12 juin 1724, prévoyait un partage de l'Empire séfévide : la Russie conserverait ses conquêtes en mer Caspienne mais reconnaissait à l'Empire ottoman la possession de la Géorgie, de l'Arménie, du Chirvan, du Daghestan et de l'Azerbaïdjan. Tahmasp devait être reconnu comme souverain de la partie de l'Empire qui resterait indépendante.

L'ascension de Nader Chah

Pendant ce temps, à Ispahan, l'Afghan Mahmoud, peu sûr de la solidité de son pouvoir, avait fait massacrer une centaine de membres de l'ancienne famille impériale, car une partie de la population chiite restait attachée aux Séfévides et attendait leur restauration. Atteint de troubles mentaux, l'Afghan essaya différents remèdes, jusqu'à faire lire au-dessus de sa tête par un prêtre arménien un évangile manuscrit écrit à l'encre rouge. Le 22 avril 1725, l'usurpateur fut renversé et remplacé par son cousin Achraf. De son côté, Tahmasp, seul prince séfévide en mesure d'agir librement, s'était rendu au nord-est de l'Iran, dans le Khorasan, où il s'allia avec un chef de guerre d'ascension récente, Nader. Les hostilités ne tardèrent pas à s'ouvrir entre Afghans et Persans, entre sunnites et chiites.

En 1726, Achraf fit décapiter le chah Hossein, dernier survivant de sa dynastie à Ispahan, et envoya sa tête aux Ottomans qui continuaient de menacer l'ouest de l'Empire. Comme il réussit à repousser une offensive du pacha de Bagdad, les Turcs renoncèrent à lancer contre lui une nouvelle campagne. Les Afghans étaient d'ailleurs admirés à Istanbul en tant que champions de l'orthodoxie sunnite et la guerre menée contre eux était impopulaire.

Ce fut de l'intérieur même de la Perse que les nouveaux maîtres furent défaits. Le 29 septembre 1729, à Bastam, et le 13 novembre 1729, près de Murchakhor, l'armée de Nader rencontra celle d'Achraf et la battit à plate couture. L'artillerie de Nader et son infanterie armée de mousquets avaient prévalu sur la cavalerie afghane. Le 16 novembre, Nader, devenu le champion de la revanche des chiites, fit son entrée dans Ispahan. Les « troupes du printemps » avaient vaincu l'« armée de l'hiver », suivant la formule du chroniqueur Astarabadi. Les « corbeaux afghans » rendirent aux colombes et aux rossignols le « territoire de la roseraie » et regagnèrent leurs montagnes. Dans les années qui suivirent, les Persans reconquirent la majeure partie des provinces envahies par les Ottomans et les Russes. Un traité signé à Constantinople en 1736 ramena les frontières entre la Perse et l'Empire ottoman au *statu quo ante* prévalant depuis le début du XVIIᵉ siècle.

Après avoir détrôné et remplacé Tahmasp, devenu inutile, Nader allait bientôt se lancer dans un raid fantastique sur l'Inde et rapporter en Perse les trésors accumulés par les Moghols depuis deux siècles. On voit encore, dans les salles fortes de la Banque nationale de Téhéran, les amoncellements de pierres précieuses qu'il enleva lors du sac de Delhi. Mais cette brillante aventure fut sans lendemain. La Perse ne se remit pas de la crise profonde qui venait de la secouer. Dépeuplée, ruinée, elle n'intéressa plus les observateurs étrangers : le poste de commerce de la Compagnie hollandaise des Indes orientales à Ispahan ferma en 1739. L'Iran cessa d'être un acteur de la grande politique internationale, pour n'être plus qu'un enjeu, un objet de convoitise pour ses voisins et pour les puissances occidentales.

Certains historiens, par un anticolonialisme anachronique, ont voulu lier le déclin de la Perse séfévide à l'expansion de l'Occident. On vient de voir que les deux phénomènes sont disjoints. L'Empire s'écroule au moment où il commence à nouer des contacts suivis avec l'Europe. Il tombe victime non d'un ennemi extérieur mais de vassaux rebelles, non d'une armée équipée à l'européenne mais de cavaliers rustiques, dans la grande tradition des chevauchées nomades montées contre des monarchies sédentaires. L'agression russe arrive après que le sort des Séfévides est consommé... et n'emporte que des avantages momentanés. Les distances terrestres sont encore trop grandes pour que la récente avancée technologique des Russes sur les Persans assure aux premiers un avantage décisif.

Le ferment principal de la chute de l'Empire semble avoir été l'antagonisme traditionnel entre sunnites et chiites, ravivé par le zèle maladroit des derniers chahs autant que par leur absence de charisme. C'est donc bien, comme l'a établi Rudi Matthee, le plus récent historien des Séfévides, d'une crise interne qu'il s'agit, tandis que l'Empire ottoman avait dû affronter une crise externe, due à la montée en puissance de la monarchie des Habsbourg et de l'Empire russe.

Pour l'Europe, la fin si rapide d'un empire aussi ancien que la Perse n'allait pas sans susciter des interrogations. Le Montesquieu de l'*Esprit des lois*, cherchant les causes du déclin des Séfévides au-delà des capacités de tel ou tel chah, finit par désigner la « religion mahométane », néfaste à l'industrie et au commerce, qui « détruit aujourd'hui ce même empire ». Mais, derrière la Perse musulmane, on peut se demander si le philosophe ne vise pas l'Espagne catholique et, au-delà, toute religion révélée.

L'EMPIRE MOGHOL AU DÉBUT DU XVIIIe SIÈCLE

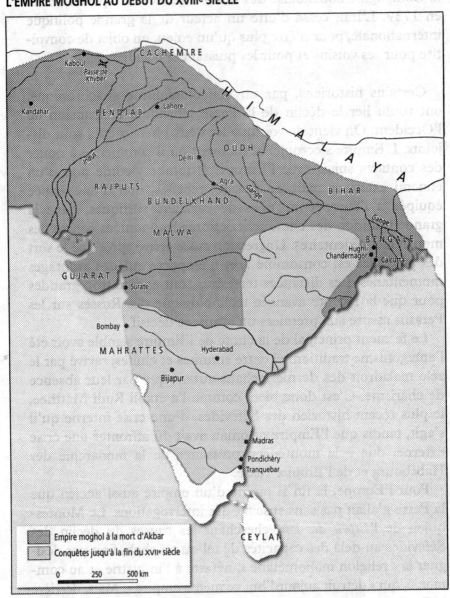

11

Le trône du Paon

Le 17 décembre 1715, le chef sikh Banda et ses partisans se rendirent à l'armée de l'empereur moghol Farrukhsiyar qui les assiégeait dans le fort de Gurdaspur, au nord-est du Pendjab. Les sikhs prisonniers, emmenés à Delhi, refusèrent de se convertir à l'islam. Pendant une semaine, cent captifs furent exécutés chaque jour. Le dernier jour, le fils de Banda fut poignardé, son foie arraché et enfoncé dans la bouche de son père. Pour finir, le bourreau arracha un œil du gourou, puis lui coupa le pied gauche et les deux mains, avant de lui trancher la tête. La cruauté des supplices infligés aux sikhs répondait aux atrocités qu'ils avaient perpétrées à l'encontre des musulmans. « Qui, commente le chroniqueur Khafi Khan, n'obtient ce qu'il a recherché ? Qui ne récolte ce qu'il a semé ? »

La prise de Gurdaspur fut une des dernières victoires de l'Empire moghol. Tandis que la Porte ottomane subissait de lourds revers puis parvenait à refaire ses forces, l'autre grand empire musulman allait s'effondrer en quelques décennies. En dépit de ces destinées divergentes, ces deux États avaient bien des traits communs : ils avaient tous deux pour fondateurs des Turcs, avaient pris leur plus grand essor au XVIᵉ siècle, étaient soumis à l'orthodoxie sunnite et étendaient leur puissance sur de nombreux sujets non musulmans.

Les Moghols avaient sur les Ottomans l'avantage de n'être directement menacés par aucun État rival. L'Inde du Sud était divisée entre de petits royaumes hindous ou musulmans. La

Perse avait trop à faire à garder sa frontière occidentale pour ambitionner de s'agrandir vers l'Orient. La Chine, enfin, était séparée de l'Inde par des montagnes et des jungles infranchissables. Quant aux lointaines puissances de l'Europe, elles étaient, face au sous-continent, dans la position d'une nuée de moustiques devant un éléphant[1].

L'empire de l'Hindoustan

Comme les Ottomans, les souverains moghols, maîtres de l'Inde du Nord, affichaient une prétention à la souveraineté universelle. Cette prétention s'affichait dans leur titulature : *padchah-i-jahan*, « empereur du monde », *chahanchah-i-ghazi*, « empereur victorieux », *padchah-i-bahr-o-bar*, « empereur de la terre et de la mer ». Les noms de règne des empereurs moghols n'étaient pas moins flamboyants : *Jahangir* (« conquérant du monde »), *Chah Jahan* (« roi du monde »), *Alamgir* (« vainqueur du monde »), *Chah Alam* (« roi de l'univers »).

Dans les périodes fastes, les Moghols prétendirent à l'égalité de traitement avec le sultan ottoman et firent prévaloir la doctrine d'un califat à plusieurs têtes : chaque monarque de l'Islam était calife dans son propre territoire. Pour mieux rabaisser le prestige de la Porte, les chroniqueurs moghols désignaient le sultan ottoman comme le *Qaiser-i-Roum* (l'« empereur de Roum »[2]), le *Khawandkar-i-Roum* (le « Seigneur de Roum ») ou encore le *Sultan-i-Roum*. Ils aimaient à rappeler que leur ancêtre Tamerlan avait vaincu l'Ottoman Bayezid (Bajazet) et l'avait tenu emprisonné dans une cage dorée.

1. On trouvera le récit du déclin de l'Empire moghol dans William Irvine, *The Later Mughals*, 1922 (réédité en 1995) et dans Jadunath Sarkar, *A Short History of Aurangzib, 1618-1707*, 1979 (réédition partielle d'un ouvrage publié entre 1912 et 1924). Les interprétations données par ces auteurs, souvent hostiles aux Moghols en particulier et à l'Islam en général, ont été nuancées par Satish Chandra, *Parties and Politics at the Mughal Court, 1707-1740*, 2003, et Muzaffar Alam, *The Crisis of Empire in Mughal North India : Awadh and Punjab, 1707-1748*, 2013, notamment en ce qui concerne le rôle des différents groupes ethniques autour de l'empereur moghol.
2. Le « pays des Romains » en arabe, donc l'ancien territoire de l'Empire byzantin.

Si les Ottomans avaient l'avantage incontestable de la tutelle des Lieux saints de l'Islam, La Mecque, Médine et Jérusalem, les Moghols les surpassaient infiniment par le nombre de leurs sujets : peut-être 150 millions, soit le deuxième État au monde par sa population après la Chine des Qing. Réputés pour leurs richesses, ils s'appuyaient sur les ressources économiques nombreuses du sous-continent : une agriculture productive, une industrie navale de qualité, des manufactures d'armes, une production textile fabuleuse, la première du monde en quantité comme en qualité.

L'Empire moghol était musulman, mais les musulmans étaient loin d'y être majoritaires. Ils formaient peut-être un septième de la population totale du pays, face à une masse demeurée fidèle à l'hindouisme. Les musulmans eux-mêmes formaient une population composite. La cour et l'armée étaient continuellement renouvelées par l'arrivée de guerriers désignés par les auteurs indiens comme « moghols », c'est-à-dire venus d'Asie centrale ou de Perse. Les plus notables étaient les Touraniens, de même origine que la dynastie impériale et professant comme elle le sunnisme. L'Empire recevait également un apport régulier d'Iraniens chiites qui peuplaient l'armée et l'administration. L'armée impériale accueillait aussi des Afghans et des Arabes. On trouvait des Abyssins parmi les eunuques du palais et dans la police. Enfin, il n'était pas rare de croiser à Delhi des « Roumis », Turcs de l'Empire ottoman, et des « Farangis », « Francs » issus de différents pays occidentaux.

Les musulmans nés en Inde ou établis depuis des générations étaient considérés comme des Hindoustanis et formaient une troisième faction opposée aux Touraniens comme aux Iraniens. Parmi les Hindoustanis, des rivalités puissantes ne divisaient pas moins les hommes de l'Ouest et ceux de l'Est, les Pendjabis et les Bengalais. Au début du XVIIIᵉ siècle, un auteur du Pendjab déclarait que « Dieu créa l'homme de l'Est sans honte, sans foi, sans bonté, sans cœur, malveillant, stupide, mendiant, cruel : prêt à vendre ses enfants au bazar sous le moindre prétexte ». Les hindous occupaient les rangs inférieurs de la bureaucratie aux côtés des musulmans.

La langue de communication de l'Empire était l'ourdou – mot turc signifiant « camp ». Cet idiome était né en effet dans les camps militaires des Moghols, mêlant à une structure issue de l'hindi un vocabulaire persan arabisé. Les masses restaient fidèles aux différentes langues de l'Inde, tandis que les savants et lettrés musulmans utilisaient l'arabe et le persan, et les lettrés hindous le sanscrit. La Maison impériale avait pour langue de famille un dialecte turc d'Asie centrale.

Delhi, ville en position centrale dans la plaine du Gange, sur la rivière Yamuna, était la capitale de l'Hindoustan depuis les premières invasions musulmanes. Après lui avoir préféré Agra, les Moghols y revinrent, fondèrent une nouvelle Delhi à distance de l'ancienne et lui donnèrent le nom de Chahjahanabad, la ville de Chah Jahan. Entre 1638 et 1648, cet empereur y construisit le Fort Rouge, gigantesque forteresse de grès rouge à l'enceinte longue de 2,5 kilomètres qui abritait le complexe des palais impériaux et demeura le siège du pouvoir moghol jusqu'en 1857. L'empereur y siégeait sur le célèbre trône du Paon, fantastique kiosque de six pieds de longueur sur quatre de profondeur recouvert d'or et de pierres précieuses. Le Koh-i-Nor, « Montagne de lumière », le plus gros diamant connu, était fixé sur le devant, entouré de rubis et d'émeraudes. Sur les murs de la salle d'audience était inscrit un vers du poète persan Ferdowsi : « S'il y a un paradis sur la Terre, c'est ici, c'est ici, c'est ici. »

Au début du XVIIIe siècle, Delhi, avec 400 000 habitants, était une des grandes métropoles du monde, plus peuplée qu'Amsterdam mais moins que Londres. Ses bazars, ses caravansérails, ses murailles de brique et ses maisons sans étage de terre ou de paille impressionnaient peu les Européens. Dans un climat d'une chaleur étouffante pendant plusieurs mois de l'année, le luxe des maisons y consistait à avoir des jardins et des fontaines, des caves où se tenir le jour et des terrasses pour la nuit. Avec raison, le Français François Bernier voyait en Delhi « un camp d'armée un peu mieux et plus commodément placé qu'à la campagne » : les Moghols, issus de conquérants nomades, restaient des monarques itinérants. Pour les Indiens, au contraire, elle était la ville par excellence, le cœur symbolique de l'Empire. Le poète ourdou Mir Taqi Mir, contraint de partir pour Lucknow, chantait l'ancienne splendeur de la cité des Moghols :

Les anges descendaient du ciel pour y faire leurs courses
Si riches étaient les boutiques de Delhi.
Les habitants du ciel désiraient vivre
À Delhi dont les maisons étaient bien supérieures aux palais
du ciel.

Agra, la seconde capitale de l'Empire, située à 200 kilomètres
de Delhi, offrait un aspect assez analogue : un Fort Rouge donnant sur la rivière Yamuna, une mosquée-cathédrale, des jardins,
des maisons de brique ou de terre. Mais elle avait sur sa rivale
l'avantage de posséder un monument dont la célébrité avait déjà
dépassé les limites de l'Inde : le Taj Mahal, architecture dont
Bernier écrit qu'« on ne peut se rassasier de la regarder » et qu'il
n'avait « rien vu de si auguste ni de si hardi en Europe ».

La conquête manquée du Deccan

Sous Aurangzeb, empereur moghol contemporain de Louis XIV,
l'Empire atteignit sa plus grande extension territoriale, dominant
la quasi-totalité du sous-continent indien. Monté sur le trône
en 1659, après avoir déposé son père Chah Jahan, le souverain
avait pris pour nom de règne Alamgir – le « conquérant du
monde ». Prince intelligent et attentif à la direction des affaires,
pieux musulman, Aurangzeb lisait et écrivait l'arabe et le persan,
connaissait par cœur le Coran, menait une vie privée simple et
austère.

Dans les vingt-cinq premières années de son règne, il résida
dans les villes de l'Inde du Nord, surtout à Delhi, et prit d'emblée des mesures d'inspiration puritaine : l'alcool, les paris et la
musique furent interdits. La célébration du *Norouz*, le nouvel
an persan, fête antérieure à l'islam, fut supprimée. Partout,
l'empereur fit construire ou restaurer les mosquées. Il élimina
de sa cour les coutumes d'origine hindoue, comme le salut en
élevant les mains jointes à la hauteur du front ou l'investiture
des rajahs par application d'une marque de couleur sur le front.
À partir de 1669, il ordonna la destruction des temples et des
écoles hindoues. En 1679, afin « de répandre l'islam et de combattre les pratiques des infidèles », il rétablit la capitation sur

les non-musulmans, la *jiziya*, supprimée par son prédécesseur Akbar en 1564. D'autres mesures vexatoires furent prises contre les hindous, comme l'octroi de récompenses aux nouveaux convertis ou la restriction du nombre des non-musulmans dans l'administration fiscale.

La politique d'intolérance impériale frappa également les sikhs. Tegh Bahadur, leur gourou, fut emprisonné à Delhi en 1675. Ayant refusé de se convertir, il fut torturé durant cinq jours puis mis à mort. Désormais, les sikhs se considérèrent en état de rébellion permanente contre l'empereur. Retranché dans les collines du Nord-Penjab, leur nouveau gourou, Govind Rai, se lança dans une lutte ouverte contre l'islam et encouragea les hindous à la révolte.

La piété musulmane d'Aurangzeb rayonnait au-delà des frontières. Chaque année, il organisait une caravane du *Hajj* pour La Mecque. Un haut fonctionnaire, le *Mir Hajj*, conduisait le pèlerinage indien et le vaisseau impérial *Ganj-i-Sawai* faisait voile vers Djeddah, emportant pèlerins et marchands. L'État finançait le voyage des plus désargentés. L'empereur correspondait avec le chérif de La Mecque et lui envoyait une annuité de 100 000 roupies. L'envoi ne prit fin qu'en 1694, quand Aurangzeb comprit que le chérif détournait les fonds à des fins peu spirituelles.

Sensibles à cette affirmation de la foi musulmane, les chroniqueurs contemporains d'Aurangzeb le désignent comme le « calife du temps », le « calife de Dieu » ou le « successeur des pieux califes ». Lui-même fut le premier Moghol à prendre dans les actes officiels le titre d'*amir al-muminin* (« commandeur des croyants ») et à le faire figurer sur son sceau. Ainsi y avait-il désormais égalité parfaite entre le Moghol et le sultan ottoman, l'autre souverain prestigieux de l'Islam sunnite.

Après vingt-trois ans de règne paisible, Aurangzeb dut affronter la rébellion de son fils Muhammad Akbar (1681). Défait, le prince s'enfuit chez les Mahrattes hindous, qui venaient de constituer un État à l'ouest du Deccan. L'empereur et sa cour se transportèrent alors dans le Deccan, où commença une longue guerre de conquête. Aurangzeb marcha d'abord de victoire en victoire : Bijapur tomba entre ses mains en 1686, Golconde en 1687 ; les Mahrattes furent défaits et leur roi capturé en 1689.

Mais la victoire finale se dérobait. Des soldats des royaumes vaincus rejoignaient les tribus mahrattes, qui se livraient à une efficace guérilla. Les régions montagneuses qu'ils occupaient abondaient en citadelles d'approche difficile que l'empereur s'épuisait à conquérir les unes après les autres. En l'absence de pouvoir central à abattre ou de capitale à conquérir, les Moghols prenaient des forts, qui étaient bientôt repris, rendaient raid pour raid. Pendant deux décennies, Aurangzeb mena son camp impérial à travers le Deccan, dans la vaine attente d'un succès décisif.

En 1705, après la prise d'un ultime fortin, le souverain, âgé de quatre-vingt-sept ans, se décida à retourner à Delhi. L'armée impériale retraita vers le nord, poursuivie par des Mahrattes de plus en plus aguerris et audacieux, qui franchirent la frontière nord du Deccan et firent irruption dans l'Hindoustan. L'empereur ne devait jamais revoir Delhi. La « fin du voyage » (*khatam-us-safar*) eut lieu au camp d'Ahmadnagar. Après une maladie de quelques jours, Aurangzeb y mourut le 3 mars 1707. Suivant sa volonté, son corps fut porté à Khuldabad et enterré sans faste dans la cour entourant la tombe d'un saint musulman, Zainuddin Shirazi.

Le règne se terminait par un terrible échec. Le Trésor était vide, l'armée impériale battue partout, les forces centrifuges en plein développement. La politique d'Aurangzeb avait éloigné de sa dynastie les hindous jadis ralliés, comme les Rajputs et les Bundelas, et ouvert la voie à l'expansion mahratte. Les vassaux hindous des Moghols étaient peu à peu devenus leurs ennemis. Aurangzeb avait aussi éloigné les Persans chiites généreusement accueillis dans la bureaucratie et les finances par ses prédécesseurs. Ainsi se tarit une des sources qui permettaient le renouvellement de la haute administration impériale. Après avoir été à deux doigts de soumettre tout le sous-continent, l'Empire était menacé dans ses œuvres vives.

Les héritiers d'Aurangzeb

Dans les treize années qui suivirent la mort d'Aurangzeb, ses successeurs ne livrèrent pas moins de sept sanglantes batailles pour la succession impériale, dans lesquelles moururent nombre de princes, d'officiers et de membres de la haute aristocratie. Le même phénomène se reproduisait dans les provinces, où chaque nouveau gouverneur, faiblement soutenu par le centre, devait éliminer des compétiteurs dangereux parmi les notables locaux.

Conformément à la tradition dynastique turque, sitôt Aurangzeb décédé, ses trois fils survivants, nés de mères différentes, entrèrent en guerre pour occuper le trône. L'aîné, Muazzam, était né en 1643. Le deuxième, Azam, était plus jeune de dix années. Le dernier, Kam Bakch, était né en 1677. Muazzam était héritier présomptif et gouverneur de Kaboul, Azam gouverneur d'Ahmedabad, Kam Bakch gouverneur de Bijapur. Il semble que dans l'esprit d'Aurangzeb ces nominations aient préludé à un partage de l'Empire qu'il aurait institué par son testament. L'aîné aurait eu douze provinces, dont celles de Delhi et de Kaboul ; le deuxième, dix provinces, dont celle d'Agra ; le dernier, deux provinces seulement, Bijapur et Hyderabad.

Le respect des traditions familiales aussi bien que l'ambition des intéressés empêchèrent la mise en œuvre de ce plan de partage. Azam, arrivé le premier au camp impérial, se fit proclamer empereur et reçut le serment de fidélité des anciens officiers d'Aurangzeb. De son côté, Muazzam, le gouverneur de Kaboul, prit le nom de Bahadur Chah (l'« empereur vaillant ») et se mit en route vers le centre de l'Empire. Il s'agissait de se saisir de Delhi et d'Agra, dont les trésors serviraient à acheter les fidélités des nobles et des soldats. Bahadur Chah fut plus rapide que son demi-frère. Ses troupes renforcées par leur séjour à Agra, il affronta son cadet à Jajau, au sud de la ville, le 12 juin 1707. Azam, qui s'était lancé dans la mêlée sur son éléphant de guerre, reçut une balle en plein front. L'année suivante, Bahadur Chah marcha contre son autre demi-frère, Kam Bakch, qui s'était proclamé empereur à Bijapur. Le 13 janvier 1709, l'armée impériale rencontra celle de Kam, que la plupart de ses partisans avaient abandonné. Le prince fut blessé, capturé et succomba à ses blessures.

Âgé de soixante-deux ans à son avènement, Bahadur Chah ne régna que cinq ans. De tempérament modéré et quelque peu dissimulé, il adopta une politique de conciliation avec ses adversaires de la veille. Les anciens partisans d'Azam furent admis à entrer au service de l'empereur. Quoique moins dévot que son père, Bahadur était un homme pieux, visiteur zélé des tombeaux des saints musulmans. Sous son règne, aucun hindou ne fut nommé gouverneur d'une province ou titulaire d'un grand office de cour. L'empereur dut lutter contre les sikhs qui menaçaient le cœur de l'Hindoustan. Comme celles d'Aurangzeb, ses campagnes furent victorieuses mais non décisives.

Habitué depuis sa jeunesse à la vie des camps, Bahadur Chah était un souverain nomade, vivant sous la tente, même quand il résidait dans une de ses capitales. Une ambassade de la Compagnie hollandaise des Indes partit de Surate pour le joindre près de Lahore en décembre 1711. Elle trouva une trentaine de chrétiens à sa cour. Une dame portugaise, Doña Juliana, tenait un office dans le harem ; le médecin de Bahadur était un Français nommé Martin, ou Martin Khan. Mais les négociations des Hollandais furent interrompues par la mort soudaine de l'empereur, le 27 février 1712, alors qu'il venait d'entrer en campagne contre les sikhs.

Bahadur Chah laissait quatre fils, qui, suivant la coutume, entrèrent aussitôt en conflit pour sa succession. Le vizir Zulfiqar Khan avait favorisé une alliance entre trois des frères, Jahandar, Jahan et Rafi, contre Azim, le préféré du défunt. Jahandar devait demeurer empereur et conserver Zulfiqar comme vizir ; Rafi régnerait comme prince subordonné à Kaboul et Jahan dans le Deccan. Les trois frères unis défirent Azim, qui périt dans les sables mouvants où son éléphant s'était enfoncé. Mais, une fois la victoire remportée, Jahandar refusa d'exécuter le partage prévu et se retourna contre Jahan puis contre Rafi, qui furent à leur tour vaincus et tués. Fin mars 1712, la guerre avait pris fin et Jahandar fut intronisé.

Mais cette seconde guerre de succession, survenant cinq ans à peine après la précédente, avait déstabilisé le régime et affaibli les liens de fidélité unissant la dynastie à la classe dirigeante. Au bout de quelques mois, une conjuration de notables renversa le nouvel empereur et le remplaça par son neveu Farrukhsiyar. Ce dernier n'était qu'un jouet entre les mains de deux frères, les *seyyed* – descendants du Prophète – Hussain Ali et Hassan Ali, anciens généraux d'Aurangzeb. Le nouvel empereur nomma Hassan grand vizir et Hussain chef des armées, puis vice-roi du Deccan. Tandis qu'Hussain partait pour le Sud, son frère

Hassan demeura à Delhi auprès de l'empereur. Comme on l'a vu, Farrukhsiyar combattit victorieusement les sikhs, fit mettre à mort leur gourou et exécuter sommairement les captifs qui refusaient de se faire musulmans. La détresse des finances s'aggrava : il fallut remplacer le plafond d'argent du Rang Mahal, la salle d'audience du Fort Rouge, par un plafond de cuivre.

Au bout de sept années de règne, Farrukhsiyar commença à donner des signes d'indépendance. Hassan, craignant d'être renvoyé, appela son frère à son secours. Ce dernier revint du Deccan avec ses propres troupes... et une armée de 11 000 Mahrattes. En février 1719, l'empereur, vaincu, fut emprisonné et aveuglé ; deux mois plus tard, il fut étranglé dans sa prison. Les *seyyed* mirent à sa place un autre empereur fantoche, Rafi ud Darjat, puis son frère Chah Jahan II. Ces deux princes, opiomanes, étant morts dans l'année, le choix des ministres se porta finalement sur un autre petit-fils de Bahadur Chah, Sultan Rouchan Akhtar (« Prince Étoile brillante »), qui prit le nom de Muhammad Chah. Mais la manœuvre se retourna bientôt contre ses auteurs : Muhammad, guidé par sa mère, s'entoura de courtisans moghols turcophones sunnites, hostiles aux ministres *seyyed*, d'origine indienne et suspects de sympathies pour les hindous.

En 1722, un nouveau coup d'État renversa les *seyyed* et les factions se disputèrent le gouvernement. Un autre général d'Aurangzeb, le Touranien Chin Qilich Khan, qui portait le titre de *Nizam-al-Mulk* (« régulateur du royaume »), prit alors l'ascendant. Nommé Premier ministre après la chute des *seyyed*, le *Nizam* tenta de réformer le gouvernement et la fiscalité. Contré par des intrigues de cour, il fut bientôt acculé à la démission et envoyé comme vice-roi dans le Deccan. Tout en demeurant formellement le sujet de l'empereur moghol, il y constitua, autour d'Hyderabad, une souveraineté autonome. Il nomma à tous les emplois et s'empara des revenus du fisc, mais la prière du vendredi continua à mentionner le nom de l'empereur moghol et les monnaies frappées dans le Deccan à porter son nom et sa titulature. Le *Nizam* refusa également de faire usage de l'ombrelle écarlate qui était une marque du pouvoir souverain. « Puisse le trône et l'ombrelle porter bonheur à celui qui les tient ! Mon affaire est de préserver mon honneur, et si j'y parviens, quel besoin ai-je d'un trône impérial ? » Le royaume d'Hyderabad, vaste comme la France, devait subsister, au-delà de la chute des Moghols, jusqu'à l'indépendance de l'Inde. Les gouverneurs d'Oudh, Saadat Ali Khan, et du Bengale, Murshid Quli Khan, se rendirent eux aussi indépendants de fait et transmirent leurs États à leur descendance. Dans tout l'Empire, les gouverneurs de province agirent de même, se taillant des principautés qui ne dépendaient plus que nominalement de Delhi.

À cette désagrégation interne s'ajoutaient les incursions des Mahrattes, renouvelées chaque année depuis leur intervention de 1719. Dans les années 1720-1730, ils s'emparèrent progressivement du Gujarat, du Bundelkhand et de Malwa. En 1737, ils s'approchèrent dangereusement de la capitale, pillèrent ses banlieues et repartirent en parfaite impunité. Leur ambition était de mettre fin à la domination musulmane. Le Premier ministre mahratte, Baji Rao, aurait dit : « Frappons le tronc de l'arbre fané ; ses branches tomberont d'elles-mêmes. Le drapeau mahratte devrait flotter du Khrishna à l'Indus. » À quoi son souverain aurait répondu : « Vous le planterez sur l'Himalaya ! » À la fin du règne de Muhammad Chah, les Moghols ne contrôlaient plus que la région de Delhi et l'Empire mahratte était devenu la première puissance du sous-continent.

Muhammad Chah et ses ministres assistèrent presque passivement à la décomposition de leur empire. Le souverain fainéant, soumis à l'influence de ses femmes et de ses eunuques, occupé essentiellement aux plaisirs de la chasse et du jardinage, ne prit jamais le commandement effectif de ses armées. Il tint à l'écart du pouvoir le *Nizam*, qui passait pour le plus capable des chefs musulmans du temps, et ce dernier dut se satisfaire de consolider son territoire autonome dans le Sud.

Le déclin de la puissance et du prestige de l'empereur moghol se traduisit dans les relations avec l'Empire ottoman. En 1723, Muhammad Chah, écrivant à Ahmet III, l'appelait l'« asile des plus grands sultans », le « protecteur du trône élevé du califat », le « promoteur des préceptes de la charia », priait pour la longue vie du sultan et la perpétuation de son califat. Vingt ans plus tard, dans une lettre au successeur d'Ahmet, Mahmoud Ier, le *Nizam* reconnaissait lui aussi le sultan comme le « calife élevé ». C'en était fini des prétentions moghols à une autorité éminente sur l'Islam sunnite.

De Surate à Bombay

De ce retournement complet de la géopolitique de l'Inde, les Occidentaux furent davantage spectateurs qu'acteurs. En 1612, un premier comptoir anglais avait été établi à Surate, le grand port de l'Inde occidentale, qui était aussi depuis le XVIe siècle le point d'embarquement du *Hajj* vers La Mecque. Les négociants de la Compagnie des Indes orientales y échangeaient soieries et salpêtre contre l'or et l'argent venus d'Angleterre, métaux dont l'Inde thésaurisatrice était friande. « L'Indoustan, écrivait François Bernier, est un abîme de tous les trésors que l'on transporte de l'Amérique au reste du monde. Tout l'argent du Mexique et tout l'or du Pérou, après avoir circulé quelque temps en Europe et en Asie, vient aboutir enfin dans l'empire du Mogol pour n'en sortir plus. »

Les établissements anglais se multiplièrent au cours du siècle. Il s'agissait alors de domaines concédés en quelque sorte comme des fiefs, non de territoires cédés en pleine souveraineté : Madras, sur la côte orientale, devint le siège de la « présidence » de la compagnie pour le Bengale en 1661 ; Bombay, cédée aux Anglais par les Portugais en 1661, supplanta Surate une vingtaine d'années plus tard, sa situation au débouché d'une rivière et sur une île étant à la fois plus commode et plus sûre.

Pendant que le pouvoir moghol consommait son énergie à la conquête du Deccan, les Anglais s'assuraient la maîtrise de l'océan Indien. Les premières frictions avec les agents moghols commencèrent en 1686, quand les Anglais se rebellèrent contre des taxes indues perçues par les officiers locaux au Bengale. La guerre éclata en octobre, après que trois soldats anglais eurent été emprisonnés par le gouverneur d'Hughli. De part et d'autre, on brûla des magasins et on saisit des navires.

Les Anglais durent se retirer du Bengale, mais ils étaient maîtres de la mer et pouvaient arrêter les pèlerinages vers La Mecque. L'interruption de leur commerce privait en outre le Trésor d'importantes rentrées fiscales. Aurangzeb négocia. En 1690, la paix fut conclue : l'empereur « pardonnait » leurs fautes aux Anglais, acceptait un dédommagement pécuniaire important et les rétablissait dans leur droit de commercer librement au Bengale.

L'année suivante, un agent anglais arrivait de Madras au Bengale et fondait Calcutta : ce fut le berceau de la puissance anglaise dans l'Inde du Nord.

Des troubles semblables survinrent sur la côte ouest. Des pirates européens, surtout anglais, pillaient les vaisseaux occidentaux ou indiens de l'océan Indien, même ceux appartenant à l'empereur et convoyant les pèlerins vers Djeddah et La Mecque. Aurangzeb déclara les puissances européennes conjointement responsables des agissements des pirates et exigea que ces dernières s'entendent pour les supprimer et pour assurer la libre circulation des pèlerins. Les pirates n'en continuèrent pas moins à agir, au nez et à la barbe des Moghols comme des Européens.

En dépit de cet environnement instable, l'activité des comptoirs anglais permit la formation d'immenses fortunes. Elihu Yale, président de Madras de 1684 à 1685 et de 1687 à 1692, s'enrichit scandaleusement en violant les règles de l'East India Company. Revenu en Grande-Bretagne, il passa le reste de sa vie à dépenser sa fortune mal acquise. Contacté par les fondateurs d'un collège du Connecticut, il leur envoya pour 800 livres sterling de marchandises dont la vente servit à la construction d'un nouveau bâtiment... qui allait devenir la Yale University.

Son contemporain Thomas Pitt, marchand enrichi aux Indes, entra grâce aux profits réalisés outre-mer à la Chambre des communes après la Glorieuse Révolution. En 1698, la Compagnie le renvoya en Inde comme président de Madras. Trois ans plus tard, Pitt achetait un diamant de 410 carats non taillé, qui était sorti clandestinement des mines de Golconde. Taillée à Londres, la pierre fut vendue à Philippe d'Orléans en 1717 pour la somme fabuleuse de 125 000 livres sterling et devint le « Régent », orgueil des joyaux de la couronne de France. Quant à Pitt, il réinvestit en domaines situés dans le sud-ouest de l'Angleterre les profits tirés de la vente et assura à sa famille des sièges quasi héréditaires au parlement de Londres : son petit-fils et son arrière-petit-fils occupèrent successivement les fonctions de Premier ministre.

Les Anglais n'étaient pas seuls à s'établir sur les côtes de l'Inde. Sur la côte ouest, Goa, le plus ancien comptoir européen, demeurait aux mains des Portugais, bien déchu de son ancienne splendeur. Les Français avaient créé leurs propres établissements à la fin du XVIIe siècle. Le principal était Pondichéry, sur la côte de Coromandel, où ils s'étaient installés définitivement depuis 1697. Ville « blanche », construite en brique, ordonnancée à l'européenne, Pondichéry se groupait autour d'un fort bastionné. Outre la ville proprement dite, précieuse pour l'eau potable fournie par ses puits artésiens, des terroirs alentour avaient été concédés par le nabab local. La ville aurait compté 100 000 habitants au milieu du XVIIIe siècle. Les Européens y étant très peu nombreux, les troupes étaient formées de métis chrétiens, issus d'unions entre Portugais et femmes indigènes. L'autre grand comptoir français était Chandernagor, dans le delta du Gange, à l'intérieur du Bengale, à proximité de Calcutta. Depuis 1729, les navires européens remontaient le Gange jusqu'au comptoir. De Chandernagor dépendait Patna, autre comptoir situé sur le Gange, occupé de manière permanente en 1728. On y vendait du drap européen qui trouvait acheteur dans l'Inde du Nord et on y achetait du salpêtre. Sur la côte de Malabar, le comptoir de Mahé avait été établi en 1721 au débouché d'une rivière qui traversait les régions productrices de poivre.

Les guerres civiles qui suivirent le décès d'Aurangzeb permirent aux comptoirs d'affirmer leur autonomie : à partir de 1699, les Français construisirent à Pondichéry une forteresse, le Fort Louis, sur le modèle de la citadelle conçue par Vauban à Tournai ; entre 1724 et 1734, ils entourèrent la ville d'une enceinte bastionnée. En 1718, les Britanniques achevaient l'église Saint-Thomas de Bombay. Les Moghols, absorbés par les troubles intérieurs de l'Empire, ne semblent pas avoir pris conscience du danger. Le grand théologien musulman de l'époque, Shah Waliullah, de Delhi, traducteur du Coran en persan, appelle bien au djihad contre les hindous, mais ne mentionne pas la menace potentielle des puissances chrétiennes.

Quant aux Européens, il s'en fallait de beaucoup qu'ils eussent conscience de la dislocation imminente de la monarchie des Indes. En 1708, le Père François Catrou concluait même son *Histoire générale de l'empire du Mogol* par un éloge d'Aurangzeb : « L'empereur qui règne aujourd'hui dans l'Indoustan soutient par sa sagesse et augmente tous les jours par sa valeur un empire qui n'a point encore souffert de diminution depuis son établissement. »

Le sac de Delhi

Le raid du Persan Nader Chah, en 1739, montra à quel degré de décadence la monarchie de l'Hindoustan était tombée. Nader, après avoir fait la paix avec les Ottomans, guerroyait contre les Afghans, tirant ainsi vengeance de leur rôle dans la chute des Séfévides. S'étant dangereusement approché des frontières mogholes, il prit pour prétexte d'entrée en guerre la fuite d'Afghans vaincus au-delà des montagnes, passa la frontière en mai 1738, prit Kaboul en juin, Jalalabad en septembre, et franchit la passe de Khyber, bousculant les forces afghanes et mogholes, en novembre : la route de l'Inde était ouverte. Après un arrêt à Peshawar, l'armée persane reprit son avance irrésistible, sans rencontrer de vive résistance. Le gouverneur de Lahore capitula sans combattre et fut confirmé à son poste. Pendant ce temps, Muhammad Chah, pris de panique, battait le rappel de ses vassaux de l'Inde du Nord et alla jusqu'à demander l'aide des Mahrattes.

Les Persans affrontèrent les Moghols à Karnal, où ces derniers s'étaient retranchés, le 13 février 1739. L'armée impériale, rassemblée à 120 kilomètres au nord de Delhi, était infiniment supérieure en nombre – peut-être 300 000 hommes et 2 000 éléphants –, mais lourde, divisée et dépourvue de chef charismatique. Muhammad Chah, qui penchait vers les Hindoustanis, se méfiait des grands feudataires d'origine touranienne ou iranienne venus à la rescousse, comme le *Nizam* ou Saadat Khan, qu'ils croyaient enclins à se rallier à Nader. Il faisait face à une troupe moins nombreuse – peut-être 160 000 hommes –, mais plus mobile, car majoritairement composée de cavalerie, et dotée d'une puissance de feu plus efficace, pistolets et *zamburak*.

Incapables de s'entendre, les chefs moghols attaquèrent sans idée de manœuvre générale. Le *Nizam*, demeuré dans le camp impérial, refusa de monter à l'assaut pour appuyer les autres corps d'armée. Comme souvent dans l'histoire, les éléphants de guerre se révélèrent un outil militaire désastreux : les généraux montés sur ces animaux étaient des cibles faciles ; les colosses étaient mis en panique par des plateformes enflammées portées par des chameaux couplés deux à deux. Le désastre fut complet pour les Moghols : l'armée indienne perdit 10 000 hommes, contre 2 500 Persans, et se dissipa. Khan Dauran, le chef de l'armée, mourut de ses blessures. Saadat Khan fut fait prisonnier. Le camp impérial se retrouva encerclé.

On négocia. Le *Nizam* convint avec Nader Chah d'une énorme rançon à payer en plusieurs étapes, à mesure du retrait des Persans, et Muhammad Chah vint dîner dans le camp de son vainqueur. La conversation eut lieu en dialecte turc. Le Moghol annonça la capitulation de son empire et le Persan répliqua : « Je salue votre trône et votre empire et, puisque j'en suis le maître, je vous le donne, pourvu que vous satisfassiez à mes exigences. » Une semaine plus tard, Nader, dont l'appétit croissait, emprisonna le *Nizam* et son souverain dans son camp. L'ambassadeur mahratte s'exclama : « L'empire chaghtaï est tombé ; l'Empire iranien commence. » Le bruit courut que les grands feudataires avaient appelé Nader en Inde pour substituer une nouvelle dynastie musulmane aux Moghols défaillants.

Le 20 mars, Nader entra dans Delhi et alla loger au palais impérial. L'occupation prit les apparences d'une invitation : Muhammad Chah accueillit Nader Chah comme son « hôte » et lui fit « présent » de ses trésors, que le Persan n'accepta qu'après plusieurs offres réitérées. Nader occupa les anciens appartements de Chah Jahan tandis que Muhammad se retirait dans le quartier des femmes. Le vendredi, on nomma Nader Chah comme souverain dans les mosquées et le Persan fit frapper monnaie avec la titulature suivante : « Le prince des princes de la Terre est Nader, roi des rois, seigneur de la conjonction fortunée. »

Le 21 mars, alors que Nader Chah venait de fêter le *Norouz* en grande pompe, la rumeur de sa mort courut dans Delhi, et le peuple se souleva contre les Persans, tuant les soldats isolés. Nader répliqua le lendemain par le massacre de plusieurs milliers d'habitants de la capitale, dont les corps furent laissés dans les rues plusieurs jours durant pour servir de leçon aux survivants.

Le 12 mai, Nader tint sa cour à Delhi, investit une nouvelle fois Muhammad Chah de la couronne de l'Hindoustan et ce dernier lui abandonna toutes ses possessions à l'ouest de l'Indus, du Cachemire au Sind. Le 16 mai, le Persan quitta Delhi après un séjour de deux mois. Outre les sommes d'argent comptant, il emportait les trésors accumulés pendant deux siècles, des monceaux de joyaux, le diamant Koh-i-Nor, le Darya-i-Nor (le plus gros diamant rose au monde) et le célèbre trône du Paon. Le montant total du butin a été estimé à 90 millions de livres sterling de l'époque – soit le coût total de la guerre de Sept Ans pour la France. Après le départ de Nader Chah, conte l'historien Muhammad Chafi Teherani, un édit de l'empereur parut qui ordonna que tous les officiers publics reprennent leurs devoirs ordinaires, à l'exception des historiens : « Ils doivent s'abstenir, ordonnait Muhammad Chah, de consigner les événements de mon règne, car à présent cette chronique ne peut être plaisante. Les rênes du gouvernement impérial sont tombées de mes mains. Je ne suis plus que le vice-roi de Nader Chah. » Malgré les flatteries et des consolations prodiguées par ses courtisans pour obtenir le retrait de l'édit, le souverain maintint son ordre. « En conséquence, conclut le chroniqueur, les historiens, impuissants, obéirent à l'ordre impérial et posèrent leur plume. »

En quelques mois, la renommée de Nader Chah se répandit dans le monde entier. Dans ses carnets de notes, le vieux Montesquieu, demeuré attentif aux affaires de la Perse, consignait les nouvelles des exploits de Nader que les gazettes hollandaises colportaient en Europe.

Dans le déclin et la décomposition de l'Empire moghol comme dans l'écroulement de la Perse séfévide, le rôle de l'Occident avait été à peu près nul. Aucune puissance européenne ne prit parti dans les campagnes d'Aurangzeb dans le Deccan ni pendant les guerres civiles qui suivirent le décès du vieil empereur. Pendant la guerre de Sept Ans, Français et Britanniques se disputèrent les dépouilles d'un empire depuis longtemps abattu.

En dépit de la présence de missionnaires catholiques, de marchands ou d'aventuriers chrétiens, l'influence de la culture européenne en Inde était des plus réduites. Même en matière militaire, domaine d'ordinaire privilégié des transferts technologiques, les Moghols semblent s'être peu souciés des innovations en cours au-delà des mers. « C'est moins le courage qui manque à la milice du Mogol, que la science de la guerre et l'adresse à se servir de ses armes », note un témoin européen de 1697, qui remarque que l'artillerie de l'empereur est nombreuse mais

LA CHINE À L'APOGÉE DES QING

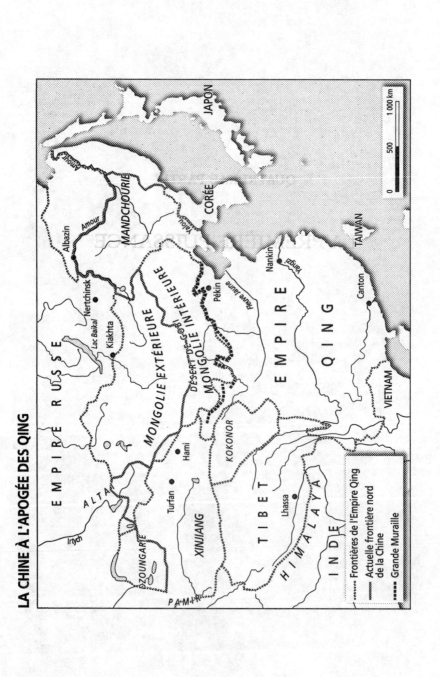

EMPIRE RUSSE

JAPON

MANDCHOURIE

CORÉE

Amour

Albazin

Nertchinsk

Lac Baïkal

Kiakhta

MONGOLIE EXTÉRIEURE

DÉSERT DE GOBI

MONGOLIE INTÉRIEURE

Pékin

Fleuve jaune

Nankin

Yangzi

TAIWAN

Canton

EMPIRE QING

VIETNAM

KOKONOR

Hami

ALTAI

Turfan

XINJIANG

TIBET

Lhassa

HIMALAYA

INDE

DZOUNGARIE

Irtych

P A M I R

1 000 km

500

0

······ Frontières de l'Empire Qing

—— Actuelle frontière nord de la Chine

▪▪▪▪ Grande Muraille

12

Au milieu du monde

Qui, en 1715, était l'homme le plus puissant de la Terre ? « Louis XIV », auraient sans doute répondu les sujets du Roi-Soleil, en dépit des désagréments subis dans les dernières années du règne. « Louis XIV », auraient également répondu les autres Européens, car aucun monarque d'Europe ne jouissait à l'intérieur de ses États d'une autorité aussi complète et peu discutée.

Pourtant, en répondant de la sorte, Français et Européens se seraient lourdement trompés. En 1715, l'homme le plus puissant du monde était l'empereur Kangxi, maître de la Chine depuis près d'un demi-siècle, qui régnait sur le pays le plus peuplé de la planète, le plus vaste après la Russie, et sans doute le mieux organisé.

Tandis que la France de Louis XIV semblait arrivée au terme de ses accroissements, la Chine, elle, multipliait les conquêtes. Le paradoxe est que cet empire en pleine expansion ignorait l'Océan. Les vaisseaux du lointain Occident se rendaient « à la Chine », ceux du Céleste Empire ne sortaient pas de la mer de Chine. Paradoxe qui a orienté trois siècles de l'histoire du monde, jusqu'à aujourd'hui[1].

1. En l'absence de synthèse en français, on utilisera le volume dirigé par Willard Peterson, *Cambridge History of China : The Ch'ing Empire to 1800*, 2003.

Le Louis XIV chinois

La Chine se désigne comme le « royaume du Centre » ou, suivant une traduction plus traditionnelle, l'« Empire du Milieu » (*Zhong Guo*). En termes démographiques, cette définition est parfaitement exacte : la Chine de 1700 comptait environ 150 millions d'habitants – davantage de sujets que l'Europe entière. La seule ville de Canton comptait un million d'habitants, davantage que toute cité d'Occident : « Il est certain, écrivait le Père jésuite Du Halde en 1735, que la Chine est le plus grand et le plus beau royaume connu. »

En termes politiques, l'expression revêtait aussi une profonde signification : la plupart des voisins immédiats de la Chine étaient des puissances tributaires. L'Empire lui-même était une mosaïque d'ethnies, jusqu'au sommet de l'État où cohabitaient Mandchous, Mongols et Chinois. L'armée était divisée en huit bannières mandchoues, huit bannières mongoles, et huit bannières « chinoises-militaires » – composées de sinophones des frontières nord de la Chine. Les Mandchous, maîtres de l'Empire depuis 1644, occupaient une position prééminente, mais leur faible nombre leur interdisait le monopole du pouvoir. Les conseillers les plus proches du souverain étaient mandchous, mais les princes de la famille impériale, considérés comme de possibles fauteurs d'intrigues, demeuraient souvent oisifs à Pékin. Les familles notables d'origine chinoise ou mongole pouvaient par ailleurs trouver avantage à se faire enregistrer comme « mandchoues ». La famille maternelle de l'empereur Kangxi vit ainsi sa généalogie réécrite pour être comptée comme mandchoue (1688) et changea son nom de Tong en Tunggiya.

L'empereur mandchou avait adopté les attributs classiques des Fils du Ciel. Lui seul siégeait face au sud tandis que ses ministres le contemplaient face tournée vers le nord. Lui seul portait la couleur jaune céleste, marque de la dignité impériale. Lui seul pouvait écrire à l'encre rouge. Le pronom qu'il employait pour dire « Je », *Zhen*, était réservé à sa seule personne. Ceux qui paraissaient devant lui devaient faire trois fois le *kowtow*, à savoir se mettre à genoux et se prosterner trois fois le front contre terre, puis demeurer à genoux le buste droit pour s'adresser à lui.

Kangxi, né en 1654, était monté sur le trône à l'âge de douze ans et avait commencé à gouverner par lui-même en 1669. Sous son règne, la dynastie mandchoue s'affermit : les dernières grandes révoltes furent matées ; Taiwan tomba au pouvoir des Qing ; l'Empire poursuivit son expansion vers l'ouest, vers la Mongolie, le Turkestan et le Tibet. En 1699, dans son *Histoire de l'empereur de Chine présentée au roi*, le Père jésuite Bouvet traçait un premier parallèle de Louis XIV et de Kangxi. Le missionnaire Mailla dans son *Histoire générale de la Chine*, rédigée à partir de 1708, compare lui aussi Kangxi au roi de France. Les jésuites des générations suivantes reprirent le procédé et le portrait physique et moral de l'empereur de Chine dessiné quelques années plus tard ressemble à celui du Roi-Soleil : « « D'une taille au-dessus de la moyenne et bien proportionnée, le visage bien fait et plein, des yeux remplis et plus ouverts que le commun des Chinois, le front large, le nez un peu aquilin, la bouche belle, un air gracieux et doux, mais majestueux et grand, qui inspirait à ceux qui approchaient de sa personne de l'amour et un respect qui le faisaient aisément distinguer au milieu d'une cour nombreuse : telles étaient les qualités extérieures de Kangxi. Ces dehors avantageux, mais souvent trompeurs, annonçaient chez ce monarque une âme grande, qui le laissait maître absolu de régler ses passions ; un esprit vif et pénétrant ; un jugement sain et solide ; une mémoire heureuse, à laquelle rien n'échappait. »

Nourri de philosophie confucéenne, Kangxi avait un profond sentiment de sa mission impériale et pour objectif premier l'« harmonie » (*He*) à l'intérieur de l'Empire. En 1684, il vint se prosterner devant le tombeau de Confucius et lui offrir des libations. Soucieux du bien-être de ses sujets, il usa de prudence, de tolérance envers une opposition modérée et préféra s'appuyer sur la persuasion plutôt que sur la force. « Je suis monté fort jeune sur le trône, et jamais je n'ai été porté à verser le sang, constate-t-il dans son autobiographie. Pendant le long cours de mon règne, mon unique soin a été de faire en sorte que chacun, de bon qu'il était, devînt meilleur encore. » Une annotation courante du monarque sur les rapports de ses fonctionnaires était : « ne pas causer de trouble ». À un mandarin qui voulait lancer une enquête sur la corruption dans l'administration du sel, l'empereur rétorqua : « causer du trouble n'est pas aussi bon que d'éviter le trouble ».

« Quand il s'agissait de son autorité, écrit Montesquieu rapportant le témoignage des jésuites, cet empereur ne faisait pas plus de cas de la vie d'un homme que d'une mouche, mais, hors de cela, il aimait à se donner la réputation de clémence, donnait des édits où il faisait sentir le prix du sang humain, car les empereurs de la Chine sont fort jaloux que le peuple croie cette maxime de la philosophie chinoise, que l'empire est une famille, que l'empereur est le père. » De tous les empereurs de Chine, Kangxi fut sans doute le plus proche de ses sujets et le plus curieux du monde extérieur, à la fois grâce à son héritage familial et à ses qualités personnelles. Il patronna de nombreuses compilations historiques, géographiques, astronomiques, ainsi que le *Dictionnaire* auquel son nom reste attaché. Il commanda également la traduction en mandchou du célèbre roman picaresque de l'époque Ming, *Le Pèlerinage vers l'Ouest*.

Conscient de l'antagonisme entre Chinois et Mandchous, Kangxi désirait rallier la classe lettrée chinoise à sa dynastie. À partir de 1679, il rétablit les grandes sessions d'examens à Pékin pour les aspirants à la fonction publique. Il déclarait : « Mandchous et Chinois sont tous mes serviteurs. Je les regarde de la même manière et ne fais pas de distinction. » « Les fonctionnaires mandchous ne diront pas que je suis partial envers les Chinois », poursuit-il, ni les Chinois que l'empereur « protège seulement les Mandchous ».

Mais, dans ses mémorandums secrets en mandchou, Kangxi tenait un autre langage : « Nos ancêtres mandchous avaient coutume de dire : "Quand les paroles sont pédantes, elles ne correspondent pas à la réalité." Vos paroles sont crues, mais elles font bien écho à mes sentiments. Nous qui portons le nom de Mandchous devons être fidèles à la voie des Mandchous. Si nous nous contentons de suivre maladroitement les méthodes des Hans [Chinois], alors ils se riront de nous, nous insulteront et nous aurons à en subir les conséquences. » La tolérance impériale avait ses limites : en 1713, Kangxi fit exécuter un lettré chinois qui écrivait sur les derniers Ming du Sud en datant d'après les règnes des Ming pour la période postérieure à l'avènement de la dynastie Qing – acte caractérisé de rébellion.

La Cité interdite

En 1644, les empereurs Qing avaient fixé leur résidence à Pékin, capitale de la dynastie Ming depuis le xve siècle[2]. La « capitale du Nord » – c'est la signification du mot Pékin – offrait le double avantage d'un fort prestige symbolique et d'une relative proximité avec la Mandchourie. Les nouveaux souverains s'installèrent dans la Cité interdite des Ming, adoptèrent la complexe étiquette de leurs prédécesseurs et présidèrent comme eux les rites au temple du Ciel. Le décor que connurent Kangxi et ses successeurs immédiats était à peu de chose près celui des empereurs Ming : soubassements de pierre blanche, murs et hautes tours de brique rouge, grands pavillons de bois peints, toits de tuiles vernissées jaunes, couleur impériale. Mais l'organisation générale de la capitale avait été profondément transformée. Si la trame en damier ordonnée autour d'un axe nord-sud avait été conservée, les Chinois, chassés du nord de Pékin, allèrent peupler le sud, ou « ville extérieure », tandis que Mandchous et Mongols venaient habiter la « ville intérieure », qui entourait la « ville impériale », elle-même groupée autour de la Cité interdite. La topographie de Pékin reflétait donc avec violence la dualité de la société Qing. Kangxi mit sa marque sur la ville en y fondant des temples, des monastères bouddhistes et taoïstes et des lamaseries tibétaines. Des stèles de pierre placées dans les cours célébraient l'intervention impériale et dans les salles des plaques de bois portaient des sentences calligraphiées par le souverain lui-même.

Le gouvernement impérial était divisé en deux grandes strates : la « cour intérieure » et la « cour extérieure », partageant le séjour de la Cité interdite. « Le palais de l'empereur, écrit Montesquieu, est une toile d'araignée, et il est au milieu

2. Le catalogue d'exposition *Kangxi, empereur de Chine, 1662-1722 : la Cité interdite à Versailles*, 2004, évoque le décor dans lequel ont évolué les premiers empereurs Qing.

comme l'araignée. Il ne peut remuer que tout ne remue, et on ne peut remuer qu'il ne remue aussi. » La « cour intérieure », siégeant au nord de la Cité interdite, comprenait l'empereur, sa Maison impériale et ses conseillers les plus proches. Mandchous et Mongols y monopolisaient les positions importantes, en particulier au sein du Conseil délibératif, qui tirait son origine de la tradition mandchoue. Le département de la Maison impériale et ses centaines d'eunuques veillaient sur le bien-être du souverain, de ses épouses, de ses concubines, de ses enfants et de sa parentèle. Il disposait de revenus indépendants de ceux de l'État : monopoles du sel, du ginseng et du jade, revenus des douanes intérieures et extérieures. Le revenu annuel de la Maison impériale dépassait souvent celui du Trésor. Au sein de la « cour intérieure », la prépondérance mandchoue n'était que faiblement contrebalancée par un « Bureau du Sud », formé de lettrés chinois, chargés par Kangxi de la préparation des édits.

La « cour extérieure », installée au sud du palais, correspondait à l'administration centrale, forte de plusieurs milliers d'agents, majoritairement chinois, qui occupaient le sommet de l'édifice bureaucratique impérial, héritage des Ming et des dynasties antérieures. Ses principaux organes étaient six ministères collégiaux dont les attributions étaient fixées depuis plusieurs siècles : Service civil, Finances, Guerre, Rites, Justice, Travaux publics. La direction de ces ministères était bipartite : deux présidents, un mandchou et un chinois, et quatre vice-présidents, deux chinois et deux mandchous. La « cour extérieure » abritait également les cours de justice, les archives de l'Empire, l'académie Hanlin, vivier de la haute administration, et les services chargés de la rédaction de l'histoire officielle. Les imprimeries impériales produisaient de nombreux ouvrages en chinois mais aussi en mongol, mandchou et tibétain.

Au sein de la cour intérieure, les Qing avaient conservé une bonne partie des collections d'antiquités formées par les Ming, calligraphies, peintures, objets de toutes sortes : autant de reliques qui matérialisaient le lien entre la dynastie régnante et les dynasties antérieures et qui contribuaient à la légitimer. Il est de ce point de vue significatif que le meuble emblématique de la dynastie Qing ait été l'armoire-étagère destinée à la présentation de ce type d'objets. Kangxi installa en outre dans la Cité interdite des ateliers impériaux d'où sortaient peintures, émaux, mobilier, objets de laque et de jade. Le souci de prestige se traduit par un décor plus dense, plus profus qu'à l'époque précédente. Les meubles se chargent d'incrustations de nacre, de marbre, de jade, de pierres dures, de dragons sculptés : en somme, un goût quelque peu « nouveau riche ». L'accumulation d'instruments scientifiques – notamment ceux apportés par les jésuites – et le patronage de grandes entreprises encyclopédiques ou cartographiques jouaient un rôle analogue en renforçant l'image d'un empereur omniscient. Le Fils du Ciel, premier lettré de l'Empire, se devait d'apporter sa contribution à ces activités.

Bien qu'entourée de parcs et de jardins, la Cité interdite, manifeste de la grandeur impériale, avait quelque chose d'une prison dorée. Kangxi, fidèle aux traditions mandchoues, souffrait d'une vie trop sédentaire, d'un espace restreint et redoutait les étés chauds et humides de Pékin. Ses voyages d'inspection dans l'Empire et ses campagnes militaires ne suffisaient pas à faire diversion. Le monarque fit donc aménager plusieurs résidences d'été au nord-ouest de la capitale. La plus importante fut Changchunyuan (le « Jardin du printemps éternel »), avec ses chasses, ses eaux fraîches et son paysage de montagnes. En 1709, son fils, le futur empereur Yongzheng, reçut dans la même région le Yuanmingyuan (le « Jardin de la clarté parfaite ») : c'est l'origine du célèbre Palais d'Été, brûlé par un corps expéditionnaire franco-britannique en 1860.

Dans le Jehol, au-delà de la Grande Muraille, à quelques jours de route de la capitale, Kangxi fit construire, dans un site escarpé et forestier, le « Hameau de la Montagne pour fuir la chaleur » (*Bishu shanzhuang*), ensemble de villas rustiques en bois, qui lui servait d'étape vers les terrains de chasse de Mulan. Car le Fils du Ciel, « pour ne pas dégénérer », voulait maintenir les traditions guerrières mandchoues qui tiraient leur origine de techniques de chasse en battue. Plusieurs mois par an, l'empereur organisait de grandes chasses où il invitait l'aristocratie mongole et mandchoue. C'était l'occasion de s'exercer à l'équitation et au tir à l'arc.

Les tombes impériales des Qing furent elles aussi implantées au nord, à 125 kilomètres de Pékin, sur la route menant au

Hameau de la Montagne : dans la mort même, les empereurs restaient porteurs d'une double identité.

Le mystère des Qing

L'empereur veillait à ce que le pouvoir fût distribué entre les élites de diverses origines de manière à préserver son autorité absolue, car, sous la surface lisse d'une bureaucratie monolithique, une lutte souterraine et féroce opposait des factions rivales. À la fin du règne de Kangxi, cette lutte des factions se cristallisa autour de la succession.

En 1708, le prince Yinreng, fils aîné de l'impératrice Xiaochengren et héritier du trône depuis 1675, se trouva compromis dans un scandale de mœurs – sans doute une calomnie inventée par un de ses frères – et perdit le titre d'héritier présomptif. Cinq ans plus tard, après un bref retour en grâce, il fut écarté définitivement. Le général commandant les troupes de Pékin, plusieurs généraux et ministres, suspects d'avoir pris le parti du prince déchu, furent exécutés. Par la suite, l'empereur émit des signaux contradictoires, laissant la course à la succession ouverte entre trois de ses fils, Yinzhi, Yinti et Yinzhen.

Dans cette crise de succession qui dura jusqu'à la fin du règne, Kangxi tendit à s'appuyer davantage sur ses conseillers chinois, les Mandchous étant trop impliqués dans les factions princières rivales. Autour de lui, l'empereur se fiait à un petit groupe d'eunuques et d'officiers de la garde. Pour réunir des renseignements sûrs, il développa le système des « mémorandums secrets du palais », qui permettait à des fonctionnaires de tout grade de lui adresser des rapports directs.

Le 23 décembre 1717, Kangxi réunit les princes et les dignitaires et fit lire son édit testamentaire. Il y affirmait devant la postérité la légitimité des Qing – « Aucune dynastie dans l'histoire n'a eu un si bon droit à saisir les rênes du gouvernement » – et la sienne propre, démontrée par l'exceptionnelle durée d'un règne de plus de cinquante ans : « Quel homme suis-je pour que de tous ceux qui ont régné depuis les Qin et les Han, il faille que ce soit moi qui aie régné le plus longtemps ? »

Cinq ans plus tard, Kangxi prit froid pendant une partie de chasse. Yinti, son quatorzième fils, qui semblait le mieux placé dans la course à la succession, menait alors campagne contre les Dzoungars. Le quatrième fils, Yinzhen, présent à Pékin, avait été chargé de présenter les sacrifices au temple du Ciel à la place de l'empereur. Ce dernier, mourant, aurait appelé à son chevet sept de ses fils et le général commandant la garnison de Pékin, Longkodo, et fait l'éloge de Yinzhen. Il mourut à Changchunyuan le 20 décembre 1722, âgé de soixante-neuf ans. Son testament désignait explicitement Yinzhen. Ce dernier, accompagné de Longkodo, ramena le corps de l'empereur défunt à Pékin et monta sur le trône sous le nom de Yongzheng.

Des rumeurs ne tardèrent pas à circuler, prétendant que le testament était un faux : le nouvel empereur aurait falsifié la pièce en remplaçant le caractère signifiant « quatorzième » par celui signifiant « quatrième ». On assura aussi qu'une intrigue avait retardé le retour de Yinti à Pékin et que Yinzhen avait fait boire à l'empereur mourant un bol de soupe au ginseng empoisonnée pour hâter sa fin... Des purges ne tardèrent pas à suivre, parmi les princes de la famille impériale et les généraux en vue. Longkodo lui-même tomba en disgrâce en 1727 et mourut en prison l'année suivante. Le sort du testament de Kangxi allait rester dans l'histoire comme l'un des « quatre mystères de la dynastie Qing ».

Les inquiétudes de Yongzheng

Au moment de son accession au trône, Yongzheng était âgé de quarante-quatre ans et « joignait à une taille avantageuse un air de grandeur et dignité qui imprimait un profond respect à ceux qui approchaient de sa personne » (Mailla). Son style de gouvernement fut extrêmement personnel. Le nouvel empereur se défiait aussi bien des princes mandchous de la cour intérieure, où il avait trouvé ses principaux compétiteurs dans sa marche vers le pouvoir, que de la bureaucratie de la cour extérieure, qu'il tenait pour lente, indiscrète et corrompue. Dans la cour intérieure, le Conseil délibératif fut peu à peu marginalisé par de nouveaux organes de pouvoir où les princes de la Maison impériale n'étaient plus prépondérants. Au sein de la cour extérieure, les présidents des ministères furent de plus en plus fréquemment chapeautés par des superintendants, plus souvent mandchous que chinois. Le plus influent fut un frère cadet de l'empereur, Yinxian, qui prit la tutelle du ministère des Finances. Après la mort de Yinxian, Yongzheng ne se reposa plus sur un prince mandchou mais sur un haut fonctionnaire chinois, Zhang Tingyu, qui avait été chargé sous Kangxi de diriger la rédaction de l'histoire officielle. À la différence de la plupart des autres lettrés chinois, Zhang avait appris le mandchou. Il connut une carrière éblouissante : président du ministère des Rites en 1722, président du ministère des Finances en 1723, grand secrétaire en 1725, il devint aux alentours de 1730 une sorte de Premier ministre, supervisant les mémorandums secrets et les lettres de la cour.

Le système des mémorandums secrets se généralisa : de nombreux membres de la bureaucratie centrale et les subordonnés des gouverneurs de province reçurent la permission d'écrire directement à l'empereur. Le Fils du Ciel leur répondait à son tour directement par des annotations de sa main portées à l'encre vermillon. De cette manière, le souverain contournait l'administration centrale, qui ne pouvait plus faire écran entre sa politique et le terrain. Il y trouvait une triple garantie de commodité, de rapidité, de secret – précieuse en cas de trouble intérieur ou de guerre extérieure. Jusqu'au milieu de son règne, l'empereur recevait chaque jour cinquante à soixante de ces « mémorandums du palais » et les ouvrait et lisait seul. « Je suis déterminé, écrivait Yongzheng, à être le premier dans l'Empire par la diligence et, quoique les étrangers ne puissent le croire, j'annote personnellement les mémorandums du palais de tous les fonctionnaires majeurs et mineurs. Dans le cours d'une journée, je reçois d'innombrables mémorandums oraux et écrits des ministres de la Cour et je n'ai point de repos. Cela ne vaut pas le travail de nuit pendant lequel je peux agir à ma guise. De tous les mémorandums qui viennent des provinces, j'annote 80 à 90 pour cent pendant la soirée. »

Le règne de Yongzheng correspondit au commencement d'une ère de croissance économique. Le réchauffement du climat et l'adoption de techniques agricoles avancées permirent plusieurs récoltes annuelles dans de nouvelles régions de l'Empire. Une

réforme de l'administration fiscale élargit l'assiette de l'impôt et
en réduisit le fardeau. L'importation continue d'argent issu du
marché mondial et l'usage croissant de monnaies de cuivre assu-
rèrent une croissance régulière de la masse monétaire. Les Qing,
imprégnés d'idéologie néoconfucéenne, travaillaient à construire
une société fondée sur la vie rurale, la paix, l'harmonie sociale,
une prospérité vertueuse. Yongzheng s'attirait l'admiration
des jésuites comme un modèle de bon gouvernement : « Tout
aliéné qu'il paraît être de la religion chrétienne, écrit le Père
Contancin en 1725, on ne peut s'empêcher de louer les qualités
qui le rendent digne de l'empire et qui, en si peu de temps, lui
ont attiré le respect et l'amour de ses peuples [...]. Ce prince
est infatigable dans le travail. Il pense nuit et jour à établir la
forme d'un sage gouvernement et à procurer le bonheur de ses
sujets. On ne peut mieux lui faire sa cour que de lui proposer
quelque dessein qui tende à l'utilité publique et au soulagement
des peuples ; il y entre avec plaisir et l'exécute sans nul égard à
la dépense. »

Malgré ces succès, la question de la légitimité, celle de la
dynastie comme celle de l'empereur, resta posée tout au long
du règne. En 1730, après la découverte d'écrits nostalgiques
des Ming du lettré Zeng Jing, Yongzheng décida de frapper un
grand coup. Il fit paraître une justification de la dynastie mandchoue, le *Dayi Juemilu* (*La grande justice détournant la confusion*),
traité qui fut distribué dans chaque préfecture, chaque district et
chaque école de comté de manière à ce qu'il fût connu de tous
les lettrés de l'Empire[3]. Plaidoyer *pro domo*, le traité entendait
d'abord réfuter les accusations de parricide et de fratricide qui
circulaient à l'encontre de Yongzheng. L'empereur entendait
aussi y démontrer que les Qing avaient hérité du mandat céleste,
sauvé la Chine du désordre et donné son extension définitive à
l'Empire en soumettant les Mongols. Yongzheng soulignait les
succès de la nouvelle dynastie : presque un siècle de paix intérieure, le banditisme réprimé, l'agrandissement du territoire, la
croissance de la population et des terres cultivées. Le mandat
céleste ne devait rien à la race ; il était conféré par le Ciel à ceux

3. Cet épisode révélateur est étudié par Jonathan Spence, *Treason by the
Book*, 2006.

qui pratiquent la vertu. Pour Yongzheng, le premier principe de la morale était le respect de la relation entre le monarque et le sujet. « Ceux qui veulent se débarrasser des souverains, martelait le Fils du Ciel, ne sont que des animaux. » L'empereur n'avait pas de termes assez injurieux pour caractériser les lettrés restés fidèles aux Ming : des « fourmis », des « abeilles », des « chiens », des « grenouilles », des « loups ».

Pour sa propre succession, Yongzheng ne se plia pas davantage que son père à la tradition chinoise qui voulait que l'aîné des fils de l'épouse principale fût l'héritier présomptif. Mais, plutôt que de désigner un successeur parmi ses fils suivant l'usage mandchou, il enferma le nom de l'heureux élu dans une boîte à ouvrir après sa mort. L'empereur mourut en 1735, âgé de cinquante-huit ans, après un règne prospère de treize ans. Son fils Qianlong lui succéda et fit libérer les frères et neveux emprisonnés par son prédécesseur.

Signe d'un malaise persistant quant à sa légitimité, Yongzheng avait décidé de construire son propre mausolée impérial, situé non au nord-est comme celui de son père, mais à l'opposé, au nord-ouest. Qianlong, au contraire, établit son mausolée auprès de celui de Kangxi.

La marche vers l'Ouest

Comment expliquer que l'État le plus puissant du monde se soit détourné de l'expansion maritime alors que les petits royaumes d'Occident lançaient des vaisseaux aux quatre coins de la Terre ? La réponse à cette interrogation tient à l'orientation de la géopolitique chinoise depuis plusieurs siècles[4].

Dès 1421, les Ming avaient transféré leur capitale de Nankin à Pékin, pour mieux affronter les périls venus de la steppe. À la capitale du Sud (*Nanjing*), établie sur le fleuve Bleu et ouverte sur le commerce international, succédait la capitale du Nord (*Beijing*), isolée au milieu des terres. Montesquieu a bien vu cette orientation géopolitique majeure de la Chine : « L'empire,

4. Nous suivons ici les conclusions de la somme de Peter C. Perdue, *China Marches West : The Qing Conquest of Central Eurasia*, 2005.

séparé de trois côtés par la mer, des déserts et des montagnes, ne peut avoir d'ennemis que du côté du nord. Cela a fait établir le siège de l'empire dans le Nord » (*Pensées*, n° 1879). Les Qing, vainqueurs et successeurs des Ming, avaient conservé Pékin pour capitale. Venus de la steppe, ils regardaient, comme les Ming, vers les steppes. Ces Mandchous sinisés restaient des enfants de la steppe, mais pour eux elle n'était plus seulement un territoire d'où pouvaient venir les menaces les plus dangereuses, mais un espace où devait s'étendre leur domination.

Kangxi et Yongzheng eux-mêmes étaient des métis ethniques et culturels, et, dans une situation quelque peu schizophrénique, empereurs chinois lettrés avec les Chinois, khans chasseurs et guerriers avec les Mandchous et les Mongols. Fils du Ciel d'un côté, mais parlant des Chinois avec leurs parents comme d'« eux » et de « nous ». Par sa grand-mère Bumbutai – impératrice Xiaozhuang (1613-1688) –, Kangxi avait du sang mongol. Son rattachement à la lignée gengiskhanide fondait sa légitimité comme grand khan et comme protecteur de la religion bouddhiste lamaïste. Sous son règne, plus de 10 000 nobles mongols et leur entourage étaient établis à Pékin. L'empereur les citait en exemple aux Mandchous et aux Chinois pour leur valeur militaire, leurs prouesses de cavaliers et d'archers. Comme Fils du Ciel, les Qing devaient protéger la Chine des dangers venus de la steppe. Comme grands khans, ils avaient vocation à y étendre leur pouvoir presque indéfiniment. Cette posture à la fois offensive et défensive dicta la politique extérieure de l'Empire chinois pendant plus d'un siècle.

Kangxi devait être particulièrement vigilant vis-à-vis de tout pouvoir naissant susceptible de menacer sa prétention au khanat universel. Cette menace se matérialisa avec l'ascension d'un chef mongol, Galdan, qui étendit son autorité sur la Dzoungarie, à l'ouest du domaine mongol et au contact des émirats musulmans du Turkestan. Galdan, né en 1644, était, au dire des sources chinoises, « violent et mauvais, adonné au vin et aux femmes ». Surtout, avec l'approbation du Dalaï-Lama, il avait pris le titre de *Bushuktu Khan*, « khan du Destin », appellation qui le rapprochait du statut de détenteur du « mandat céleste » impérial. Kangxi réagit à ce défi en lançant une série de campagnes militaires ayant pour objectif l'élimination de Galdan et la destruction de son État.

Pour avoir les mains libres, l'empereur devait s'assurer de la neutralité d'une autre puissance montante en Sibérie : la Russie. Il prit alors une initiative extraordinaire. En mai 1683, il écrivit deux lettres pour offrir aux Russes des négociations moyennant l'évacuation par les Cosaques de la forteresse d'Albazin, sur l'Amour. Ces missives arrivèrent à Moscou en novembre 1685, après la destruction de la forteresse par l'armée chinoise. En réponse aux ouvertures de Kangxi, la régente Sophie envoya en janvier 1686 Fédor Golovine comme plénipotentiaire auprès des Chinois.

Les deux parties se rejoignirent à Nertchinsk en juillet 1689. Golovine, avec un millier d'hommes, rencontra sept ambassadeurs Qing conduits par le Mandchou Songgotu, accompagné des deux jésuites Gerbillon et Pereira, et une suite civile et militaire de 10 000 hommes. Choix significatif, les ambassadeurs Qing étaient tous mandchous, et l'on comptait parmi eux le propre oncle de l'empereur, le prince Tong Guogang. Les Chinois étaient exclus de la grande politique internationale, mais aussi d'une *Realpolitik* étrangère à leurs traditions.

Avec une souplesse sans précédent, les Qing avaient accepté de négocier sur un pied d'égalité. Les deux parties avaient des tentes ouvertes côte à côte et un nombre égal de négociateurs. Les discussions n'eurent lieu ni en russe – alors que les Mandchous avaient des traducteurs capables de parler cette langue – ni en chinois, ni en mandchou, ni en mongol, mais en latin, langue maîtrisée par deux des émissaires moscovites – le Russe Golovine et le Polonais Andrei Belobotski – et par les deux jésuites.

Les Mandchous réclamèrent d'abord tout le territoire jusqu'au lac Baïkal, tandis que les Russes prétendirent conserver Albazin et Nertchinsk, et fixer la frontière le long du fleuve Amour. Les discussions semblant dans l'impasse, Songgotu fit encercler Nertchinsk par son armée... et Golovine fit mine de céder à la pression.

Le Russe renonça à Albazin, mais obtint de conserver l'accès aux mines et au sel au nord du fleuve Argoun, qui servirait de frontière aux deux Empires. Une stèle gravée en cinq langues – russe, chinois, mandchou, mongol et latin – fut dressée au confluent de l'Argoun et de l'Amour pour énoncer les clauses du traité. Chaque partie pouvait se considérer comme satisfaite. Kangxi avait les mains libres pour venir à bout des Dzoungars. Les Russes obtenaient les clauses commerciales qui les intéressaient. Ils se voyaient reconnaître le contrôle des peuples sibériens, qui leur versaient le *iasak*, tribut levé en fourrures, que les Dzoungars leur disputaient. Le traité de Nertchinsk fut le premier accord conclu par la Chine sur un pied d'égalité avec une autre puissance – mais la bureaucratie chinoise avait été tenue à l'écart du jeu.

Libre de ses mouvements, Kangxi se mit en campagne. Il parvint à vaincre Galdan, qui mourut dans des circonstances mystérieuses (1697), non à détruire l'État dzoungar. Par ses séjours prolongés dans la steppe, l'empereur était redevenu un chef mandchou. Ses expéditions étaient contraires à la tradition chinoise qui veut que « le pouvoir émane d'un centre fixe », où sont célébrés avec régularité les rites du temple du Ciel. D'où quelques hésitations dans la propagande du régime : tandis que les premiers récits des campagnes de Kangxi relatent le détail de ses haltes, les banquets donnés aux alliés mongols, les parties de chasse, les accidents météorologiques censés montrer que le Ciel appuie la volonté impériale, l'histoire officielle de ces campagnes, publiée en 1710, tend à gommer les activités purement récréatives du monarque pour se concentrer sur les exploits proprement militaires.

Au vrai, Kangxi n'en avait pas fini avec les Dzoungars. Galdan avait eu pour successeur son neveu Tsevang Rabdan. En 1715, ce nouveau chef attaqua l'oasis d'Hami (aujourd'hui Khumul), khanat mongol tributaire des Qing. Deux ans plus tard, les Qing réagirent en envoyant une expédition qui atteignit l'oasis de Tourfan, une des plus importantes villes du Turkestan, 350 kilomètres à l'ouest d'Hami, à la frontière du monde islamisé.

Mais les Qing durent bientôt détourner leurs efforts de la Dzoungarie vers le Tibet. Le frère de Rabdan, Tsereng Dondub, moine bouddhiste défroqué, avait traversé les montagnes de Kunlun et marché sur Lhassa. Le 30 novembre 1717, il fit mettre à sac les monastères de la Ville sainte. Trois jours plus tard, il attaqua le Potala et fit prisonniers le Dalaï-Lama et le Panchen-Lama. Une armée de secours dépêchée par les Qing fut encerclée et détruite par les Dzoungars en octobre 1718.

Kangxi, trop vieux et trop malade pour prendre lui-même la tête des opérations, nomma alors son quatorzième fils, Yinti, comme chef d'un nouveau corps expéditionnaire fort de 300 000 hommes. Un corps détaché reprit Lhassa le 24 septembre 1720, alors que les Dzoungars s'en étaient déjà enfuis. Yinti rétablit le Dalaï-Lama au Potala et fit exécuter les lamas partisans des Dzoungars. Après plusieurs siècles de tutelle mongole, le clergé lamaïste échangea alors un protecteur contre un autre. L'année suivante, une stèle fut érigée à Lhassa pour commémorer la conquête chinoise et donner une version officielle des faits : l'armée impériale avait détruit l'ennemi, pacifié le Tibet, « fait revivre l'Enseignement du Bouddha »; ces exploits étaient sans précédent et tous les Mongols et Tibétains louaient l'audace de l'empereur et sa divine puissance.

L'objectif fixé à l'armée de Yinti était désormais la destruction de l'État dzoungar. Mais le 22 décembre 1722, nous l'avons vu, le prince fut soudainement rappelé à Pékin. Son père était mort et son frère Yinzhen était monté sur le trône. Le nouvel empereur commença à rappeler les troupes des frontières. La garnison de Lhassa se retira. En revanche, la région tibétaine du Kokonor passa définitivement sous contrôle chinois et devint une partie de l'« intérieur » de la Chine. La marche vers l'Ouest, ponctuée de brusques avancées et de retours en arrière, se poursuivit inexorablement. Les réformes fiscales et gouvernementales entreprises par Yongzheng eurent pour objectif de réunir les conditions favorables à l'expansion : elles permirent de trouver les moyens financiers de la guerre, d'assurer la logistique de troupes expédiées à des milliers de kilomètres de Pékin et de diriger les opérations depuis la Cité interdite, tout comme Louis XIV avait dirigé la guerre de Flandres depuis ses appartements de Versailles.

Tulisen et Unkovski

Au-delà des Dzoungars, un adversaire autrement redoutable se profilait à l'horizon : la Russie. Kangxi semble l'avoir identifiée très tôt comme un danger potentiel. « Il était très aise, rapporte le Père Foucquet, quand il apprenait que les Russes avaient été battus, et pour cela il envoyait quérir les Européens pour savoir des nouvelles, et ils permettaient que les courriers de l'empire portassent leurs lettres de Canton, car il n'y a point de poste, à la Chine, pour les particuliers. » Non sans raison, l'empereur soupçonnait les Russes d'agiter les peuplades de la Sibérie et de l'Asie centrale. En 1712, il envoya le Mandchou Tulisen, vice-président du ministère de la Guerre, en ambassade pour négocier avec les Russes et les tribus tartares. Les instructions de l'empereur à Tulisen étaient clairement menaçantes pour les Russes : « Si la Russie dépêche des troupes à ses frontières, nous pourrions devenir soupçonneux et envoyer nos troupes là-bas. Nos deux pays ont vécu longtemps en harmonie. Nous souhaitons préserver ces bons rapports. Mais une fois que des troupes auront été envoyées sur la frontière, elles seront utilisées, n'en doutez pas. » Kangxi n'avait pas tort d'agiter la menace, car en 1713 Pierre le Grand ordonna à Matvei Gagarine, gouverneur de Sibérie, de négocier avec les Dzoungars. Au grand bénéfice des Chinois, ces derniers refusèrent de reconnaître les droits des Russes sur la Sibérie.

Au long d'un voyage de trois années, Tulisen se rendit jusqu'à Kazan et Saratov. Au retour, il dressa un compte rendu détaillé de sa mission : grâce à lui, Kangxi n'ignora rien de la guerre entre la Russie et la Suède et du mécontentement sourd qui animait les Russes de Sibérie contre Pierre le Grand. Tulisen avait rencontré notamment le gouverneur Gagarine, qui lui dit : « Dans cet empire, quand le défunt tsar vivait, nous étions libres de labeur et de souci. Sous son règne, tous les hommes, de haute ou de basse condition, vivaient en paix [...]. Notre présent tsar, dès son enfance, passait son temps à se battre et à lutter avec les enfants qui étaient ses camarades de jeux. Ces enfants sont à présent devenus ses généraux. Nous serions toujours en repos, comme autrefois, si nous avions suivi l'exemple de son père. » Tulisen prépara aussi pour l'empereur une carte détaillée de la Sibérie, égale sinon supérieure à celles dont les Russes et les Occidentaux disposaient à l'époque. Son rapport, rédigé en mandchou, fut jugé assez extraordinaire pour être traduit en chinois en 1723, en français en 1726, en allemand et en russe plus tard dans le siècle, en anglais en 1821.

De leur côté, les Russes ne restaient pas inactifs. En juillet 1715, un corps expéditionnaire commandé par le lieutenant-colonel Ivan Buchholz et comprenant un détachement d'artillerie et des ingénieurs, partit de Tobolsk pour arriver en octobre sur le lac Yamich, où il construisit une forteresse. Pierre le Grand avait chargé Buchholz de rechercher en Sibérie des gisements d'or. Les Dzoungars ne tardèrent pas à réagir : le 9 février 1716, ils prirent d'assaut la forteresse et la détruisirent. À cette occasion, ils firent prisonniers un officier suédois passé au service des Russes, le lieutenant Renat, et ses hommes. Renat dressa pour ses nouveaux maîtres les premières cartes de la Dzoungarie.

Les Russes ne se tenaient pas pour battus. Ils reculèrent jusqu'à l'Irtych au bord duquel ils construisirent la forteresse d'Omsk. En 1718, ils reconstruisirent leur forteresse sur le lac Yamich et la nouvelle place de Semipalatinsk, sur l'Irtych. Tsevang Rabdan, affaibli par ses défaites au Tibet, ne put faire obstacle à cette nouvelle avancée. En 1722, Pierre le Grand envoya en Dzoungarie le capitaine d'artillerie Ivan Unkovski. Rabdan le reçut, l'interrogea sur la flotte du tsar, sur ses guerres avec les Turcs et les Suédois, sur la religion des Russes... et lui demanda s'ils buvaient du thé. Un dialogue s'engagea ensuite sur la distinction entre présent et tribut et sur les forces militaires comparées du sultan ottoman et du « khan chinois ».

Trois ans plus tard, les Russes envoyèrent à Pékin le comte Sava Vladislavitch, un Bosniaque qui avait été employé par Pierre le Grand dans des missions diplomatiques, pour féliciter Yongzheng de son avènement, lui apprendre la mort de Pierre et l'accession au trône de Catherine Ire. Le comte avait pour instruction de renouer les relations commerciales, d'obtenir le droit de résidence d'un consul et un nouveau traité portant fixation de la frontière entre les deux Empires. Vladislavitch quitta Saint-Pétersbourg le 23 octobre 1725 et arriva à Pékin le 4 mai 1727. Il y bénéficia de l'entremise des jésuites français, pour lesquels le ministre de France à Saint-Pétersbourg lui avait écrit une lettre de recommandation.

Après avoir négocié à Pékin, l'ambassadeur se rendit à la frontière où fut discuté et signé le nouveau traité entre les deux Empires. Les négociations commencèrent le 25 juin 1727 et le traité préliminaire fut signé le 31 août. Il fut définitivement ratifié à Kiakhta le 1er novembre 1727. Ce texte, qui reste la base des rapports entre la Chine et la Russie, comporte onze articles, rédigés en russe et latin pour les Chinois, en russe, latin et mandchou pour les Russes. Une église était accordée aux Russes à Pékin, qui serait desservie par un prêtre, trois desservants, et cinq élèves interprètes. Les transfuges des deux Empires seraient échangés à l'avenir. Une caravane de 200 hommes serait admise à Pékin tous les trois ans. Kiakhta et Tsouroukhaïtou, proches respectivement de Selenginsk et de Nertchinsk, serviraient de places d'échanges permanentes. Vladislavitch revint à Moscou à la fin de décembre 1728.

Le traité de Kiakhta permit à Yongzheng de reprendre la guerre contre les Dzoungars. Mais ce n'est que plusieurs décennies plus tard, en 1757, que la Dzoungarie fut définitivement annexée à la Chine. Le Turkestan oriental fut intégré à l'Empire sous le nom de Xinjiang, « Nouvelle Frontière ». Les limites de l'Empire correspondaient désormais aux territoires actuels de la Chine et de la Mongolie.

Obnubilés par l'impérialisme passé des puissances européennes, les historiens occidentaux oublient souvent que l'impérialisme est de tous les temps et de tous les pays. À son apogée, la Chine des Qing offre un bel exemple d'impérialisme, longtemps demeuré inaperçu parce qu'il ne correspondait ni à la tradition chinoise, ni aux directions d'effort principal de l'expansion occidentale. Le duel avec la Russie, à peine esquissé, n'eut lieu qu'à fleurets mouchetés et l'Europe n'en eut pas connaissance. La « marche vers l'Ouest » des Qing, récemment étudiée par l'historien américain Peter C. Perdue, n'en fut pas moins un événement colossal, une révolution dans les équilibres de l'Eurasie.

Quand eut lieu la rencontre géopolitique de la Chine et de l'Occident, au commencement du XIXe siècle, l'expansion des Qing venait tout juste de prendre fin. Ainsi put prendre racine le mythe d'un « empire immobile », animé par le seul cycle interne de l'essor et du déclin des dynasties successives, détentrices du mandat céleste avant d'en être dépouillées.

Mais l'empire des Qing n'est ni celui des Ming ni celui des dynasties précédentes. Multinational, démesurément étendu, surpeuplé, fortement structuré, il possédait tous les atouts pour être ce que la Chine est aujourd'hui sur le point de redevenir : une superpuissance à l'échelle mondiale.

13

La Chine et l'Océan

Au regard du vaste mouvement d'expansion chinois en Eurasie, les relations du Céleste Empire avec les pays situés en Asie du Sud-Est ou au-delà des mers paraissaient d'importance secondaire. Comme leurs prédécesseurs, les Qing concevaient leurs relations avec ces pays comme des rapports de suzerain à vassal et les ambassades qu'ils en recevaient comme autant de manifestations de révérence de la périphérie envers le centre. Les ambassades envoyées par les États occidentaux étaient assimilées à celles des pays tributaires. Quant aux Chinois expatriés outre-mer, ils ne concouraient nullement, dans l'esprit des dirigeants de Pékin, à la grandeur de l'Empire.

Que la réalité fût quelque peu différente de cette belle construction théorique, les dirigeants chinois en avaient sans doute conscience, mais l'Empire était assez puissant pour que la distorsion de l'idéal et du réel ne fût pas trop embarrassante.

Des royaumes vassaux

Les deux principaux royaumes tributaires de l'Empire du Milieu étaient la Corée et le Vietnam, États organisés sur le modèle chinois, dont l'écriture et la culture empruntaient puissamment à la Chine et dont le néoconfucianisme était l'idéologie officielle.

En Corée, l'influence chinoise se faisait lourdement sentir. Le « Palais de la Vertu prospère » à Séoul calquait la Cité interdite de Pékin. Quand le roi de Corée désignait un prince héritier, il faisait confirmer l'investiture par l'empereur de Chine. À la mort du roi, l'empereur envoyait en Corée deux émissaires pour conférer à cet héritier le titre de roi. Le prince devait recevoir à genoux l'investiture et remettre aux envoyés de Pékin des présents recognitifs de sa sujétion. Après quoi, un ministre de Corée apportait le tribut à Pékin et venait « battre la tête contre terre devant l'empereur ». De la même manière, l'épouse du roi de Corée ne pouvait prendre le titre de reine qu'après l'avoir reçu de l'empereur. En 1694, le roi Sukjong envoya à Kangxi un placet où il se qualifiait de « sujet » et dont la phraséologie était particulièrement servile : « Quoique je déshonore par mon ignorance et ma stupidité le titre que j'ai hérité de mes ancêtres, il y a pourtant vingt ans que je sers Votre Majesté suprême et je dois tout ce que je suis à ses bienfaits, qui me couvrent et me protègent comme le Ciel. »

Ce langage d'adulation était d'une hypocrisie parfaite : les Coréens considéraient en fait les Qing comme des barbares usurpateurs et se méfiaient de leurs empiétements possibles. Lorsque Kangxi lança de grandes opérations de cartographie du nord-est de la Chine et de la Mandchourie, les autorités coréennes refusèrent leur concours aux équipes qui devaient inspecter les sources des rivières Yalou et Tumen. En 1699, elles s'abstinrent de fournir aux Chinois des informations topographiques sur les huit provinces de la Corée. Dix ans plus tard, l'empereur tira prétexte d'un incident de frontière pour envoyer au nord du royaume tributaire un haut fonctionnaire mandchou, Mukedeng, avec pour mission officielle d'enquêter sur l'accident et pour mission officieuse de rassembler les informations topographiques désirées. Usant de divers faux-semblants, les Coréens réussirent à faire obstruction et Mukedeng revint bredouille... sans en rien témoigner à l'empereur. Une seconde mission de Mukedeng, l'année suivante, aboutit à une démarcation plus exacte de la frontière entre la Chine et la Corée, suivant les rivières Yalou et Tumen. Les apparences étant sauves, Kangxi promulgua peu après un édit réduisant le montant du tribut dû par le roi de Corée.

« C'est ainsi, conclut le Père jésuite Régis, que la Corée jouit depuis un grand nombre d'années des douceurs de la paix. » Le même Régis estimait que si par miracle la Chine venait à se convertir au christianisme, la Tartarie et la Corée suivraient en peu d'années, « telle est la dépendance où sont ces pays de la Chine et l'estime que les nations voisines font des Chinois ».

La situation au Vietnam, pays bien plus éloigné du centre chinois, était fort différente[1]. Le maintien d'une principauté Viet autonome entre Chine et Vietnam, celle des Mac, jusqu'en 1677 avait évité les frictions violentes entre les deux États. Le pays avait lui aussi un roi ou empereur dont le modèle était le Fils du Ciel, mais les souverains de la dynastie Lê, à l'instar des empereurs japonais, étaient réduits à des fonctions rituelles et protocolaires. « Enseveli dans un vieux palais », le souverain n'en sortait qu'une fois l'an « pour recevoir les hommages publics ». L'empereur du Vietnam était devenu une manière de pontife suprême héréditaire. En 1710, les missionnaires comparaient sa position à celle des rois mérovingiens face aux maires du palais. Le pays était partagé en deux seigneuries, Nord et Sud, dont les titulaires assumaient la réalité du pouvoir. Le Nord des Trinh et le Sud des Nguyen avaient été longtemps en guerre, jusqu'aux années 1670.

Au Nord, le seigneur de la famille Trinh portait les titres de « généralissime » et d'« ordonnateur suprême de l'État ». Les contacts diplomatiques avec la Chine, rares et peu recherchés, sanctionnaient la hiérarchie admise par les deux parties : la Chine était le centre du monde, et l'empereur du Vietnam s'inclinait profondément devant une lettre de l'empereur de Chine. En 1720, une ambassade chinoise apporta ses lettres d'investiture à l'empereur Lê Du Tong, placé sur le trône par le seigneur Trinh en 1705. L'investiture avait attendu quinze ans... et la mort de l'empereur précédent, détrôné par le général en chef.

Si la Chine ne semble pas avoir exercé une influence directe sur les affaires intérieures du Vietnam, le modèle chinois restait prégnant et on ne peut qu'être frappé du parallélisme entre la politique suivie à Pékin et celle menée à Thang Long (actuelle Hanoi). La hiérarchie administrative était formée de mandarins recrutés suivant un système d'examens, calqué là encore sur le modèle chinois des Ming, mais tempéré par la vénalité des

1. La thèse d'Alain Forest, *Les Missionnaires français au Tonkin et au Siam, XVIIᵉ-XVIIIᵉ siècles*, 1998, donne de précieuses indications sur l'histoire du Vietnam au moment de l'apogée des Qing.

charges. Au Nord, on trouvait six départements ministériels, démarcation exacte du modèle gouvernemental de la Chine. Au début du XVIIIe siècle, après trente ans de paix extérieure, le pouvoir tendait à passer des militaires aux civils : évolution analogue, là encore, à celle du puissant Empire du Nord.

Comme Kangxi, le seigneur Trinh Cuong (1705-1729) favorisa le bouddhisme, fit restaurer ou construire des monastères et multiplia les pèlerinages. Comme Yongzheng, il lança une réforme de la fiscalité, mais avec moins de succès. Le mécontentement était vif et la question de la légitimité de la famille Trinh se posa. Elle était, écrivait un missionnaire en 1722, « doublement usurpatrice » du pouvoir impérial mais aussi du pouvoir des Nguyen. Comme Kangxi et Yongzheng, Trinh Cuong prit à partir de 1712 des mesures de répression contre la religion catholique. Mais le christianisme avait poussé au Vietnam des racines plus solides qu'en Chine. Les convertis étaient nombreux – peut-être 150 000 vers 1710 –, les relais dans les élites également, et l'autorité du pouvoir central plus faible. Les chrétiens se tiraient le plus souvent d'affaire en graissant la patte des autorités locales.

L'influence des Qing était moins forte dans la seigneurie du Sud, comme celle du confucianisme, balancée par un bouddhisme d'inspiration cambodgienne. Les missionnaires jésuites y mirent au point le *quoc-ngu*, système de translitération en caractères romains de la langue vietnamienne : le premier livre de ce type fut imprimé à Rome en 1651.

La Chine n'était pas incapable d'opérations militaires au-delà de ces voisins immédiats. En 1662, une armée Qing avait franchi la frontière du Yunnan pour poursuivre le dernier Ming jusqu'en territoire birman. Quoique étrangers à la culture chinoise, le Siam et surtout la Birmanie étaient tenus, comme la Corée et le Vietnam, pour des royaumes tributaires, en puissance sinon en fait.

Le Japon ermite

Le Japon, autre État façonné par la langue et la culture chinoises, avait, lui, rompu tout lien d'allégeance avec l'Empire du continent et adopté une politique d'isolement à peu près absolu, dite en japonais *Sakoku* (« Pays cadenassé »). Ce choix, rendu possible par l'insularité, répondait à une double menace, celle de l'impérialisme chinois, renouvelé par l'avènement des Qing, et celle du prosélytisme chrétien. Prêché au Japon dès les années 1550, le christianisme avait rencontré dans l'archipel un succès plus net qu'en Chine mais suscité des oppositions beaucoup plus vives. Au terme d'une guerre d'extermination, les shoguns de la famille Tokugawa, détenteurs de la réalité du pouvoir dans l'archipel, avaient à peu près éradiqué la religion d'Occident – quelques communautés la pratiquant encore en secret. Les Portugais, coupables d'avoir introduit le catholicisme au Japon, avaient été chassés. Les Hollandais, qui les remplaçaient comme intermédiaires commerciaux, étaient relégués dans l'îlot de Deshima, face à Nagasaki, et n'apparaissaient à Edo que le temps de brèves ambassades annuelles, organisées sur le modèle des ambassades tributaires reçues par l'empereur de Chine à Pékin.

Les contacts avec la Chine étaient également réduits au minimum. Des marchands chinois étaient autorisés à commercer à Nagasaki. Depuis 1715, ces marchands devaient se munir de passeports des autorités japonaises datés du seul règne de l'empereur du Japon. Les autorités chinoises protestèrent par marchands interposés et les Japonais répliquèrent que les traductions des passeports n'étaient que des actes à caractère privé. Du côté chinois, on se satisfit de cette réponse. Par le biais des îles Ryukyu, royaume tributaire à la fois de la Chine et du Japon, l'archipel entretenait également des relations commerciales avec la Chine des Qing, mais il s'abstenait de relations diplomatiques directes qui, dans les représentations de l'Extrême-Orient, auraient signifié la reconnaissance d'une supériorité chinoise.

À l'instar des Coréens, les Japonais considéraient d'ailleurs les Mandchous comme des barbares et les Qing comme des usurpateurs. D'après les doctrines développées dans l'entourage des shoguns, la mainmise des Qing sur la Chine impliquait la transformation de l'Empire du Milieu en pays barbare et permettait au Japon, qui jamais n'avait pu être conquis, de prétendre à un statut supérieur. Cette construction idéologique ne s'opposait pas à un certain pragmatisme : en dépit des sollicitations des derniers partisans des Ming, les shoguns Tokugawa se gardèrent d'intervenir sur le continent en leur faveur ; ils décidèrent de s'accommoder du double tribut payé par le royaume de Ryukyu à la Chine et au Japon. La prudence alla jusqu'à tenter de dissimuler aux émissaires des Qing la présence japonaise aux Ryukyu : en 1683, les représentants du seigneur de Satsuma, le suzerain japonais de Ryukyu, se présentèrent aux émissaires Qing comme de simples « habitants des îles Nansei » ; en 1719, il leur fut même interdit d'entrer en contact avec la mission envoyée par les Qing.

Les Occidentaux comprenaient fort bien les ressorts cachés de la politique nippone. Paradoxalement, le Père de Charlevoix, qui publie en 1736 une *Histoire et description du Japon*, admire l'habileté des shoguns : « Il n'y avait plus rien à craindre pour ces princes ni de l'ambition des grands, qu'ils avaient assujettis, ni de l'esprit remuant et inquiet du peuple, qu'ils avaient trouvé moyen d'occuper, dont ils avaient réprimé la curiosité et le désir de connaître d'autres nations et qu'ils gouvernaient sévèrement sans dureté ; ni des entreprises des étrangers, qu'ils avaient écartés ou mis absolument hors d'état de leur donner le moindre ombrage. »

L'empereur du Japon restait cantonné à des fonctions religieuses et le shogunat, fermement établi, se transmettait sans à-coups au sein de la famille Tokugawa. Tokugawa Tsuyanoshi, arrière-petit-fils du premier shogun, resta en poste de 1680 à 1709. De tendance moralisante, il favorisa la diffusion officielle des doctrines néoconfucéennes et promulgua une législation protectrice des animaux qui fut mal accueillie et lui valut le surnom de « Shogun-chien ».

À la différence du continent, les militaires gardaient la haute main sur le gouvernement et les lettrés étaient restreints à un rôle de conseil, mais la société féodale héritée des premiers Tokugawa se transformait lentement en bureaucratie, la caste militaire étant rendue oisive par la fin des guerres civiles et l'absence de danger extérieur. Une vendetta survenue sous le shogunat de Tsuyanoshi illustre cette évolution. En 1701, un seigneur du sud de Honshu blessa le maître des cérémonies du shogun, qui l'avait insulté, et Tsuyanoshi le condamna au suicide. Décidés à venger leur seigneur, les quarante-sept samouraïs au service du défunt assassinèrent le maître des cérémonies deux ans plus tard. Ils furent condamnés à leur tour et se suicidèrent rituellement le 4 février 1703. Si les « quarante-sept ronins » étaient devenus presque aussitôt des héros de la littérature et du théâtre, cités comme des modèles de fidélité et de courage chevaleresque, le dernier mot n'en était pas moins revenu à l'autorité gouvernementale.

Derrière leur fidélité apparente à l'ancien imaginaire féodal, les élites japonaises n'étaient pas indifférentes au monde extérieur. Arai Hakuseki, conseiller principal des deux successeurs immédiats de Tsuyanoshi, se livra à une étude approfondie des flux commerciaux entre le Japon et l'extérieur. Il préconisa une politique économique ressemblant fort au mercantilisme occidental : pour éviter l'évasion des métaux précieux, il proposait de les remplacer, dans les échanges avec les Chinois et les Hollandais, par des produits nationaux, soie, porcelaine et fruits de mer. Sous son influence, le nombre de vaisseaux chinois autorisés à venir chaque année à Nagasaki, limité à soixante-dix depuis 1688, descendit à trente en 1715, non sans qu'une abondante contrebande limite l'effet de ces règlements autoritaires.

En 1708, le shogun chargea Hakuseki d'interroger un jésuite venu en Orient avec l'ambassade de Mgr de Tournon et qui s'était introduit clandestinement au Japon, le Père Giovanni Battista Sidotti. Hakuseki évita au jésuite la torture et l'exécution qui étaient de règle à l'égard des missionnaires, eut de longs entretiens avec lui à Edo et obtint sa mise en résidence surveillée. Il exploita les informations rassemblées à cette occasion et lors de rencontres avec des marchands hollandais dans plusieurs ouvrages, notamment ses *Chroniques des rumeurs de l'Occident*, rédigées en 1715. Hakuseki y consignait les nouvelles de la guerre de succession d'Espagne, l'opposition entre monarchie absolue et monarchie parlementaire, notait l'avancée technique de l'Europe, mais se montrait fort réticent à l'égard de la religion chrétienne. Les dogmes du christianisme lui paraissaient irrationnels et dangereux pour l'ordre social et l'idée même d'un Dieu créateur inutile et illogique. En revanche, sa rencontre avec Sidotti le convainquit que les missionnaires n'étaient pas nécessairement des espions envoyés en prélude à un débarquement militaire, au contraire de l'opinion généralement reçue jusqu'alors. Cette conviction permit le développement ultérieur des « études occidentales », qui n'étaient plus associées à l'idée de haute trahison, sous le shogunat de Tokugawa Yoshimune : en 1720, ce dernier autorisa la traduction d'ouvrages techniques européens en japonais.

Chinois d'outre-mer

Au moment où les Qing prirent le contrôle de la Chine, la côte sud-est de l'Empire était partie prenante d'un vaste réseau d'échanges internationaux couvrant toute l'Asie du Sud-Est[2]. Cette partie de la Chine fut la dernière soumise à la nouvelle dynastie – le Sud ne fut définitivement vaincu qu'en 1669, Taiwan résista jusqu'en 1683. Dans cette région aussi bien que dans les communautés chinoises établies outre-mer, le souvenir des Ming et la fidélité envers la dynastie nationale restaient vivaces. En 1721 encore, une révolte éclata à Taiwan : le chef des rebelles prit le titre de roi et établit une administration sur le modèle Ming. C'est d'ailleurs en Chine du Sud que se forma la société secrète *Tiandihui* (« Société du Ciel et de la Terre »), ancêtre des actuelles Triades. Le régime mandchou nourrissait la crainte des « traîtres chinois » et la réaction de Kangxi à la fin de son règne contre le christianisme a pu se fonder sur l'hypothèse d'une alliance entre nouveaux convertis et nostalgiques des Ming. La méfiance prévalait donc : Taiwan, qui demeurait suspecte, ne put devenir une étape du commerce international avec l'Occident.

Outre-mer, d'importantes communautés chinoises s'étaient développées aux XVIe et XVIIe siècles, plus ou moins en rapport avec les Espagnols, les Portugais et les Hollandais. Les Chinois s'établissaient aux Philippines, en Indonésie, sur les côtes du Vietnam et du Cambodge et dans les grandes villes du Siam. À Batavia, leur nombre doubla entre 1680 et 1740, jusqu'à atteindre la moitié de la population libre. En 1750, on ne comptait pas moins de 40 000 Chinois à Manille. Au Vietnam, mineurs et paysans chinois ne cessaient d'affluer dans la seigneurie du

2. Le volume dirigé par Nicholas Tarling, *Cambridge History of Southeast Asia : From Early Times to c. 1800*, 1993, évoque largement la diaspora chinoise.

Nord. Au Sud, les Nguyen accueillirent des réfugiés chinois fuyant la domination des Qing qu'ils laissèrent s'installer dans les régions qu'ils venaient de conquérir, notamment à Saigon, conquis sur les Khmers en 1698.

En mer de Chine, le commerce international reposait moins sur les Occidentaux que sur les vaisseaux chinois venus de Batavia, de Canton ou de Macao, soit par des canaux officiels soit, le plus souvent, par contrebande, que les missionnaires français désignaient comme la « coutume des Chinois ». Une de leurs entreprises favorite était l'exportation frauduleuse de la monnaie de cuivre vietnamienne, interdite par les autorités. À Batavia, douze à quinze jonques chinoises abordaient chaque année entre 1700 et 1715, plus de vingt par la suite. Elles apportaient du thé à la colonie hollandaise et lui amenaient des travailleurs employés à la mise en valeur de Java, qui devenaient marchands ou ouvriers dans les plantations sucrières. Progressivement, les Chinois évincèrent les Malais et les Javanais du commerce intérieur maritime de l'Insulinde. Dans les colonies espagnoles, portugaises et hollandaises, ils occupèrent peu à peu des positions clés dans le commerce et l'artisanat et servirent d'intermédiaires entre les autorités européennes et les populations indigènes. À Java, un témoin rapporte qu'il n'y avait « pas de rivière, de port, de baie ou de cours d'eau navigable qui n'ait un poste de douane, dont le gardien est invariablement un Chinois ».

Beaucoup de ces Chinois d'outre-mer étaient en opposition plus ou moins ouverte avec l'Empire du Milieu : ceux de Malacca ne dataient pas d'après les ères des empereurs Qing; à Batavia, beaucoup ne portaient pas la natte, que les conquérants mandchous avaient imposée à leurs sujets chinois. À la fin de 1716, Kangxi constata que des navires construits en Chine étaient vendus dans les ports d'Asie du Sud-Est et ne revenaient pas. N'était-ce pas l'indice d'une prochaine rébellion? Les Occidentaux, pensait l'empereur, étaient un danger lointain, qui adviendrait dans cent ou dans mille ans, mais les rebelles chinois représentaient un danger immédiat. Ces observations entraînèrent une restriction drastique mais temporaire des envois de vaisseaux vers le Sud : le commerce outre-mer, interdit en 1717, fut à nouveau autorisé dix ans plus tard. De fait, il n'avait jamais cessé. Yongzheng nourrissait des craintes analogues à celles de

Kangxi. Le premier mouvement de l'empereur, lors de la révélation d'écrits subversifs qui eut lieu en 1728, fut de les imputer à des renégats chinois réfugiés dans des régions retirées ou à des « rebelles d'outre-mer ». Significativement, le lettré Zeng Jing, auteur des textes incriminés, avait pris pour pseudonyme « le Vagabond sans maître des mers du Sud ».

L'immigration des Chinois outre-mer suscitait aussi la défiance de leurs hôtes asiatiques ou européens. En 1686, le gouvernement espagnol ordonna l'expulsion des Chinois hors de Manille ; on accusa les boulangers chinois de mêler du verre pilé à leur pain. Des pogroms se déclenchaient périodiquement contre les communautés chinoises que les Occidentaux comparaient volontiers aux juifs d'Europe. L'archevêque de Manille se plaignait en 1729 de ce que les Philippins de talent ne pourraient réussir dans le commerce « aussi longtemps qu'il y aurait autant de Chinois ». En 1740, une révolte de travailleurs chinois ensanglanta Batavia et fut férocement réprimée.

Les tributaires d'Occident

D'au-delà des mers, le pouvoir Qing voyait arriver des missionnaires chrétiens, mais aussi des marchands et des ambassades aux objectifs politiques, commerciaux ou religieux, et parfois les trois ensemble[3].

Les négociants étrangers étaient le plus souvent confinés dans le Sud, à Macao – concédé aux Portugais – et à Canton, ville située au fond d'un estuaire, à 100 kilomètres de la mer, mais au débouché d'un réseau hydrographique qui permet des transports faciles[4]. Les Européens y étaient étroitement contrôlés. Leurs navires mouillaient 15 kilomètres en aval, dans la rade de Wampou, où chaque nation disposait d'une île où étaient bâtis des hangars. À Canton même, sur la rive gauche, le long du fleuve, se trouvaient les factoreries des diverses compagnies, à

3. David E. Mungello, *The Great Encounter of China and the West, 1500-1800*, 2005, donne une vue d'ensemble des premiers contacts entre Chine et Occident.
4. L'enquête de Louis Dermigny, *La Chine et l'Occident : le commerce à Canton au XVIII⁰ siècle*, 1964, est l'ouvrage de référence.

la fois logements et locaux de stockage des marchandises. Elles étaient isolées de la cité par une rue parallèle au fleuve et séparée de la ville par des barrières et des postes de garde. Il était interdit aux Occidentaux de circuler en ville ou sur le fleuve sans permission expresse des autorités.

Aux Portugais et aux Hollandais, premiers détenteurs de ce commerce, s'étaient joints les Anglais et les Français. Le commerce direct de la France avec l'Empire du Milieu commença en 1698 : *L'Amphitrite*, premier navire français armé par cette compagnie à l'instigation du jésuite Bouvet, partit de La Rochelle le 9 mars 1698, ayant à son bord neuf missionnaires jésuites et le peintre italien Ghirardini. Il arriva à Canton le 5 octobre 1699, en partit le 26 janvier 1700 et revint en France le 3 août suivant. Entre 1698 et 1715, quarante-trois vaisseaux anglais et vingt-trois français abordèrent les ports chinois. Bientôt, Danois, Suédois, Espagnols et Américains allaient les rejoindre. Les différents pays occidentaux commencèrent par envoyer ponctuellement des vaisseaux en Chine puis laissèrent des employés à demeure à Canton à la tête de comptoirs : celui de la Compagnie française des Indes, fermé en 1724, fut rétabli en 1728. Les compagnies européennes traitaient avec une compagnie de marchands privilégiés créée en 1720, le *co-hong*. Ces marchands originaires du Fujian – une dizaine –, qui achetaient leur charge, avaient le monopole du commerce avec l'Occident. Ils étaient chargés de la perception des taxes.

De temps à autre, des ambassades portugaises, hollandaises ou russes se rendaient à Pékin, et étaient reçues comme autant de manifestations de tributaires. En 1727, le roi Jean V de Portugal envoya à la cour des Qing une ambassade conduite par Don Alexandre Metello de Souza e Menezes. Arrivé à Macao, l'ambassadeur fut d'abord mal reçu des mandarins de Canton, car « il n'était pas sur la liste de ceux qui venaient payer le tribut ». Don Metello de Souza apportait des présents à l'empereur Yongzheng, devait le complimenter au sujet de la mort de Kangxi et de son accession au trône et lui recommander les sujets portugais résidant dans l'Empire, particulièrement les habitants de Macao. Avant de le recevoir, la cour s'informa s'il venait intercéder en faveur de la religion chrétienne. Une réponse négative rassura les Chinois, mais ce fut à Don Metello de faire des difficultés en demandant qu'il soit bien entendu qu'il n'était pas l'émissaire d'un « roi tributaire ». Faute d'arriver à un accord, chaque partie interpréta l'ambassade dans le sens qui lui convenait. À Pékin, l'ambassadeur fut logé et défrayé, il reçut des plats de la table de l'empereur. Ce dernier lui demanda des nouvelles de la santé du roi de Portugal et lui adressa quelques paroles gracieuses, mais le ministère des Rites veilla à ce que l'émissaire ne se dérobe pas à la cérémonie du *kowtow*, que l'on prétendit lui faire répéter à l'avance. Don Metello apporta de somptueux présents, consentit au *kowtow* et s'abstint d'intervenir dans les affaires religieuses ; il s'attira de ce fait les bonnes grâces de Yongzheng et eut l'honneur d'une invitation au Palais d'Été. Difficultés d'étiquette et négociations de points symboliques se répéteront à l'identique, quelques décennies plus tard, lors de la célèbre ambassade britannique de lord Macartney.

Pour les Chinois, les relations avec les États européens n'étaient pas des « affaires étrangères » au sens occidental, mais une matière de cour, traitée par la Maison impériale, pour l'instruction et l'amusement de l'empereur. Pas davantage que l'empereur moghol, le Fils du Ciel ne songeait à envoyer en Occident des émissaires ou même des espions. En ce début du XVIIIe siècle, l'idée d'une menace militaire venant d'Europe relevait de la politique-fiction. Rien, en 1715, ne laissait présager que l'Europe pourrait un jour prendre l'avantage sur le Céleste Empire. Les mêmes Européens qui guerroyaient contre l'Empire ottoman et projetaient de le dépecer étaient loin d'imaginer une confrontation militaire avec la Chine. « Je sais bien qu'actuellement il n'y a rien à craindre, aurait dit Yongzheng aux jésuites en 1724, mais quand les vaisseaux viendront par mille, en grand nombre, alors il pourrait y avoir un désastre. » Mais cette perspective était repoussée à un avenir lointain, indéterminé. En vérité, la Chine demeurait parfaitement indifférente à l'Occident, qui n'était conçu que comme un ensemble de lointains royaumes tributaires. Seule la Russie faisait exception, justement parce qu'elle n'apparaissait pas aux yeux des Qing comme un État occidental, mais comme une pièce importante dans l'échiquier du grand jeu pour la domination de l'Eurasie.

Les échanges économiques et culturels pesaient eux-mêmes fort peu dans la vie de l'Empire. Les Européens achetaient d'abord en Chine du thé, qui formait le tiers ou la moitié des chargements. L'Europe importait également des produits manufacturés – soieries, porcelaine, objets et meubles en laque. Mais, en échange de ces produits, la Chine ne prenait que l'or et l'argent venus des Amériques. Les profits retirés par le Trésor impérial du commerce de Canton étaient par ailleurs médiocres, neuf fois inférieurs à ceux provenant du monopole du sel de Yangzhou. Au regard de l'activité de son marché intérieur, le commerce avec l'Occident ne pesait donc pas d'un poids bien lourd dans l'économie de la Chine.

Comme les jésuites du XVIIIe siècle, les historiens du XXe se sont laissé fasciner par le discours officiel du pouvoir impérial chinois, qui souvent présente un tableau simplifié et idéalisé de situations qui, dans la réalité, permettaient maints accommodements. Derrière une phraséologie triomphaliste, les Qing savaient fort bien qu'ils n'étaient pas les maîtres du monde et que, parmi les royaumes supposés tributaires, plusieurs ne l'étaient qu'en théorie.

L'historiographie plus récente tend à prendre le contre-pied de cette présentation triomphaliste. Elle assure que, tout en menant son expansion vers l'Ouest, le pouvoir mandchou était en fait sur la défensive, inquiet de liens possibles entre influences extérieures et troubles intérieurs, méfiant devant le dynamisme incontrôlable de ses émigrés et de ses immigrés, des marchands chinois comme des missionnaires européens. Cette position défensive expliquerait, autant que le sentiment de supériorité et de centralité exprimé par le pouvoir Qing, son abstention sur le théâtre maritime.

Il est en fait difficile de percevoir, derrière les discours tenus par les empereurs et leurs principaux collaborateurs, leurs conceptions géopolitiques exactes. Tout au plus notera-t-on que la propension des uns et des autres à rapporter les faits ou à réécrire les événements pour les faire correspondre à des représentations idéales créait un effet de distorsion qui allait s'accroître dangereusement à mesure qu'autour de l'Empire devenu immobile le mouvement du monde irait s'accélérant.

14

La querelle des rites

Leibniz, qui projetait de créer une Académie des sciences à Vienne, séjourna dans cette ville entre 1712 et 1714, et y rencontra le prince Eugène, qui favorisait son entreprise. Leurs avis ne divergèrent ni sur la politique, ni sur l'institution de l'Académie, mais sur les rites des Chinois : le philosophe dit au prince qu'il faisait sienne l'opinion des jésuites et Eugène s'étonna de voir un protestant au côté de ses adversaires catholiques. Comme la majeure partie de l'opinion lettrée du premier âge des Lumières, le général et le savant voyaient dans la « querelle des rites » une des grandes questions du temps, à l'instar de la paix d'Utrecht ou de la conciliation des confessions chrétiennes.

Les missionnaires chrétiens avaient commencé à gagner l'Extrême-Orient dans la seconde moitié du XVIᵉ siècle. Les jésuites, premiers arrivés en Chine, furent concurrencés au milieu du siècle suivant par des ecclésiastiques issus d'autres ordres, dominicains, franciscains, Messieurs des Missions étrangères. Mais tandis que les premiers, instruits par l'expérience, admettaient une adaptation du christianisme aux mœurs et aux usages des Chinois, leurs concurrents répudiaient les formules de compromis et condamnaient notamment ces « rites chinois » que les jésuites toléraient de la part des nouveaux convertis. Ainsi naquit ce que l'on nomma par la suite « querelle des rites », qui fut le premier débat religieux et philosophique impliquant simultanément l'Orient et l'Occident[1].

1. René Étiemble, *Les Jésuites en Chine, la querelle des rites (1552-1773)*, 1973,

Des jésuites astronomes

Indifférent aux produits manufacturés de l'Occident, le gouvernement chinois montrait plus d'intérêt pour les productions scientifiques et techniques de l'Europe. C'est par ce biais que les jésuites portugais s'étaient introduits à Pékin. À partir de 1688, des jésuites français les avaient rejoints.

En assurant auprès des élites la diffusion des progrès accomplis en Europe, les jésuites espéraient convertir la Chine par le haut. C'est ce qu'expliquait le Père Bouvet à la fin du XVIIe siècle : « L'expérience de plus d'un siècle a fait connaître que les sciences sont le principal de tous les moyens naturels dont Dieu a voulu que les missionnaires se servissent, jusqu'à présent, pour introduire et planter la foi en Chine [...]. Cet empereur étant absolu [...], on peut dire que sa conversion ferait un si grand éclat qu'elle entraînerait très probablement celle de tout ce vaste empire, qui vaut plus que toute l'Europe entière pour le nombre de ses habitants. » Mais la démarche était critiquée et assimilée à l'« entrisme » que les bons Pères pratiquaient en Europe. « Ils ne s'abaissent point à la conversation ni par conséquent à la conversion du peuple, raillait le chef du comptoir de Pondichéry. C'est un objet trop bas et trop vil pour mériter leurs soins. Ils ne couchent en joue que les grands seigneurs et les riches veuves. »

L'entreprise réussit dans une certaine mesure sous Kangxi. Un trait de caractère propre à l'empereur, peu courant chez les potentats de sa stature, était sa curiosité universelle. Il s'entoura de jésuites cartographes, astronomes, médecins, musiciens, peintres, au grand déplaisir de certains des dignitaires de sa cour ; il loua publiquement l'algèbre occidentale et nomma des astronomes jésuites pour travailler à l'observatoire de Pékin. Sous la conduite de ses maîtres européens, Kangxi apprit les propositions d'Euclide et les éléments de la géométrie occidentale. Les jésuites en vinrent à occuper des positions officielles au sein du tribunal

replace la querelle dans le contexte des disputes théologiques et des rivalités internes de l'Église catholique.

des Observations astronomiques, qu'ils désignaient dans leurs écrits comme « tribunal des Mathématiques ».

Les jésuites fondirent aussi de nouveaux canons, qui servirent lors des campagnes impériales contre les Dzoungars. On a vu le rôle que deux d'entre eux jouèrent lors des pourparlers de Nertchinsk. Leurs observations astronomiques permirent la correction du calendrier. Leur faveur auprès de l'empereur monta alors au plus haut et un édit de 1692 autorisa le libre exercice de la religion catholique : « Les Européens qui sont à ma cour président depuis longtemps aux Mathématiques, y écrivait Kangxi. Durant les guerres civiles, ils m'ont rendu un service essentiel par le moyen du canon qu'ils ont fait fondre. Leur prudence et leur adresse singulière, jointes à beaucoup de zèle et à un travail infatigable, m'obligent encore à les considérer. Outre cela, leur Loi n'est point séditieuse et ne porte pas les peuples à la révolte. Ainsi, il nous semble bon de la permettre afin que tous ceux qui voudront l'embrasser puissent librement entrer dans les églises et faire une profession publique du culte qu'on y rend au Souverain Seigneur du Ciel. »

L'année suivante, les jésuites français guérirent l'empereur de la malaria en utilisant du quinquina apporté de Pondichéry. Kangxi, rétabli, leur offrit une maison, puis un terrain pour édifier une église. Dans ce contexte favorable, le nombre des prosélytes augmenta. En 1690, les diocèses de Pékin et de Nankin avaient été détachés de celui de Macao, les trois évêques étant à la nomination du roi de Portugal.

L'apport scientifique et technique des jésuites n'eut pourtant qu'une influence superficielle sur la culture de l'Empire. La cartographie en offre un exemple frappant : en 1700, les jésuites avaient produit une carte de Pékin, en 1708 celle d'une partie de la Grande Muraille, puis de régions de la Mandchourie. Entre 1708 et 1718, sur commande de l'empereur, ils travaillèrent à établir un atlas de l'Empire, qui parut entre 1717 et 1721. Mais cet atlas laissait en blanc les régions situées hors de la sphère d'influence de la Chine. Les seules structures humaines visibles y sont la Grande Muraille, frontière symbolique entre l'ancienne Chine et les territoires non-Han, et la « palissade de saule », limite symbolique de la terre mandchoue au nord-est. Quelles que fussent ses qualités techniques, l'atlas des jésuites ne remettait donc pas en cause la vision monocentrique de la Chine des Qing.

Quant à Kangxi, il considérait que les connaissances apprises des jésuites trouvaient leur origine dans la science chinoise et ne faisaient que revenir à leur source. Le christianisme, très confusément compris, était pensé... comme une variante de l'islam, présent en Chine depuis des siècles ! Il n'était donc nullement question, ni pour l'empereur ni pour ses conseillers, de mettre la Chine à l'école de l'Occident, encore moins, comme l'espéraient les jésuites, d'adopter la religion chrétienne.

Le Seigneur du Ciel

Autant qu'à la défiance ou à l'incompréhension impériale, l'expansion du christianisme en Chine se heurtait aux dissensions internes à l'Église catholique. Parmi les missionnaires, une polémique se développa à partir des années 1630 sur la possibilité de concilier les dogmes du christianisme avec les « rites chinois », principalement le culte de Confucius et le culte des ancêtres. L'opposition entre partisans et adversaires de la conciliation recoupait plus ou moins celle entre jésuites et prêtres ou religieux appartenant à d'autres ordres, en particulier ceux relevant des Missions étrangères françaises.

La rivalité entre ordres ne s'arrêtait pas à la Chine. Elle déchirait aussi les comptoirs de l'Inde. À Pondichéry, elle donna lieu à un partage des influences. En 1726, un voyageur y trouva trois églises : celle du fort pour les Européens, celle des capucins pour les « gens de chapeau », Indiens anciennement convertis et vêtus à l'européenne, et celle des jésuites pour les « gens habillés à l'indienne ». Au Vietnam, où régnait une certaine indulgence des missionnaires envers les superstitions locales, l'opposition entre jésuites et hiérarchie ecclésiastique ne prit pas pour terrain la question des rites mais plutôt la trop grande facilité des premiers à administrer les sacrements et leur propension à ignorer les cadres mis en place par les vicaires apostoliques.

La « querelle des rites » suscita des centaines d'écrits à travers l'Europe. Les jésuites considéraient le taoïsme et le bouddhisme comme des formes d'idolâtrie. En revanche, depuis l'apostolat du Père Matteo Ricci, ils interprétaient la doctrine des lettrés confucéens comme un déisme et faisaient de Confucius, « philosophe de la Chine », le Socrate et l'Aristote de l'Orient, un sage dont la pensée, comme celle de ses collègues de l'Antiquité grecque, ouvrait la voie au christianisme. Dans un esprit de compromis, les jésuites avaient accepté de traduire le mot Dieu en chinois par *Tien* ou *Tian* (« Ciel »), formule familière aux sujets de l'Empire et notamment aux lettrés confucéens, et avaient fait placer dans les églises des écriteaux portant la formule *Jing tian* (« Adorez le Ciel »). Ils autorisaient les sacrifices offerts au temple de Confucius par les lettrés reçus aux examens comme des actes à caractère purement commémoratif. Avec quelque mauvaise foi, les jésuites voulaient voir dans les prosternations et dans les sacrifices effectués à cette occasion des cérémonies purement civiles. Ils traduisaient les mots chinois signifiant « temple de Confucius » en « palais de Confucius ».

Dans la même intention, les jésuites s'étaient accommodés du culte des ancêtres, permettant aux nouveaux convertis de brûler de l'encens et d'offrir des sacrifices sur les tombeaux de leurs aïeux et devant les tablettes où étaient inscrits leurs noms. « Ces actions, explique le Père Le Comte en 1700, dans leur institution et dans l'esprit de la nation, ont paru purement civiles, et on a cru que, pour le bien de la religion et pour ne pas mettre un obstacle invincible à la conversion de ces peuples, on pouvait les tolérer. » Les ennemis des jésuites rapprochaient eux, non sans pertinence, les honneurs que les Chinois rendaient à Confucius et aux ancêtres de ceux que les anciens Romains rendaient aux mânes et aux pénates domestiques.

Les adversaires des jésuites exigeaient enfin que Dieu fût désigné comme *Tian Zhu* (« Seigneur du Ciel »), pour éviter la confusion avec le ciel matériel. Les jésuites leur rétorquaient que la double signification du mot « Ciel » existait autant en Orient qu'en Occident et que l'expression « Seigneur du Ciel » emportait une confusion possible avec les idoles bouddhistes et taoïstes, désignées elles aussi par ces mots. Les Pères soumirent la question à Kangxi lui-même, qui donna son approbation à l'interprétation spiritualiste de l'expression *Jing Tian*. La notion d'un Dieu créateur de l'univers, étrangère à la pensée chinoise, était prudemment laissée dans l'ombre.

L'argument d'opportunité, plus solide, ne venait qu'en second lieu dans les justifications des jésuites. Dans sa *Lettre à Monseigneur le duc du Maine* publiée en 1700, le Père Le Comte avouait : « Il faut conserver ce qu'il y a de bon, permettre ce qui est indifférent, tolérer même quelquefois pour un temps ce qui peut-être semblerait douteux et retrancher toujours le mal véritable ; car la prudence n'est jamais contraire à la religion, et le zèle est beaucoup plus pur et plus utile quand il est éclairé par la science. »

Chaque parti plaida sa cause à Rome et en obtint des décisions contradictoires. En 1645, le pape Innocent X condamna les honneurs rendus à Confucius et aux ancêtres. En 1656, son successeur Alexandre VII rendit un décret contraire. En 1669, Clément IX rendit une sentence de Normand, en assurant que les décrets de ses deux devanciers demeuraient également en vigueur. Dans toute l'Europe, la querelle se doublait de l'hostilité des milieux jansénistes ou simplement rigoristes à l'égard du laxisme moral des jésuites. Dans les *Provinciales*, Pascal se moque de Confucius, idole des jésuites, « leur Keum-facum ». Fénelon publia un *Dialogue* de Socrate et de Confucius, qui tourne à la confusion du second.

Les légats du pape

Au tournant des XVIIe et XVIIIe siècles, les adversaires de la conciliation prirent l'avantage en Europe. Innocent XI, pape hostile à Louis XIV et aux jésuites, envoya des vicaires apostoliques pour enquêter en Chine. En 1693, un an après l'édit de tolérance de Kangxi, l'un d'eux, Mgr Maigrot, publia un mandement interdisant l'usage du mot *Tian* seul pour désigner Dieu, celui des écriteaux portant l'inscription *Jing Tian* ainsi que les oblations à Confucius et aux ancêtres.

En 1702, le pape Clément XI désigna Charles Maillart de Tournon, patriarche *in partibus* d'Antioche, comme vicaire apostolique général en Chine et légat *a latere*. Deux ans plus tard, le Saint-Office publia un décret du pape condamnant les rites chinois dans des termes à peu près identiques à ceux énoncés par Maigrot. Avant même la publication du décret, le légat avait reçu mission d'en faire appliquer les prohibitions.

Tournon arriva à Pékin le 4 décembre 1705 et fut reçu en audience par Kangxi. Les discussions entre le légat et l'empereur furent tendues. Le prélat eut l'imprudence de désigner Maigrot comme l'homme le plus apte à renseigner l'empereur sur l'affaire des rites chinois. Mais le vicaire apostolique, interrogé par l'empereur, se révéla incapable de parler chinois couramment, de déchiffrer certains caractères ou de réciter des passages des livres de Confucius. L'impression produite fut déplorable. « Un Chinois aussi ignorant que lui, écrivait l'empereur au légat, n'oserait ouvrir la bouche ; et s'il osait le faire, il ferait rire tout le monde. Or, puisqu'il n'entend pas les livres, il est sûr qu'on ne doit pas juger que les choses soient comme il le dit. »

Kangxi ne pouvait imaginer un dialogue d'égal à égal entre son empire et l'Europe. « La Chine n'a pas d'affaires communes avec l'Occident », disait l'empereur au légat. Il s'offusqua de ce que les mémoires du cardinal de Tournon utilisent le caractère signifiant « empereur » pour désigner des souverains européens et refusa l'établissement de relations diplomatiques entre la Chine et le Saint-Siège, qui auraient donné au pape la liberté d'envoyer et de rappeler ses représentants à Pékin. Les arguments échangés lors de la discussion serrée avec Mgr de Tournon ne diffèrent pas tellement de ceux que pouvaient soulever les protestants contre le « papisme », ou que les autorités de la Chine communiste élèvent aujourd'hui contre Rome. Les uns comme les autres redoutaient une double allégeance qui pourrait être dangereuse. C'est ainsi que Kangxi aurait admis l'envoi de représentants du pape en Chine à la double condition qu'ils s'engagent par écrit à respecter les lois de l'Empire et qu'ils s'y installent à demeure, sans pouvoir repartir en Occident.

L'empereur et ses ministres avaient aussi clairement perçu les dissensions entre les missionnaires des différentes obédiences, entre les jésuites de différentes nationalités et aussi entre les représentants de Rome et les ecclésiastiques demeurant en Chine. Le Père Foucquet, attendant l'audience de l'empereur, entendit un Chinois qui disait : « Voyez-vous, ces gens-là, ils sont pires que nos bonzes. » Kangxi dit aux jésuites à propos de Tournon : « Il ne vous aime pas ; il se méfie de vous et soupçonne le pire. » Le désaccord de l'empereur avec Tournon n'était donc pas, malgré les difficultés de traduction, un malentendu d'ordre culturel, mais bien une question de pouvoir.

L'échec de Tournon ne fut pas moindre auprès des catholiques chinois. Le légat ne put ni imposer le rejet des rites chinois ni mettre bon ordre aux dissensions entre religieux rivaux. Les ecclésiastiques qui avaient pris son parti, comme Mgr Maigrot, furent chassés de l'Empire. Expulsé de Pékin, arrêté par les Portugais de Macao, qui craignaient pour leurs intérêts commerciaux, Tournon mourut en prison le 8 juin 1710, alors qu'il venait de recevoir le chapeau de cardinal. Le 25 septembre suivant, un nouveau décret de Clément X confirma celui de 1704.

La méfiance à l'égard des chrétiens alla croissant dans les dernières décennies du règne de Kangxi. En 1700, Wang Yuan, dans un plan de réforme générale du gouvernement, donnait la liste des indésirables de la société chinoise : Occidentaux, moines bouddhistes, prêtres taoïstes, musulmans, prostituées, comédiens. Il proposait de déporter tous les Européens. Le philosophe confucéen Li Gong (1659-1733), plus modéré, éditeur de l'ouvrage de Wang, y ajouta ce commentaire que les missionnaires « qui ont des talents mathématiques et techniques » devaient être conservés, mais que leur doctrine « devait être interdite ». En 1711, Fan Shaozuo, censeur impérial – un des plus hauts dignitaires de l'Empire –, demanda l'extirpation du christianisme hors de Chine. Son petit-fils venait d'épouser une convertie qui refusait de se prosterner devant les images des divinités qui se trouvaient dans sa maison. Le censeur expédia un rapport dans ce sens à l'empereur, qui le renvoya pour examen au ministère des Rites. Fan décrivait le christianisme comme une doctrine fausse et dangereuse suivant laquelle le Seigneur du Ciel a donné une âme à un homme nommé Jésus, né de la Vierge Marie en Judée sous la dynastie Han. Pour les chrétiens, Jésus a souffert et est mort sur la croix en expiation des péchés de tous les hommes. Les chrétiens se désignaient eux-mêmes comme pécheurs. Le censeur y voyait une secte dangereuse, prête à renverser le gouvernement et à subvertir l'Empire. Il recommandait l'interdiction de leurs assemblées, la destruction des croix et des images pieuses. Le ministère des Rites rejeta le mémorandum en se basant sur l'édit de 1692 et l'empereur suivit sa recommandation.

La condamnation des rites chinois fut réitérée sous une forme plus solennelle par la bulle *Ex illa die* du 19 mars 1715. Pour la mettre en vigueur, le pape envoya en Chine un nouveau légat, le patriarche *in partibus* d'Alexandrie, Mezzabarba. Ce dernier embarqua pour la Chine au début de 1720 et y arriva à la fin de l'année. Il fut assez mal reçu. Les autorités chinoises lui firent demander ce « que dirait le pape si l'empereur voulait réformer les cérémonies romaines ». Un prêtre chinois qui servait d'interprète s'oublia jusqu'à lui dire : « Qu'est-ce que ce pape ? C'est le pape qui commande ? Il ne peut commander aux Anglais, aux Hollandais et il prétend commander en Chine ? Nous trouverons bien le remède, nous ; nous le trouverons : les Anglais ont raison, et les Hollandais aussi. » Reçu à son tour par Kangxi, le patriarche n'en obtint rien, sinon des présents pour le pape et le roi de Portugal, et se laissa convaincre par les jésuites d'abandonner son premier objectif : de retour à Macao, il promulgua un mandement en huit points permettant certaines des cérémonies chinoises... en contradiction complète avec les instructions pontificales !

Au fond, l'empereur partageait la méfiance de certains de ses ministres. Sa bienveillance pour les activités des Pères ne s'étendit jamais jusqu'à l'autorisation de prêcher librement le christianisme à travers l'Empire. Kangxi soupçonnait que les missionnaires catholiques pouvaient être des agents des intérêts politiques et commerciaux des puissances étrangères, susceptibles d'espionner en faveur de leurs maîtres ou d'attiser des désordres intérieurs. En 1703, au cours d'un grand voyage d'inspection en Chine du Sud, l'empereur s'aperçut que les missionnaires catholiques s'étaient répandus un peu partout et devint méfiant. Il décida de les concentrer dans les grandes villes et de les faire enregistrer. Lors d'une conférence avec les gouverneurs des provinces côtières, Kangxi fit part de ses appréhensions : « Je crains que dans l'avenir la Chine ait des difficultés avec ces différents pays occidentaux. C'est ma prédiction. » En 1717, le général Chen Mao, en poste dans le Guangdong, mit le souverain en garde contre les puissances maritimes et contre la connivence entre missionnaires et marchands, puis demanda que tous les navires occidentaux fussent désarmés. Finalement, l'empereur se contenta de renouveler les prescriptions de l'édit de 1669 qui interdisait la prédication dans les provinces.

La septième « maxime » de l'édit testamentaire de Kangxi, promulgué en 1717, ne laisse aucune place au doute sur l'évolution de la pensée impériale : « Quant à la doctrine d'Occident qui exalte le Seigneur du Ciel, elle est également contraire à l'orthodoxie, et ce n'est que parce que ses apôtres connaissent à fond les sciences mathématiques que l'État les emploie : gardez-vous bien de l'ignorer. »

Yongzheng se montra moins favorable encore que son père envers les chrétiens, qui atteignaient peut-être le nombre de 200 000 lors de son avènement. Certains de ses compétiteurs pour le trône – notamment Yintang – ayant eu des sympathies pour le christianisme, les persécutions ne tardèrent pas à se déclencher. En 1723, le vice-roi du Fujian interdit la religion chrétienne et ordonna la fermeture des églises. Il demanda au ministère des Rites l'extension de cette mesure à l'ensemble de l'Empire. Sur avis conforme du ministère, l'empereur publia un décret ordonnant que les « hommes d'Occident » répandus dans les provinces se retirent à Canton. Seules les missions établies à Pékin furent épargnées. Ces mesures répressives n'empê-chèrent pas l'empereur de recevoir en 1725 les Pères Gothard et Ildefonse, carmes, porteurs de messages du pape Benoît XIII, et de les renvoyer avec des présents. Les jésuites continuèrent à remplir leurs fonctions scientifiques à la cour : observations astronomiques, mise en œuvre d'instruments de précision venus d'Europe, interprétariat. On a vu que lorsque, deux ans plus tard, Alexandre Metello de Souza e Menezes, envoyé du roi de Portugal, se présenta à Pékin avec de riches présents, il se garda bien, sur le conseil des jésuites de Pékin, d'aborder la question des rites. « Vous ressemblez, disait alors aux Pères un dignitaire de l'Empire, à des gens qui veulent avoir les pieds sur deux barques : les barques viennent à s'écarter, ils tombent dans l'eau. »

En 1732, les missionnaires repliés sur Canton furent trans-portés à Macao. En 1735 et 1742, le pape révoqua les permis-sions accordées par le légat Mezzabarba : la querelle des rites chinois était terminée. Elle s'achevait sur la défaite des tenants de l'adaptation du christianisme à la culture chinoise.

La Chine en Europe

Du côté européen, le bilan des interactions avec la Chine fut limité. L'arrivée en Europe de laques et de porcelaines de Chine lança la mode des « chinoiseries ». Une première tenture chinoise fut tissée à Beauvais vers 1690, sur des dessins de Vernansal, Monnoyer et Blin de Fontenay : on y voyait la cérémonie du *kowtow* et un Père jésuite une sphère armillaire à la main, mais aussi de nombreux détails de fantaisie, éléphants, palmiers et esclaves noirs. On commença aussi à orner de sujets « chinois et tartares » les boiseries des salons et des cabinets : ainsi Watteau dans le cabinet du roi du château de la Muette ou plus tard Huet au château de Champs-sur-Marne. Une Chine de pacotille servit de décor aux romans et aux pièces de théâtre. En février 1723, la troupe de Restier jouait à la foire Saint-Germain *Arlequin barbet, pagode et médecin,* « pièce chinoise de deux actes en monologue », censée se passer dans le palais du roi de la Chine. Cette Chine de chinoiserie n'avait que peu à voir avec la Chine des Qing.

Les Chinois venus en Europe furent beaucoup moins nombreux que les Européens passés en Chine, et ils arrivèrent en Occident à l'initiative exclusive des missionnaires catholiques. Le premier Chinois ayant mis le pied en France fut le lettré Shen Fuzong, baptisé sous le nom de Michel, et arrivé avec le Père Couplet en 1682. Une génération plus tard, Artus de Lionne amena en Italie un chrétien du Fujian, Arcade Hoang. Lionne s'étant retiré au séminaire des Missions étrangères, Arcade accompagna son patron à Paris. Le ministre Pontchartrain l'attacha à la Bibliothèque du roi pour rédiger un dictionnaire chinois et l'abbé Bignon, président des Académies, le chargea d'instruire Nicolas Fréret et Étienne Fourmont, deux savants qui furent les pères de la sinologie en France. Hoang mourut prématurément, en 1716, sans avoir pu mener à bien son ouvrage, mais les matériaux qu'il laissait servirent aux premiers sinologues français. Fourmont, nommé professeur d'arabe au Collège de France en 1715, poursuivit l'étude du chinois et publia en 1742 une *Grammatica sinica.* Le Père Foucquet revint lui aussi avec un lettré, Jean Hou, qui tomba malade à son arrivée en France et devint fou. Il fut renvoyé en Chine à l'initiative de la Congrégation de la Propagation de la Foi.

Les textes chinois, en langue originale ou en traduction, avaient commencé à arriver en Occident sous Louis XIV. En 1680, le Père Philippe Couplet avait rapporté en France des traductions des classiques. Sept ans plus tard, il publia le *Confucius Sinarum Philosophus*, traduction en latin des grands traités confucéens accompagnée d'une biographie du maître. En 1697, le Père Joachim Bouvet offrait quarante-sept volumes à Louis XIV de la part de Kanxgi. En 1720, il y avait déjà près de mille livres chinois dans la Bibliothèque du roi. En 1722, le Père Foucquet rapportait à son tour du Céleste Empire une moisson d'ouvrages. Faute de lettrés capables de déchiffrer cette documentation, la réflexion sur la civilisation chinoise passa, pour de longues années, par le prisme des traductions composées par les jésuites ou des ouvrages par eux consacrés à la géographie et à la culture de l'Empire. Le point culminant en fut la publication à Paris en 1735 des quatre tomes grand in-folio de la vaste *Description de l'empire de Chine*, composée par le Père Du Halde à partir de relations envoyées par ses confrères depuis une trentaine d'années. C'est en lisant ces relations que Leibniz, Montesquieu, Voltaire, Diderot et Rousseau livrèrent tour à tour des réflexions admiratives ou critiques sur la civilisation chinoise.

Voltaire et Montesquieu juges des rites

Il était facile d'accuser les jésuites d'arranger les faits à leur guise, et leurs ennemis ne s'en privèrent pas. L'un d'eux, l'abbé Eusèbe Renaudot, membre de l'Académie française, s'appuyant sur d'anciens récits de voyageurs arabes en Chine, prétendit que les Chinois « n'avaient aucune connaissance des sciences » et que « tout ce qu'ils en savaient ils l'avaient appris des Indiens ». Bref, « les jésuites flattent trop les Chinois et par complaisance ne font qu'augmenter leur orgueil », et les « louanges excessives » données aux lettres chinoises auraient permis aux libertins d'« attaquer l'autorité de la Sainte Écriture et de la religion chrétienne ».

Les adversaires des jésuites avaient perçu mieux qu'eux le danger qu'il y avait à glorifier l'antiquité de la Chine, à vanter sa morale et ses institutions. Autant d'arguments qui pouvaient amener à relativiser l'importance de l'Europe et la vérité des dogmes du christianisme. Montaigne l'avait compris dès 1588, sitôt reçues les nouvelles des premiers voyages dans l'empire des Ming, « duquel royaume la police et les arts, sans commerce et connaissance des nôtres, surpassent nos exemples en plusieurs parties d'excellence, et duquel l'histoire m'apprend combien le monde est plus ample et plus divers que ni les Anciens ni nous ne pénétrons ».

Le protestant Leibniz, lecteur attentif des témoignages des jésuites, y trouvait matière à justifier ses propres doctrines religieuses et philosophiques. Le *Li* des Chinois, principe unificateur de l'univers, correspond pour lui à Dieu. L'excellence de la morale confucéenne, expression de la religion naturelle, conforte l'idée suivant laquelle les païens peuvent aspirer au salut éternel. « La religion de la Raison est éternelle, et Dieu l'a gravée dans nos cœurs. » L'instauration d'échanges entre la Chine et l'Europe, ce « commerce de lumières », prélude à la tolérance universelle. C'est bien pourquoi Leibniz considère les missions dans l'Empire du Milieu comme la « plus grande affaire de notre temps, autant pour la gloire de Dieu et la propagation de la religion chrétienne que pour le bien général des hommes et l'essor des arts et des sciences ».

Un disciple de Leibniz, Christian Wolff, professeur de mathématiques à l'université de Halle, alla beaucoup plus loin. En 1721, à l'occasion de sa sortie de la charge de vice-recteur de l'université, il prononça une conférence « sur la philosophie pratique des Chinois », où il louait Confucius comme le modèle d'une morale supérieure. Au grand scandale des piétistes, dont Halle était la citadelle, Wolff donnait à entendre, appuyé sur l'exemple chinois, que l'homme pouvait atteindre les vérités morales par la seule puissance de la Raison, sans le recours de la Révélation. Le vice-recteur n'hésitait pas à comparer Moïse, le Christ, Mahomet et Confucius. Aussitôt ses collègues piétistes Francke et Lange l'accusèrent de fatalisme et d'athéisme. Le 8 novembre 1723, le roi Frédéric-Guillaume, à qui on donnait à entendre que la doctrine de Wolff mettrait l'indiscipline dans l'armée, priva le professeur de sa chaire et lui ordonna de quitter ses États sous quarante-huit heures, sous peine d'être pendu. Le jour même, Wolff se réfugia en Saxe puis à Marburg, où il reçut la protection du landgrave de Hesse-Cassel. Il ne fut rappelé en Prusse qu'en 1740, six jours après la mort de Frédéric-Guillaume et l'avènement de Frédéric II.

À mesure que les jésuites fournissaient sur la Chine et sa culture des données plus précises et plus complètes, ils apportaient aux libertins de nouvelles munitions. Dans l'*Essai sur les mœurs*, publié en 1756, Voltaire se sert ainsi de l'histoire de la Chine pour détruire l'histoire du monde traditionnelle, telle que pouvait la narrer un Bossuet quelques décennies plus tôt. L'éloge outré de Kangxi et de Yongzheng, repris des ouvrages des bons Pères, sert à exalter un idéal de monarque éclairé bien opposé à ce que furent Louis XIV et Louis XV. Dans la Chine imaginaire du philosophe, les laboureurs méritants sont promus mandarins, la justice est distribuée avec discernement, l'abondance règne dans les provinces... et le christianisme est interdit pour éviter des « innovations funestes ».

Au contraire, Montesquieu, chapitré par le Père Foucquet, jésuite hétérodoxe rejeté par ses confrères, décrit la Chine comme un modèle de despotisme oriental. « Nos missionnaires nous parlent du vaste empire de la Chine comme d'un gouvernement admirable, qui mêle ensemble dans son principe la crainte, l'honneur et la vertu [...]. J'ignore ce que c'est que cet honneur dont on parle chez les peuples à qui l'on ne fait rien faire qu'à coups de bâton. »

La querelle des rites elle-même servait d'illustration de l'intolérance des chrétiens les uns envers les autres. Dans sa *Relation d'une dispute de controverse à la Chine*, Voltaire dépeint un jésuite, un Hollandais et un Danois se disant des injures devant un mandarin consterné. Au sortir de la dispute, le jésuite rencontre un jacobin et lui fait part de son prétendu triomphe. « Si j'avais été là, rétorque le religieux, vous ne l'auriez pas gagnée ; je vous aurais convaincu de mensonge et d'idolâtrie. »

Dans l'histoire des relations entre la Chine et l'Europe, le bilan de la querelle des rites apparaît de prime abord comme très négatif. Du côté chinois, elle a contribué à convaincre le pouvoir impérial du caractère néfaste de la religion chrétienne et a compromis un mouvement de conversion qui s'annonçait prometteur. Du côté européen, la querelle a moins donné lieu à l'Occident de réfléchir sur la Chine que sur lui-même.

Tandis que l'Orient musulman représentait pour l'Occident une altérité traditionnellement hostile, et donc volontiers dépréciée, la Chine offrait à l'Europe l'aspect troublant d'une altérité complète, fascinante, et qui constituait moins une périphérie qu'un autre centre. L'administration de l'Empire, ses arts et sa philosophie faisaient l'admiration de l'Occident. Les jésuites célébraient l'empereur Kangxi, « un des plus grands que la Chine ait jamais eus, et dont le nom, respecté dans tout l'Orient, a mérité encore l'attention de l'Europe entière ». Ils se plaisaient, on l'a vu, à le comparer à Louis XIV. Le Père Bouvet parla même à Kangxi de la grandeur de Louis... sans produire semble-t-il beaucoup d'effet : l'irrévérencieux Père Foucquet prétendait que l'empereur désignait le Roi-Soleil par un nom signifiant « remuant-et-incommode-à-ses-voisins ». Il faut croire que les jésuites portugais étaient allés à la traverse de leurs confrères français !

En 1753, une société agricole galloise formait le vœu que le pays de Galles devienne un jour « aussi florissant que la Chine ». Pour discerner les prémices d'un avantage européen, il aurait fallu avoir l'œil bien aiguisé et pressentir l'importance de ces missionnaires et de ces savants qui, lointains devanciers des soldats et des marins de l'âge impérialiste, permettaient à l'Occident de s'instruire de la langue et des usages de l'Empire du Milieu.

CINQUIÈME PARTIE

LE CAVALIER DE BRONZE

15

Les barbes coupées

Petro Primo Catherina Secunda : « À Pierre premier, Catherine seconde ». La dédicace de la statue équestre de Pierre à Saint-Pétersbourg introduit un parallèle flatteur entre les deux souverains russes du XVIIIᵉ siècle, Pierre le Grand et Catherine la Grande. Le « Cavalier de bronze », dressé face à la Neva sur un rocher géant arraché aux marais du golfe de Finlande, tend la main vers l'ouest : le geste résume l'œuvre de l'empereur.

Car, en ce temps d'empires immobiles ou déclinants, Pierre régénère un pays ancien jusqu'à en faire un empire nouveau. Tandis que d'autres monarques considèrent les innovations en cours en Occident avec indifférence, Pierre les transplante, de vive force, dans ses États.

Comment et pourquoi ce qui était impossible ou inimaginable sous d'autres climats a-t-il été tenté et en grande partie réussi dans la barbare Moscovie ? La question est un des problèmes classiques posés à la *World History*. Les réformes de Pierre ouvrent à bien d'autres interrogations : action de l'individu dans l'histoire, pertinence du concept de progrès, avantages et dangers de l'acculturation.

L'enfant prodige

Le miracle doit tout d'abord être nuancé. L'image d'un État arriéré que Pierre le Grand aurait tiré de sa somnolence et de son ignorance est inexacte[1]. Tout en étant réputé pour sa piété et son amour de la paix, le tsar Alexis, père de Pierre, n'en avait pas moins conquis Kiev et Smolensk, devenues des villes frontalières. Au sud, la frontière russe s'était établie à 450 kilomètres de la mer Noire, séparée d'elle par les steppes d'Ukraine, où pâturaient et chassaient les Tatars de Crimée. À la fin du règne, la Moscovie comptait environ 8 millions d'habitants, soit une population analogue à celle de la Pologne, ce qui en faisait une puissance respectable.

La famille du tsar n'était nullement fermée aux influences européennes. Alexis lui-même avait commandé des carrosses dorés à l'imitation des souverains occidentaux. Ses enfants du premier lit, Fédor et Sophie, furent éduqués par des clercs de Kiev et apprirent le latin et le polonais. Nathalie Narychkine, sa deuxième épouse, fréquentait le Faubourg des Allemands (*Niemietskaia sloboda*), au nord-est de Moscou, bourgade de maisons de brique à étages, à l'européenne, peuplée de 3 000 habitants, allemands, mais aussi hollandais, anglais et écossais. On y croisait des luthériens, des calvinistes et des catholiques, ces derniers étant seulement autorisés à un culte privé.

Alexis mourut au début de 1676 et son fils aîné Fédor monta sur le trône. Mais le jeune souverain décéda à son tour en 1682. Pierre, âgé de dix ans, fut alors proclamé tsar, son demi-frère aîné, Ivan, étant mentalement attardé. Trois mois plus tard, une révolution de palais vint tout bouleverser. Les Streltsi, mousquetaires qui formaient l'élite de l'armée, se révoltèrent; ils massacrèrent les Narychkine et firent monter conjointement sur le trône Pierre et Ivan. Leur sœur aînée, Sophie, inspiratrice de la rébellion, fut déclarée régente. Éloigné du Kremlin par sa sœur, Pierre alla résider dans le village de Preobrajenskoïe, près du Faubourg des Allemands.

Sophie mena alors une politique pétrovienne avant la lettre. Elle prit pour principal ministre, et sans doute pour amant, un

---

1. L'œuvre de Pierre Ier est replacée dans la longue durée de l'expansion impériale par Michel Heller, *Histoire de la Russie et de son empire*, 1997. Parmi les nombreuses biographies du tsar réformateur, on distinguera le *Pierre le Grand* de Robert K. Massie, 1985. Sur l'œuvre, le livre fondamental est celui de Lindsey Hugues, *Russia in the Age of Peter the Great*, 1998.

habitué du Faubourg des Allemands, le prince Vassili Galitzine, qui voulait envoyer des Russes s'instruire en Occident et rêvait de conquêtes vers l'ouest et le sud. En 1683, Sophie et Galitzine obtinrent par le seul jeu de la diplomatie de récupérer Kiev, que la Pologne avait reconquis. En 1687, la régente, qui avait usurpé le titre d'autocrate, jusque-là réservé au souverain régnant, envoya le prince Jacob Dolgorouki en ambassade en Hollande, en France et en Espagne.

Cependant, Pierre, toujours tenu à l'écart, bénéficiait d'une éducation princière. Il avait accès à des albums de planches coloriées représentant des pays étrangers et à un globe terrestre. S'il lisait peu, il acquit une teinture de néerlandais et d'allemand en passant une partie de ses journées dans le Faubourg des Allemands. À l'âge de dix ans, en 1683, il réclama et obtint des uniformes et des canons de bois pour ses compagnons de jeux; l'année suivante, ce furent des canons authentiques. Ainsi naquit le régiment Preobrajenski, vêtu de vert bouteille, bientôt rejoint par le régiment Semionovski, formé dans le village voisin et doté d'un uniforme bleu.

Le jeune tsar montra également un goût inédit pour les choses de la mer. À douze ans, il obtint un établi de charpentier. En 1687, il fit naviguer un petit bateau hollandais sur un lac situé au nord de Moscou : ce bateau, « grand-père de la marine russe », est encore aujourd'hui pieusement conservé au musée de la Marine de Saint-Pétersbourg. Le 19 septembre, le diplomate anglais Matthew Prior, alors stationné à La Haye, faisait connaître au marquis de Winchester les bruits qui couraient sur Pierre : « Son inclination propre le pousse à livrer la guerre au Turc et dans ce but à préparer une flotte pour la mer Noire. » L'année suivante, la tsarine Nathalie maria son fils à Eudoxie Lopoukhine, jeune fille issue d'un lignage de petite noblesse. L'union était médiocre, mais elle faisait de Pierre un majeur.

Le 17 août 1689, le tsar, âgé de dix-sept ans, prit la tête d'un mouvement hostile à Sophie. Il se réfugia près du monastère de la Trinité-Saint-Serge et ordonna aux troupes et aux autorités civiles de venir lui prêter allégeance. Le coup d'État réussit en quelques heures. La régente, abandonnée de ses partisans, fut enfermée dans un couvent jusqu'à la fin de ses jours et le prince Galitzine exilé dans l'Arctique.

L'entourage

Le pouvoir passa à un groupe réuni autour de la tsarine Nathalie : le patriarche de Moscou Joachim, Léon Narychkine, l'oncle du tsar, le boyard Tikhon Strechnev, son tuteur, et le prince Boris Galitzine, un cousin du favori déchu. Pendant ce temps, le jeune tsar formait l'entourage qui allait bientôt l'aider à prendre les rênes du gouvernement. Cette coterie, cette « compagnie » pour reprendre un terme emprunté au français du temps, allait remplacer la cour hiératique de la vieille Moscovie[2].

Les personnalités les plus saillantes de ce premier cercle furent des étrangers rencontrés par Pierre durant ses escapades dans le Faubourg des Allemands : l'Écossais Patrick Gordon et le Suisse François Lefort. Patrick Gordon, vieux mercenaire né en 1635, écossais catholique d'une famille restée fidèle aux Stuarts, avait joué un rôle décisif dans le coup d'État de 1689. Le départ de son unité pour la Trinité-Saint-Serge avait emporté le retournement des troupes en faveur de Pierre. Jusqu'à sa mort, dix années plus tard, il fut le mentor du jeune tsar, qui lui confia les missions militaires de confiance. L'aventurier Lefort, plus jeune, qualifié, quoique suisse, de « débauché français », fut un ami de Pierre et peut-être un amant. Après le coup d'État, le tsar le promut général. Ce fut dans la maison de Lefort que Pierre rencontra Anna Mons, une Allemande qui fut sa maîtresse pendant douze ans.

Bien évidemment, ces favoris étrangers firent scandale. D'autant que les membres de la compagnie, russes ou non-russes, se livraient à différentes orgies et à des parodies bachiques des cérémonies ecclésiastiques, orthodoxes puis catholiques. Dans son testament rédigé en 1690, le patriarche Joachim formait des vœux pour que les souverains russes ne permissent jamais « que des chrétiens orthodoxes de leur État entretiennent des relations d'amitié avec des hérétiques et des schismatiques, avec les latins, les luthériens, les calvinistes et les Tatars sans Dieu, que Notre-Seigneur abomine et que l'Église de Dieu condamne ».

2. Paul Bushkovitch, *Peter the Great : The Struggle for Power, 1671-1725*, 2001, analyse les rapports entre le tsar et les cercles dirigeants.

Pierre ignora cette hostilité et employa des étrangers ou des Russes d'origine étrangère aux hautes fonctions de l'État. L'Europe du Nord et l'Allemagne fournirent le gros des effectifs. C'est ainsi que le Premier ministre russe permanent à Londres, André Matveev, était le fils d'une Hamilton, issue d'une famille écossaise installée en Russie depuis un siècle. Le sillage tracé par Gordon fut suivi par d'autres Écossais : les frères Bruce furent du nombre. L'aîné, Robert, finit commandant de Saint-Pétersbourg. Son frère James fut gouverneur de Novgorod, sénateur et président du Collège des mines et des manufactures.

Mais Pierre ne se laissa pas monopoliser par les étrangers. Son entourage demeurait majoritairement russe, mêlant hommes de basse extraction, membres de la petite noblesse et aristocrates de haut rang. Certains de ses plus fidèles soutiens se trouvaient parmi ces derniers. Tel le prince Fédor Romodanovski, gouverneur de Moscou et chef de la police, auquel Pierre faisait jouer le rôle parodique de « prince-césar », lui donnant du « Majesté » et se déclarant son « esclave éternel et serf ». Romodanovski incarnait la soumission absolue à l'autocratie, toutes opinions mises à part, et l'on dit de lui que « bien qu'il ait aimé les vieux usages, il exécutait tout de même les ordres de son maître avec zèle et honneur ». Jusqu'à la fin du règne, Pierre eut des favoris aristocrates, tels que le prince Vassili Dolgorouki, dont l'abbé Dubois parlait comme d'un « ministre de bon sens, discret et très capable de rendre compte à sa cour ».

Autour de Pierre, les personnalités issues du peuple furent rares mais occupèrent une place de premier plan. Un garçon d'écurie devenu valet de chambre du tsar, Alexandre Menchikov, remplaça Lefort dans le rôle du principal favori et fut accusé, comme son devancier, d'avoir servi le souverain de plus d'une manière. Il suivit Pierre dans son premier voyage en Europe et apprit la charpenterie. La carrière politique de Menchikov commença au retour d'Occident : gouverneur de Schlüsselbourg puis gouverneur d'Ingrie, comte hongrois en 1703, prince du Saint Empire en 1705, gouverneur de Saint-Pétersbourg, feld-maréchal...

Menchikov employait comme domestique une fille de paysans lituaniens, Marthe Skavronski. Faite prisonnière lors des campagnes contre la Suède, elle avait été placée chez le feld-maréchal Cheremetiev avant d'entrer chez le favori. Pierre la rencontra chez Menchikov et en fit sa maîtresse. Elle plut au souverain par son solide bon sens paysan et sa capacité à apaiser ses crises d'angoisse. Convertie à l'orthodoxie, Marthe prit le nom de Catherine. Elle épousa le tsar en secret en 1707, publiquement en 1712. Femme énergique, véritable Amazone, elle suivit Pierre dans ses campagnes contre les Turcs et les Perses, et Pierre créa pour elle l'ordre de Sainte-Catherine à cordon rouge.

La grande ambassade

Le 4 février 1694, la tsarine Nathalie mourut et le règne personnel de Pierre commença. L'année précédente, le jeune tsar s'était rendu jusqu'à Arkhangelsk et y avait vu pour la première fois la pleine mer et des navires venus de Londres, d'Amsterdam, de Hambourg et de Brême. Devenu le maître, il laissa libre cours à son penchant pour la mer et retourna à Arkhangelsk. Dans le même temps, il fit venir de Venise des spécialistes des galères et envoya en Europe cinquante jeunes Russes pour apprendre la navigation et la construction navale : les uns se rendirent à Venise, patrie des galères, les autres aux Pays-Bas et en Angleterre, hauts lieux de la construction des vaisseaux de haut bord. C'est pour s'ouvrir un passage vers la mer Noire que le tsar lança ses campagnes de 1694-1696 contre Azov[3].

En 1697, Pierre décida d'envoyer une grande ambassade en Occident. L'amiral Lefort, le général Golovine et le conseiller Voznitzyne en étaient les chefs apparents. Mais dans leur suite figurait un certain Pierre Mikhaïlov, qui n'était autre que le tsar lui-même, protégé par un incognito relatif. L'objectif diplomatique de la mission était de trouver des alliés contre les Turcs. Mais les ambitions de l'ambassade étaient plus larges. Pierre avait fait graver un cachet avec l'inscription : « Je suis parmi les écoliers et je réclame des maîtres. » C'était une révolution copernicienne de la part d'un pays qui, comme les empires musulmans, refusait jusque-là de recevoir des ambassades permanentes.

3. Sur ces campagnes, replacées dans le contexte de l'affrontement entre Empire ottoman et puissances chrétiennes, voir le chapitre 9.

L'ambassade partit de Novgorod le 20 mars 1697, gagna Pskov, traversa la Livonie suédoise, le duché de Courlande, la Prusse et l'Allemagne du Nord. Pierre avait hâte de rejoindre le pays qu'il admirait le plus : les Provinces-Unies. Il y passa plusieurs mois, tantôt travaillant comme charpentier de marine à Zaandam, le grand chantier naval situé au nord d'Amsterdam, tantôt visitant les fabriques, les musées, les jardins botaniques et les laboratoires des savants. Il acheta des tableaux de marine et rencontra Guillaume d'Orange, à qui il proposa en vain une alliance contre les Ottomans.

Le roi-stathouder sut prendre la mesure de ce nouveau venu et lui envoya des vaisseaux pour passer en Angleterre. Pierre vit le Londres de 1700, première ville d'Europe, visita les palais, l'hôpital maritime construit par Wren, l'observatoire de Greenwich, l'arsenal de Woolwich, la Monnaie, rencontra anglicans et quakers et autorisa l'exportation du tabac anglais en Russie. Les Anglais organisèrent en son honneur une grande revue navale. Guillaume convainquit Pierre de se faire peindre par sir Godfrey Kneller : le portrait, première effigie officielle à l'occidentale d'un autocrate russe, est toujours là où eut lieu une des rencontres du tsar et du roi, à Kensington Palace.

Le 15 mai 1698, la grande ambassade, de retour sur le continent, quitta Amsterdam pour Vienne, via Leipzig, Dresde et Prague. Pierre rendit visite à l'empereur Léopold et conversa avec de savants jésuites. Du point de vue diplomatique, Pierre subit un nouvel échec : pas davantage que les Anglais, les Autrichiens ne voulaient s'engager contre les Turcs, avec qui ils s'apprêtaient à conclure la paix; ils étaient en outre obnubilés par la perspective de la succession d'Espagne. « Ils ne se soucient pas plus de moi que d'un chien, enrageait le tsar. Je n'oublierai jamais ce qu'ils m'ont fait. Je le sens et je reviens les poches vides. » Apprenant que les Streltsi s'étaient révoltés, Pierre renonça à voir Venise et repartit précipitamment pour ses États. Avant même son arrivée, Gordon mit fin à la mutinerie, et une impitoyable répression se déclencha.

De retour à Moscou le 4 septembre 1698, après dix-huit mois d'absence, Pierre coupa lui-même la barbe des membres de son entourage. Par cet acte d'apparence anodine, le tsar rompait avec les coutumes les plus ancrées de la Moscovie. « Se couper la barbe, avait écrit Ivan le Terrible, est un péché que tout le sang des martyrs ne peut laver. C'est défigurer l'image de l'homme créé par Dieu. » Pierre coupa aussi les manches tombantes des costumes traditionnels des boyards pour les inciter à s'habiller à l'européenne. En janvier 1700, un oukaze imposa à tous les boyards et fonctionnaires l'habit allemand ou hongrois. Le tsar fit frapper de nouvelles monnaies de cuivre et d'argent, inspirées de sa visite à la Monnaie de Londres. À compter du 1er janvier 1700, le commencement de l'année fut fixé au 1er janvier, même si la Russie, comme l'Angleterre, conservait le calendrier julien. Les ponts avec le passé étaient coupés.

L'entreprise de Pierre laissait encore sceptiques beaucoup d'observateurs. « On ne saurait dire, notait le diplomate vénitien Ruzzini, si les observations faites par le tsar au cours de son voyage et l'invitation faite à de nombreuses personnes de venir en Russie enseigner ses sujets et développer les métiers suffiront à transformer ce peuple barbare en peuple civilisé et à le pousser à l'action. » Le khan de Crimée, Devlet Girey, écrivait alors au sultan : « Le tsar est en train de détruire les anciennes coutumes et la foi de son peuple. Il change tout selon les méthodes allemandes et crée une armée et une flotte puissantes, déplaisant ainsi à tout le monde. Tôt ou tard, il périra de la main de ses propres sujets. »

Saint-Pétersbourg

À une Russie nouvelle, intégrée à l'Europe, il fallait un centre nouveau, tourné vers l'Occident[4]. L'historien Robert E. Jones a pu écrire que Pierre n'a pas créé Saint-Pétersbourg pour combattre la Suède, mais qu'il a combattu la Suède pour créer Saint-Pétersbourg. Le 27 mai 1703, le tsar fit commencer les travaux de cette ville nouvelle, située sur un marécage et sur des îles, à l'emplacement où la Neva se jette dans la mer. Le delta de la Neva était une région pauvre, froide, humide, malsaine, mais

---

4. Wladimir Berelowitch et Olga Medvedkova, *Histoire de Saint-Pétersbourg*, 1996, font le point sur la genèse de Saint-Pétersbourg et sur la question controversée des intentions de Pierre le Grand à l'égard de la ville.

stratégiquement intéressante : en s'y établissant, Pierre trouvait un quartier général pour mener la guerre contre la Suède et empêchait la jonction entre les forces suédoises de Carélie et celles d'Ingrie et de Livonie. À plus long terme, elle était bien placée pour assurer un débouché baltique aux routes fluviales qui irriguaient l'économie de l'Empire russe.

Pierre avait déjà fondé une cité, Petropolis, ville nouvelle élevée en face de la forteresse d'Azov. Cette fois, l'ambition était plus vaste. Dès 1704, le tsar parlait de Saint-Pétersbourg comme de sa capitale et faisait graver une première vue générale de la cité par le Hollandais Pieter Picart. Dans son esprit, la ville devait être à la fois une nouvelle Rome, une nouvelle Constantinople et une nouvelle Sion, un nouvel Éden.

Le premier édifice construit, la forteresse Pierre-et-Paul, occupa une île située près de la rive nord de la Neva. Un port de commerce prit bientôt forme : le premier navire étranger, un vaisseau hollandais, se montra dès novembre 1703. L'Amirauté, vaste centre de construction navale situé sur la rive sud, fut commencée l'année suivante. Suivirent le palais d'Hiver et le palais d'Été (1710), la future perspective Nevski (1712), la cathédrale Pierre-et-Paul (1713), le nouveau palais d'Hiver (1725). Les bâtiments, d'abord élevés en bois et en terre, furent progressivement reconstruits en brique – désignée comme « pierre » par la littérature officielle. Le canal de Vychni Volotchek, creusé entre 1703 et 1722, relia le bassin de la Volga à Saint-Pétersbourg. Dans le même temps, princes, nobles et riches marchands furent contraints de quitter Moscou pour la nouvelle ville. À partir de 1713, Pierre obligea les marchands britanniques à établir leur commerce à Saint-Pétersbourg et Riga et non plus à Arkhangelsk. Autoritairement stimulée, la nouvelle capitale comptait 40 000 habitants en 1725.

Les maisons durent adopter le « style anglais » et toute la ville se ressentit de l'influence hollandaise et anglaise. Le palais d'Été faisait penser à la maison d'un bourgeois scandinave ou hollandais. Canaux, quais, briques, carreaux de faïence dans les intérieurs évoquaient Amsterdam ; la flèche de la cathédrale Pierre-et-Paul et celle de l'Amirauté rappelaient les églises londoniennes de Wren. « Un grand nombre de splendides maisons de pierre ont été érigées, témoigne Bergholz en 1725, surtout le long de la Neva, et cette rangée de maisons produit une impression extraordinairement pittoresque quand on remonte de Kronstadt. » En fait, derrière le décor des palais et des maisons de maître, Pétersbourg restait un grand champ de boue insalubre, périodiquement ravagé par les inondations, où pataugeaient les moujiks et les prisonniers de guerre suédois, employés aux travaux de terrassement et de maçonnerie.

La construction et l'administration de la nouvelle capitale incombèrent en partie à des spécialistes étrangers : l'architecte suisse Domenico Trezzini, le sculpteur allemand Andreas Schlüter, l'architecte français Jean-Baptiste Le Blond. Trezzini resta placé à la tête des travaux pendant neuf ans. À partir de 1716, il dut affronter la concurrence de Le Blond, recruté comme « architecte général ». Le Français eut le temps de créer le jardin d'Été et la résidence suburbaine du tsar, Peterhof, face au golfe de Finlande, ainsi que trois pavillons d'été, l'Ermitage, Marly et Monplaisir. Ce dernier, construit dans le goût hollandais, fut la maison de campagne favorite de Pierre le Grand. Mais Le Blond mourut prématurément et Trezzini reprit l'ascendant. À partir de 1722, il commença à construire sur les bords de la Neva, dans l'île Vassilievski, le long bâtiment de brique rouge destiné aux nouvelles administrations.

En 1718, Pierre confia au Portugais Anton Devier, juif converti, les fonctions de commissaire général de police de Saint-Pétersbourg. Sur le modèle du lieutenant général de police de Paris, Devier eut aussi bien la charge du maintien de l'ordre que de la propreté et de l'administration générale de la cité.

« Petrus imperator »

La victoire remportée à Poltava sur la Suède (1709), qui marquait l'accès de la Russie au rang de grande puissance européenne, entraîna aussi une accélération de ses transformations internes. En mars 1711, le tsar créa une nouvelle institution, le « Sénat dirigeant ». En dépit de son nom inspiré de l'Antiquité romaine, ce corps n'était pas une assemblée délibérative mais un Conseil de gouvernement, sur le modèle du Riksrad suédois, destiné à remplacer l'ancienne Douma des boyards et à suppléer le souverain dans la direction des affaires de l'Empire. Les neuf sénateurs étaient tous russes et tous des hommes sûrs. Pierre y avait placé non ses principaux conseillers, mais de vieux routiers de la politique, comme Tikhon Strechnev ou le prince Jacob Dolgorouki. La médaille avait son revers : l'autocrate ne tarda pas à reprocher aux sénateurs d'agir « d'après les vieilles sottises ». Le Sénat s'installa à Saint-Pétersbourg en 1713.

La réforme de l'administration centrale fit une place plus grande aux nouveaux visages : ce furent les « collèges » (*kollegia*), ministères collectifs explicitement inspirés du modèle suédois, qui remplacèrent les trente-cinq « prikazes » ou bureaux d'administration entre 1718 et 1720. Pierre avait fait enquêter sur le fonctionnement des différents gouvernements européens et consulter le philosophe Leibniz, qui assurait : « Il ne peut y avoir de bonne administration que collégiale. Ce mécanisme est comme celui des montres, dont les rouages entretiennent leur mouvement les uns par les autres. »

L'Église orthodoxe elle-même fut bientôt soumise à ce système. Depuis la mort du patriarche Adrien, en 1700, elle était administrée par un exarque temporaire et ses revenus allaient au Trésor, qui réglait les traitements du clergé. En 1721, Pierre promulgua un « règlement ecclésiastique », qui abolit le patriarcat et le remplaça par un « collège spirituel » le saint-synode, dirigé par un président, un vice-président et un procureur général laïc représentant l'empereur. L'inspirateur de la réforme avait été l'archevêque de Novgorod Théophane Prokopovitch, ancien élève des jésuites converti au catholicisme puis revenu à l'orthodoxie. Vice-président en titre du saint-synode, il en fut le véritable homme fort.

Au début de 1722, Pierre promulgua la « table des rangs », tableau qui divisait en quatorze classes les différentes branches du service de l'État : service civil, armée, marine et cour. Cette classification hiérarchique allait modeler l'État russe jusqu'à la révolution de 1917.

Cette transformation accélérée des mœurs et de l'appareil d'État ne suscita aucune opposition structurée. Les résistances furent passives : fuite dans des régions éloignées, lettres et placards anonymes, rumeurs suivant lesquelles Pierre était un imposteur allemand ou l'Antéchrist. Les principaux obstacles rencontrés par le tsar furent l'incompétence et la corruption des cadres, l'indolence ou la mauvaise volonté des exécutants. Seul le tsarévitch Alexis osa se dresser contre son père et encore de façon bien passive. Pieux et rêveur, Alexis préférait Moscou à Saint-Pétersbourg et négligeait les exercices militaires. En 1716, il déclara renoncer au trône et prétendit vouloir embrasser l'état monastique. À la fin de l'année, il s'enfuit à Vienne puis à Naples. Par son mariage avec Charlotte de Brunswick-Wolfenbüttel, Alexis était en effet le beau-frère de l'empereur Charles VI.

La réaction de Pierre fut foudroyante. Il envoya à son fils le diplomate Pierre Tolstoï, qui convainquit le tsarévitch de revenir en Russie. De retour à Moscou au début de 1718, Alexis fut mis en jugement devant un tribunal extraordinaire composé de hauts dignitaires du régime, torturé et condamné à mort pour « un dessein de rébellion tel qu'on n'a guère ouï parler de semblable dans le monde, joint à celui d'un horrible double parricide contre son souverain, premièrement comme père de la patrie et encore comme son père selon la nature ». Les membres de son entourage furent arrêtés et exécutés, bien qu'aucune conspiration n'ait pu être mise au jour. L'enquête montra qu'on attendait et qu'on espérait la mort du tsar pour revenir sur sa politique, et c'était tout. Le programme politique du tsarévitch se réduisait à l'abandon de Saint-Pétersbourg, à l'anéantissement de la nouvelle marine, à la réduction des effectifs de l'armée et à la restauration des droits de l'Église. Le 7 juillet, Alexis mourut dans sa cellule de la forteresse Pierre-et-Paul, dans des conditions pour le moins mal éclaircies.

La fin dramatique du tsarévitch fit scandale en Europe. « C'est une horrible histoire, elle me fait l'effet d'une tragédie », confiait, embarrassée, Madame Palatine à la raugrave Louise. Sur place, la liquidation de l'héritier recueillit l'adhésion sans réserve de la classe dirigeante et des étrangers qui devaient leur fortune à Pierre. « Si complot il y avait eu, écrivait Weber, l'envoyé de Hanovre, tous les étrangers d'ici se fussent trouvés dans une situation désespérée et auraient été, sans exception, victimes de la fureur de la plèbe. » Le tsar avait détruit par anticipation toute possibilité de réaction contre son œuvre.

En 1721, Pierre Ier reçut du Sénat le titre d'empereur de toutes les Russies. L'année suivante, il promulgua un oukaze fixant les nouvelles règles de succession au trône. La transmission de la couronne de père en fils était abolie. Désormais le tsar était entièrement libre de désigner son successeur. Pierre organisa une cérémonie somptueuse pour marquer l'avènement du nouvel ordre des choses : ce fut le couronnement de Catherine comme impératrice, dont la préparation prit six mois. Une nouvelle couronne impériale, dont la forme reproduisait celle des Habsbourg, avait été commandée pour l'occasion. Pierre fit également fabriquer en France un manteau impérial, brodé d'un semis d'aigles bicéphales en or. La cérémonie eut lieu dans la cathédrale de l'Assomption du Kremlin le 7 mai 1724. Le sénateur James Bruce portait la couronne, que Pierre mit lui-même sur la tête de son épouse. Une description de la solennité fut publiée en russe, la première fois pour un tel événement.

Pierre ne survécut guère à cette apothéose. Le 8 février 1725, il succomba à une infection chronique du système urinaire qui tourna en gangrène. Catherine, appuyée par les hommes nouveaux et par les régiments de la garde, fut proclamée impératrice régnante. Menchikov était l'homme fort du gouvernement. Contre toutes les traditions, le corps de l'empereur défunt, sans doute embaumé, fut exposé au palais dans une pièce tendue des tapisseries qui lui avaient été offertes pendant son séjour à Paris. Il fut enterré dans la cathédrale de la forteresse Pierre-et-Paul.

Catherine mourut deux ans plus tard et Menchikov, disgracié, fut exilé dans un petit village du nord de la Sibérie.

Les nouveaux Russes

Les héritiers de Pierre n'avaient pas fini de se déchirer dans une lutte féroce pour le pouvoir. La dynastie elle-même eut grand-peine à se remettre du crime de 1718, et les morts suspectes succédèrent aux révolutions de palais durant tout le XVIIIᵉ siècle. L'héritage politique de l'empereur, lui, ne fut jamais remis en cause.

Les échanges extérieurs restèrent orientés vers l'Europe. Avant 1700, la Russie commerçait surtout avec l'Empire ottoman, par l'intermédiaire de négociants grecs : elle y expédiait ses fourrures et sa cire et en recevait des épices, des textiles, du sucre, des fruits secs. Après 1700, on assista à un détournement rapide des flux commerciaux. En une vingtaine d'années, le système monétaire fut réorganisé sur le modèle occidental : le nouveau rouble d'argent copiait le thaler d'Empire, le ducat d'or les pièces analogues circulant dans toute l'Europe ; en 1721, Pierre institua même un système décimal en avance de plusieurs décennies sur l'évolution ultérieure des systèmes monétaires. La conquête des ports de la Baltique offrit des communications beaucoup plus aisées avec les marchés européens. Le tabac britannique, autorisé depuis 1698, afflua, ainsi que les produits de luxe. Tandis que les Russes allaient se former en Europe, les spécialistes européens étaient recrutés en Russie. En 1719, le Parlement britannique s'émut de la présence outre-Manche des apprentis russes qui de retour dans leur patrie pourraient nuire au commerce anglais : dans les chantiers navals, mais aussi l'ameublement, la serrurerie, la décoration, la fabrication d'instruments mathématiques. En retour, le gouvernement de Sa Majesté menaçait de rappeler les marins et artisans anglais employés sur les chantiers navals russes.

Comme la marine, l'armée nouvelle s'avérait une réussite. En 1710, le résident de l'empereur germanique, Otto von Pleyer, rendait hommage aux efforts consentis par Pierre : « Au sujet des forces militaires russes, on doit admettre en toute justice qu'elles ont atteint un degré étonnant d'efficacité, grâce à l'application incessante et aux efforts du tsar et aux punitions sévères et aux marques de faveur et de distinction aussi bien qu'à l'expérience des officiers étrangers de tout grade qu'il a tirés de tant de nations ». À cette date, il y avait quatre généraux russes et neuf étrangers dans l'infanterie, trois Russes et neuf étrangers dans la cavalerie ; tous les ingénieurs étaient étrangers. Mais peu à peu les officiers russes formés à l'occidentale prenaient la relève. À la mort de Pierre, son armée, forte de 200 000 hommes, était la plus nombreuse d'Europe.

Dans les grandes villes, les élites avaient été contraintes de se mettre à l'heure occidentale. Outre l'architecture et le costume, Pierre prétendit transformer les mœurs domestiques. En 1718, un règlement du tsar institua des « assemblées » sur le modèle français, où hommes et femmes étaient censés se côtoyer et s'adonner aux plaisirs de la conversation. Autour de Catherine et des princesses de la Maison impériale prit forme une cour d'inspiration germanique : un *obergofmeister* (grand maître de la cour) gouvernait des *kamergery* (chambellans) ; des *muzikanty* faisaient résonner les airs italiens à la mode, tandis que des *freiliny* (demoiselles d'honneur) entouraient la souveraine. Le clergé, pôle de résistance aux réformes, était remodelé progressivement par la nomination de nombreux Ukrainiens à des postes épiscopaux. Cette ukrainisation fit pénétrer dans l'Église russe la culture de l'Europe baroque et une conception très catholique du rôle de la haute hiérarchie ecclésiastique.

Le 13 mars 1723, l'émissaire français Campredon s'enthousiasmait : « On doit admettre que ce grand prince a vraiment fait des merveilles. Si intérieurement la majorité de ses sujets sont restés semblables à ce qu'ils ont toujours été, au moins extérieurement il y a eu une métamorphose si considérable que ceux qui ont connu la Russie il y a trente ans et voient ce qui s'y passe à présent sont contraints d'admettre qu'il fallait un monarque aussi courageux, éclairé et appliqué pour accomplir une révolution aussi heureuse et générale. »

La langue russe elle-même avait été transformée par l'afflux de termes latins, néerlandais, allemands et français. Une première européanisation, due à l'Académie de Kiev, passa par l'apprentissage du latin, conçu à la fois comme la base de la culture classique et comme un instrument de communication internationale : ce fut la langue dont se servit Fédor Golovine pour discuter avec les jésuites conseillers de l'empereur de Chine à Nertchinsk. Dès 1689, Pierre lui-même signait une lettre à sa mère « Piter » et une autre à un boyard « Petrus », en caractères latins. Par la suite, le style du tsar s'apparenta à un sabir où entraient toutes sortes d'influences. Le vocabulaire de l'armée, de la marine, de l'administration, de la vie intellectuelle était entièrement formé d'emprunts. Les termes techniques de marine étaient néerlandais, les titres de cour allemands, le lexique abstrait d'origine latine ou française. Dans le règlement général du 28 février 1720 fixant le fonctionnement des collèges, tout le vocabulaire est ainsi étranger : on y parle de *kollegia* (« collège »), de *korechpondentsii* (« correspondances »), de *kantseliariia* (« chancellerie »). L'allemand était la langue la plus couramment pratiquée aux échelons intermédiaires de l'État et également à la cour, car Catherine le maîtrisait sans doute mieux que le russe. On assure que la princesse

Kourakine usait de « tant de mots français et italiens avec des terminaisons russes que les Russes indigènes la comprenaient avec plus de difficulté que les étrangers ».

Les fondements idéologiques du régime furent transformés. Le tsar d'avant 1689 était un personnage dont le pouvoir était essentiellement d'origine religieuse, en tant qu'élu de Dieu et son ministre sur la Terre. À un boyard qui le contredisait, le tsar Alexis répliquait : « À qui refuses-tu d'obéir? Au Christ lui-même? » Les principales cérémonies d'État étaient des cérémonies religieuses : la bénédiction des eaux à l'Épiphanie et la procession des Rameaux. Le tsar, tête du corps social, devait veiller à son harmonie en gouvernant avec les boyards.

À partir de 1700, au contraire, l'État remplaça Dieu comme pierre angulaire du discours officiel. Pierre parlait de l'« intérêt de l'État », garant du bien commun. Un des derniers ordres du tsar au saint-synode, le 11 septembre 1724, fut pour faire traduire en russe le *De officio hominis et civis* de Pufendorf, traité de politique rationaliste et absolutiste. Le maître mot de Pierre fut la « régularité » (*regouliarnost*), entendue comme le respect de la règle, dans les lois et réglementations, les armées, la discipline, les bâtiments. Tandis que le tsar Alexis était surnommé « le Très Paisible », son fils exigeait un zèle constant : « Le temps est semblable à la mort », écrit-il en 1701. Pour ceux qui l'auraient oublié, la menace d'un prompt châtiment n'était jamais loin : « Le mépris des édits, proclamait l'autocrate, n'est pas différent de la trahison. » À un niveau de réflexion plus concret, Pierre acclimata en Russie le concept occidental de « police » (*politsiia*), entendu comme l'administration générale de la cité, comprenant aussi bien le maintien de l'ordre que la surveillance de la moralité publique.

Comme l'idéologie de l'État pétrovien, ses symboles furent calqués sur ceux de l'Europe occidentale. Pierre s'inspira du pavillon à bandes horizontales rouge-blanc-bleu des Provinces-Unies pour créer celui de la Russie : blanc en haut, bleu puis rouge. L'ordre de Saint-André, fondé en 1698, imita la Jarretière anglaise. Les statuts de l'ordre, datés de 1720, tentaient de le rattacher à l'ordre écossais de Saint-André ou du Chardon, sans doute sous l'influence des émigrés jacobites alors nombreux à Saint-Pétersbourg. Le grand costume de l'ordre était celui du

Chardon : manteau vert, chapeau noir à plume blanche, la croix de Saint-André comme insigne. En 1713-1714, le tsar donna un pendant féminin à l'ordre de Saint-André, l'ordre de Sainte-Catherine, ayant la souveraine pour grand maître et pour devise « Pour l'amour et la patrie ».

L'imagerie officielle adopta les conventions antiquisantes en cours en Europe occidentale et Pierre, comme Louis XIV ou Léopold Ier avant lui, fut identifié avec un empereur romain. Le retour triomphal de la campagne d'Azov, en 1696, inaugura ce procédé. Les roubles frappés à partir de 1700 portèrent des bustes à l'antique et les médailles frappées pour commémorer les grands succès du règne, à l'instar de l'Histoire métallique de Louis XIV, fournirent les éléments de la nouvelle iconographie politique. La titulature de Pierre suivit le même chemin : désigné comme « père de la patrie » par Prokopovitch dès 1709, il le devint officiellement en 1721.

Après le portrait peint par Kneller en 1698, le tsar fit exécuter d'autres effigies réalistes sur le modèle des portraits de cour en usage en France ou en Angleterre. Pendant le voyage de 1717, son portrait fut peint à Amsterdam par Carel de Moor, et à Paris par Hyacinthe Rigaud et Jean-Marc Nattier. En 1723, le sculpteur Carlo Bartolomeo Rastrelli entreprit un grand buste en bronze de l'empereur : le motif de la cuirasse montrait Pierre sous les traits de Pygmalion, sculptant la statue de la nouvelle Russie, femme couronnée et armée, tenant un sceptre et un globe. Le même Rastrelli réalisa une figure en cire du tsar, grandeur nature, après son décès. Revêtue d'un costume ayant appartenu au souverain, l'inquiétante effigie semblait perpétuer sa présence physique. C'était sans doute bien l'intention des membres de la classe dirigeante, russes ou non russes, qui avaient tout intérêt à éviter une remise en cause de l'œuvre de leur bienfaiteur.

Face au défi lancé par la modernité occidentale, Pierre avait réagi à l'inverse des potentats dirigeant les autres grands empires de l'Orient. Au lieu de n'emprunter à l'Europe que quelques innovations techniques et militaires, il avait entrepris de transporter l'intégralité de la civilisation européenne en Russie ou de faire entrer la Russie en Europe. Éducation, costume, mœurs, condition des femmes, rien ne fit exception... sinon l'autocratie elle-même, îlot médiéval demeurant isolé au cœur d'un État voulu comme « policé ». Le radicalisme de ce dessein l'apparentait à une conversion et il n'est pas surprenant que les résistances les plus farouches aient été d'ordre religieux.

L'entreprise réussit d'abord parce qu'en dépit de son apparente soudaineté elle s'appuyait sur plusieurs décennies de transition, pendant lesquelles les contacts avec l'extérieur s'étaient intensifiés, l'Église orthodoxe avait été réformée, la machinerie administrative et militaire de l'État russe s'était structurée. La Moscovie dont hérita Pierre Ier ne subissait plus la pression de la Pologne et de la Suède, dont le déclin était déjà bien amorcé ; elle avait commencé son expansion. On devine par ailleurs que cette expansion, présentée comme une revanche de la chrétienté orthodoxe sur ses anciens oppresseurs, rencontra l'adhésion sinon des masses, du moins d'une partie des élites.

Pierre réussit également parce qu'il occupait le sommet de la hiérarchie politique et symbolique de son empire. Comment, dans une autocratie, dénoncer ouvertement les mesures prises par l'autocrate ? Comment déclarer sacrilège le monarque oint du Seigneur ? Dans d'autres États, où les velléités réformatrices venaient de milieux lettrés ou de niveaux intermédiaires de la hiérarchie étatique, comme dans l'Empire ottoman, les réformes furent beaucoup plus timides et le succès bien moindre. En Russie, non seulement l'autocrate était réformateur, mais il était dépourvu de scrupules et détruisait impitoyablement l'ancien ordre des choses et ceux qui y demeuraient attachés.

Des violences alors subies, du viol des consciences infligé par le tsar à ses sujets, on peut se demander si la Russie s'est jamais entièrement remise. En 1792, Karamzine évoque avec nostalgie « ces temps où les Russes étaient russes, portaient leurs propres vêtements, marchaient à leur pas, vivaient suivant leurs coutumes, parlaient leur langue et suivant leur cœur, c'est-à-dire disaient ce qu'ils pensaient ». « Nous sommes devenus citoyens du monde, écrit le même vingt ans plus tard, mais nous avons cessé sous certains aspects d'être les citoyens de la Russie. La faute en revient à Pierre. »

16

Le tsar et le Régent

Victime d'accès de timidité maladive, Pierre le Grand n'en avait pas moins le goût du coup de théâtre. Ses voyages participèrent de ce sens de la mise en scène : tel fut le second périple de Pierre en Occident, dix-neuf ans après la grande ambassade de 1697-1698. Le tsar avait désormais l'âge respectable de quarante-quatre ans ; il avait à son actif le prestige de victoires sur terre et sur mer, l'essor de son armée et de sa marine, et l'accroissement de ses États. Il fallait affirmer ce nouveau rang.

Dans l'immédiat les objectifs du souverain étaient à la fois diplomatiques – trouver des alliés contre la Suède –, dynastiques – assister au mariage de sa nièce Catherine avec le duc de Mecklembourg – et de santé, Pierre devant prendre les eaux dans différentes villes thermales. En novembre 1715, le tsar avait été si malade après une beuverie chez l'amiral Apraxine qu'on lui avait administré les derniers sacrements. Pendant deux jours, il resta entre la vie et la mort. Une cure s'imposait.

Le cortège du tsar quitta Saint-Pétersbourg le 27 janvier 1716. Pierre s'était fait accompagner des principaux responsables des Affaires étrangères, Golovkine, Chafirov et Tolstoï. Il arriva à Dantzig le 18 février. Ce fut là, le 8 avril, qu'eut lieu le mariage de Catherine et du duc de Mecklembourg, en présence du roi de Pologne Auguste le Fort. Pierre se rendit ensuite à Hambourg, prit les eaux à Pyrmont pendant trois semaines, puis retourna en Mecklembourg. Ces déplacements en Allemagne du Nord inquiétaient Londres et Vienne. Des troupes russes stationnaient en Mecklembourg et les Britanniques comme les impériaux soupçonnaient le tsar de vouloir remplacer la Suède dans le rôle de puissance hégémonique autour de la Baltique.

Pierre passa la fin de l'été et le début de l'automne 1716 au Danemark et l'hiver 1716-1717 à Amsterdam, où son épouse le rejoignit. Il revit alors les villes visitées dans sa jeunesse : Zaandam, Utrecht, La Haye, Rotterdam. Mais, dès le printemps 1716, le bruit avait couru que le souverain russe irait jusqu'en France afin de prendre les eaux de Bourbon[1].

La Russie et la France

Jusque-là, les relations entre la France et la Moscovie avaient été des plus intermittentes. Qui se souvenait d'Anne de Kiev, fille du grand prince Iaroslav le Sage, mariée au roi Philippe Ier en 1051 ? Épisodiquement, des émissaires français se rendaient à Moscou pour négocier des achats de blé, de chanvre, de suif ou de peaux, et des mercenaires français entraient au service des tsars. Tout aussi épisodiquement, des ambassadeurs russes envoyés en France y faisaient sensation par leurs longues barbes, leurs costumes orientaux, qui les faisaient souvent prendre pour des Turcs, et leurs mœurs jugées primitives. Des lettres de compliments s'échangeaient de souverain à souverain, mais, pour le reste, la Russie était aussi éloignée de la France que la Perse ou l'Inde du Moghol.

Les choses commencèrent à changer sous Louis XIV. La puissance de la Moscovie croissait et commençait à faire ombrage aux alliés traditionnels de la France à l'est, Suède, Pologne et Empire ottoman. À partir des années 1680, on commença à parler à Paris et à Versailles de la force des armées russes et à spéculer sur leur intervention possible sur le théâtre européen. L'ambassade conduite par le prince Jacob Dolgorouki en 1687 pour proposer à Louis XIV une alliance contre les Ottomans n'obtint aucun résultat et laissa même de mauvais souvenirs en raison des

1. Outre les titres cités au chapitre précédent, on utilise ici l'étude de Christophe Henry, « Le séjour de Pierre le Grand à Paris : contribution à l'histoire de la formation du cabinet de Saint-Pétersbourg », publication en ligne.

prétentions protocolaires des diplomates russes. On a vu que, lors de la grande ambassade de 1697-1698, Pierre le Grand ne passa pas par la France. Les diplomates anglais notaient même son « aversion » pour les Français. Les autorités françaises semblent d'ailleurs avoir considéré l'entreprise sans bienveillance : le comte d'Avaux, ambassadeur en Suède, rapportait avec perplexité au Roi-Soleil les étapes d'un voyage « si bizarre et qui est en effet si fort contre le bon sens ».

Cette affectation d'indifférence prit fin avec les premiers succès de la Russie contre la Suède. L'empire barbare de l'Orient entrait décidément en Europe. En 1702, Louis XIV envoya pour la première fois un émissaire à Pierre Ier : Jean-Casimir Baluze, secrétaire de l'ambassadeur de France en Pologne. À ce simple envoyé, le roi demandait de s'informer du caractère et de l'esprit du « grand-duc de Moscovie », de la stabilité de son gouvernement et de son exposition à de « nouvelles révolutions ». Sa Majesté était si peu avertie des affaires d'un pays « éloigné d'Elle et où jusqu'à présent Elle a peu de relations » que l'émissaire devait s'enquérir « de la véritable étendue des États du tsar, de leurs frontières vers l'Orient, des guerres qu'il peut y avoir et de son commerce aux Indes ».

Deux ans plus tard, Baluze décrivait à son maître une armée russe de 100 000 hommes. Le diplomate recueillit des informations sur l'étendue de l'empire, qui n'était borné à l'Est que par « la Perse, la Chine et la mer ». Il fit part à Louis XIV des missions envoyées en Extrême-Orient, qui auraient permis aux Russes d'atteindre l'Amérique. Le Français ne doutait pas de la solidité du régime et du succès des réformes, appuyées sur la vénération naturelle des sujets pour leur tsar et sur la fidélité de l'armée.

Les deux États, entraînés l'un dans la guerre de succession d'Espagne, l'autre dans la guerre du Nord, établirent des contacts informels, mais la lenteur des liaisons et la complexité du jeu de billard diplomatique les empêchèrent de parvenir à un quelconque résultat. Leurs intérêts fondamentaux continuaient d'ailleurs à diverger, car la France ne pouvait voir sans déplaisir l'affaiblissement de ses alliés traditionnels.

Ce ne fut qu'à la toute fin du règne de Louis XIV que s'établirent des rapports suivis, dont l'objectif était d'abord économique. En 1714, Lavie, commissaire royal de la Marine à Hambourg, fut désigné pour une mission d'information économique et commerciale en Russie. Il arriva à Saint-Pétersbourg en janvier 1715, s'y établit et finit par y remplir les fonctions de consul de France.

Côté russe, Pierre envoya comme agent à Paris un secrétaire de l'Office des ambassadeurs, Grigori Volkov. Subordonné à l'ambassadeur de Russie à Amsterdam, Volkov résida à Paris en 1711-1712, avec pour mission d'engager des techniciens pour les chantiers du tsar. À la fin de 1715, le tsar expédia en France deux nouveaux émissaires : Jean Lefort, neveu du défunt favori du tsar, fut accrédité comme agent à Paris, pour mener des négociations commerciales et recruter artisans et techniciens ; le capitaine Konon Zotov, fils de l'ancien précepteur de Pierre, devait enquêter sur la marine française, acheter des livres pour la bibliothèque impériale et recruter lui aussi des spécialistes. Lefort engagea le sculpteur et architecte florentin Rastrelli, le peintre marseillais Caravaque, l'architecte Le Blond, le peintre Nattier, et beaucoup d'autres artisans et artistes – sculpteurs, tailleurs de pierre, tapissiers, serruriers, charpentiers, etc.

Les choses en étaient là quand Pierre arriva aux Pays-Bas. Les autorités françaises recommandèrent alors la plus grande prudence à l'ambassadeur de France à La Haye, le marquis de Châteauneuf. Il n'y avait, lui écrivait-on, aucun intérêt à traiter avec un prince « dont les États sont aussi éloignés que ceux du tsar ». Il fallait s'en tenir, en cas d'ouvertures, à des propositions d'ordre commercial et laisser venir les suggestions de nature politique. Alors que se nouait la Triple Alliance, il fallait surtout éviter d'indisposer le roi d'Angleterre, inquiet des progrès de Pierre en Allemagne. Le maréchal d'Huxelles recommandait même à Châteauneuf d'agir « très lentement dans la négociation avec le tsar, et qu'au lieu de demander et de donner des éclaircissements, vous laissiez subsister les obscurités qui se présenteront d'abord, afin que les délais nécessaires pour recevoir des ordres, sur les choses mêmes où vous n'en avez pas besoin, puissent donner le temps de prendre les résolutions qui conviendront aux intérêts de Sa Majesté ». Châteauneuf et Dubois, alors à La Haye, entrèrent en rapport avec Golovkine et Chafirov, par le truchement du prince Kourakine, seul francophone de l'entourage du tsar, et firent traîner les discussions.

« Une sorte de grandeur dans les manières »

Le printemps venu, Pierre s'impatienta et décida d'aller en France incognito pour proposer une alliance au Régent et, grâce à une médiation française, finir la guerre du Nord. Suivant les usages du temps, un mariage devait symboliser l'alliance : le tsar projetait ainsi d'unir sa fille Élisabeth avec le jeune Louis XV. Pierre confia ses intentions à l'ambassadeur Châteauneuf, qui avisa Paris. Les autorités françaises semblent avoir été prises de court par cette initiative, qui n'était pas dans les habitudes de la diplomatie occidentale, mais se décidèrent à faire bon accueil au nouvel acteur de la scène européenne.

L'incognito du tsar était tout relatif : Pierre était accompagné de soixante personnes, dont une partie de son état-major politique, mais non de Catherine, qui resta à l'attendre à La Haye. Peut-être avait-on craint de produire sur le théâtre de Paris la très récente et rustique tsarine. Le souverain avait envoyé en avant-garde le prince Kourakine, ambassadeur à Amsterdam, qui devint également ambassadeur à Paris. Kourakine avait le double avantage d'être le beau-frère du tsar et d'avoir voyagé à travers l'Europe.

Après être passé par Breda, Anvers, Bruxelles, Gand, Bruges, Ostende et Dunkerque, Pierre arriva à Calais, où il s'arrêta durant neuf jours pour observer la dernière semaine de Carême et célébrer la Pâque russe. Le Régent avait envoyé à Calais un gentilhomme ordinaire de la Maison du roi, M. de Liboy, pour accueillir les invités russes, que la France devait entièrement défrayer. Liboy rencontra Pierre et son entourage à Zuydcoote le 21 avril 1717 et les mena à Dunkerque puis à Calais. Le gentilhomme ne tarda pas à faire rapport à Paris de ses premiers contacts avec les Russes : « Cette petite cour est fort irrésolue et, du trône à l'écurie, fort sujette à la colère. » Et Pierre « a bien en lui-même des semences de vertu, mais toutes sauvages ».

Le 4 mai, Pierre quitta Calais pour Paris. Ses premières impressions de la France ne furent pas très favorables. « D'après ce que j'ai pu voir en route, écrivait-il à Catherine, la misère du commun est très grande. » Le tsar passa par Beauvais et arriva à Beaumont-sur-Oise le vendredi 7 mai à midi. Le maréchal de Tessé, désigné par le Régent pour accompagner le monarque pendant son séjour, l'y attendait avec les carrosses royaux et une escorte de cavalerie de la Maison du roi. Tessé, vieille gloire du dernier règne, était autant diplomate que militaire : à la fin du siècle précédent, il était parvenu à détacher le duc de Savoie de la Grande Alliance et avait ainsi contribué à mettre fin à la guerre de la Ligue d'Augsbourg. Il passait donc pour apte aux relations avec les souverains. Le jour même, Pierre le Grand entra à Paris par la porte Saint-Denis et arriva au Louvre à neuf heures du soir. Trouvant trop somptueux les anciens appartements d'Anne d'Autriche, qui lui étaient destinés, il alla loger à l'hôtel de Lesdiguières, qui avait été préparé pour sa suite.

Pierre le Grand à Paris

Le lendemain matin, le Régent rendit visite à son hôte et découvrit ce tsar de la maturité dont Saint-Simon a laissé le portrait : « C'était un fort grand homme, très bien fait, assez maigre, le visage assez de forme ronde ; un grand front ; de beaux sourcils ; le nez assez court sans rien de trop gros par le bout ; les lèvres assez grosses ; le teint rougeâtre et brun ; de beaux yeux noirs, grands, vifs, perçants, bien fendus ; le regard majestueux et gracieux quand il y prenait garde, sinon sévère et farouche, avec un tic qui ne revenait pas souvent, mais qui lui démontait les yeux et toute la physionomie, et qui donnait de la frayeur. Cela durait un moment avec un regard égaré et terrible, et se remettait aussitôt. Tout son air marquait son esprit, sa réflexion et sa grandeur, et ne manquait pas d'une certaine grâce. Il ne portait qu'un col de toile, une perruque ronde brune, comme sans poudre, qui ne touchait pas ses épaules, un habit brun juste au corps, uni, à boutons d'or, veste, culotte, bas, point de gants ni de manchettes, l'étoile de son ordre sur son habit et le cordon par-dessous, son habit souvent déboutonné tout à fait, son chapeau sur une table et jamais sur sa tête, même dehors. Dans cette simplicité, quelque mal voituré et accompagné qu'il pût être, on ne s'y pouvait méprendre à l'air de grandeur qui lui était naturel. »

Une partie du séjour fut consacrée à des visites de courtoisie, dont un prince désireux de marquer son rang en Europe ne pouvait se dispenser. D'emblée, Pierre fit ainsi sentir la supériorité protocolaire d'un souverain en exercice sur un régent. Il passa le premier dans les portes, prit le haut bout à table et rendit médiocrement les révérences de Philippe d'Orléans. Le 10 mai, Louis XV vint rendre visite au tsar. Cette fois, le cérémonial marqua l'égalité de deux souverains. Pierre s'avança à la porte du carrosse, céda la droite à l'enfant royal, prit le roi de France dans ses bras et l'embrassa à plusieurs reprises, sans que le jeune monarque en témoigne de frayeur. Le duc du Maine et le maréchal de Villeroy « fournirent à la conversation », le prince Kourakine servant d'interprète. Après un quart d'heure d'entretien, le tsar raccompagna le roi à son carrosse.

Le 11 mai à quatre heures, ce fut au tour du tsar d'aller aux Tuileries pour rendre à Louis XV sa visite. Pierre fit part à Catherine de son intérêt pour le « petit roi d'ici », « qui a deux doigts de plus que notre Luc [le nain de la cour de Russie], enfant extrêmement agréable par la taille et la figure et assez intelligent pour son âge ». « Il faut que je reste chez moi pendant deux ou trois jours pour les visites et autres cérémonies, si bien que je n'ai encore rien vu, ajoutait le tsar. Mais je commencerai à me promener demain ou après-demain. » Le soir, il alla au Palais-Royal rendre visite à Madame Palatine, qui était une de ses admiratrices. Le Régent emmena le tsar de chez Madame dans sa loge de l'Opéra, qui était de plain-pied avec le Palais-Royal. Pendant le spectacle, Philippe d'Orléans, debout, présenta au tsar un gobelet de bière sur une soucoupe : c'était reconnaître devant tout Paris le statut éminent du souverain russe. Le 24 mai, le tsar alla aux Tuileries pour admirer les pierreries de la Couronne et revit Louis XV qui lui donna une carte de ses États.

En dehors de ses obligations et prétentions de chef d'État, Pierre nourrissait une préoccupation commune à la plupart des touristes du temps : visiter les curiosités du Paris de la Régence, c'est-à-dire pour l'essentiel du Paris louis-quatorzien. Avec 500 000 habitants, la capitale laissée par le Roi-Soleil était alors la troisième ville d'Europe après Londres (750 000) et Amsterdam (200 000). Son poids relatif dans l'État était moindre, puisque un Français sur quarante y vivait, contre un Anglais sur dix à

Londres et un Hollandais sur cinq à Amsterdam, mais Paris l'emportait incontestablement par le prestige des monuments dont les Bourbons l'avaient embellie. « Nouvelle Rome », couverte de places ordonnancées, de palais, d'églises à dôme, la capitale pouvait offrir des modèles à d'autres grandes cités.

Pierre commença son métier de touriste impérial le 11 mai par un grand tour à pied destiné à une vue d'ensemble de l'urbanisme parisien : la rue Saint-Antoine, la place Royale, la place des Victoires et la place Vendôme – les places ordonnancées étant alors considérées comme la quintessence de l'urbanisme. Le lendemain, il passa aux monuments de la rive gauche, l'Observatoire, les Gobelins et le Jardin des Plantes. Les jours suivants, il visita aussi les galeries du Louvre, où il vit les plans-reliefs des places fortifiées par Vauban, et la Monnaie des médailles, où on frappa devant lui une médaille portant son effigie et l'inscription « *Petrus Alexievitz, tzar, magn. Russ. Imperat.* » (« le tsar Pierre Alexievitch grand empereur des Russes ») : on sait que Pierre était fasciné par la suite des médailles de l'Histoire de Louis XIV et qu'à l'instar d'autres souverains européens il en reproduisit les procédés appliqués à sa propre gloire.

Le 16 mai, Pierre visita les Invalides sous la conduite du maréchal de Villars. Il admira l'église, vit l'apothicairerie, l'infirmerie et le réfectoire. Il goûta la soupe des soldats, but à leur santé et les appela camarades. Autre grand moment de nostalgie louis-quatorzienne dans une institution admirée et imitée dans toute l'Europe.

Le tsar passa également plusieurs jours dans les demeures royales d'Ile-de-France. Inscrivant leurs pas dans ceux du Roi-Soleil, Pierre et sa suite virent Versailles, mais aussi Trianon, la Ménagerie, Marly et sa célèbre Machine de la Seine. Le palais de Louis XIV fit médiocre impression, et Pierre, reprenant des critiques répandues sur l'agrandissement du petit château de Louis XIII par son fils, décréta qu'il s'agissait d'« un pigeon avec les ailes d'un aigle ». Le 11 juin, Pierre alla de Marly à Saint-Cyr visiter la Maison d'éducation et les classes des demoiselles et rendit visite à Mme de Maintenon. Au sortir de sa visite, le monarque aurait dit : « Elle a beaucoup de mérite. Elle a rendu de grands services au roi et au pays. »

Si Pierre semble avoir été assez peu convaincu par l'architecture de Versailles, les jardins de Marly et de Trianon lui laissèrent un souvenir plus vif. Il réclama des aménagements semblables pour ses demeures de la périphérie de Pétersbourg, Peterhof et Strelna, et l'on vit s'élever sur les bords du golfe de Finlande des fontaines, des cascades et des peuples de statues allégoriques et mythologiques ressemblant à celles du Versailles des années 1680.

Le Louvre, les Invalides et Versailles faisaient partie du parcours obligé du visiteur, officiel ou non, du commencement du XVIIIe siècle. Pierre se distingua de ses contemporains par son intérêt pour l'architecture et les institutions scientifiques et techniques : académies, manufactures, ateliers, cabinets d'histoire naturelle et de mécanique. En visite à la Sorbonne, le tsar vit la chapelle, le tombeau de Richelieu, les écoles, la bibliothèque et s'entretint avec les docteurs, qui l'entreprirent sur la possibilité de réunir l'Église russe à l'Église catholique. Sa Majesté tsarienne se tira habilement d'affaire en déclarant que cette proposition « ne Lui était pas désagréable, qu'Elle souhaiterait que l'on pût l'exécuter, mais qu'il s'y trouvait beaucoup de difficultés, que l'autorité que s'attribuait le pape était une des principales ». Pierre avait su trouver l'endroit sensible pour prévenir en sa faveur des interlocuteurs gallicans ! Après le départ du tsar, les docteurs lui envoyèrent un mémoire sur la réunion des Églises à l'attention de l'épiscopat russe. De retour en Russie, le souverain fit rédiger par Théophane Prokopovitch une réponse non moins aimable que dilatoire.

Pierre acheta des instruments de mathématiques et d'astronomie qui prirent place au cabinet de curiosités de Saint-Pétersbourg. Il emporta aussi de France une abondante documentation : estampes du cabinet du roi gravées sous Louis XIV, plans de places fortes et de maisons de plaisance, dessins d'architecture et d'ingénierie, cadran solaire, « sphère mouvante » indiquant le mouvement des planètes.

La fin du séjour approchant, le tsar fit une nouvelle visite à l'Observatoire, monta au clocher de Notre-Dame pour voir Paris dans toute son étendue et assista à la revue des troupes de la Maison du roi sur les Champs-Elysées. On lui remit en présent une épée sertie de diamants, qu'il ne voulut pas accepter, et deux tentures des Gobelins, qui pouvaient servir de modèles à des productions analogues qui seraient fabriquées en Russie.

Le 18 juin, le Régent vint à l'hôtel de Lesdiguières faire ses adieux au tsar. Pierre se rendit ensuite aux Tuileries pour prendre congé du roi. Louis XV vint le lendemain à l'hôtel de Lesdiguières souhaiter bon voyage au tsar. Le 20 juin, Pierre quitta discrètement Paris, où il avait séjourné quarante-quatre jours. Il passa sa dernière nuit en France, à Rethel, le 22, et arriva le lendemain dans le comté de Namur. Pierre descendit la Meuse par bateau jusqu'à Namur et à Liège, puis à Spa et Pyrmont, où il prit les eaux pendant un mois. Leibniz vint l'y trouver et les deux hommes parlèrent arts mécaniques, navigation, astronomie et géographie. Le 2 août, le tsar retrouva Catherine à Amsterdam et repartit pour Saint-Pétersbourg le 2 septembre. Il y arriva le 21 octobre.

Pierre avait fasciné les Français. Tous les observateurs soulignent sa majesté naturelle, sa parfaite simplicité, sa curiosité universelle. L'ivrognerie sordide du souverain et de son entourage, la bizarrerie de leur vêture et la brutalité de leurs manières effrayaient et fascinaient en même temps. On trouve l'éloge du tsar jusque dans les *Lettres persanes* de Montesquieu : « Il s'attache à faire fleurir les arts, et ne néglige rien pour porter dans l'Europe et l'Asie la gloire de sa nation, oubliée jusqu'ici, et presque uniquement connue d'elle-même. »

Le rendez-vous manqué

Pendant que le tsar visitait Paris et ses environs, des discussions se poursuivaient entre ses ministres, Chafirov, Tolstoï et Dolgorouki, d'une part, et le maréchal de Tessé, de l'autre, aux fins de conclure un traité « de bonne correspondance, d'amitié et de commerce ». Le maréchal avait pour instructions de ne rien accepter qui pût indisposer ni la Suède, alliée traditionnelle, ni la Prusse, alliée du moment, ni surtout la Grande-Bretagne et les Provinces-Unies. Dubois avait mis en garde le Régent contre Pierre, cet « extravagant, né tout au plus pour être contremaître d'un vaisseau hollandais » : « Si, en établissant le tsar, vous chassez les Anglais et les Hollandais de la mer Baltique, vous serez éternellement odieux à ces deux nations. »

Tessé devait tenter de mettre la France en position de médiatrice pour régler la paix du Nord et faire en sorte d'en savoir davantage sur les ambitions du tsar, dont on avait lieu de croire qu'« il désirerait extrêmement avoir une part principale dans les affaires de l'Europe et particulièrement dans celles de l'Empire ». En revanche, il ne pouvait être question ni de versement de subsides ni d'alliance militaire.

La première conférence entre Tessé et les Russes eut lieu le 19 mai 1717, en grand secret, pour échapper, écrivait le maréchal, « aux mouches allemandes et de toutes les nations qui observent les moindres démarches ». Les Moscovites ne proposaient rien moins que de prendre la place de la Suède comme principal allié de la France à l'Est : « La France a perdu ses alliés en Allemagne ; la Suède, quasi anéantie, ne peut lui être d'aucun secours ; la puissance de l'Empereur s'est infiniment augmentée ; et moi, Czar, je viens m'offrir à la France pour lui tenir lieu de Suède. » Pour prix de son alliance, la Russie demandait 300 000 écus par an.

Rien de tout cela ne tentait les Français, obnubilés par l'alliance anglaise et peu soucieux d'entrer dans un jeu un peu trop périlleux à leur goût. « Le nouveau gouvernement, avoue Tessé dans ses Mémoires, n'avait d'autre intention que de voltiger et d'amuser le Czar jusqu'à son départ sans rien conclure avec lui. » Rien n'ayant été décidé lorsque Pierre partit de Paris, le tsar obtint du Régent que les pourparlers se poursuivraient et continueraient en Hollande. Le 15 août, le marquis de Châteauneuf pour la France, Golovkine, Chafirov et Kourakine pour la Russie, le baron de Knyphausen pour la Prusse, signèrent un traité « d'amitié et d'alliance ». Les parties garantissaient la paix d'Utrecht et la paix éventuelle du Nord. La France obtenait en Russie la clause de la nation la plus favorisée. Les alliances antérieures étaient réservées et la médiation possible de la France dans la paix du Nord admise.

Le retournement des alliances n'avait pas eu lieu. La Russie laissait un ministre plénipotentiaire à Paris, le baron de Schleinitz, mais Paris n'envoya un émissaire à Saint-Pétersbourg qu'en 1721, après la victoire définitive de la Russie sur la Suède. Ce fut Jacques de Campredon, qui avait été jusque-là résident à

Stockholm : tout un symbole. Les réticences ne prirent pas fin pour autant. Les Français éludèrent toujours les offres de mariage faites par les Russes, qu'il s'agît de donner une fille de Pierre le Grand à Louis XV ou une autre de ses enfants au duc de Chartres. Ce dernier préféra une alliance de second rang avec une princesse allemande, la fille du défunt margrave de Bade, tandis que le premier s'unit, comme on sait, à la fille du roi de Pologne détrôné Stanislas. Campredon, rappelé en 1726, fut remplacé par de simples chargés d'affaires. Le premier ambassadeur de plein exercice n'arriva à Saint-Pétersbourg qu'en 1739.

Le tsar académicien

Avant même que le tsar soit de retour dans ses États, l'abbé Bignon, président de l'Académie des sciences, semble avoir pris l'initiative de lui proposer d'entrer dans l'illustre compagnie à titre honoraire. L'abbé avait fait jouer la corde sensible et avait bien compris les ressorts psychologiques qui faisaient rechercher par le tsar une place dans une société savante au même titre qu'un poste de charpentier dans un atelier de Zaandam ou un grade d'officier d'infanterie ou d'officier de marine.

Le 22 décembre 1717, l'Académie des sciences élut Pierre membre honoraire « hors de tout rang ». Trois ans plus tard, le tsar envoya à l'Académie une carte révisée de la mer Caspienne... bon moyen de faire la propagande de sa campagne contre la Perse. Par la suite, il chargea son médecin Laurent Blumentrost d'envoyer à l'Académie des sciences et à l'Académie des inscriptions des curiosités provenant de ses États : peaux de bêtes inconnues, catalogue de plantes rares, et même un manuscrit trouvé en pays kalmouk. Sous l'égide de l'abbé Bignon la Bibliothèque du roi concourut avec les académies à tisser des liens plus étroits avec la Russie : le bibliothécaire fit acquérir régulièrement les livres imprimés en Russie ; il chargea l'interprète pour le russe et le slavon de former plusieurs nouveaux traducteurs au sein de la Bibliothèque.

En 1724, l'Académie des sciences française salua la création d'une compagnie sœur à Saint-Pétersbourg, et l'année suivante Fontenelle se chargea de prononcer l'éloge funèbre de l'empereur défunt. Ce fut l'occasion pour le vieil écrivain de brosser un portrait flatteur du souverain-philosophe, qui tout en idéalisant Pierre Ier pouvait sonner comme une critique voilée des dirigeants français.

En dépit de la similitude des appellations, la nouvelle Académie n'avait que peu de parenté avec sa devancière française. Il s'agissait plutôt d'un établissement d'enseignement, d'une ébauche d'université. Les savants allemands et suisses y tenaient le haut du pavé. La France n'était représentée que par le géographe Joseph-Nicolas Delisle. Sous sa direction, de nouvelles cartes de l'Empire furent dressées et de nouvelles expéditions partirent vers les régions du Grand Nord et de la Sibérie orientale reconnues par Béring.

Le voyage de Pierre avait suscité d'autres vocations à l'expatriation. Plusieurs dizaines d'ouvriers, d'artisans et d'artistes français partirent s'installer en Russie : des lissiers, des soyeux lyonnais, des fontainiers, des artistes. Pour beaucoup d'entre eux, la déception fut amère : salaires non payés, mauvais traitements, brutalités. Ils durent être rapatriés en catastrophe dès 1719. Le plus illustre d'entre eux, l'architecte Le Blond, recruté pour diriger les travaux de Saint-Pétersbourg, se heurta à la mauvaise volonté de Menchikov et à la jalousie des architectes déjà sur place; au bout d'un an et demi, il perdit la direction des travaux et mourut au début de 1719 sans avoir eu le temps de donner toute sa mesure. Les succès furent rares mais saisissants. Le tapissier Jean-Philippe Béhagle devint maître en chef de la manufacture de tapisserie russe, et dirigea l'exécution entre 1719 et 1722 de *La Bataille de Poltava*. Le peintre Louis Caravaque exécuta les portraits officiels de la famille impériale et les tableaux commémoratifs des victoires de Pierre et mourut à Saint-Pétersbourg en 1754.

Ces réussites isolées ne doivent pas cacher la prépondérance absolue de l'influence allemande sur la Russie du premier XVIIIe siècle, une prépondérance que l'influence française put quelque peu contrebalancer mais jamais remettre entièrement en cause.

Le voyage de Pierre le Grand en France fut un événement extraordinaire à plus d'un titre. Tout d'abord comme voyage officiel d'un monarque en exercice, événement rarissime. Dans le cours de son long règne, Louis XIV n'avait rencontré que des monarques en exil ou des princes de statut secondaire. La seule exception fut l'entrevue du roi avec Philippe IV d'Espagne, après la paix des Pyrénées, sur l'île des Faisans. Encore s'agissait-il d'une rencontre sur la frontière de deux royaumes.

Les visites de souverains de rang égal à celui du roi de France étaient plus rares encore et célébrées par les chroniques comme des moments exceptionnels : visite de l'empereur Charles IV de Luxembourg à Charles V en 1378, rencontre de François Ier et d'Henri VIII au camp du Drap d'Or en 1520, visite de Charles Quint à François Ier en 1539 et 1540. Tous ces séjours avaient semblé accroître le prestige du pays hôte.

L'impression laissée par le voyage de Pierre fut un peu différente. Il en ressortit que la puissance de séduction de la France avait diminué. Le royaume d'après la guerre de Succession n'avait plus le prestige de la victoire sur le champ de bataille. Ses sujets le quittaient moins volontiers que ceux d'autres nations de l'Europe. Pierre le Grand allait donc continuer à se servir en majorité de modèles et d'experts venus de l'Europe du Nord – Hollande, Angleterre, Allemagne protestante. Amsterdam plutôt que Paris servirait d'inspiration à Saint-Pétersbourg. Le retournement des alliances n'aurait pas lieu.

En intégrant le « Grand Tour » dans les pratiques de la monarchie, Pierre avait donné un exemple qui serait suivi par les autres souverains pendant plus de deux siècles. Non seulement le tsar avait fait entrer la Russie dans l'Europe de la modernité mais il se comportait lui-même en monarque d'avant-garde, en modèle à suivre par d'autres souverains.

L'EUROPE DU NORD EN 1721

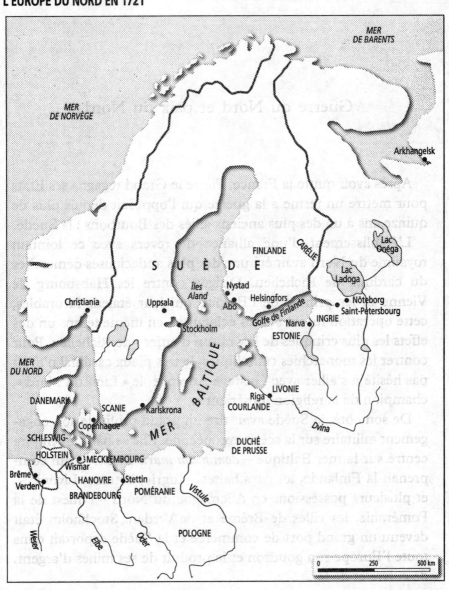

17

Guerre du Nord et paix du Nord

Après avoir quitté la France, Pierre le Grand regagna ses États pour mettre un terme à la guerre qui l'opposait depuis plus de quinze ans à un des plus anciens alliés des Bourbons : la Suède.

L'établissement d'une alliance de revers avec ce lointain royaume du Nord avait été une des plus audacieuses démarches du cardinal de Richelieu. Dirigée contre les Habsbourg de Vienne et les princes de l'Empire qui leur étaient favorables, cette opération fut un succès éclatant et en même temps un des effets les plus critiqués de la « raison d'enfer » de Richelieu. Pour contrer les monarchies catholiques, le très pieux cardinal n'avait pas hésité à s'allier avec Gustave-Adolphe, le « Lion du Nord », champion de la religion luthérienne.

De son côté, la Suède avait tiré un grand profit de son engagement militaire sur la scène européenne. Elle se bâtit un empire centré sur la mer Baltique – *dominium maris Baltici* –, qui comprenait la Finlande, les pays baltes – Ingrie, Estonie, Livonie –, et plusieurs possessions en Allemagne du Nord – l'ouest de la Poméranie, les villes de Brême et de Verden. Stockholm était devenu un grand port de commerce et la Suède exportait dans toute l'Europe son goudron et le produit de ses mines d'argent, de cuivre et de fer.

Mais cet empire suédois était fragile. À son apogée, il ne comptait que 3 millions d'habitants, dont 1 200 000 Suédois, et son émiettement géographique le laissait exposé sur plusieurs fronts. Au milieu du XVIIe siècle, le nonce Fabio Chigi l'avait caractérisé comme « un nain revêtu d'une armure de géant ». Pierre le Grand avait mesuré l'obstacle et décidé de le faire voler en éclats : pour plusieurs années, la Russie allait mettre cap au nord, tout en poursuivant ses menées expansionnistes vers le Midi et l'Est sibérien[1].

Charles XII contre Pierre le Grand

Tout en prenant ses distances avec Versailles, la royauté suédoise s'était transformée peu à peu en monarchie absolue, sur le modèle français. Dans les années 1680 et 1690, le roi Charles XI avait confisqué une partie des terres de l'ancienne noblesse, créé une noblesse nouvelle issue de la bourgeoisie et de familles étrangères passées au service de la Suède, pris le contrôle de l'Église luthérienne, renforcé la fiscalité directe et indirecte. Un réseau de routes bien entretenues et une poste royale bien organisée assuraient les liaisons entre les provinces intérieures et les ports du *dominium maris Baltici*. Les possessions suédoises d'Allemagne et des pays baltes étaient considérées comme la « contrescarpe » de la forteresse scandinave, la Baltique en étant le fossé défensif. À la fin du siècle, l'armée comptait 60 000 hommes. La marine de guerre, maîtresse de la Baltique, comptait trente-quatre vaisseaux de ligne et onze frégates. Elle était stationnée depuis 1680 à Karlskrona, au sud de la Scandinavie, pour être plus à portée des principaux théâtres d'opérations. Les marins suédois s'aventuraient sur tous les océans du monde et des établissements suédois virent le jour en Afrique, en Amérique et en Asie. À Stockholm, l'architecte Nicodème Tessin avait entrepris la reconstruction du vieux château royal pour en faire une demeure capable de se mesurer à Versailles ou aux grands palais d'Italie.

1. Au-delà de la biographie du roi de Suède, le *Charles XII* de Ragnhild Hatton, 1968, analyse les enjeux géopolitiques de la guerre du Nord. Claude Nordmann, *Grandeur et liberté de la Suède*, 1971, replace l'épopée de Charles XII dans l'histoire politique d'un absolutisme suédois démarqué de l'exemple français. Le point de vue de la diplomatie française est étudié par Éric Schnakenbourg, *La France, le Nord et l'Europe au début du XVIIIe siècle*, 2008.

En 1697, Charles XI mourut brusquement et son fils, Charles XII, à peine âgé de quinze ans, monta sur le trône. La noblesse espérait un relâchement de l'absolutisme : ses attentes furent déçues. Les États durent prêter serment au nouveau roi la veille du sacre, pour marquer que celui-ci n'ajoutait rien à la légitimité du monarque de droit divin. Le jour du sacre, le jeune Charles XII, arriva déjà couronné à la Grande Église de Stockholm, se fit oindre par l'archevêque d'Uppsala, puis se couronna à nouveau lui-même.

L'occasion parut favorable aux voisins de la Suède pour dépecer l'empire baltique. Le roi Frédéric IV de Danemark convoitait la Scanie et le duché de Holstein-Gottorp, allié de la Suède. Auguste le Fort, électeur de Saxe et roi de Pologne, voulait mettre la main sur la Livonie, grenier à blé des Suédois, et, en s'appuyant sur cette conquête, transformer sa couronne élective de Pologne en monarchie héréditaire. Pierre le Grand, tout à ses rêves maritimes, réclamait l'Ingrie, province qui avait brièvement appartenu à l'État russe sous Ivan le Terrible et qui donnerait à la Russie un accès à la Baltique.

Danemark et Pologne signèrent d'abord une alliance offensive : Frédéric IV devait attaquer le Holstein puis débarquer en Scanie, tandis qu'Auguste entrerait en Livonie. L'électeur de Brandebourg, prétendument neutre, interdit le transit des troupes suédoises sur ses terres... mais le permit aux troupes saxonnes. En février 1700, l'armée saxonne stationnée en Lituanie pénétra en Livonie, sans déclaration de guerre préalable, et mit le siège devant Riga. Un mois plus tard, l'armée danoise envahissait le Holstein. Pierre, convaincu par Auguste lors de son voyage en Occident de se joindre aux deux compères, attendit d'être sûr de ses arrières du côté ottoman. En 1699, il renouvela le traité de paix de la Russie avec la Suède mais au moment de sa ratification refusa d'embrasser la croix, sous prétexte qu'il avait déjà fait ce geste lors de son accession au trône. La nouvelle du traité russo-ottoman de Constantinople, conclu le 13 juillet 1700, arriva à Moscou en trente-six jours, délai exceptionnellement court. Le lendemain matin 19 août, Pierre déclarait la guerre à la Suède.

Mais les trois alliés rencontrèrent une résistance inattendue. Pour vaincre la coalition, Charles XII attaqua ses membres l'un après l'autre. Aidé par une flotte anglo-hollandaise, il débarqua d'abord en juillet dans l'île de Seeland, défit les Danois et encercla Copenhague. Le 18 août 1700, le Danemark signa précipitamment la paix et accepta le retour au *statu quo ante*. L'Europe découvrait dans le roi adolescent un chef de guerre audacieux, qui étonnait par la simplicité de son uniforme aux couleurs de la Suède – habit bleu, veste jaune – et qui venait – ô scandale ! – d'abandonner le port de la perruque. Luthérien dévot, il vivait de la façon la plus austère, sans liaison féminine connue, et ne buvait que de la petite bière.

Le 30 novembre, l'armée suédoise, conduite par Charles XII et le feld-maréchal Rehnskiöld, battit les Russes, quatre fois plus nombreux, qui faisaient le siège de Narva. À l'approche des Suédois, Pierre avait pris la fuite, abandonnant peu glorieusement son armée. Cette victoire eut un grand retentissement et sembla indiquer que les troupes russes n'étaient pas encore capables de faire pièce à une armée entraînée à l'européenne. Pierre ne se découragea pas. Deux mois plus tard, il renouvela son alliance avec Auguste : dans les dépouilles futures de la Suède, la Russie se contenterait de la seule Ingrie tandis que le roi de Pologne aurait la part du lion, Estonie et Livonie.

Cela n'empêcha pas Charles XII, passé entre-temps dans les provinces baltes, de bousculer les Saxons sur la Dvina et d'envahir à son tour la Courlande polonaise. Le roi de Suède ne voulait rien moins que détrôner Auguste et s'allier à la Pologne placée sous un nouveau sceptre contre la Russie. Il pénétra profondément dans le territoire polonais et fit élire roi Stanislas Leszczynski (1704), puis envahit la Saxe (1706). Réputé invincible, arrivé au cœur de l'Empire germanique avec une armée en pleine possession de ses moyens, il semblait en passe de devenir l'arbitre de l'Europe à l'heure où les puissances occidentales étaient déchirées par la guerre de succession d'Espagne. Comme Gustave-Adolphe en son temps, il pouvait se poser en défenseur des protestants d'Allemagne et de Hongrie et, en pactisant avec les Français, mettre en grande difficulté l'empereur et ses alliés. Auguste, pressé de négocier par les impériaux et les Anglo-Hollandais, se résigna à traiter et à reconnaître Stanislas comme roi de Pologne.

Charles XII pouvait à présent se retourner contre la Russie, qui n'avait pas jusque-là fait très bonne figure. Malgré la mobilisation de l'essentiel des forces suédoises en Pologne puis en Saxe, les troupes de Pierre le Grand n'avaient remporté que des succès limités sur le front balte. En 1702, elles s'emparèrent de la forteresse suédoise de Nöteborg, là où le lac Ladoga se déverse dans la Neva. La ville fut rebaptisée Schlüsselbourg – la « ville de la clef » – car elle donnait à Pierre la clef de la Baltique : en effet, la Neva, déversoir du lac Ladoga, n'est longue que de 65 kilomètres avant d'entrer dans la Baltique. Si, en 1703, le tsar avait fondé Saint-Pétersbourg, la percée sur la Baltique était encore bien mince.

Pierre allait-il subir le sort d'Auguste le Fort? Son empire fragilisé par ses réformes, ses sujets verraient peut-être avec faveur son remplacement par le tsarévitch Alexis, que recommandaient certains conseillers de Charles. C'était l'opinion que Groffey, agent français en Suède, confiait au ministre Torcy le 19 février 1707 : « On sait que le tsar n'est aimé que de ses soldats et qu'il est mortellement haï de la noblesse et du peuple, tant à cause de ses cruautés que de ses nouveautés, qu'il a établies dans la manière de vivre et de s'habiller. Le roi de Suède, qui a fait en Pologne son apprentissage dans le métier de détrôner les rois, l'exercera en Moscovie avec plus de facilité et de succès, et les peuples ne refuseront point de sa main un prince qui leur est déjà cher et par le péril où il a été de perdre la vie par la cruauté de son père et par l'aversion et le mépris qu'il a pour les étrangers. » Le dessein de Charles XII semble avoir été plus limité. Désireux d'épargner ses provinces baltiques, il voulait déplacer les opérations vers l'intérieur de la Russie et marcher sur Moscou pour contraindre le tsar à traiter et à revenir au *statu quo ante*. En dédommagement pour son agression, la Russie offrirait une satisfaction soit financière soit territoriale dans la région de Pskov.

Poltava

Sous-estimant les capacités de l'adversaire, le roi de Suède s'enfonça en terre russe avec une armée de 40 000 hommes. Pierre fit des offres de paix – il était prêt à tout rendre excepté la portion de l'Ingrie où Saint-Pétersbourg venait d'être fondée

– mais Charles refusa d'y répondre. Dans l'est de la Pologne et en Ukraine, son armée traversa des territoires ravagés par les Russes. Elle fut également victime de l'étirement des distances, dont souffrirent plus tard les armées de Napoléon et d'Hitler[2].

Le 29 septembre 1708, un corps suédois commandé par le général Lewenhaupt fut battu à Liesnaïa par le général Golovine. Cette victoire, la première remportée par l'armée russe sur la Suède, fut, suivant l'expression de Pierre, la « mère de Poltava ». Les Suédois n'étaient plus invincibles. Charles bifurqua vers le sud, dans l'espoir de soulever l'Ukraine et de faire jonction avec les Tatars du khan de Crimée Devlet Giray. L'armée russe le serrait de près, pratiquant la tactique de la terre brûlée pour affamer l'envahisseur. Malgré la défection de l'hetman Mazeppa, les Ukrainiens refusèrent de se rallier à Charles XII.

Le 28 juin 1709, près de Poltava, une armée suédoise réduite à 19 000 hommes affronta une armée russe qui en comptait 42 000. Charles, blessé au pied, dut se faire porter sur un brancard sur le champ de bataille. Les Suédois, qui prirent d'abord l'offensive, se heurtèrent à des redoutes de campagne construites par les Russes. Leur élan brisé, ils subirent une puissante contre-attaque et furent bientôt subjugués par le nombre. La défaite fut complète : les Suédois avaient perdu 10 000 hommes environ, soit 6 900 morts, dont plusieurs généraux, et 2 800 prisonniers de guerre ; leurs principaux chefs civils et militaires étaient prisonniers, notamment le feld-maréchal Rehnskiöld, commandant en chef de l'armée après le roi, et le comte Piper, Premier ministre. Charles XII n'avait échappé qu'à grand-peine à la capture, son étendard personnel était tombé aux mains des Russes. « Tous les écrivains suédois, raille Voltaire dans son *Histoire de Charles XII*, disent qu'ils auraient gagné la bataille si on n'avait point fait de faute, mais tous les officiers prétendent que c'en était une grande de la donner, et une plus grande encore de s'enfermer dans ces pays perdus, malgré l'avis des plus sages, contre un ennemi aguerri, trois fois plus fort que Charles XII par le nombre d'hommes et par les ressources qui manquaient aux

---

2. On trouvera un récit vivant de la bataille de Poltava et de la campagne qui l'a précédée dans Steven Englund, *The Battle that Shook Europe : Poltava and the Birth of the Russian Empire*, 2002.

Suédois. » Les Russes n'avaient perdu que 1 300 hommes. Après la bataille, le tsar offrit un somptueux banquet à ses généraux et aux principaux prisonniers suédois. Au moment des toasts, il but à la santé de ses maîtres dans l'art de la guerre. « Qui sont-ils ? demanda Rehnskïold. « Vous, Messieurs », répondit Pierre.

La touche finale du désastre vint le 11 octobre quand le général Lewenhaupt, acculé au Dniepr et ayant mal interprété les instructions de son souverain, capitula avec plus de 14 000 hommes. Les Suédois incendièrent leurs archives, mais durent livrer leurs armes et leur artillerie, leur caisse de campagne, 142 drapeaux et étendards. Les cosaques Zaporogues capturés avec l'armée suédoise furent remis aux Russes et massacrés avec des raffinements de supplices. Le colonel allemand Mühlenfels, officier au service de la Russie qui l'année précédente avait livré Grodno aux Suédois, fut lui aussi remis aux vainqueurs : empalé, il agonisa pendant vingt-quatre heures. En décembre, Pierre entra en triomphateur à Moscou et fit défiler à sa suite les plus notables des captifs, Rehnskïold et Piper inclus. Des milliers de prisonniers suédois allèrent servir dans l'armée russe ou adoptèrent une profession civile à travers l'immense Empire, contribuant, contraints et forcés, à son occidentalisation et à la colonisation de la Sibérie. Bien peu rejoignirent leur terre natale quand la paix se fit, douze ans plus tard. Les plus récentes estimations comptent qu'environ 4 000 prisonniers de Poltava revirent la Suède. Le dernier d'entre eux, Hans Appelman, revint dans sa patrie en 1745… après trente-six ans de captivité !

Poltava marqua pour Pierre Ier le tournant de son règne et l'accession de la Russie au rang de grande puissance. Le tsar écrivit à l'amiral Apraxine : « Maintenant, avec l'aide de Dieu, la dernière pierre de fondation de Saint-Pétersbourg a été posée. » Dans une des nombreuses missives qu'il adressa à ses parents, collaborateurs et alliés après sa victoire, il comparait le sort de Charles XII à la chute de Phaéton, le demi-dieu foudroyé par Jupiter pour avoir voulu conduire le char du Soleil. La bataille eut un retentissement européen et fit davantage pour la gloire de Pierre que son voyage en Europe ou ses réformes intérieures. « Le tsar a de grandes et belles qualités, s'enthousiasmait Madame Palatine en octobre 1709, il a agi de telle sorte qu'il faut beaucoup l'estimer, il serait temps que le roi de Suède cessât de guerroyer. » « La grande révolution du Nord a étonné tant de gens, renchérissait Leibniz, que l'on dit communément que le tsar se rendra formidable à l'Europe entière, qu'il sera en quelque sorte le Turc du Nord. » Le souvenir de cette victoire fut exalté jusqu'à la fin du règne et au-delà jusqu'à la chute de l'Empire russe. Un vaisseau de cinquante-quatre canons nommé *Poltava* fut lancé en 1712. La plus grande composition réalisée par Louis Caravaque, le peintre officiel de la cour, fut une *Bataille de Poltava* peinte pour Peterhof en 1718. Quatre ans plus tard, le tableau fut reproduit en tapisserie, la première tissée à Saint-Pétersbourg. Ainsi Pierre et Caravaque répétaient-ils les procédés de propagande mis au point par Louis XIV, Colbert et Le Brun un demi-siècle plus tôt.

Charles XII, avec 600 hommes, se réfugia en territoire ottoman, à Bender, sur le Dniestr, où il passa trois années à ronger son frein, cherchant vainement le moyen de rejoindre ses États et poussant les Ottomans à la guerre contre les Russes. Avec l'aide du tsar, Auguste de Saxe se rétablit sur le trône de Pologne, Stanislas, homme de paille des Suédois, n'ayant plus ses patrons derrière lui. La Pologne passait de fait sous protectorat russe, et Auguste n'était plus en position de dicter à Pierre les termes du partage des territoires de la Suède.

À la fin de l'année 1709, Pierre occupa la Courlande. En 1710, la Livonie et l'Estonie tombèrent comme des fruits mûrs entre les mains du tsar. En juillet, la Russie mit la main sur Riga, grand port du commerce baltique. En décembre, Anna Ivanovna, nièce du tsar, épousait le jeune duc Frédéric-Guillaume de Courlande, qui entrait ainsi dans la sphère d'influence russe.

Danois et Saxons étaient de nouveau entrés dans la guerre, espérant tirer profit des revers suédois. Ils furent repoussés et ce furent les troupes russes opérant en Allemagne du Nord qui firent tomber la Poméranie suédoise. Pierre constitua une flotte de galères commandées par des Vénitiens et des Grecs, qui opéra sur les côtes de la Baltique en même temps que ses vaisseaux de ligne. En 1713-1714, les galères du tsar permirent à ses troupes de débarquer sur les côtes de Finlande sans avoir à redouter la flotte suédoise de haut bord. Helsingfors et Abo tombèrent au pouvoir des Russes. À la fin de l'été 1714, les raids de la marine russe atteignaient les côtes suédoises proprement dites.

Charles XII ne put regagner ses États qu'en 1714, au terme d'une fantastique chevauchée à travers la Hongrie et les terres d'Empire : pour échapper à ses ennemis, il avait parcouru en quatorze jours de cheval les 1 850 kilomètres séparant la ville roumaine de Pitesti du port de Stralsund, en Poméranie suédoise, un des deux derniers ports qui lui restaient dans l'Empire. La Suède avait désormais contre elle le Danemark, la Saxe et la Russie, mais aussi la Prusse et le Hanovre uni à la Grande-Bretagne.

George Ier utilisa sa puissance nouvelle comme roi de Grande-Bretagne pour faire pencher la balance au détriment de la Suède. Les navires britanniques vinrent renforcer la flotte danoise au moment crucial, permettant en septembre et octobre 1715 la conquête de l'île poméranienne de Rügen. Après avoir guerroyé sans grand succès en Allemagne du Nord, Charles arriva en Suède le 24 décembre 1715, quinze années après avoir quitté son royaume. Le même jour, Stralsund se rendit aux Danois et aux Prussiens. En avril 1716, le dernier port suédois de Poméranie, Wismar, tomba à son tour : la Suède était expulsée de l'Empire.

L'ardeur des alliés occidentaux réunis contre la Suède commença alors à se refroidir. Prussiens, impériaux et Britanniques voyaient d'un mauvais œil les troupes de Pierre entrer en Allemagne et prendre garnison au Mecklembourg et au Danemark. L'amiral anglais sir John Norris était entré dans la Baltique avec une flotte de dix-neuf vaisseaux de ligne, mais l'expédition décidée contre la Suède n'eut pas lieu. La « balance du Nord » – expression favorite des diplomates anglais des années 1710-1720 – était menacée non plus par les folles équipées de Charles XII mais par l'expansion russe.

Les Britanniques s'entremirent afin de rétablir une paix qui maintienne l'équilibre des puissances, c'est-à-dire qui empêche la Russie de s'assurer l'hégémonie sur l'Europe de Nord. Mais le « plan pour le Nord » conçu par Londres eut moins de succès que le « plan pour le Sud ». Pierre le Grand refusa explicitement un règlement par « un congrès public » qui lui eût été défavorable. De simples pourparlers russo-suédois s'ouvrirent au printemps 1718, dans les îles Aland. James Bruce présidait la délégation russe, le comte Gyllenborg, secrétaire d'État et ancien ambassadeur en Grande-Bretagne, la délégation suédoise.

En fait, les discussions étaient conduites des deux côtés par des diplômés de l'université d'Iéna : le baron Georg Heinrich von Görtz du côté suédois, Heinrich Johann Friedrich Ostermann du côté russe. Les deux parties ne purent s'entendre.

Charles XII voulait négocier en position de force et regagner du terrain avant de s'asseoir à la table des négociations. Il commença des opérations contre la Norvège danoise. Le 11 décembre 1718, alors qu'il inspectait les tranchées devant la forteresse de Frederiksten, sur la route de Christiania, une balle de mousquet – amie ou ennemie, on ne sait – lui traversa la tête.

La paix de Nystad

La mort inattendue du roi mit fin à la campagne de Norvège mais non à la guerre. Ulrique-Éléonore, sa sœur, qui lui succéda sur le trône de Suède, et son époux, Frédéric de Hesse, voulaient faire la paix avec leurs ennemis occidentaux, pour concentrer les efforts de la Suède contre la Russie. À l'intérieur, l'héritage politique de Charles XII fut mis en pièces : les États limitèrent strictement le pouvoir royal ; accusé de malversations, le baron von Görtz, principal ministre du roi défunt, fut arrêté, sommairement jugé et décapité.

Des négociations eurent lieu durant le voyage en Hanovre de George Ier, dont la Suède avait demandé la médiation. La Grande-Bretagne et la Prusse conçurent alors un « Plan projeté pour la paix générale du Nord ». Il était prévu de rendre la Livonie, la Finlande et une partie de l'Estonie à la Suède. La Russie ne conserverait de ses conquêtes que l'Ingrie, la Carélie et une portion de l'Estonie.

Mais les Russes ne l'entendaient pas de cette oreille. Pendant l'été 1719, les galères de l'amiral Apraxine ravagèrent les côtes suédoises ; les cosaques pillèrent les environs de Stockholm, semant la panique dans la capitale. Des cargos chargés de cuivre furent saisis et les 300 canons qui se trouvaient dans les fonderies de Norrköping emportés en Russie.

Les Suédois se précipitèrent pour signer la paix à l'Ouest. Le traité entre la Suède et le Hanovre fut signé le 20 novembre 1719 : Brême et Verden étaient cédés au roi-électeur, donnant à ses États germaniques la façade maritime qui leur faisait défaut jusqu'alors. L'empereur Charles VI sanctionna ce transfert pour contrebalancer le poids russe dans la Baltique et limiter les ambitions du roi de Prusse. Ce dernier aurait voulu Stralsund et Rügen, mais le roi George et l'empereur s'entendirent pour les conserver à une Suède désormais inoffensive. La paix prusso-suédoise fut signée le 1er mai 1720. Frédéric-Guillaume obtenait le port de Stettin, les bouches de l'Oder et la Cispoméranie suédoise ; il avait désormais lui aussi un débouché sur la mer Baltique. L'accord avec le Danemark intervint le 3 juillet 1720 : la Suède versait des indemnités de guerre, cessait toute aide au Holstein et ses vaisseaux paieraient les droits en traversant le Sund. Le Schleswig, occupé par le Danemark depuis 1713, passait entièrement sous souveraineté danoise.

Le coup décisif se joua en 1720. La flotte de l'amiral Norris reparut en Baltique, neutralisant la flotte russe de haute mer, mais les galères d'Apraxine, longeant les côtes, tournèrent les forces britanniques et débarquèrent de nouvelles troupes sur les côtes de Suède. L'année précédente, le gouvernement de Londres pensait possible la destruction de la flotte russe en Baltique. Mais entre-temps la banqueroute de Law et le *South Sea Bubble* étaient survenus. La crise financière coupait les ailes à une politique extérieure trop agressive. Une nouvelle génération ministérielle arriva aux affaires en Grande-Bretagne, Stanhope et Craggs cédant la place à Townshend et Carteret. L'heure n'était plus à l'aventurisme.

Les Suédois, abandonnés par les Britanniques, demandèrent la paix. Les conférences s'ouvrirent à Nystad, en Finlande, le 28 avril 1721. Comme à Aland, James Bruce et Ostermann conduisaient la délégation russe. Les négociations sur le sort de la Livonie tirant en longueur, un nouveau raid russe se déclencha, plus destructeur encore que les deux précédents. La chute de Stockholm n'était pas à exclure. Cette fois, les Suédois cédèrent et signèrent le 10 septembre : la Livonie, l'Ingrie et l'Estonie étaient cédées à la Russie ainsi que la Carélie jusqu'à Vyborg. La Russie devait verser 2 millions de thalers en compensation pour la Livonie et s'engageait à ne pas intervenir dans la politique intérieure suédoise, ce qui confortait le roi Frédéric. Le blé livonien pourrait être exporté en Suède sans payer de taxes. Les prisonniers de guerre seraient échangés. Dans les pays baltes, le luthéranisme restait religion d'État et les barons baltes n'allaient pas tarder à peupler les hauts rangs de la cour et l'armée russe. « On voit aisément, observe Saint-Simon, que cette paix si démesurément avantageuse à la Russie fut la loi du vainqueur au vaincu, et qu'outre tant d'États vastes et riches dont la Suède se dépouillait pour obtenir cette paix, elle demeurait encore ouverte et à découvert en bien des endroits. »

Le 2 novembre, le Sénat dirigeant décerna au tsar les titres de « Pierre le Grand, empereur de toutes les Russies et père de la patrie ». Pierre fit frapper une médaille commémorative de la paix où une colombe tenant un rameau d'olivier rejoignait l'arche de Noé, voguant à mi-distance de Stockholm et de Saint-Pétersbourg. Il ordonna des réjouissances extraordinaires dans toute la Russie et dans ses représentations à l'étranger. Dans le jardin de Peterhof, il fit créer une fontaine de Samson, où la statue du héros biblique terrassant le lion devait symboliser la victoire de la Russie sur la Suède – iconographie dérivée de modèles versaillais. À Paris, le prince Dolgorouki donna des banquets et des bals aux courtisans et au corps diplomatique. Suivant une coutume russe, il offrit aux passants un festin au cours duquel on servit un bœuf entier rôti « dont les cornes étaient dorées et ornées de branches de laurier », quatre veaux, huit moutons, douze cochons de lait, cent dindons, trois cents poulets et mille pains de une livre. Quatre fontaines coulaient, la première de vin rouge, la deuxième de vin blanc, la troisième de cidre et la quatrième d'eau-de-vie.

La Russie puissance mondiale

Tandis que Pierre guerroyait au Nord, au Sud et à l'Ouest, à l'inquiétude croissante des Occidentaux, l'expansion russe en Sibérie se poursuivait à petit bruit. Prélevant sur les peuplades sibériennes le *iasak*, ou tribut en fourrures, les autorités russes se trouvaient maîtresses d'un commerce de plus en plus lucratif. Le pactole suscitait bien des tentations : en 1720, Pierre le Grand fit exécuter le prince Gagarine, gouverneur de Sibérie, qui avait trafiqué sur les fourrures et amassé plusieurs millions de roubles.

Entre 1695 et 1700, les cosaques firent la conquête du Kamtchatka, exploitant et brutalisant les indigènes, et explorèrent les îles Kouriles, sans y laisser d'établissement permanent. En 1724, le tsar chargea le danois Vitus Béring de conduire une expédition au-delà du Kamtchatka. Quatre ans plus tard, Béring découvrit le détroit qui allait porter son nom. Désormais, l'Empire russe touchait l'Amérique.

Les relations avec la Chine s'intensifièrent. Entre 1689 et 1727, cinquante caravanes entreprirent le voyage de Moscou à Pékin, soit une route de près de 8 000 kilomètres aller et retour qui prenait un peu plus de trois ans. Périodiquement, des émissaires russes se présentèrent dans la capitale chinoise : l'archimandrite Hilarion en 1715, le capitaine Izmaïlov, du régiment Préobrajenski, en 1719, chargé d'apporter quatre télescopes en ivoire à l'empereur Kangxi. Mais les Chinois finirent par s'inquiéter du dynamisme russe : en janvier 1722, les marchands russes furent expulsés de Pékin et le traité de Kiakhta, conclu en 1727, reporta le point de contact de Pékin à la frontière de l'Amour.

En 1698, la Russie était une puissance périphérique. En 1720, elle était devenue une grande puissance, un « empire naissant » (Montesquieu), capable de modifier l'équilibre européen. Les réformes pétroviennes avaient eu pour premier objectif l'accroissement des forces militaires de l'Empire, sur terre et sur mer. La mobilisation des ressources de la Russie à cette fin avait fonctionné à plein. L'armée était plus nombreuse, mieux organisée, mieux encadrée grâce au recrutement d'officiers étrangers et à la formation d'officiers russes aux méthodes occidentales.

La longue durée de la guerre du Nord offrit à cet outil militaire et naval la possibilité de se forger peu à peu. Autant que Pierre le Grand, Charles XII avait façonné les forces russes. « Les Moscovites, ajoute Montesquieu, se servirent de la guerre qu'il leur faisait comme d'une école. À chaque défaite, ils approchaient de la victoire, et, perdant au-dehors, ils apprenaient à se défendre au-dedans » (*Pensées*, n° 774).

De cette montée en puissance graduelle, les autres États européens ne prirent conscience que peu à peu et à des moments différents. La mise en place de représentations diplomatiques traduit fort bien cette prise de conscience progressive. Danois et Hollandais avaient des représentants en Russie dès les années

1670. Une ambassade impériale fut envoyée par Léopold Ier à Moscou en 1692. Un nommé Otto Pleyer, qui en faisait partie, resta sur place et devint le représentant officiel de la cour de Vienne en 1697. Londres envoya un ministre auprès de Pierre, sir Charles Whitworth, en 1704. La France ne prit la mesure de la Russie que bien plus tard.

En 1721, alors que les négociations de Nystad battaient leur plein, Whitworth mettait en garde le secrétaire d'État Townshend contre leur effet sur le commerce britannique : « La paix laissera le tsar maître de presque toutes les fournitures navales dans la Baltique », mâts, goudron et chanvre. « À mesure que sa marine croîtra, la nôtre dans la Baltique doit diminuer. » En mars, Townshend alertait à son tour la cour de Vienne des « dangers et désavantages qui peuvent naître de laisser les Moscovites devenir si grands et si formidables qu'ils le sont sur terre et sur mer ». Et l'année suivante le sous-secrétaire d'État Tilson prophétisait : « Je prévois que nous trouverons le tsar croissant tous les jours. Toute l'Europe pourrait bientôt trembler devant lui. » Les ambitions de Pierre dépassaient désormais la Baltique, pour s'étendre à toute l'Europe du Nord, et la mer Noire, pour se porter vers la Méditerranée et l'Asie. En 1723, le secrétaire d'État Carteret alertait le ministre de Grande-Bretagne à Istanbul : « Dans la suite des temps, le tsar serait en mesure de rétablir l'Empire grec à Constantinople même. »

En dépit de sa défaite du Prout, Pierre continuait en effet à agir en sous-main dans les Balkans. En 1712, un agent russe conclut un traité d'alliance avec le prince-évêque du Montenegro, Danilo Petrovic, vassal théorique de la Porte. Déçu par l'alliance vénitienne, l'évêque se rendit en Russie et réclama la protection du tsar après la paix de Passarowitz. En 1725, Pierre maria sa fille Anna Petrovna au duc de Holstein-Gottorp, confirmant ainsi son intérêt pour l'Allemagne du Nord. L'année suivante, il concluait un traité d'alliance avec l'empereur germanique. La base en était la préservation d'une Pologne faible mais intacte et l'objet une commune hostilité contre la Turquie.

Une longue tradition historiographique, remontant à Voltaire, a fait de Charles XII un fou de guerre : un héros lecteur de Quinte-Curce se prenant pour Alexandre, tandis que Pierre le

Grand était un véritable grand homme. « On pourrait comparer Charles XII, roi de Suède, à ce cyclope de la fable, qui avait une force très grande, mais était aveugle, écrit Montesquieu ; le même, toujours dans le prodige, et jamais dans le vrai ; énorme, et non pas grand » (*Pensées*, n° 744). L'auteur des *Lettres persanes* n'hésite pas à comparer Charles XII à Charles le Téméraire et la défaite de Poltava au désastre de Morat.

Il s'agit de lucidité rétrospective, qui fait oublier les termes géostratégiques du problème. Charles dut mener une lutte défensive désespérée, seul contre une coalition et surtout contre un empire cinq fois plus peuplé que le sien. « Dieu, écrit Machiavel, est d'ordinaire pour les gros bataillons et contre les petits. » Le génie militaire de Charles XII ne put compenser la disproportion des forces et la tendance de long terme qu'était l'essor de la puissance russe.

À l'inverse, tout au long de la guerre, Pierre le Grand ne se montra ni grand général, ni diplomate très habile. Sa première vertu fut l'obstination, et sa chance de régner à un moment où de profonds bouleversements se produisaient ailleurs en Europe, laissant le champ libre à ses propres ambitions. En fait, la guerre du Nord laisse moins d'admiration pour un tsar souvent hésitant ou tortueux que pour ses lieutenants, les Apraxine, Golovine, Menchikov, chefs brutaux et peu lettrés, mais qui n'en damèrent pas moins le pion aux savants généraux et amiraux suédois, britanniques ou allemands. Elle est moins à l'honneur de l'autocrate qu'à celle de ses soldats, ces paysans russes qui en moins d'une génération s'étaient hissés au niveau des meilleures armées du monde.

LES COLONIES EUROPÉENNES EN AMÉRIQUE DU NORD

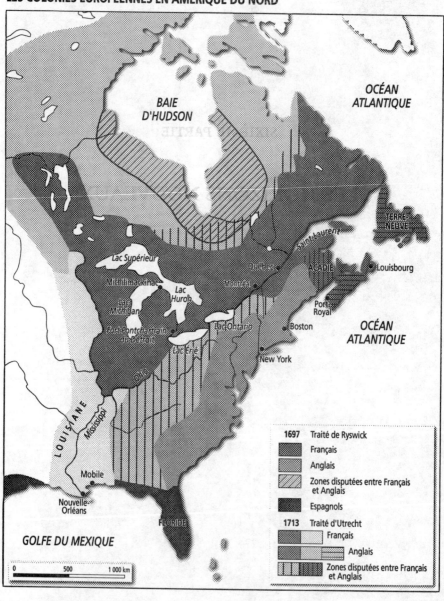

OCÉAN ATLANTIQUE

BAIE D'HUDSON

TERRE NEUVE

Saint-Laurent

Lac Supérieur

Québec

ACADIE

Louisbourg

Michilimackinac

Montréal

Lac Huron

Lac Michigan

Port-Royal

Fort-Pontchartrain du Détroit

Lac Ontario

Boston

OCÉAN ATLANTIQUE

Lac Érié

New York

OHIO

LOUISIANE

Mississipi

Mobile

Nouvelle-Orléans

FLORIDE

GOLFE DU MEXIQUE

| 0 | 500 | 1 000 km |

1697 Traité de Ryswick
- Français
- Anglais
- Zones disputées entre Français et Anglais
- Espagnols

1713 Traité d'Utrecht
- Français
- Anglais
- Zones disputées entre Français et Anglais

18

Les maîtres de l'Amérique

En 1715, l'emprise de l'Europe sur les autres continents était très partielle. En Afrique et en Asie, les puissances européennes n'avaient que de fragiles points d'appui. De l'Océanie, elles ignoraient tout. Depuis un siècle et demi, elles dominaient théoriquement l'Amérique, qui n'était qu'à trois semaines de navigation de l'Europe. Mais l'immensité du Nouveau Monde dépassait les possibilités des États européens. Après un siècle et demi, les Amériques n'étaient encore qu'ébréchées par les colonisateurs venus d'outre-Atlantique.

Continuant les querelles de la vieille Europe, Portugais, Espagnols, Hollandais, Français et Anglais se disputaient la prépondérance dans le Nouveau Monde. Les antagonismes politiques, économiques et religieux de l'Ancien Monde se transportaient dans le Nouveau, mais suivant une géopolitique différente. Les distances rendaient les confrontations plus difficiles, les acteurs étaient moins nombreux, et leur nombre tendait à se réduire.

Variole et christianisme

Le premier-né des empires coloniaux européens, celui du Portugal, avait été le premier à se rétracter, sous les coups conjugués des Hollandais, des Anglais et des Arabes. Après les traités d'Utrecht, il se réduisait à peu près à quelques confettis dispersés à travers la planète – les Açores dans l'Atlantique, Macao en Chine, Goa en Inde, jadis « Lisbonne de l'Orient », des comptoirs en Afrique – et à l'immense Brésil, dont dépendait la prospérité de la métropole[1]. Le sucre produit par les plantations sucrières esclavagistes était concurrencé par une denrée autrement précieuse, l'or, découvert à l'intérieur du continent par les explorateurs venus de São Paulo dans les années 1690. D'abord tenue secrète, la découverte provoqua bientôt une véritable ruée vers le métal jaune. Autour de 1700, près de 4 000 immigrants et 5 000 esclaves noirs arrivaient chaque année dans la région qui prit le nom de Minas Gerais (« Mines générales »). Un dicton ironique prétendait que le Brésil tout entier était « un enfer pour les Noirs, un purgatoire pour les Blancs, un paradis pour les mulâtres ». La guerre civile ne tarda pas à éclater entre les nouveaux venus, surnommés *Emboadas* – les « poules à longues plumes » en langue tupi – et les gens de São Paulo. Les premiers l'emportèrent, pour le plus grand bénéfice de la couronne de Portugal, qui constitua deux capitaineries – Minas Gerais et Rio de Janeiro – relevant directement de Lisbonne. Le roi du Portugal prélevait un droit de un cinquième ou *quinto* sur tout l'or extrait. En dépit de la réputation d'indolence faite au gouvernement portugais, il réprima durement les révoltes fiscales brésiliennes et l'or put affluer vers la métropole.

Cette dernière, liée à l'Angleterre par le traité Methuen, paya denrées et biens manufacturés grâce à l'or du Brésil. Ainsi commença un siècle d'or portugais assez comparable à la rente dont jouissent à présent les monarchies pétrolières. Le roi Jean V et les grands de son royaume couvrirent le Portugal de palais, d'églises, de monastères et d'aqueducs. Le plus extraordinaire de ces monuments fut le palais-couvent franciscain de Mafra, qui devait être, selon un collaborateur de Jean V, « un bâtiment plus magnifique encore que celui de l'Escurial ». Le Portugal s'enrichissait ainsi d'une fortune improductive, qui n'accroissait en rien son poids politique et économique en Europe.

Malgré les revers subis sur tous les fronts depuis un demi-siècle, l'empire dont avait hérité Philippe V demeurait gigantesque[2]. « Les Espagnols, écrivait un Français en 1717, ont [en

1. Charles Ralph, *The Golden Age of Brazil, 1695-1750 : Growing Pains of a Colonial Society*, 1962, brosse le tableau du pays à l'époque de la ruée vers l'or.
2. Francisco Eissa-Barroso et Ainara Vasquez Valera ont dirigé un ouvrage collectif qui offre des vues originales sur cette « ère oubliée » de l'Empire colonial

Amérique] des royaumes plus grands que l'Europe entière. »
Sur les ruines des Empires aztèque et inca, s'étaient établies des
sociétés fondées sur une complexe hiérarchie raciale – dont les
Blancs occupaient le sommet et Indiens et Noirs la base – et
sur le travail forcé des indigènes et des esclaves dans les grandes
propriétés et dans les mines. Les maladies venues d'Europe
avaient provoqué un choc démographique immense, la population indienne étant divisée par dix entre le début du XVIᵉ siècle
et le début du XVIIIᵉ siècle. L'agriculture latifundiaire n'exportait
pas vers l'Europe et le profit que la monarchie espagnole tirait
de ses colonies provenait essentiellement du produit des mines
d'or et d'argent.

Non sans quelque hypocrisie, les autres Européens s'api-
toyaient volontiers sur le sort des Incas et des Aztèques et
dénonçaient la brutalité de la domination espagnole. Le second
acte des *Indes galantes* de Rameau met ainsi en scène des Indiens
restés fidèles au culte du Soleil et réfugiés dans les montagnes
du Pérou, « derniers asiles » pour échapper aux envahisseurs.
Le librettiste Fuzelier y prodigue les clichés de la propagande
antiespagnole, comme la soif de métal précieux :

> C'est l'or qu'avec empressement,
> Sans jamais s'assouvir, ces barbares dévorent.
> L'or qui de nos autels ne fait que l'ornement
> Est le seul Dieu que nos tyrans adorent.

Ou encore l'abus de la supériorité militaire des colonisateurs :

> Vous avez vu, de nos rivages,
> Leurs villes voler sur les eaux ;
> Vous avez vu, dans l'horreur de la guerre,
> Leur invincible bras disposer du tonnerre.

espagnol : *Early Bourbon Spanish America : Politics and Society in a Forgotten Era
(1700-1759)*, 2013. Dans *Les Quatre Parties du monde*, 2004, Serge Gruzinski
réfléchit sur la « mondialisation ibérique » engendrée par l'Empire espagnol à
son apogée, entre 1580 et 1640.

La fable de Fuzelier n'est pas sans fondement. Des révoltes indiennes éclataient périodiquement au Pérou, menées par des chefs qui se prétendaient descendants des anciens Incas.

La vice-royauté de Nouvelle-Espagne, dont la capitale était Mexico, s'étendait sur un territoire immense, correspondant au Mexique, au sud-ouest des actuels États-Unis, à la Floride, à l'Amérique centrale, aux Caraïbes et jusqu'aux Philippines, reliée à Veracruz par les deux voyages annuels du « galion de Manille ». La vice-royauté du Pérou, gouvernée depuis Lima, couvrait toute l'Amérique du Sud, à l'exception du Brésil portugais et du Surinam hollandais. La flotte espagnole était incapable de suffire seule aux besoins de cet immense empire en esclaves et en biens de consommation. Vers 1700, on estimait qu'elle n'en assurait que la moitié. La contrebande était donc de toute nécessité. Le « vaisseau de permission » autorisé par les traités de 1713 donnait à l'Angleterre le droit à une sorte de contrebande semi-légale, mais les Britanniques ne furent pas les seuls à exploiter cette manne commerciale.

L'argent tiré des mines du Mexique et du Pérou demeurait le fluide vital de l'État espagnol. Pendant la guerre de Succession, l'argent des Indes assura la victoire des Bourbons. La flotte des galions se mit sous la protection de la marine française : ce fut en escortant cette flotte que l'amiral de Châteaurenault fut écrasé par les Anglo-Hollandais dans la baie de Vigo en juillet 1702. Les vaisseaux furent perdus, mais l'argent convoyé, transféré à terre, arriva à bon port. Pour avoir assuré la sûreté des convois chargés du précieux métal, le Français Ducasse, un roturier d'origine protestante, reçut le collier de la Toison d'Or.

Après la guerre, les convois purent reprendre plus sûrement. La piraterie et la flibuste, efficacement réprimées, furent d'autant mieux jugulées que la contrebande plus ou moins tolérée et le commerce du sucre se révélaient des activités plus fructueuses. La production d'argent ne cessa de croître, surtout au Mexique. Cet argent des Amériques finança les entreprises guerrières et maritimes de Philippe V et assura la paix sociale dans son royaume.

Sous le ministère de l'ambitieux Alberoni, la monarchie espagnole commença à reprendre en main un empire qui avait été quelque peu laissé à lui-même pendant la guerre de Succession.

Les difficultés des communications entre Lima et le nord du continent sud-américain entraînèrent la création en 1717 d'une vice-royauté de la Nouvelle-Grenade, couvrant les territoires actuels de la Colombie, du Venezuela, de l'Équateur et du Panama, ayant pour capitale Santa Fe de Bogota. Supprimée en 1723, la nouvelle circonscription fut définitivement rétablie en 1739. Entre 1717 et 1720, une série de purges intervint dans le haut personnel administratif colonial, et des officiers expérimentés qui s'étaient illustrés dans les campagnes de la guerre de Succession remplacèrent les vice-rois et capitaines généraux de la période précédente. Le monopole royal du tabac cubain, institué en 1717, apporta à la monarchie une ressource fiscale supplémentaire.

Mais, comme au Portugal, le métal des Amériques ne faisait que traverser l'Espagne. Il finançait les achats de denrées agricoles et de produits manufacturés en France et en Angleterre. Les dépenses militaires et navales, insuffisamment suivies, ne débouchèrent pas sur une restructuration des industries de guerre qui eût fait de l'Espagne une concurrente sérieuse de la Grande-Bretagne.

Dans le même temps, l'expansion territoriale des empires coloniaux ibériques se poursuivait à un rythme alangui, en raison de l'immensité des espaces et de la faiblesse des effectifs mis en jeu. Les missions espagnoles et portugaises pénétraient lentement l'Amazonie, amenant avec elles la variole et le christianisme. Il en allait de même au nord du Mexique, où les autorités espagnoles progressaient avec difficulté au milieu de populations rétives, dans les régions qui devinrent le Nouveau-Mexique, le Texas et la Californie. Au gré des succès et des revers des conquérants, les Indiens des grandes plaines s'emparèrent d'armes à feu et de chevaux abandonnés et commencèrent à s'en servir pour la chasse ou la guerre.

Le Canada et les treize colonies

Depuis l'élimination des Hollandais, Français et Anglais restaient seuls à se disputer l'Amérique du Nord[3]. Les colonies

3. Le livre de Richard Middleton et Anne Lombard, *Colonial America : A History to 1763*, est centré sur les treize colonies. Pour les possessions

anglaises s'étendaient le long de la côte Atlantique sur 2 000 kilomètres du nord au sud, du Maine à la Floride : quatre colonies de Nouvelle-Angleterre (Massachusetts, New Hampshire, Rhode Island, Connecticut), quatre colonies du centre (New York, New Jersey, Pennsylvanie, Delaware), cinq colonies du Sud (Maryland, Virginie, Caroline, divisée en deux en 1710, et Georgie à partir de 1733). Le Canada français avait quant à lui pour colonne vertébrale la vallée du Saint-Laurent sans avoir de limite bien définie au nord et à l'ouest. Les prétentions françaises s'étendaient au « pays d'en-haut », région qui allait de Montréal aux sources du Mississippi et recouvrait le bassin des Grands Lacs et la baie James. Le désavantage des Français tenait au climat plus dur du Canada, à la longue route à faire pour aller de l'embouchure du Saint-Laurent jusqu'à Québec (650 kilomètres), et plus haut encore jusqu'à Montréal (240 kilomètres de plus). Pendant trois ou quatre mois, la glace interdisait la navigation dans le golfe du Saint-Laurent et les récoltes étaient souvent perdues en raison d'un gel précoce.

Le gouvernement des colonies était à l'image de celui de leurs métropoles respectives. Chaque colonie anglaise, sans lien institutionnel avec les autres, avait un gouverneur, nommé par la Couronne, et une Assemblée législative élue. Cette ébauche de gouvernement parlementaire était limitée : les lois votées par ces assemblées coloniales n'entraient en vigueur qu'après avoir été sanctionnées par le Conseil privé d'Angleterre. La politique coloniale était élaborée par le Bureau du commerce (Board of Trade) et le secrétaire d'État pour le Département du Sud. Gouvernement collégial peu efficace, sans ligne directrice bien définie et sur lequel les coloniaux pouvaient agir par l'entremise des agents qu'ils entretenaient à Londres... et des pots-de-vin qu'ils distribuaient à l'occasion.

À l'inverse, le gouvernement du Canada reproduisait à la perfection le schéma de la monarchie absolue à la française. Le pouvoir y était concentré à Québec, capitale administrative et culturelle, et à Montréal, centre du commerce des fourrures et des contacts avec les Indiens. Comme dans toute province française, le roi était représenté par un gouverneur et par un

françaises, on se reportera à James Pritchard, *In Search of Empire : The French in the Americas, 1670-1730*, 2003.

intendant. Le gouverneur résidait à Québec d'août à décembre, à Montréal de janvier à juillet. L'intendant demeurait à Québec. Le Conseil souverain, institué en 1664, comprenait le gouverneur, l'intendant, l'évêque, un procureur général et trois conseillers. Cette cour remplaça peu à peu les syndics élus depuis 1647 parmi les propriétaires et les marchands pour conseiller le gouverneur. Les institutions représentatives étaient sans commune mesure avec celles des colonies anglaises : en 1708, les marchands de Québec reçurent la permission de s'assembler chaque année et d'élire des représentants pour discuter les matières les intéressant avec le gouverneur ; ceux de Montréal et des Trois-Rivières obtinrent le même privilège en 1717. Québec, avec ses maisons de pierre, sa cathédrale, son palais épiscopal, son collège de jésuites, ses couvents, son hôtel-Dieu, ses fortifications, offrait l'image d'une ville française transportée au-delà des mers. Alors que la cité n'avait encore que 7 000 habitants, on rêvait qu'un jour la capitale de la Nouvelle-France soit aussi florissante que celle de l'ancienne, entourée de bourgs et de maisons de plaisance, les bords du Saint-Laurent revêtus de quais.

Montréal, d'apparence plus modeste, n'était au début des années 1720 qu'entourée d'une palissade. Chaque année, en mai, les émissaires indiens s'y assemblaient et le gouverneur leur remettait des présents. De Montréal partaient les flottes de canoës emportant marchandises et instructions pour les différents postes dispersés à travers la Nouvelle-France. Grâce au portage, ces flottes allaient jusqu'aux Grands Lacs et au-delà.

La politique de peuplement était très différente d'un royaume à l'autre. L'Angleterre ne rechignait pas à envoyer ses populations outre-mer. Au cours du XVIIe siècle, 400 000 Anglais avaient émigré en Amérique du Nord, 220 000 aux Caraïbes. En 1698, Philadelphie et Boston comptaient déjà à elles deux plus de 30 000 habitants. Rien de tel du côté français. La paysannerie, propriétaire de la moitié des terres du royaume, répugnait au départ. La classe gouvernementale croyait la France sous-peuplée et en voie de déclin démographique. La « peuplade » du Canada passait donc pour impolitique. En 1663, il n'y avait que 2 200 Français au Canada. L'accroissement de la population est dû en partie à l'installation de soldats libérés après la fin de la guerre de la Ligue d'Augsbourg et qui défrichèrent des terres dans la région de Montréal. Tandis que la couronne britannique admettait l'installation de protestants dissidents aux colonies, il était interdit aux réformés français de s'installer ou même d'hiverner au Canada. Ils ne pouvaient qu'y faire du commerce entre l'arrivée et le départ des vaisseaux, facilité qui prit fin en 1685. Du côté anglais, l'intolérance visait les catholiques, et, parmi les treize colonies, seule la Pennsylvanie permettait la célébration publique de la messe. La Charte du Massachusetts spécifiait qu'il y aurait dans la colonie « liberté de conscience permise pour le culte divin à tous les chrétiens, excepté les papistes ».

Ce déséquilibre démographique entraînait une différence de nature entre les colonies : le Canada restait une province française, alors que les colonies anglaises étaient autant de nations en devenir. Les trois premiers collèges qui y furent fondés, Harvard (1636), William and Mary (1693), Yale (1701) permirent la formation de cadres religieux et le développement d'une identité autochtone. Le premier hebdomadaire, le *Boston News-Letter*, vit le jour en 1704. En 1727, Benjamin Franklin créait à Philadelphie le Junto Club, première société philosophique d'Amérique. Parmi les questions à traiter, Franklin avait noté : « Avez-vous remarqué dernièrement quelque empiètement sur les justes libertés du peuple ? » « Je ne sais pas ce qui arrivera de tant d'habitants que l'on envoie d'Europe et d'Afrique dans les Indes occidentales, prédisait Montesquieu ; mais je crois que si quelque nation est abandonnée de ses colonies, cela commencera par la nation anglaise. »

Les conditions démographiques divergentes influaient sur l'attitude des deux Couronnes à l'égard des Indiens. Comme dans toutes les Amériques, la population indienne subissait un déclin démographique massif, du fait des guerres tribales et des maladies venues d'Europe. Mais tandis que les colons anglais, en pleine expansion, s'efforçaient de repousser les Indiens vers l'intérieur des terres, les Canadiens, peu nombreux, cohabitaient avec eux moins difficilement. Les Français eux-mêmes opposaient le colon anglais, qui travaille, amasse du bien et maltraite les Indiens, parce qu'il ne croit pas en avoir besoin, et le colon français, qui « jouit de ce qu'il a et souvent fait parade de ce qu'il n'a point », « et vit bien avec les naturels du pays, dont il s'attire aisément l'estime pendant la guerre et l'amitié en tout temps ».

L'empire colonial français n'était qu'un réseau de postes de commerce isolés dans l'immensité des terres indiennes. Les missionnaires, voyageurs et commerçants, perdus dans ces espaces infinis, vivaient immergés dans le monde indigène et ne constituaient pas pour lui une menace immédiate. Le gouvernement de Versailles était d'ailleurs adepte de la prudence vis-à-vis de ces alliés indispensables. « À l'égard de la prétention que les sauvages ont qu'ils ne soient pas sujets à la loi du pays, la matière est délicate, écrivait Louis XIV au gouverneur Vaudreuil. Il faut tâcher à les accoutumer peu à peu à subir les lois. » Ce furent les Français qui encouragèrent le retour de populations amérindiennes dans la vallée du Saint-Laurent et dans la basse région des Grands Lacs d'où elles avaient disparu dès avant 1670.

Le paradoxe est que les Français, si faibles et si peu nombreux, menaient une politique d'exploration extrêmement audacieuse, sur des milliers de kilomètres : en 1672, l'intendant Talon envoyait Louis Jolliet explorer le Mississippi ; en 1673, un fort, le futur Fort Frontenac, était fondé sur la rive nord-est du lac Ontario ; trois ans plus tard, c'était le tour d'un poste de commerce sur la rivière Niagara, sur le rivage sud-ouest du lac Ontario. En 1682, Cavelier de La Salle descendait le Mississippi jusqu'à la mer et donnait à la région le nom de Louisiane en l'honneur de Louis XIV. En 1699, Lemoyne d'Iberville donna à un lac situé à l'embouchure du Mississippi le nom de Pontchartrain, en l'honneur du secrétaire d'État de la Marine. Le poste de Biloxi fut créé la même année, celui de Mobile en 1701. Toujours en 1701, Antoine de La Mothe-Cadillac fonda sur la rive reliant les lacs Érié et Sainte-Claire le « fort Pontchartrain du Détroit » : c'est l'origine de l'actuelle ville de Detroit.

Les lettres patentes de septembre 1712 donnèrent officiellement le nom de Louisiane au territoire gigantesque ainsi parcouru en une trentaine d'années – entre la Caroline d'une part, le Nouveau-Mexique de l'autre, depuis le pays des Illinois au nord jusqu'à l'embouchure du Mississippi, il ne couvrait pas moins du tiers des actuels États-Unis. Les coloniaux anglais s'inquiétaient de cette expansion française entre le Saint-Laurent et le golfe du Mexique, qui semblait devoir interdire l'expansion des treize colonies au-delà des Appalaches.

Les guerres d'Amérique

En Amérique, les guerres d'Europe sont connues sous d'autres noms, qui montrent que les théâtres étaient fort disjoints et que les enjeux n'étaient pas identiques : « guerre du roi Guillaume » (1689-1697), pour la guerre de la Ligue d'Augsbourg, « guerre de la reine Anne » pour la guerre de succession d'Espagne (1702-1713), « guerre du roi George » (1745-1748) pour la guerre de succession d'Autriche.

La guerre en Amérique du Nord était limitée par la topographie. De vastes espaces vierges séparaient les possessions anglaises et françaises. Seuls trois corridors, faciles à défendre, reliaient les deux mondes. Entre terres françaises et terres anglaises, la seule route d'invasion nord-sud était la vallée de l'Hudson, par le lac Champlain et la rivière Richelieu, zone contrôlée par la fédération des Cinq Nations iroquoises.

La première guerre entre colonies se déclencha alors que la paix régnait encore en Europe : en 1685, le gouverneur français Denonville envoya un corps expéditionnaire se saisir de trois postes de commerce anglais établis dans la baie d'Hudson ; l'année suivante, le gouverneur de New York, Thomas Dongan, ancien colonel dans l'armée française, se rendit dans la région de Michilimackinac pour tenter de rallier les tribus favorables aux Français.

Pendant la guerre de la Ligue d'Augsbourg, ni la France ni l'Angleterre n'eurent les moyens d'envoyer des troupes en Amérique. Versailles abandonna le Canada à ses propres forces et s'intéressa davantage à pénétrer l'Amérique espagnole. Le commerce entre les colonies françaises d'Amérique du Nord et la métropole cessa à peu près complètement. Ce fut donc aux coloniaux de livrer la guerre par leurs propres moyens. Le conflit avait lieu par Indiens interposés : Français contre Iroquois, colons du Massachusetts contre Abénakis. Le plus souvent, les Européens finançaient, encourageaient ou dirigeaient des raids indiens destinés à piller et brûler les établissements de l'adversaire. « On dit, rapporte Montesquieu, que quelques missionnaires, pour faire battre les sauvages, leur disaient que Jésus-Christ était français ; que les Anglais l'avaient crucifié. »

Avant même le déclenchement de la guerre, la Nouvelle-France était en guerre contre les Iroquois. Ces derniers prirent donc naturellement le parti des Anglais. En août 1689, les guerriers iroquois attaquèrent l'établissement de Lachine sur l'île de Montréal, massacrèrent vingt-quatre colons, en emmenèrent prisonniers soixante-dix à quatre-vingt-dix et détruisirent le village. L'année suivante, un raid non moins sanglant de Canadiens et d'Indiens alliés détruisit le village de Schenectady dans le territoire de New York. D'autres raids contre les territoires anglais se succédèrent dans le courant de l'année.

En avril 1690, les représentants des colonies de Nouvelle-Angleterre et de la côte Atlantique se réunirent à New York et décidèrent la conquête de la Nouvelle-France. Les prêcheurs puritains présentaient l'expédition comme une croisade protestante contre le papisme. Une flotte de vingt-trois navires montés par 2 300 soldats, commandée par sir William Phips, le futur gouverneur du Massachusetts, jeta l'ancre devant Québec le 16 octobre, mais échoua à s'emparer de la ville. « Je n'ai d'autre réponse à faire à votre général que par les bouches de mes canons et de mousquets », répondit le gouverneur Frontenac à la demande de reddition présentée par Phips. Durant la retraite, les tempêtes détruisirent plusieurs navires et mille hommes périrent. L'expédition s'achevait en désastre. Les puritains trouvèrent un dérivatif à ce fiasco dans l'organisation des célèbres procès dits des sorcières de Salem.

La « petite guerre » menée par les Français affaiblit grandement les Iroquois et ne prit pas fin avec le traité de Ryswick. En 1701, les Iroquois durent signer en même temps que d'autres tribus une « grande paix » à Montréal. Au même moment, ils signèrent la paix avec les Anglais à Albany. Dans les deux traités, ils s'engageaient à rester neutres en cas de futur conflit.

Comme la guerre de la Ligue d'Augsbourg, la guerre de Succession ne donna lieu en Amérique qu'à des opérations confuses. Les deux parties, mal remises du conflit précédent, souhaitaient maintenir la neutralité. Les Canadiens redoutaient surtout la reprise de la guerre avec les Iroquois. Versailles avait désormais pour principal souci aux Amériques de protéger et d'exploiter l'empire colonial espagnol et d'y développer le commerce français. Les ministres Pontchartrain projetaient de fonder des compagnies pour commercer avec la côte Pacifique de l'Amérique du Sud et le Mexique et d'implanter un établissement au nord du golfe du Mexique pour bloquer les Anglais de Caroline et s'assurer le monopole du commerce des esclaves avec l'Empire espagnol. Mais la marine n'eut jamais les moyens de ces ambitions. Elle abandonna le Canada à son sort et se livra à une brillante guerre de course contre les flottes et les colonies portugaises. En 1711, l'escadre de Duguay-Trouin mit Rio de Janeiro au pillage et repartit avec une rançon de 610 000 cruzados en or. Duguay-Trouin estimait les pertes des Portugais à 20 millions de livres. L'année suivante, les navires du corsaire Jacques Cassard firent un raid terrible sur Antigua puis mirent au pillage le Surinam hollandais.

De leur côté, les coloniaux anglais de Charleston lançaient des expéditions vers le sud dans le but d'évincer les Espagnols de Floride. Deux premiers raids, en 1702 et 1703, détruisirent de nombreuses missions et contraignirent les Espagnols et les Indiens qui leur étaient fidèles à se disperser. Un troisième raid, en 1708, réduisit la colonie espagnole à la seule ville de San Agustin.

Au Canada, le gouverneur Vaudreuil, conscient de la faiblesse des forces à sa disposition, s'appliqua d'abord à conserver la neutralité des Iroquois. Raids et contre-raids reprirent cependant : les Abénakis incendiaient et massacraient les colons anglais et les Iroquois agissaient de même dans la vallée du Saint-Laurent. Il n'y eut pas d'entreprise significative avant 1708, année où les Anglais attaquèrent sans succès Port Royal, la principale localité de l'Acadie. Après un autre échec, l'année suivante, une flotte anglaise commandée par le général Francis Nicholson, finit par s'emparer de la ville en octobre 1710.

Les opérations majeures ne commencèrent qu'en 1711 avec une double offensive anglaise sur Montréal et sur Québec, alors même que les hostilités étaient suspendues en Europe. La première offensive, par terre, menée par les milices coloniales commandées par Nicholson, passa par les fleuves Hudson, Champlain et Richelieu ; la seconde, par mer, par le Saint-Laurent. La reine Anne avait donné son accord à l'expédition à l'initiative de Bolingbroke, qui voulait rendre les Britanniques « maîtres de toute l'Amérique septentrionale » avant l'ouverture du congrès d'Utrecht.

L'amiral sir Hovenden Walker prit le commandement d'une flotte forte de 14 vaisseaux de guerre et de 31 vaisseaux de transport, montée par 11 000 hommes, dont 4 300 appartenant aux troupes britanniques régulières, commandés par John Hill, le frère cadet de la nouvelle favorite de la reine, Abigail Masham. Une fois entrée dans le Saint-Laurent, la flotte fut dispersée par un épais brouillard. Durant la nuit du 23 août 1711, neuf navires firent naufrage et 900 hommes périrent noyés. Découragés, Walker et Hill décidèrent de rebrousser chemin : comme en 1690, l'attaque massive par mer avait échoué. Le général Nicholson, dont les troupes, stationnées au sud du lac Champlain, attendaient des nouvelles de l'offensive, reçut la nouvelle de la défaite en octobre, alors que la saison était trop avancée pour rien entreprendre. Fou de rage, il jeta son chapeau par terre en hurlant : « *Rascals, damned rascals!* » (« Canailles, maudites canailles! »). Nicholson, qui s'était rêvé vice-roi d'un dominion uni des colonies britanniques, dut se contenter du gouvernement de la Nouvelle-Écosse, le nouveau nom de la portion de l'Acadie conquise sur les Français.

À Québec, rapporte un témoin, « les moins dévots furent profondément affectés de l'énormité de ce miracle » et l'église paroissiale Notre-Dame de la Victoire, qui avait pris ce nom en 1690, fut renommée Notre-Dame *des Victoires*. La Nouvelle-France venait de gagner un répit d'un demi-siècle.

Par le traité d'Utrecht, la France cédait à la Grande-Bretagne Terre-Neuve, la baie d'Hudson et l'Acadie « dans ses anciennes frontières », à l'exception de l'Île royale (île du Cap-Breton) et de l'île Saint-Jean (île du Prince Édouard). Cet article donnait lieu à divergence d'interprétation : pour les Britanniques, les « anciennes frontières » de l'Acadie allaient jusqu'au Saint-Laurent, comprenant le territoire occupé par les Abénakis (actuels Nouveau-Brunswick et nord-est du Maine), tandis que pour les Français elles se limitaient à la péninsule actuellement nommée Nouvelle-Écosse. Louis XIV reconnaissait la souveraineté britannique sur les Iroquois et permettait aux commerçants anglais de trafiquer en territoire français. À Terre-Neuve, les Français conservaient leurs droits de pêche le long des côtes nord et ouest. L'île antillaise de Saint-Christophe était cédée à la Grande-Bretagne et rebaptisée St-Kitts.

Les conditions de paix se révélaient sans rapport avec le sort des opérations militaires : Louis XIV et ses ministres avaient sacrifié leurs colonies d'Amérique du Nord au règlement général de la paix en Europe.

Louisbourg et La Nouvelle-Orléans

Au sortir de la guerre, les Français avaient bien conscience du déséquilibre démographique qui mettait en danger l'avenir de leur colonie. « Le Canada, écrivait Vaudreuil à Jérôme de Pontchartrain le 2 novembre 1714, n'a actuellement que 4 484 habitants en âge de porter les armes depuis l'âge de quatorze ans jusqu'à soixante, et les vingt-huit compagnies ne font en tout que six cent vingt-huit soldats. Ce peu de monde est répandu dans une étendue de cent lieues. Les colonies anglaises ont 60 000 hommes en état de porter les armes, et on ne peut douter qu'à la première rupture ils ne fassent un grand effort pour s'emparer du Canada. » L'observation fut souvent répétée au cours des années qui suivirent. Dans son *Histoire de la Nouvelle-France,* publiée en 1744, le jésuite Charlevoix constatait : « Les Anglais en moins d'un siècle et demi sont venus à bout de peupler plus de cinq cents lieues de pays et de former dans ce continent une puissance qu'on n'envisage qu'avec frayeur quand on la voit de près. »

Comment peupler le Canada, comment rattraper le retard ? Les uns réclamaient des soldats, les autres des esclaves noirs, les autres encore des condamnés à la résidence forcée. On reconduisit les prescriptions sur le passage des « engagés » : chaque navire marchand devait en amener de trois à six, qui serviraient pendant trois ans. En 1723, un premier contingent de prisonniers débarqua à Québec. Après plusieurs années de résistance, le Régent s'était rendu aux supplications du gouverneur et de l'intendant. À côté de quelques fils de famille dévoyés, exilés par lettre de cachet, le gros bataillon était formé de braconniers, de contrebandiers, de faux-sauniers. Les prisonniers étaient traités comme des engagés, avec cette différence qu'à la fin de leur temps il leur était interdit de retourner en France. Cette ressource se révéla d'un faible intérêt : 123 prisonniers arrivèrent

en 1723, un peu plus d'un millier dans les vingt années qui
suivirent. Beaucoup d'immigrants forcés retournèrent en
France. Dans ces conditions, l'accroissement de la population
de la Nouvelle-France tint à son dynamisme démographique
propre. Tandis que les Indiens, décimés par les maladies venues
d'Europe et par l'alcoolisme, subissaient un déclin constant, la
population d'origine française doubla entre la paix d'Utrecht et
1730. Dans la vallée du Saint-Laurent, la superficie des terres
cultivées fut multipliée par trois. Ce développement pacifique se
fit sans intervention de la métropole, dont la marine était laissée
en jachère pour ménager l'alliance anglaise. Tandis que le budget
naval pour 1715 montait à 15 millions, celui de 1716 tomba
à 6 millions et celui de 1718 à 4,5 millions, le plus bas niveau
atteint au cours du XVIIIᵉ siècle.

La mise en valeur de la Louisiane se révéla également fort difficile. L'immense territoire ne comptait encore que 215 Français
en 1715. Law, concessionnaire de la colonie en 1717, y envoya
7 000 Européens et 2 000 esclaves noirs. 2 000 colons moururent
pendant le transport ou retournèrent en France. Avant 1726, la
moitié des nouveaux arrivés étaient décédés ou repartis vers la
métropole. Les nouveaux établissements qui virent le jour tout
au long de la Régence – Fort Rosalie en 1716, Fort Toulouse en
1717, La Nouvelle-Orléans en 1719, Fort de Chartres en 1720,
Fort Saint-Philippe en 1726 – étaient de modestes fortins en
dépit de leurs noms évoquant les membres de la famille royale.
Trois ans après la fondation théorique de La Nouvelle-Orléans,
la cité se réduisait, selon un voyageur, à « deux cents personnes
qu'on a envoyées pour bâtir une ville et qui sont campées au
bord d'un grand fleuve, où ils n'ont songé qu'à se mettre à l'abri
des injures de l'air, en attendant qu'on leur ait dressé un plan et
qu'ils aient bâti des maisons ». À cet échec colonial, s'ajoutait le
déclin du peuplement indigène : la population indienne du bas
Mississippi, estimée à 70 000 individus en 1700, avait diminué de
moitié en 1726. En 1729, les Natchez attaquèrent Fort Rosalie,
le détruisirent et tuèrent 300 colons. En représailles, Français et
Choctaws ravagèrent le pays Natchez et exterminèrent ses habitants. Les survivants rallièrent les Chickasaws et les Cherokees.

Ces atrocités n'empêchaient nullement les Français de se
croire des colonisateurs plus moraux que les Anglais et surtout

que les Espagnols. Les armes de la Compagnie française des Indes étaient soutenues par deux Indiens souriants couronnés de plumes. Dans l'acte qui conclut les *Indes galantes* de Rameau, les sauvages se félicitent de la paix retrouvée après la victoire des Français sur l'Espagne et se flattent de « partager leurs plaisirs ». L'opéra finit par une « danse du grand calumet de la paix », où le mythe idyllique du « bon sauvage » fleurit à l'ombre du drapeau à fleurs de lys :

> Régnez, plaisirs et jeux ! Triomphez dans nos bois !
> Nous n'y connaissons que vos lois.
> Tout ce qui blesse
> La tendresse
> Est ignoré dans nos ardeurs.
> La nature qui fit nos cœurs
> Prend soin de les guider sans cesse.

Au Nord, les tensions entre Anglais et Français subsistaient, particulièrement en Acadie, en raison de ses eaux poissonneuses et de sa position stratégique commandant les routes maritimes menant aux colonies des deux puissances. En 1717, le gouverneur britannique d'Acadie, Richard Philipps, avait exigé des habitants un serment d'allégeance à la couronne britannique. La mesure resta lettre morte, faute de moyens, jusqu'en 1729, date à laquelle le gouverneur Lawrence Armstrong renouvela la demande. Les Acadiens signèrent alors sans le comprendre un acte d'allégeance en anglais, qu'ils croyaient être un simple engagement de neutralité. En revanche, les revendications britanniques sur l'Acadie continentale restèrent lettre morte, les Français soutenant les Abénakis. Versailles lança en 1717 la construction de Louisbourg, ville fortifiée qui devait assurer son emprise sur l'Île royale. En temps de transport, la cité se trouvait à mi-chemin entre la métropole et Québec. Au contraire des villes bâties sur le Saint-Laurent, ses eaux n'étaient jamais prises par les glaces. Dès 1715, un observateur anglais dénonçait l'île de Cap-Breton comme « un des plus grands dangers et dommages pour toutes les colonies britanniques et pour le commerce international de la Grande-Bretagne ». De son côté Jérôme de Pontchartrain avait averti le contrôleur général Desmaretz : « Si la

France devait perdre cette île, la perte serait irréparable et entraînerait celle de toutes ses possessions en Amérique du Nord. »

Dans la région des Grands Lacs, le gouverneur Vaudreuil créa
huit postes de commerce nouveaux entre 1716 et 1726, pour
servir de points d'attraction au commerce indien et contenir les
Anglais à l'est des Appalaches, tandis que ces derniers s'efforçaient de détourner le commerce des fourrures vers Albany.
En 1724, les Anglais détruisirent Norridgewock, centre des
Abénakis de l'Est; l'année suivante, ils établirent un poste de
commerce à Oswego, sur le lac Ontario. Ce fort, écrit le Père
Piquet, « non seulement dépouille notre commerce, mais met
les Anglais en communications avec beaucoup de nos Indiens,
proches comme éloignés. Il est vrai qu'ils préfèrent notre eau-
de-vie au rhum anglais; mais ils préfèrent les marchandises
anglaises aux nôtres et peuvent acheter pour deux peaux de
castor à Oswego un meilleur bracelet d'argent que celui que
nous vendons à Niagara pour dix peaux ». Dans l'Illinois, les
Renards (Fox) s'opposaient à la pénétration française. En 1727,
le marquis de Beauharnais, successeur de Vaudreuil, lança contre
eux une guerre d'extermination, qui dura huit années.

En 1735, le Board of Trade informait George II : quoique les
Appalaches « servent à présent d'une très bonne frontière, nous
ne devrions pas les proposer comme limite de l'empire de Votre
Majesté en Amérique »; en effet, « les établissements britanniques pourraient être étendus au-delà et de petits forts érigés
dans les Grands Lacs, de manière à pouvoir interrompre les
communications des Français entre le Québec et le Mississippi ».

Au milieu du siècle, face à plus d'un million de sujets britanniques, il n'y avait encore que 55 000 Français au Canada, 5 000
en Acadie et 10 000 en Louisiane.

L'essor des Antilles

Tandis qu'en Amérique du Nord les territoires des puissances
européennes étaient le plus souvent éloignés les uns des autres
de plusieurs centaines de kilomètres, les Antilles présentaient
un paysage géopolitique beaucoup plus complexe, fait de

possessions intriquées, d'îles partagées ou passées d'une domination à l'autre au gré des guerres et des traités.

Projetant dans le passé les rapports de force du présent, on s'étonne aisément du peu d'intérêt des gouvernants européens du premier XVIIIe siècle pour l'Amérique du Nord et au contraire de l'importance accordée à ces îles des Antilles. C'est oublier que les Antilles connaissaient alors un essor démographique et économique inégalé. Durant la guerre de Succession, libérées des entraves commerciales imposées par les métropoles, elles avaient connu un dynamisme accru avec l'installation définitive de l'économie de plantation. Tandis que les populations indigènes disparaissaient – il n'y avait plus d'Indien à Saint-Domingue en 1730 – le nombre d'esclaves noirs crût avec une rapidité sans précédent entre 1700 et 1715. À la mort de Louis XIV, il y avait déjà 77 000 esclaves dans les Antilles françaises, soit un effectif trois fois supérieur à celui de la population blanche.

Une société et une économie d'un type nouveau prirent forme à cette époque. Le fondement en était l'esclavage des Noirs, dont la majorité formait le prolétariat agricole nécessaire à la prospérité des plantations. L'ordre social ainsi créé, fondé sur la violence, ne s'embarrassait guère de justifications philosophiques ou morales. Dans les Antilles françaises, depuis le Code noir de 1685, l'esclave était assimilé à un meuble... Mais qu'est-ce qu'un meuble qui doit être converti au christianisme, qu'un meuble qu'on arme quand menace une descente des troupes anglaises, qu'un meuble qui, une fois affranchi, devient une personne ?

Le Père Labat, missionnaire dominicain, arriva aux îles françaises d'Amérique en 1693. Débarquant à la Martinique, il découvrit beaucoup de Noirs vêtus d'un simple caleçon et d'un bonnet, dont « beaucoup portaient sur leur dos les marques des coups de fouet qu'ils avaient reçus ». « Cela excitait la compassion de ceux qui n'y étaient pas accoutumés ; mais on s'y fait bientôt », note le bon Père. Pendant son séjour aux Îles, le missionnaire posséda des esclaves, les fit travailler sans aucun état d'âme, observa et dépeignit leurs mœurs.

Le Père Labat est parfaitement renseigné sur les modalités de la traite sur les côtes du Sénégal et de Guinée et sur la cruauté du transport. Il ne fait pas de difficulté à marier un Blanc avec une mulâtresse, après que le propriétaire de celle-ci a été dédommagé. Il remarque que les Noirs « entendent assez bien leurs intérêts » et qu'ils « ont plus d'esprit et plus de bon sens que nous ne l'imaginons » et affectent la simplicité pour correspondre aux stéréotypes des Européens. Il les peint éloquents, fidèles, charitables, aimant les danses « aux postures déshonnêtes » et adonnés aux femmes. « J'en ai vu des deux sexes faits à peindre et beaux par merveille. » Vains et superbes, et fort peu convaincus de la supériorité intrinsèque des Blancs, les serviteurs du Père Labat n'ont pas de plus grand plaisir que d'annoncer à leur maître l'arrivée d'un mendiant européen : « Mon Père, dit son jeune domestique au religieux, c'est un pauvre Blanc, si vous ne voulez rien lui donner, je vais lui donner quelque chose du mien, moi qui suis un pauvre nègre. » Et les esclaves retournent volontiers le discours dépréciatif des maîtres. « De sorte que s'ils voient quelqu'un d'entre eux qui jure, qui s'enivre ou qui fasse quelque mauvaise action, ils ne manquent pas de dire de lui avec mépris : "C'est un misérable qui jure comme un Blanc, qui s'enivre comme un Blanc, qui est voleur comme un Blanc". »

En somme, Labat paraît lui-même médiocrement convaincu de l'infériorité naturelle des Noirs... sans pour autant s'émouvoir de leur condition ni jamais remettre en cause le système. Il justifie l'esclavage comme « un moyen infaillible et l'unique qu'il y eût pour inspirer le culte du vrai Dieu aux Africains, les retirer de l'idolâtrie et les faire persévérer jusqu'à la mort dans la religion chrétienne ». Mais l'*ultima ratio*, Labat le reconnaît volontiers, c'est l'intérêt des propriétaires de plantations et des actionnaires de compagnies de traite. Par un fatalisme analogue, le dominicain tient la répression sanglante des rébellions noires pour indispensable, non moins que la révolte elle-même pour inévitable, « tant il est vrai que le désir de la liberté et de la vengeance est toujours le même chez tous les hommes et les rend capables de tout entreprendre pour se satisfaire ». C'est ainsi que le bon Père, à l'orée du siècle d'or des îles à sucre, pressent la révolution qui entraînera leur chute.

Le pouvoir central n'était pas moins hypocrite. En 1716, pour satisfaire aux réclamations des esclavagistes, le Régent mit fin au « privilège de la terre de France », antique coutume qui voulait qu'un esclave arrivant sur le sol métropolitain fût automatiquement affranchi. La justification de ce retournement de jurisprudence fut l'intérêt économique des colonies et celui des esclaves eux-mêmes, censés être amenés par leurs maîtres en métropole « pour les confirmer dans les instructions et l'exercice de la religion catholique, apostolique et romaine et pour leur faire apprendre en même temps quelque métier ou art » !

À cette violence qui se satisfaisait de si peu de justification, les victimes répondaient tantôt par la révolte, tantôt par la fuite. Des communautés autonomes d'esclaves « marrons » (fugitifs) s'étaient constituées dans l'arrière-pays brésilien au XVIIe siècle ; elles furent définitivement réduites en 1695. Dans les montagnes de la Jamaïque, des communautés marronnes se maintenaient depuis les années 1650. En 1725, les autorités britanniques lancèrent une « guerre marronne » contre les rebelles, sans parvenir à les réduire. Des groupes de ce type existèrent dans la plupart des Antilles.

Les Hollandais éliminés, les Portugais vassalisés, les Espagnols affaiblis, les Français dépourvus d'une grande marine, la Grande-Bretagne jouissait d'un avantage incontestable sur le continent américain. La puissance de sa flotte et le grand nombre de ses colons lui promettaient à bref délai la prépondérance dans cette partie du monde.

Français et Espagnols le pressentaient et, chacun de leur côté, tentèrent d'allumer des contre-feux. C'est à la lumière de la supériorité britannique qu'il faut lire l'expérience colonisatrice de Law et les réformes d'Alberoni. L'échec presque concomitant des deux entreprises fut une heureuse surprise pour Albion.

Quelques visionnaires, cependant, devinaient que l'entreprise portait sa fin dans son succès même. Quand Vauban tirait des plans pour peupler le Canada et la Louisiane, il préconisait déjà de mener jusqu'à l'indépendance « deux grandes monarchies qui, pouvant s'élever au Canada, à la Louisiane et dans l'île de Saint-Domingue, deviendront capables, par leur propre force, aidées de l'avantage de leur situation, de balancer un jour toutes celles de l'Amérique et de procurer de grandes et immenses richesses aux successeurs de Sa Majesté ». Emporté par l'enthousiasme, l'ingénieur brossait le tableau grandiose du moment où ces grandes monarchies d'Amérique en viendraient « jusqu'au point d'égaler, voire de surpasser un jour le vieux royaume ».

La prophétie de Vauban allait se réaliser plus tôt qu'il ne le prévoyait, non pour l'ancienne France et la nouvelle, mais pour la Grande-Bretagne et ses treize colonies. L'année où l'ingénieur publiait la *Dîme royale*, Benjamin Franklin naissait à Boston.

où ces grandes monarchies d'Amérique en viendraient « jusqu'au
point d'égaler, voire de surpasser un jour le vieux royaume ».
La prophétie de Vauban allait se réaliser plus tôt qu'il ne le
prévoyait, non pour l'ancienne France et la nouvelle, mais pour
la Grande-Bretagne et ses treize colonies. L'année où l'ingénieur
publiait la Dîme royale, Benjamin Franklin naissait à Boston.

19

La route des Indes

Le 30 juillet 1715, un ouragan surprit la flotte espagnole des
Indes, qui faisait voile de La Havane vers Séville, au large de la
Floride. Onze des douze navires de la flotte sombrèrent avec leur
cargaison d'argent, de vanille, de chocolat et d'encens. Plus de
mille marins périrent, mille cinq cents survivants purent atteindre
la côte. Dès la fin de l'année, les autorités espagnoles firent fouiller les épaves et purent récupérer une partie des espèces englou-
ties : sans doute 5 200 000 pesos sur une cargaison officielle
estimée à 6 300 000 pesos, sans compter la cargaison de contrebande. Depuis lors, l'océan rejette de temps à autre des restes de
la *Flota* de 1715 et les épaves font la joie des archéologues et des
chasseurs de trésors.

Les reliques de la *Flota* viennent opportunément rappeler
combien l'expansion coloniale de l'Europe en Amérique restait, deux siècles après son commencement, une entreprise
hasardeuse. L'Occident jouissait de l'avantage décisif que lui
donnaient ses vaisseaux de guerre et de commerce, à la fois
maniables et puissants, munis de voiles multiples et armés de
canons. Cette flotte faisait peu à peu l'unité du monde, reliant
l'Europe, l'Amérique, l'Afrique et l'Asie. Mais les distances, les
rigueurs du climat, les maladies, les conflits avec les indigènes
comme entre Européens, faisaient souvent de l'expatriation un
voyage sans retour.

Le commerce en lui-même était un risque. Dirigeants et
penseurs avaient sous les yeux la fortune des Provinces-Unies

et c'est de ce modèle que procédèrent la plupart des grandes compagnies lancées par les États européens[1].

Le magasin général de l'Univers

Depuis le début du XVIIᵉ siècle, l'Europe s'étonnait de l'« opulence des Hollandais, qui, à proprement parler, ne sont qu'une poignée de gens réduits en un coin de terre où il n'y a que des eaux et des prairies », suivant l'expression envieuse du cardinal de Richelieu dans son *Testament politique*. Après la paix d'Utrecht, la Hollande faisait encore forte impression sur les étrangers. Ses canaux, ses polders, ses moulins, ses alignements d'arbres composaient un paysage unique, témoignage du triomphe de la volonté humaine sur les forces de la nature. « Dans ce pays tout est nouveau », écrivait le prêtre languedocien Pierre Sartre en 1719, admiratif de la propreté, de la prospérité et de la beauté des villes hollandaises, de l'absence de pauvreté visible. Zaandam, première véritable zone industrielle d'Europe, lui paraissait un spectacle « merveilleux ». Trois ans plus tard, Voltaire, entreprenant un voyage galant aux Pays-Bas avec la comtesse de Rupelmonde, confiait à la présidente de Bernières des impressions analogues : « Il n'y a rien de plus agréable que La Haye quand le soleil daigne s'y montrer. On ne voit ici que des prairies, des canaux et des arbres verts. C'est un paradis terrestre depuis La Haye à Amsterdam. »

Amsterdam, qui avait résisté victorieusement aux assauts de Louis XIV, restait une métropole formidable, grosse de 200 000 habitants vers 1715. On admirait son paysage mêlé de terre et de mer, la propreté de ses rues et de ses maisons, la richesse de ses habitants. En 1701, un guide décrivait son port aux 8 000 vaisseaux, « dont les mâts et les cordages forment comme une espèce de forêt si épaisse qu'il semble que le soleil ait de la peine à pénétrer à travers ». Elle était « le magasin général de l'Univers, le siège de l'opulence, le rendez-vous des

---

1. Fernand Braudel consacre le chapitre III du 3ᵉ volume de *Civilisation matérielle, économie et capitalisme* à l'étude de l'essor et du déclin économique des Provinces-Unies.

richesses et l'affection du Ciel ». La tolérance y était le corollaire du cosmopolitisme commercial : « Tous les peuples du monde y peuvent servir Dieu selon leur cœur et suivant le mouvement de leur conscience et, quoique la religion dominante soit la réformée, chacun est libre d'y vivre dans celle qu'il professe et l'on y compte jusques à vingt-cinq églises catholiques romaines où l'on va faire ses dévotions aussi publiquement qu'à Rome même. »

Le commerce international de la République ne reposait pas sur une administration d'État mais sur une compagnie privée, la Vereenigde Oost Indische Compagnie (« Compagnie unie des Indes orientales » ou VOC). La guerre d'indépendance des Provinces-Unies avait interrompu le commerce entre les négociants hollandais et les ports du Portugal. Contraintes d'aller directement chercher la marchandise, en particulier le poivre, sur les sites de production, les sociétés d'armateurs se regroupèrent en 1602 au sein de cette compagnie unifiée et reçurent des États généraux le monopole du commerce avec les Indes, en échange d'une redevance annuelle. Première société anonyme de l'histoire, la compagnie se caractérisait par un important capital de départ et le grand nombre de ses souscripteurs. La chambre de direction générale, les *Heeren XVII*, siégeait à Amsterdam, reflet de l'importance des négociants de la ville, qui apportèrent la moitié des capitaux. En un demi-siècle, les Hollandais évincèrent les Portugais d'Asie et devinrent les maîtres du commerce des épices. Ils fondèrent Batavia en 1619, conquirent l'île de Ceylan en 1638 et ravirent Le Cap aux Portugais en 1652.

Au début du XVIIIᵉ siècle, les possessions de la compagnie comptaient moins de vastes territoires que les empires coloniaux portugais, espagnols, français ou anglais, mais son emprise commerciale demeurait mondiale. La puissance coloniale hollandaise reposait sur une multitude de points d'appui sur les côtes de l'Afrique, de l'Arabie, de la Perse, de l'Inde, de l'Indochine, de l'Indonésie, jusqu'au comptoir de Deshima, au Japon, seule voie de communication de l'archipel avec l'extérieur. Les plus importantes étapes de cet ensemble étaient la colonie du Cap, principal point de relâche de la compagnie vers l'Orient, l'île de Ceylan et les Indes néerlandaises gouvernées depuis Batavia, l'actuelle Djakarta. Les Hollandais conservaient une position dominante dans le commerce des épices fines : noix de muscade, clou de girofle, cannelle. En Europe même, ils avaient une part majeure dans le cabotage. Jusque dans les années 1720, une grande partie du commerce français passait par les Hollandais, présents dans la plupart des villes côtières, même pendant les guerres de la Ligue d'Augsbourg et de succession d'Espagne.

À l'orée des années 1720, la VOC était encore le géant du commerce mondial. « Leur compagnie des Indes, écrivait en 1724 l'économiste espagnol Ustariz, est si puissante que le commerce des autres compagnies de l'Inde est peu de chose en comparaison du sien. » Mais les Anglais commençaient à lui disputer la prépondérance. L'importance relative du poivre déclinait depuis 1670 sur le marché européen tandis qu'affluaient le thé, le café, la laque, la porcelaine de Chine et les textiles des Indes. En 1698, la Compagnie anglaise de la Chine s'était installée dans le Céleste Empire, alors que les Hollandais, habitués à voir les jonques chinoises venir à Batavia, s'en tenaient à ce commerce. À partir de 1730, l'emprise hollandaise sur le commerce européen se desserra et les capitaux hollandais allèrent s'investir prudemment... dans la dette nationale anglaise.

East India Company et Compagnies françaises des Indes

La concurrence entre Anglais et Hollandais datait de plus d'un siècle. « Celui qui gouverne la mer gouverne le commerce et celui qui est le maître du commerce du monde est le maître de la richesse du monde », écrivait dès 1600 sir Walter Raleigh, l'illustre corsaire de la reine Elizabeth. Cette année-là, deux ans avant la création de la VOC, des hommes d'affaires anglais avaient constitué l'East India Company, société aux objectifs analogues mais à la constitution moins ambitieuse et à la base plus fragile, puisque les actionnaires, dont le nombre était limité à 125, étaient tous issus de la City de Londres. La compagnie anglaise s'était constituée en réaction à l'essor du commerce néerlandais. Dès 1608, elle ouvrait un premier comptoir à Surate. Au milieu du siècle, elle disposait d'une cinquantaine de factoreries en Inde. En 1711, elle ouvrit une factorerie à Canton. Peu à peu, le modèle de l'East India Company s'était rapproché de celui de la VOC, avec un actionnariat plus nombreux. Les Anglais avaient supplanté les Hollandais dans le commerce des esclaves, qu'ils emmenaient aux Antilles et en Amérique du Nord. Au sortir de la guerre de Succession, 15 % des importations britanniques provenaient d'Inde, qui fournissait à Albion des épices, des textiles et du thé. Mieux implantée au Bengale et sur la côte de Coromandel que sa concurrente hollandaise, l'East India Company profita de l'engouement croissant des Européens pour les cotonnades indiennes. Outre le commerce effectué officiellement par la Compagnie, il fallait compter avec celui que ses employés faisaient frauduleusement et sur celui d'armateurs anglais privés, nombreux dans les zones où elle n'opérait pas, comme l'Asie du Sud-Est.

Dès le ministère de Richelieu, la France eut elle aussi l'idée d'imiter la réussite commerciale hollandaise, mais les rivalités entre ports, entre provinces (Normandie et Bretagne) et les barrières douanières intérieures freinèrent l'implantation d'une compagnie analogue à la compagnie hollandaise[2]. Colbert créa plusieurs compagnies sur le modèle de la VOC : Compagnie des Indes orientales, Compagnie des Indes occidentales, Compagnie du Nord. La grande différence avec l'Angleterre et les Provinces-Unies était que l'initiative venait de l'État. Du coup, le grand négoce se tint à l'écart. Il ne représentait ainsi que 16 % du capital de la Compagnie des Indes orientales. De ce fait, la Compagnie fonctionna davantage comme une administration que comme une entreprise privée et multiplia les échecs coûteux tels que l'essai de la colonisation de Madagascar. Son principal succès fut son implantation à l'île Bourbon (l'actuelle Réunion) et en Inde.

La première Compagnie des Indes, liquidée en 1684, fut recréée en 1685, toujours sous la direction de l'État : l'impulsion vint de Seignelay, puis des Pontchartrain père et fils, le secrétaire d'État de la Marine étant « chef perpétuel, président et directeur » de la Compagnie. Le capital était faible – 1 700 000 livres

2. Sur les compagnies de commerce françaises, un bilan d'ensemble est donné par la thèse d'État de Philippe Haudrère, *La Compagnie française des Indes au XVIIIᵉ siècle*, 2005. Le volume collectif dirigé par René Estienne, *Les Compagnies des Indes*, 2013, livre un panorama des activités des compagnies et une riche iconographie.

– et les ambitions réduites au commerce avec l'Inde, où s'établirent les comptoirs de Pondichéry et de Chandernagor. Pour accroître ses bénéfices, la Compagnie dut accepter de démembrer son monopole moyennant paiement d'une taxe. On a vu qu'une société parisienne arma pour la Chine en 1698 le vaisseau *L'Amphitrite*. Le succès du voyage de *L'Amphitrite*, revenue en France après une expédition de vingt-neuf mois, entraîna l'organisation d'un second périple et la transformation de la société en une Compagnie royale de la Chine.

La même année, toujours sous les auspices de Pontchartrain, se constitua une Compagnie des mers du Sud, pour le commerce avec le Pérou. En 1701, à l'occasion de l'ouverture de l'Empire espagnol au commerce français, Compagnie des mers du Sud et Compagnie de la Chine fusionnèrent. Les vaisseaux français allaient aussi vers l'Amérique centrale, à Porto Rico, Caracas, Carthagène, Buenos Aires, Vera Cruz et Campeche. Ils y apportaient des textiles, des chapeaux, des outils, de la cire, des fusils, du vin, du poivre, des alcools. De 1703 à 1713, cent grands navires d'une capacité totale de 30 000 tonnes quittèrent Saint-Malo pour les mers du Sud, d'où ils rapportèrent essentiellement de l'argent. Entre 1703 et 1720, Saint-Malo en aurait importé pour 400 millions de livres, ce qui représenterait les deux tiers de la production d'argent totale du Pérou durant les vingt premières années du siècle.

La guerre de succession d'Espagne entraîna la liquidation de la deuxième Compagnie des Indes orientales (1706). Elle délégua son droit à faire le commerce d'Asie à un groupe d'armateurs malouins appuyés par les financiers Samuel Bernard et Antoine Crozat. En 1714, la société Crozat se substitua entièrement à l'ancienne compagnie dans une nouvelle Compagnie des Indes : les onze fondateurs étaient tous malouins, Crozat excepté. Grâce à une meilleure expertise maritime, à de meilleurs succès à la mer, à une meilleure maîtrise des coûts, l'affaire devint rentable. Les bénéfices permirent de solder les dettes les plus lourdes de l'ancienne Compagnie en France et au Bengale. Entre 1708 et 1719, les Malouins auraient fait pour 18 millions de bénéfices nets ! Mais le caractère malouin de l'entreprise était aussi une faiblesse. Refusant l'entrée au capital d'armateurs d'autres ports, les Malouins limitaient la croissance de la

Compagnie. Les armateurs rouennais et havrais se consolèrent en reprenant la Compagnie du Sénégal, à travers un consortium fondé en 1709 qui devint bénéficiaire grâce au commerce de la gomme, récoltée en Mauritanie et utilisée en Europe.

Le « South Sea Bubble »

Outre-Manche, la guerre de succession d'Espagne entraîna également de nouvelles initiatives de grande échelle. En mai 1711, le comte d'Oxford présenta à la Chambre des communes une Compagnie des mers du Sud (South Sea Company), entreprise qui devait contrebalancer la Banque d'Angleterre, dominée par ses adversaires whigs, et remédier à la crise du crédit. En anticipation de la paix d'Utrecht et de l'octroi à la Grande-Bretagne de l'Asiento, la Compagnie recevait le monopole du commerce des mers du Sud, en particulier celui de la vente des esclaves dans l'Empire espagnol. Ses actions, qui portaient un intérêt de 6 %, garanti par le Trésor, étaient échangeables contre des emprunts d'État et inversement.

Les emprunts qui pesaient sur la dette publique étaient ainsi absorbés dans une dette à long terme dont le taux d'intérêt serait réduit. La Compagnie bénéficia de la place particulière tenue par les mers du Sud dans l'imaginaire national : elles avaient été le théâtre des premiers succès navals de l'Angleterre, des exploits des corsaires élisabéthains. En deux mois, les deux tiers du capital, fixé à 9 471 325 livres sterling, furent souscrits et à la fin de l'année il l'était presque entièrement. En septembre 1711, Daniel Defoe, stipendié par Oxford, célébra ce succès comme devant compter « parmi les merveilles du glorieux règne de Sa Majesté ». Jonathan Swift renchérit : la Compagnie offrirait « un puissant avantage au royaume et serait un honneur éternel pour le présent Parlement ».

Après le traité d'Utrecht, la Compagnie reçut le bénéfice officiel de l'Asiento et put ainsi trafiquer les esclaves mais aussi, plus ou moins légalement, les biens de toute espèce. Désormais, le crédit de la Grande-Bretagne reposait sur trois piliers : la Banque d'Angleterre, la Compagnie des Indes orientales et la Compagnie des mers du Sud. L'État britannique s'identifiait totalement à l'expansion maritime. Quelques jours avant sa mort, la reine Anne sanctionnait le *Longitude Act*, qui promettait une récompense de 20 000 livres sterling – équivalent de plusieurs millions d'euros actuels – à qui inventerait le moyen de parvenir à un calcul exact des longitudes en mer. Dès son arrivée en Angleterre, George Iᵉʳ s'inscrivit dans cette idéologie : « La richesse et la prospérité de mon peuple dépendent tant du commerce que ce sera toujours mon souci de le protéger et de l'encourager. » Il devint bientôt gouverneur de la South Sea Company en même temps qu'un de ses plus gros actionnaires. Les navires de la Compagnie revenaient à Londres chargés de métaux précieux, de sucre et de produits exotiques. L'espérance d'une richesse future était réalisée dans le présent. « Grand, proclamait Defoe, est le pouvoir de l'imagination ! »

En janvier 1720, la Compagnie proposa au Parlement d'incorporer l'ensemble de la dette publique. La surenchère entre la Compagnie française des Indes et la Compagnie des mers du Sud anglaise produisit au printemps et à l'été 1720 un boom des marchés européens. Le krach suivit. Les pamphlétaires britanniques accusèrent l'entreprise de la mer du Sud d'avoir « avalé la nation ». Les directeurs furent traités « de crocodiles et de cannibales ». Comme en France, ministres et courtisans avaient reçu gratuitement des actions de la Compagnie. À l'éclatement de la bulle, le comte de Sunderland dut quitter sa charge de premier lord du Trésor et Aislabie, le chancelier de l'Échiquier, fut déclaré coupable « de la plus notoire, infâme et dangereuse corruption », expulsé de la Chambre des communes et du Conseil privé et emprisonné à la Tour de Londres.

De la Compagnie d'Occident à la Compagnie des Indes

Le phénomène du *South Sea Bubble* se répéta en France avec quelques années de décalage, l'affaire commençant en 1715, après la mort de Louis XIV, et prenant des proportions monopolistiques inconnues en Grande-Bretagne. En mai 1719, ayant absorbé la compagnie du Sénégal, la Compagnie des Indes orientales et la Compagnie de la Chine, la Compagnie d'Occident de John Law obtint le quasi-monopole du commerce maritime français et prit le nom de Compagnie française des Indes. Seuls lui échappaient le Levant, l'Europe du Nord et les Petites-Antilles. Elle reçut en juillet le monopole d'émission de la monnaie, en août la ferme des impôts indirects, en octobre la perception des impôts directs. Les armements maritimes reçurent une impulsion considérable : 57 en un an et demi en 1719-1720. La flotte de la Compagnie comptait 69 unités en 1721. Les origines géographiques des compagnies qu'elle avait absorbées se traduisaient dans la composition de son personnel : les neuf dixièmes de ses marins étaient Malouins, les deux tiers de ses officiers étaient des Malouins ou des Lorientais originaires de Saint-Malo.

Après la chute du Système, concomitante au *South Sea Bubble*, la Compagnie des Indes survécut, à la différence de la South Sea Company, mais réorienta ses activités. En Amérique, le seul commerce bénéficiaire était celui du castor canadien, qui alimentait les chapelleries de Rouen, Paris et Lyon, dont le volume doubla entre 1725 et 1750. En revanche, la colonisation de la Louisiane, commencée par Law, tourna à la débâcle. Entre 1718 à 1720, 1 500 personnes y avaient débarqué, attirées par les mirages du Mississippi. On avait aussi entrepris d'y expédier les mendiants et les filles de joie, certains volontaires, d'autres non. Le départ fit sensation : « On fit partir trente charrettes remplies de demoiselles de moyenne vertu, rapporte Jean Buvat le 8 octobre 1719, qui avaient toutes la tête ornée de fontanges de rubans de couleur jonquille, et un pareil nombre de garçons qui avaient des cocardes de pareille couleur à leurs chapeaux et qui allaient à pied. Les donzelles en traversant Paris chantaient comme des gens sans souci et appelaient par leur nom ceux qu'elles remarquaient pour avoir eu commerce ensemble, sans épargner les petits-collets, en les invitant de les accompagner dans leur voyage au Mississippi. » Des colons suisses et allemands, recrutés par Law au nombre de 4 000, arrivèrent à Lorient de juillet à septembre 1720. Faute d'infrastructures pour les accueillir, la moitié d'entre eux moururent pendant l'hiver 1720-1721. Les survivants embarquèrent en mai 1721. Les efforts de colonisation cessèrent en 1724 : la colonie coûtait cher, notamment en frais militaires, et ne rapportait rien. Elle n'exportait que des peaux de chevreuil ! Cinq ans plus tard, la révolte des Natchez montra que la Compagnie était incapable d'assurer la sécurité du territoire. « La garde de la Louisiane excède ses forces » et avait coûté « 20 millions en pure perte », estimaient les directeurs à la fin de 1730. En janvier 1731, le territoire repassa sous le contrôle direct de l'administration royale.

La Compagnie des Indes avait obtenu le monopole de la traite en Afrique. Sur la côte de Guinée, elle possédait le comptoir de Juda (Ouidah), où un fort dit Saint-Louis avait été construit en 1704, qui permettait de rejoindre le marché aux esclaves de Xavier (Savi), situé à 2 lieues dans l'intérieur. Un autre fort Saint-Louis était établi à l'embouchure du fleuve Sénégal. En dépendaient les autres établissements du Sénégal et notamment l'île de Gorée. La Compagnie ne fut pas plus heureuse dans la traite, en raison d'une mortalité trop importante des esclaves sur ses vaisseaux. À partir de 1725, elle renonça à son monopole pour la côte de Guinée. Le centre des activités de la Compagnie se déplaça dès lors vers l'Asie, où il n'était plus question de colonisation mais de commerce. Dès cette époque, son chiffre d'affaires dans l'océan Indien était neuf à dix fois supérieur à celui qu'elle réalisait dans l'Atlantique.

Les navires de la Compagnie emportaient les subsistances nécessaires aux établissements européens (vins, alcools, farines, viandes salées), des métaux (fers plats, plomb), des étoffes et le ginseng du Canada, destiné au marché chinois. Ils transportaient surtout l'or recherché en Inde et l'argent convoité par la Chine, ce dernier sous la forme de « piastre forte », « à colonnes ou aux deux globes », c'est-à-dire de pesos frappés avec le métal des mines du Mexique et du Pérou. La Compagnie se procurait ces piastres espagnoles soit sur le marché français, où la balance commerciale excédentaire les faisait arriver en masse, soit grâce à un trafic frontalier passant par Bayonne, soit encore par achat, sur la place d'Amsterdam ou à Cadix.

Les cargaisons de retour étaient constituées d'abord de café (pour près de la moitié du volume). L'essentiel du café vint d'abord du port yéménite de Moka, mais des plants de caféier furent emportés de Moka à Bourbon en 1715. Dix ans plus tard, la Compagnie enlevait de l'île une première cargaison de 180 000 livres. Après 1730, le café de Bourbon l'emporta sur le

Moka. Le café des Antilles ne vint concurrencer celui de l'océan Indien qu'à partir des années 1740.

Sur la route des Indes, la Compagnie avait pour principale étape les Mascareignes : l'île Bourbon (actuelle Réunion), occupée depuis 1663, et l'île de France (actuelle Maurice), dont la première prise de possession eut lieu en septembre 1715, réellement occupée à partir de 1721. À partir de 1735, cette dernière l'emporta sur Bourbon comme escale. Il fallait cinq mois pour atteindre les Mascareignes depuis la France, quatre mois depuis Gorée ou le Cap-Vert.

Les voyages obéissaient à un calendrier déterminé par les saisons et les vents dominants de la mousson d'Asie. Après une escale à Cadix pour acheter des piastres, aux îles du Cap-Vert pour approvisionner, les navires s'arrêtaient au Brésil, au Cap ou aux Mascareignes pour ravitailler. Depuis les Mascareignes, on gagnait Pondichéry, puis les navires remontaient le Gange jusqu'à Chandernagor. Pendant les vents de mousson, les Hollandais allaient à Batavia, les Anglais à Trincomalee, les Français à Mahé, à Pégou ou à Sumatra. Pour gagner la Chine, les navires passaient soit par le détroit de la Sonde, dangereux en raison de sa faible profondeur, soit par ceux de Malacca ou de Bali. Ils restaient quatre à cinq mois à Canton, où la Compagnie des Indes avait une factorerie.

Une première société de consommation

Avec le commerce colonial des compagnies européennes prit naissance le premier stade de ce que nous désignons sous l'expression « société de consommation », c'est-à-dire l'aspiration, au-delà des classes supérieures, à des biens non immédiatement indispensables à la vie : le tabac d'Amérique du Nord, le sucre des Antilles, les épices de l'océan Indien, le thé de Chine, le café de Moka, les soieries et les cotonnades de l'Inde, les porcelaines de Chine[3]. En 1640, les colonies anglaises fournissaient un

3. Kenneth Pomeranz, *Une grande divergence*, *op. cit.*, analyse l'effet de ces « aliments-drogues » (expression empruntée à Sidney Mintz) sur le développement comparé de l'Europe et de la Chine dans la durée, p. 185-205.

million de livres de tabac à la métropole, en 1700, 28 millions de livres. En 1663, les Antilles anglaises produisaient 8 000 tonnes de sucre, en 1700, 25 000 tonnes.

Parmi ces denrées, les plus anciennement présentes étaient les épices, en particulier le poivre, qui avaient fait en leur temps la fortune du Portugal et des Provinces-Unies. L'importance relative de ces produits alla déclinant, à mesure que les consommateurs européens s'initiaient à d'autres denrées exotiques. Le tabac, originaire d'Amérique, était devenu un produit de grande consommation dès le début du XVII⁰ siècle. En Hollande, naquirent les *tabagies*, réunions d'hommes causant et fumant la pipe. La pratique s'introduisit dans les cours royales aux alentours de 1700 : sur le modèle hollandais, Frédéric Iᵉʳ de Prusse et son fils Frédéric-Guillaume introduisirent l'usage du *Tabakskollegium* où l'on fumait de longues pipes tout en buvant de la bière.

L'essor du thé, du café et du chocolat est postérieur de presque cent ans à celui du tabac. Les trois breuvages se répandirent d'abord pour leurs vertus thérapeutiques avant d'être appréciés pour leur goût. En 1712, Madame Palatine, femme déjà âgée, confiait à sa cousine Louise sa répugnance pour ces boissons nouvelles : « Si j'assistais à vos agapes, je n'y brillerais nullement, car je ne supporte ni le thé, ni le café, ni le chocolat. Je ne peux comprendre comment on aime ces choses-là. Au thé, je lui trouve un goût de foin et de paille pourrie, au café un goût de suie et de lupin, le chocolat je le trouve trop doux. Mais ce que je mangerais volontiers, c'est un bon birambrot ou une bonne soupe à la bière ; voilà qui ne me fait pas mal à l'estomac. » En 1714, la princesse trouvait au café « une odeur d'haleine corrompue ».

Il est amusant de rapprocher cette appréciation de celles de la *Cantate du café* composée par Jean-Sébastien Bach en 1732 : « Ah ! Comme le café a bon goût ! Plus agréable que mille baisers, plus doux qu'un vin de muscat ! Un café, je dois avoir un café, et si quelqu'un veut me faire plaisir, ah ! qu'il me donne seulement un café ! » La boisson incriminée, introduite lors des contacts avec l'Empire ottoman, s'était répandue dans toute l'Europe à partir des années 1660 et avait correspondu à la naissance de nouvelles formes de sociabilité, le café offrant un substitut bourgeois à la taverne. Au XVIII⁰ siècle, la consommation du breuvage énergisant doubla tous les dix ans. À partir des années 1720, les plantations de Java, de l'île Bourbon et des Antilles vinrent compléter puis supplanter les importations du Levant, mais le café dit de Moka n'en resta pas moins le plus estimé.

Après le café, le thé, dont la consommation augmentait dans des proportions analogues, était la grande denrée importée, formant plus d'un cinquième du volume des cargaisons de la Compagnie française des Indes. Mentionné pour la première fois en Europe dans les années 1630, le thé s'était répandu dans les hautes classes européennes dans la seconde moitié du XVIIe siècle. Il était bu dans les cafés de Londres depuis 1660 ; les magasins de thé apparurent autour de 1700. En France, il devint accessible à la clientèle bourgeoise après les retours de *L'Amphitrite*, dont les cales étaient remplies des précieuses feuilles séchées. En 1710, Thomas Twining établissait un magasin de thé sur le Strand, la grande artère du centre de Londres. Entre 1720 et 1740, les exportations de thé vers l'Europe doublèrent en volume. En Angleterre, le thé allait devenir l'objet d'une consommation de masse et se transformer en boisson nationale, marqueur de l'identité britannique. Tandis que le café moulu ne peut servir qu'une fois, le thé peut servir à plusieurs infusions successives : les feuilles de thé utilisées pour une première infusion par les amateurs des classes aisées pouvaient ainsi être revendues pour la boisson des classes populaires. Sur le continent, au contraire, le thé resta une boisson onéreuse, réservée aux élites, tandis que le café se démocratisait peu à peu. Dès 1741, le *Dictionnaire universel de commerce* note qu'en France le café l'a emporté sur le thé.

L'engouement pour les cotonnades indiennes était général au début du XVIIIe siècle. Légères, colorées de teintes résistant au lavage, peu coûteuses, agréables à porter, elles constituaient une concurrence si dangereuse pour les étoffes européennes en laine et en lin que leur importation fit l'objet de mesures restrictives dès les années 1680. Les toiles blanches et les toiles peintes du Gujarat puis du Bengale firent peu à peu la conquête de l'Europe : les toiles blanches se transforment en mouchoirs, en chemises et en linge de maison ; les toiles peintes deviennent rideaux ou courtepointes ; les murs se couvrent d'indiennes aux décors de tapis de fleurs ou de l'arbre de vie.

Les navires des compagnies de commerce rapportaient également en Europe du fil de soie de Chine, des bois exotiques et des « curiosités », laques, papiers peints, céramiques, parmi lesquelles la porcelaine de Chine se taillait la part du lion. Outre les pièces de vaisselle, la clientèle occidentale prisait les figurines de porcelaine décoratives, désignées sou le nom de « magots » ou de « pagodes », et fabriquées en grande série en Chine pour satisfaire le goût européen. Les marchands français forgèrent, au tournant des deux siècles, le mot de « lachinage » pour désigner les meubles laqués, bibelots en jade et pierre de lard (stéatite) et les porcelaines venus de l'Empire du Milieu.

La porcelaine blanc-bleu, moins chère, formait généralement la moitié ou les deux tiers des cargaisons. Elle fut progressivement concurrencée par les porcelaines dites de la « famille verte », où dominent le vert et le rouge, et de la « famille rose » (dites par les Chinois *yangcai*, « couleurs occidentales », car peintes avec du pourpre de Cassius importé d'Occident), conçues pour l'exportation et que l'on peut apercevoir sur certaines natures mortes de Chardin.

Pour les manufactures de porcelaine blanc-bleu, le grand centre était Jingdezhen dans le Jiangxi, qui travaillait volontiers à partir de dessins voire de modèles fournis par les facteurs européens. Jingdezhen produisait aussi des copies de la porcelaine japonaise d'Imari. Le jésuite d'Entrecolles, qui visita Jingdezhen en 1712 et 1722, a décrit avec enthousiasme cette « grande ville toute en feu », métropole industrielle où prévalait la division du travail : « Le travail de la peinture est partagé dans un même laboratoire entre un grand nombre d'ouvriers. L'un a soin uniquement de former le premier cercle coloré qu'on voit près des bords de la porcelaine ; l'autre trace des fleurs que peint un troisième ; celui-ci est pour les eaux et les montagnes ; celui-là pour les oiseaux et les animaux. Les figures humaines sont d'ordinaire les plus maltraitées. »

À partir de 1730, Jingdezhen expédia à Canton des porcelaines non peintes. La peinture et la dernière cuisson y étaient exécutées par des firmes spécialisées dans les décors destinés à l'exportation. À la commande, on pouvait obtenir des emblèmes héraldiques, des symboles maçonniques, des scènes religieuses, voire des « chinoiseries » correspondant davantage au goût européen qu'à la tradition chinoise authentique.

À un niveau plus modeste, le commerce entre l'Amérique et l'Ancien Monde avait entraîné la diffusion sur toute la planète de fruits et de légumes nouveaux : la tomate, apportée en Europe par les Espagnols, était encore considérée comme un légume étranger par les Napolitains à la fin du XVIIᵉ siècle ; la « pomme d'amour » devint d'usage ordinaire en France et en Grande-Bretagne dans le courant du XVIIIᵉ siècle. À la fin du règne de Louis XIV, la France résistait encore à la pomme de terre, devenue commune en Grande-Bretagne et en Italie. Le maïs du Mexique et le manioc des Caraïbes avaient fait la conquête de l'Afrique.

Ce nouveau monde de la consommation a trouvé son chantre dans le Voltaire du *Mondain* :

> L'or de la terre et les trésors de l'onde
> Tout sert au luxe, aux plaisirs de ce monde.
> Ô le bon temps que ce siècle de fer !
> Le superflu, chose très nécessaire
> A réuni l'un et l'autre hémisphère.
> Voyez-vous pas ces agiles vaisseaux
> Qui du Texel, de Londres, de Bordeaux
> S'en vont chercher, par un heureux échange,
> Ces nouveaux biens, nés aux sources du Gange,
> Tandis qu'au loin, vainqueurs des musulmans,
> Nos vins de France enivrent les sultans ?

On ne pouvait mieux dire que l'essor des échanges contribuait à enfanter un ordre nouveau, délié des entraves religieuses et morales qui enserraient les sociétés traditionnelles. Mais, en 1715, la métamorphose décrite par Voltaire ne touchait encore que quelques régions de la planète et une portion réduite de sa population. Des zones entières, essentiellement dévolues au pastoralisme ou à l'agriculture vivrière, échappaient aux échanges internationaux ou n'en recevaient que des échos indirects tels que l'introduction progressive de légumes nouveaux.

L'essor du grand capitalisme marchand n'eut rien d'une marche triomphale et chacune des puissances maritimes, dans la concurrence pour s'imposer comme « entrepôt du monde », subit des revers cinglants. La transformation des modes de consommation ne touchait qu'une partie de l'Europe. La Chine, l'Inde, la Perse, l'Empire ottoman demeuraient le plus souvent indifférents aux aliments européens et à la plupart de ses productions artistiques ou manufacturières. L'Afrique ne recevait de l'Occident que des armes et de la verroterie. Montres, horloges et autres instruments de précision n'étaient accessibles qu'aux élites et ne jouissaient que d'un succès de curiosité.

Pour créer un monde réellement « connecté », il faudrait attendre la révolution industrielle et les démonstrations de force qui un siècle plus tard ouvrirent, bon gré mal gré, l'Orient aux produits de l'Occident.

20

Des hommes en mouvement

Un roi d'Angleterre à Rome, un tsar de Russie à Paris, un roi de Suède à Constantinople : les contemporains s'étonnent de ces souverains voyageurs, que la guerre, la diplomatie ou les revers de fortune contraignent à sortir de leurs États. Un ingénieur français ayant servi au Canada s'en va mourir en Perse. Le Père Labat voyage en Espagne et en Italie après plusieurs années aux Antilles. Autant d'itinéraires qui font rêver mais ne sont plus tout à fait exceptionnels au début du XVIIIᵉ siècle.

Le monde de 1715 est cloisonné, mais non clos. À la stabilité de sociétés longtemps crues immobiles, il faut opposer la diversité de ces « humeurs vagabondes » étudiées par l'historien Daniel Roche[1]. Davantage que dans les siècles précédents, les hommes circulent, seuls ou en groupes, pour leurs affaires, à l'occasion d'un pèlerinage ou d'un voyage d'agrément. La guerre comme la paix provoquent des déplacements de population. Phénomène plus nouveau, des migrations de masse, volontaires ou non, s'intensifient en Europe et hors d'Europe.

1. *Humeurs vagabondes : de la circulation des hommes et de l'utilité des voyages*, 2003. Pour une analyse économique comparée des migrations à l'échelle du monde, voir Kenneth Pomeranz, *Une grande divergence*, *op. cit.*, p. 143-147.

Pèlerins et ouvriers

En Europe comme en Chine, le peuple des campagnes ne cesse d'affluer vers les villes, dont la croissance démographique doit davantage à l'immigration qu'à un dynamisme propre. Certains de ces mouvements migratoires sont saisonniers : il en va ainsi des maçons du Limousin qui montent vers le Val de Loire et l'Ile-de-France : dans le Versailles de Louis XIV, on nomme par dérision « Hôtel de Limoges » les baraquements où logent ces immigrés de l'intérieur. Tandis que le gouvernement du Régent et du duc de Bourbon fait la chasse aux mendiants et aux brigands, il interdit d'apporter « aucun trouble ou obstacle aux habitants de nos pays de Normandie, Limousin, Auvergne, Dauphiné, Bourgogne et autres, même des pays étrangers qui ont accoutumé de venir soit pour faire la récolte des foins ou des moissons ou pour travailler ou faire commerce dans nos villes et autres lieux du royaume ».

Comme au Moyen Âge, on continue à affluer de toute l'Europe vers Rome, Lorette ou Saint-Jacques-de-Compostelle. On compte ainsi de 750 à 800 pèlerins français chaque année dans la Ville éternelle. Le pèlerin n'est pas un vagabond : il est muni d'un certificat de son curé, d'une approbation de son évêque, de passeports des autorités, documents destinés à être produits tout au long de la route, ponctuée de haltes dans les hôtelleries, les hospices et les monastères. Les motifs sont les plus divers : le Picard Manier, tailleur d'habits, fuit ses dettes et le recrutement de la milice ; en juin 1726, il part de sa province pour Compostelle et, après un détour par l'Italie, y revient deux ans plus tard. Même effectué à pied, le voyage peut être rapide : le Champenois Gilles Caillotin, véritable pèlerin professionnel, met deux mois pour aller de Reims à Rome. Son collègue Manier parcourt de 20 à 40 kilomètres par jour.

Les pèlerinages ne sont pas moins en faveur en Afrique du Nord ou en Orient. On se presse sur les tombes des marabouts et des saints de l'islam, et le *Hajj* unifie le monde musulman. Marchands et pèlerins empruntent ensemble les routes caravanières qui mènent vers les grandes cités de l'Islam et de là vers La Mecque. Les caravanes de tout le Maghreb et celles des sultans de l'Afrique sahélienne convergent vers Le Caire avant de partir vers la Ville sainte. Celles venant d'Europe, d'Anatolie, d'Iran et d'Asie centrale se rassemblent à Damas dans le même but. Les Indiens empruntent tantôt la route terrestre, à travers la Perse séfévide, tantôt la voie maritime, depuis le port de Surate jusqu'à celui de Djeddah, poussés par les vents de la mousson. Piété et commerce font bon ménage : les pèlerins sont souvent des marchands et, au moment du *Hajj*, La Mecque est, au dire d'un observateur européen, « peut-être la plus riche foire du monde puisque pendant ce court espace de temps il s'y débite pour plusieurs millions de marchandises des Indes ». Depuis la publication en 1704 du témoignage d'un captif anglais converti de force à l'islam, les rites du pèlerinage étaient bien connus en Europe et, sous couleur de se moquer des *Pèlerins de La Mecque* – titre d'un opéra-comique de Lesage représenté en 1726 –, on visait les moines et les dévots de l'Europe catholique.

En Extrême-Orient, le bouddhisme favorise lui aussi les déambulations pieuses, en Chine, en Corée, au Japon et au Vietnam. Comme en Occident, le pèlerin est tantôt révéré, tantôt soupçonné de mœurs vicieuses et de fainéantise.

Missionnaires, soldats et experts

Le premier XVIIIe siècle est aussi particulièrement fertile en déplacements d'individus isolés ou en petits groupes, mus par des motivations diverses : prosélytisme religieux, recherche du profit, poursuite d'une carrière spéciale ou encore curiosité et goût du voyage.

Les missions de l'Église catholique représentaient la forme la plus organisée de ces déplacements en petit nombre. Autant qu'aux pays lointains, elles se consacraient aux provinces gagnées par le protestantisme ou victimes de l'indifférence et de la super-stition, ces « Indes de l'intérieur ». « Si vous trouviez quelqu'un qui eût envie d'aller à la Chine, écrivait l'évêque de Grenoble Le Camus, donnez-lui avis qu'il y a ici une Chine où il aura autant à faire bien qu'on n'ait pas à traverser de pays. » Entre 1700 et 1716, Louis-Marie Grignion de Montfort prêcha ainsi dans les régions de l'Ouest, mettant l'accent sur le rôle de la Vierge Marie comme médiatrice entre Dieu et les hommes. Si l'Église catholique fut la grande promotrice des missions, on observera qu'en son sein le mouvement missionnaire n'a jamais relevé d'un centre unique. Au contraire, la multiplicité des ordres missionnaires frappe l'observateur, de même que leurs divergences quant aux méthodes à employer comme quant au zèle convertisseur. C'est par la voie des missions que les premiers Chinois, les premiers Japonais ou les premiers Vietnamiens arrivèrent en Europe.

Mais l'esprit missionnaire n'est pas exclusivement catholique, ni même chrétien. Tandis que la religion catholique se répand en Amérique et en Asie, l'islam continue en Afrique sa marche vers le Sud et en Eurasie sa progression dans le Caucase. C'est aussi au commencement du XVIIIe siècle que les protestants commencent à vouloir entrer en concurrence avec Rome dans l'œuvre de conversion des gentils au christianisme. Leibniz, admirateur de la Chine, rêvait d'y envoyer, par la Sibérie ou par l'océan Indien, des savants protestants pour y prêcher une religion épurée de toute superstition : *Propagatio fidei per scientias*. En 1698, le prêtre anglican Thomas Bray fonda la Society for Promoting Christian Knowledge (SPCK), association qui œuvrait pour la diffusion d'ouvrages chrétiens dans toutes les langues. Bray partit prêcher le christianisme aux Indiens du Maryland. De retour en Angleterre, il fonda en 1701 la Society for the Propagation of the Gospel. L'année suivante, les premiers missionnaires anglicans arrivaient en Amérique du Nord et en 1703 dans les Antilles, avec pour objectif de ranimer le zèle des colons et de convertir indigènes et esclaves.

Auprès de l'université prussienne de Halle, foyer du renouveau piétiste, le baron von Canstein créa un Institut biblique, qui œuvra à la conversion des juifs, des orthodoxes, des musulmans et des hindous. En 1705, le roi de Danemark envoya des missionnaires allemands piétistes à Tranquebar, comptoir danois situé au sud de Pondichéry. Quatre ans plus tard, grâce au soutien de la SPCK, ils y imprimèrent la première bible en tamoul. L'ambition des missionnaires protestants allait jusqu'à vouloir convertir la population de l'Empire ottoman, déjà en partie chrétienne, mais qui avait besoin « d'instructions fondées sur la parole de Dieu et non pas tirées du cerveau creux des papistes ». Dans un esprit œcuménique, les hommes de la SPCK souhaitaient nouer des

liens avec les Églises orientales – éthiopienne, arménienne, syro-
malabare – supposées proches du christianisme primitif.

Marins et marchands sont par profession destinés au mouvement. On trouve des négociants chinois dans toute l'Asie, des
marchands persans au Siam, des marchands du Gujarat dans
tout l'océan Indien, des marchands hollandais au Maroc et à
Constantinople. Il n'y a là rien de bien neuf, sinon la tendance
des marchands occidentaux à se répandre dans le monde entier.
Il en va de même des carrières de techniciens ou d'artistes de
haut niveau, qui ont toujours été adeptes du voyage, par nécessité d'études ou de carrière. Jean-Sébastien Bach n'a jamais
quitté le Saint Empire, mais, né à Eisenach, il a travaillé successivement à Arnstadt (1703-1707), Mülhausen (1707-1708),
Weimar (1708-1717), Köthen (1717-1723) et Leipzig (1723-
1750) et s'est rendu à plusieurs reprises à Berlin. Son exact
contemporain Georg Frederic Haendel, né à Halle, a résidé
à Hambourg (1703-1706), en Italie (1706-1710), à Hanovre
(1710-1712), puis en Angleterre. Antonio Vivaldi, fidèle toute
sa vie à Venise, s'en alla mourir à Vienne en 1741. Avant de se
fixer à Paris, la quarantaine passée, le Dijonnais Jean-Philippe
Rameau a fait le voyage d'Italie et exercé à Clermont-Ferrand,
Avignon et Lyon. Les progrès techniques réalisés en Europe
entraînent une dispersion sans précédent d'experts et d'artistes
occidentaux à travers le monde : c'est ainsi qu'on trouve des
astronomes portugais à Pékin, un médecin français à la cour de
Delhi, un peintre hollandais à Constantinople, des architectes
italiens à Saint-Pétersbourg. L'ingénieur suédois Lorenz Lange,
fait prisonnier par les Russes à Poltava, entre au service du tsar
en 1712, est envoyé à quatre reprises en mission en Chine et
compte parmi les négociateurs du traité de Kiakhta avant de
finir sa carrière comme vice-gouverneur d'Irkoutsk.

Une autre nouveauté propre à l'Occident est l'idée du voyage
effectué par curiosité ou par simple plaisir de voyager. Les
voyageurs européens notent combien ce concept est étranger
aux autres peuples, et particulièrement aux Orientaux. « Pour
ce qui est des voyages, note Chardin, ceux de simple curiosité
sont encore plus inconcevables aux Persans que les prome-
nades. Ils ne connaissent point la volupté que nous ressentons
à voir des manières différentes des nôtres et à ouïr un langage

qu'on n'entend point. » Le voyage lointain connaît une première et relative démocratisation dès le XVIIe siècle : l'expression de « Grand Tour » apparaît dans les années 1670 pour désigner un voyage d'étude et d'agrément qui entraîne des hommes souvent jeunes à travers l'Europe, principalement vers l'Italie, pour une durée de plusieurs mois, voire de plusieurs années. Les Français, qui voyagent peu, vont parfois en Italie, plus rarement en Espagne. Allemands et Anglais, eux, passent volontiers aux Provinces-Unies et en France. Paris et le Val de Loire sont des étapes importantes de leur Grand Tour. En 1717, l'Allemand Joachim Christoph Nemeitz publia à leur intention un *Séjour de Paris, c'est-à-dire, instructions fidèles pour les voyageurs de condition, comment ils se doivent conduire s'ils veulent faire un bon usage de leur tems et argent durant leur séjour à Paris*, qui connut plusieurs éditions françaises et allemandes (1722, 1725 et 1750). Les villes d'eau deviennent des destinations à la mode : Bourbon a attiré les courtisans de Louis XIV et Mme de Montespan y meurt durant une cure, en 1707 ; Pierre le Grand fréquente Pyrmont et Spa, rendez-vous de la noblesse européenne.

Malgré l'antagonisme religieux qui les oppose au continent, les Britanniques sont les plus fervents adeptes du Grand Tour. En 1705, l'Anglais Joseph Addison publie ses *Remarques sur plusieurs régions de l'Italie*, où se mêlent admiration pour le patrimoine antique de la péninsule et désapprobation à l'égard de sa décadence présente. En 1722, le chargé d'affaires britannique à Vienne se gausse de ce coûteux passe-temps : « À quoi aboutissent pour les Anglais tous ces voyages en Italie, qu'à y prendre le goût de la peinture, des statues et de la musique, toutes choses qui n'engagent qu'à des dépenses. » Mais justement cette prodigalité sanctionne le rang nouveau acquis par la Grande-Bretagne depuis les traités d'Utrecht. Le personnage du Milord anglais qui souffle les objets d'art sous le nez de ses compétiteurs d'autres pays est une des incarnations de *Britannia* triomphante.

« *Lingua franca* »

En 1715, l'Europe en mouvement a une langue : le français. La prépondérance de la langue de Louis XIV s'est imposée dans la seconde moitié du XVIIᵉ siècle. «Veut-on qu'un libelle coure le monde, écrit Pierre Bayle, aussitôt on le traduit en français lors même que l'original est en latin, tant il est vrai que le latin n'est pas aussi commun en Europe que la langue française. » L'hégémonie du français a fait l'objet de débats à l'Académie de Soissons en 1710, à l'Académie française en 1711, destinés à donner un fondement rationnel à un état de fait.

Le paradoxe est que le français est encore bien loin d'être la langue de tous les Français. La Bretagne est en grande partie bretonnante, le Midi attaché à sa langue d'oc. Claude Le Laboureur, avocat général au parlement de Metz puis premier président du Conseil souverain de Brisach, demandant son rappel en 1718, se plaint d'avoir passé vingt-cinq années à servir le roi « en Allemagne ». Strasbourg reste une ville de l'espace germanique; son université recrute majoritairement dans l'Empire et en Suisse.

La propagation du français au détriment des langues nationales est surtout sensible dans les classes supérieures de l'Europe du Nord. Dans l'Angleterre des Stuarts et des Hanovre, ministres et ambassadeurs savent le plus souvent parler et écrire le français. Le fait que Robert Walpole fût incapable de l'un comme de l'autre et dût se reposer en la matière sur son frère Horace était relevé comme une anomalie. Frédéric-Guillaume, le « Roi-Sergent », peu suspect de bienveillance envers la France, parle et écrit un allemand contaminé de mots français : « *Eine formidable Armee und ein grosser Trésor* », dit-il, « assurent le respect du monde et l'occasion de dire son mot comme les autres puissances ». À son fils le futur Frédéric II, il déclare avoir toujours recherché « *die Gloire und das Agrandissement* ». Le baron de Pöllnitz assure qu'à Vienne on parle partout allemand, français, italien et espagnol, « au lieu qu'un étranger doit nécessairement parler français à Paris et anglais à Londres, on se passe fort bien de l'allemand à Vienne ». La fragmentation de l'Allemagne joue en faveur du français : présentée à l'impératrice, qui refuse de lui parler français, la margrave de Bayreuth se trouve fort embarrassée, car elle ne comprend goutte au dialecte viennois de la souveraine, qui n'entend pas davantage le parler de Berlin.

Dès 1666, une comédie jouée à Londres moque *The English Monsieur*, le gentleman imbu de modes françaises. Au début du

XVIIIe siècle, de semblables réactions d'irritation se multiplient aux Provinces-Unies et dans le Saint Empire, tant la diffusion de la langue et de la culture française paraît s'exercer aux dépens des cultures nationales. En 1731, le Conseil impérial recommande de refuser des emplois « à toutes personnes qui auraient passé leur tendre jeunesse dans la France et respiré l'air, l'humeur et les sentiments français ».

Comment expliquer cette diffusion du français aux dépens des anciennes langues internationales, latin et italien ? Le prestige du Roi-Soleil est une arme à double tranchant : après les revers de la fin du règne, l'autoritarisme du régime est aisément critiqué. Les huguenots réfugiés sont d'ardents propagateurs du français, mais le Français hors de France n'est pas toujours un bon ambassadeur de sa langue et de sa culture : on le dépeint léger, fanfaron, ignorant des langues étrangères, imbu de la supériorité de son pays. Les vrais missionnaires du français se nomment en fait Descartes, Pascal, Corneille, Molière, Racine, La Fontaine et Fénelon. Dans les *Confessions*, Rousseau rapporte que, jeune Genevois, il sentait en dépit de lui-même « une prédilection secrète pour cette nation que je trouvais servile et pour ce gouvernement que j'affectais de fronder ». Il explique ce penchant par « un goût croissant pour la littérature », qui l'attachait « aux livres français, aux auteurs de ces livres et au pays de ces auteurs ». « J'ai eu dans la suite, conclut le philosophe, occasion de remarquer dans mes voyages que cette impression ne m'était pas particulière et qu'agissant plus ou moins dans tous les pays sur la partie de la nation qui aimait la lecture et qui cultivait les lettres, elle balançait la haine générale qu'inspire l'air avantageux des Français. »

Séfarades, huguenots et jacobites

D'autres migrations, dont l'origine est politique et religieuse, touchent des catégories entières de population. En Europe, les plus notoires sont celles des Séfarades ibériques, des huguenots français et des jacobites des îles Britanniques.

Les Séfarades, juifs expulsés d'Espagne et du Portugal, se répandent dans toute l'Europe et l'Afrique du Nord à partir de

1492, l'exode se poursuivant durant deux siècles. Des communautés importantes se regroupent en Italie – Rome, Livourne, Venise – en France – Bayonne, Bordeaux –, mais aussi à Londres, à Amsterdam, à Hambourg. Les mêmes familles peuvent séjourner successivement ou simultanément à Bayonne, à Hambourg, à Londres et aux Antilles. Réputés « nouveaux convertis », les Séfarades judaïsent d'abord en secret puis de plus en plus ouvertement.

En 1715, la migration huguenote est lancée depuis plusieurs décennies. Les protestants français avaient commencé à quitter le royaume des Lys dès avant la révocation de l'édit de Nantes de 1685. Des départs isolés s'étaient échelonnés depuis le début du XVIIᵉ siècle, mais le mouvement prit tournure d'exode après le traité de Nimègue de 1679, avant même la révocation de l'édit de Nantes : sitôt la paix revenue, Louis XIV avait profité du calme extérieur pour ouvrir un front intérieur en multipliant les mesures répressives à l'encontre de la « religion prétendue réformée ».

Dès lors, les huguenots se dispersèrent dans toutes les directions. La terre d'accueil la plus proche et d'accès le plus facile était la Hollande, république protestante réputée pour être la patrie de la tolérance. Plus de 60 000 Français s'y réfugièrent. D'autres réformés ou « nouveaux convertis » mal convertis gagnèrent la Suisse (plus de 20 000), les principautés de l'Allemagne protestante (de 30 à 40 000) et l'Angleterre (de 40 à 50 000). De proche en proche, on retrouva des huguenots français en Scandinavie, en Russie, dans les colonies anglaises et hollandaises : au Cap, un quart des colons arrivés avant 1712 – les ancêtres des actuels Afrikaners – étaient des huguenots français. Le Languedocien Étienne Pillet, réfugié au Maroc, se convertit à l'islam sous le nom d'Abd-el-Hâdi, et devint gouverneur puis pacha de la cité corsaire de Salé. Une trentaine de familles huguenotes fondèrent en 1688 une « Nouvelle-Rochelle » dans la province de New York.

Les exilés valaient par le nombre – plusieurs centaines de milliers – mais aussi par la qualité : beaucoup étaient pasteurs, artisans, gens de loi, officiers des armées de terre et de mer. La France les perdit donc deux fois : une première fois en les chassant, une seconde fois quand ils se mirent au service de ses adversaires. À la bataille de la Boyne de juillet 1690, les troupes franco-irlandaises de Jacques II affrontèrent ainsi une armée commandée par le maréchal de Schomberg, un des anciens généraux de Louis XIV, et dont l'une des meilleures unités était composée de gentilshommes huguenots réfugiés.

Dans les décennies qui suivirent, la diaspora huguenote fournit des officiers, des administrateurs et des diplomates à la plupart des puissances ennemies de la France. On peut citer ici René Saunière, sieur de L'Hermitage (1653-1729), chargé d'affaires des Provinces-Unies à Londres, où il avait émigré vers 1686. L'Hermitage représentait les Provinces-Unies en Angleterre en l'absence d'ambassadeur et entretenait une correspondance secrète avec Heinsius. George Ier avait pour secrétaire particulier un autre huguenot, Jean Robethon, qui avait été au service de Guillaume d'Orange avant de passer à celui de l'électeur de Hanovre.

On peut comprendre que ces exilés n'aient pas toujours nourri pour leur ingrate patrie des sentiments de bienveillance excessive. « Pendant toutes les dernières guerres, écrit l'abbé Dubois en 1719 au sujet de Robethon, il n'y a eu aucun réfugié plus emporté contre la France que lui. Il est encore très caustique contre elle, surtout en ce qui concerne les religionnaires qu'il protège. » Certains de ces huguenots espérèrent que les défaites de la France contraindraient Louis XIV à revenir sur sa législation antiprotestante et à rétablir le régime de l'édit de Nantes. Il n'en fut rien, et ni les traités d'Utrecht ni la Triple Alliance ne conduisirent au rétablissement de la religion réformée en France.

Tout en reniant leur pays d'origine, les exilés répandirent sa langue et sa culture avec une efficacité inégalée. Dès 1699, Madame Palatine se réjouit de ce que les « pauvres réformés » établis en Allemagne « y répandront le français » : « Ces nouveaux sujets vont donc être une richesse pour les électeurs et les princes allemands. » Dans toutes les cours d'Allemagne du premier XVIIIe siècle, on trouve des précepteurs huguenots, des médecins huguenots, des savants huguenots, des conseillers huguenots. À Berlin, la gouvernante des enfants royaux était une Mme de Rocoules ; le précepteur du futur Frédéric II, Duhan de Jandun, était le fils d'un protestant champenois, arrivé à Berlin en 1687. À Amsterdam, on ne compte plus les libraires d'origine française et publiant en français. Jacques Desbordes, l'éditeur-imprimeur des *Lettres persanes*, était issu d'une lignée de typographes poitevins calvinistes ; sa mère, Suzanne de Caux, qui dirigeait l'entreprise alors que son fils était encore apprenti, venait d'une famille protestante de Dieppe. Les frères Huguetan, autres célèbres imprimeurs, venaient de Lyon.

À la seconde génération, les enfants des réfugiés conservent leur culture française tout en s'intégrant dans leur nouvelle patrie. Jean-Théophile Désaguliers, né à La Rochelle en 1683, fils d'un huguenot émigré en Angleterre, fut simultanément membre de la Royal Society, chapelain du duc de Chandos et grand maître de la Grande Loge maçonnique de Londres. Jean Ligonier, né à Castres en 1680, émigra avec ses parents en Angleterre en 1697, servit dans l'armée de Marlborough pendant la guerre de Succession, finit commandant en chef des forces britanniques et *field-marshal* durant la guerre de Sept Ans. Il mourut en 1770 après avoir été élevé à la pairie.

Comme la diaspora séfarade, la diaspora huguenote favorisait la circulation des hommes et des idées. Le chevalier de Jaucourt, futur rédacteur de l'*Encyclopédie*, né dans une famille crypto-protestante de Paris en 1704, partit faire ses études à Genève dès 1712, passa un an et demi à Londres et à Cambridge en 1727 et 1728 avant d'aller étudier la médecine à Leyde, la prestigieuse université des Provinces-Unies.

Trois ans après la révocation de l'édit de Nantes, la Glorieuse Révolution de 1688 provoqua un flux au sens contraire. Cette fois, ce furent des Anglais, des Écossais et des Irlandais fidèles au roi Jacques, catholiques ou anglicans, qui se réfugièrent en France puis se répandirent à travers l'Europe, pareils à « un vol d'oies sauvages » (*a flight of wild geese*). On estime leur nombre de 30 000 à 40 000 lors de la première vague de départs. Chaque péripétie de la vie politique britannique entraîna de nouveaux départs, nourrissant l'exil de ces « jacobites » ou partisans de Jacques II et de son fils. Certains émigrés, sans prendre parti pour le Prétendant, quittèrent l'Angleterre après avoir refusé de prêter serment au nouveau maître ou après avoir vu leur carrière compromise par un soupçon de réticence envers la nouvelle dynastie.

La cour des Stuarts s'exila d'abord à Saint-Germain-en-Laye, tandis que des régiments irlandais passaient au service de Louis XIV. On a vu qu'à l'approche de la paix d'Utrecht le fils de Jacques II dut se rendre en Lorraine, puis, après l'échec du *Fifteen*, en Avignon et enfin à Rome. Sa petite cour en exil, financée par la générosité du pape, devint une attraction pour les touristes voyageant en Italie. Avant même que les Stuarts aient dû migrer, contraints et forcés, vers le Midi, leurs partisans avaient trouvé refuge en France, puis en Espagne et en Italie, mais aussi hors de l'Europe catholique, en Suède et en Russie. Pendant ses campagnes en Espagne, le maréchal de Berwick, fils naturel de Jacques II, introduisit dans l'armée de Philippe V de nombreuses familles irlandaises, qui servirent dans des régiments étrangers. Le duc de Lliria, fils unique de Berwick, entra au service du roi catholique. Fait chevalier de la Toison d'Or et grand d'Espagne, il engendra une lignée dont la dernière représentante est l'actuelle duchesse d'Albe. L'Irlandais Patrick Lawless, devenu ambassadeur sous le nom hispanisé de Don Patricio Laulès, fut, par une ironie de l'histoire, commissaire pour le commerce à Utrecht puis chargé d'affaires d'Espagne à Londres en 1713, ambassadeur en France de 1721 à 1725, enfin commandant général des îles de Majorque et d'Ibiza. Auprès de Pierre le Grand, on rencontrait l'Écossais Robert Erskine, son médecin, cousin du comte de Mar, le chef malheureux du *Fifteen*, le colonel irlandais Peter Lacy, qui finit feld-maréchal et commandant en chef de l'armée russe, et l'amiral lord Duffus, exilé après la rébellion de 1715. Le capitaine Thomas Gordon, entré au service russe comme contre-amiral en 1717, devint commandant en chef de la marine impériale dix ans plus tard. Le comte Marischal, autre vaincu du *Fifteen*, trouva la fortune au service de Frédéric II de Prusse, et son frère James Keith servit successivement l'Espagne, la Russie et la Prusse. Mieux valait vivre « parmi les Kalmouks », écrivait ce dernier en 1732, que de languir à la cour en exil du Prétendant et « voir tant de nos vieux gentlemen, hommes jadis habiles, se changer en vieilles femmes ».

Comme les Séfarades et les huguenots, les jacobites contribuèrent au mouvement des idées. Les banquiers jacobites répandirent en Europe les doctrines économiques et les pratiques financières apparues en Grande-Bretagne dans les années 1690. Le chevalier Ramsay, précepteur des fils du Prétendant, introduisit en France la franc-maçonnerie de rite écossais. Moins nombreux que les huguenots, les jacobites formèrent moins des communautés que des réseaux d'information, d'échanges et de solidarité à dimension internationale.

Là encore, ce phénomène de diaspora n'est pas purement occidental. Huguenots et jacobites redécouvraient les pratiques de groupes minoritaires tels que les juifs en Europe centrale et en Méditerranée, les Arméniens en Perse et dans l'Empire ottoman ou encore les Chinois d'outre-mer dans le Sud-Est asiatique.

Esclaves et émigrants

Les mouvements de population les plus importants du premier XVIIIe siècle restent pourtant liés aux entreprises de colonisation dirigées ou favorisées par des États en cours d'expansion. Si le peuplement de l'Amérique à l'initiative des Occidentaux est le phénomène le mieux connu, il n'a rien de spécifiquement européen : l'Empire des Qing établit des paysans de l'intérieur de la Chine dans des colonies agricoles destinées à mieux rattacher au centre les régions nouvellement soumises de l'Asie centrale ; des mouvements de peuples séculaires se poursuivent dans toute l'Afrique noire, de la côte de Guinée à la côte de Zanzibar, dont les négriers se font l'écho. L'émigration de peuplement européenne ne se limite pas au Nouveau Monde : la colonie hollandaise du Cap et certaines îles de l'océan Indien accueillent une population européenne assez nombreuse pour qu'on ne puisse plus parler de simple comptoir ou de point d'appui militaire. En Europe même, on note d'importants déplacements de population, comme ceux qui accompagnent l'expansion des Habsbourg vers l'Est ou la mise en valeur du jeune royaume de Prusse. La devise de Frédéric-Guillaume était *Peuplierung* – encore du jargon franco-allemand –, car la fondation de villages lui permettait de constituer des communautés indépendantes des Junkers prussiens et ne relevant que de l'autorité royale. En 1731, il accueillit ainsi 15 000 protestants persécutés par l'archevêque de Salzbourg et les installa dans des parties lituaniennes de la Prusse orientale, dévastées par la peste en 1709 et 1710. Il s'agissait bien d'une colonisation, comportant la constitution d'un nouveau maillage foncier dans un territoire considéré comme neuf ou à mettre en valeur.

En 1715, l'Amérique reste cependant la grande destination de l'émigration de masse, comme aux deux siècles précédents. La France, déjà bien assise dans son Hexagone, et ses colonies sous-peuplées sont de ce point de vue un terrain d'observation peu significatif. La ruée vers l'or pousse les Portugais vers le Brésil ; de toute l'Europe protestante, les immigrants affluent vers les Antilles britanniques et vers les treize colonies d'Amérique du Nord. Depuis 1690 et la conversion de l'électeur palatin au catholicisme, on voyait arriver des protestants allemands fuyant la guerre et les persécutions religieuses : en 1710, le gouvernement de Londres fit passer en Amérique 2 000 paysans du Palatinat, les « pauvres Palatins », qui furent installés pour la plupart dans la vallée de l'Hudson. Après 1720, une nouvelle vague d'immigration amena d'Allemagne des luthériens et des réformés poussés à l'exil par des motifs plus économiques que religieux. L'assimilation de ces nouveaux venus buveurs de café plutôt que de thé fut difficile. Benjamin Franklin s'interrogeait : « Pourquoi devrions-nous souffrir que les rustres palatins grouillent dans nos villes et, en s'y entassant, y établissent leur langue et leurs manières à l'exclusion des nôtres ? »

Mais le phénomène véritablement nouveau du premier XVIIIe siècle est l'intensification de l'immigration forcée des Africains par le biais de la traite, qui façonne les sociétés du Brésil, des Antilles et des colonies du sud de l'Amérique britannique : l'homme qui voyage en 1715 est moins souvent un paysan européen qu'un Africain enchaîné à fond de cale[2].

Dans les colonies espagnoles, un des premiers actes de Philippe V fut, on l'a vu, de transférer l'Asiento des Portugais aux Français. Le monopole fut conféré à la Compagnie de Guinée, fondée en 1685 et réorganisée pour l'occasion. Le contrat d'Asiento était conclu pour dix ans, durée pendant laquelle la compagnie devait emmener en Amérique espagnole 48 000 esclaves si

---

2. Outre la synthèse d'Olivier Pétré-Grenouilleau, *Les Traites négrières : essai d'histoire globale*, 2004, on se reportera aux pages consacrées à l'esclavage dans les plantations par Kenneth Pomeranz, *Une grande divergence*, op. cit., p. 395-402.

la paix se maintenait et 38 000 en cas de guerre. La compagnie n'arriva à en fournir que la moitié entre 1702 et 1713, mais profita de l'Asiento pour pratiquer une contrebande variée. De leur côté, les colonies espagnoles n'en continuèrent pas moins à commercer avec les Hollandais et à se fournir en esclaves auprès d'eux.

Il en allait de même dans les possessions françaises et anglaises. Pour cultiver le sucre des Antilles et le tabac d'Amérique du Nord, il fallait toujours plus d'esclaves : la Virginie comptait 3 000 esclaves en 1680, 23 000 en 1715, et chaque année 1 000 nouveaux captifs arrivaient d'Afrique. En Caroline du Sud, on comptait 1 500 esclaves en 1690 pour 12 000 en 1720 et 20 000 en 1730, contre 10 000 Blancs. Entre 1715 et 1730, 110 000 nouveaux esclaves arrivèrent d'Afrique dans les possessions françaises, en sorte qu'en 1730 les Antilles et la Guyane française comptaient, pour un total de 195 000 habitants, 32 000 Blancs et 160 000 Noirs. C'était plus de deux fois la population totale de l'Amérique du Nord française.

Parallèlement, la crainte d'une révolte noire faisait adopter dans les différentes colonies des législations de plus en plus répressives et des modes de vie de plus en plus séparés. Après la révolte survenue à New York en 1712, pendant laquelle neuf Blancs périrent, l'Assemblée de la colonie interdit les rassemblements de plus de trois esclaves sans l'accord de leurs propriétaires. En 1714, la Caroline du Sud décida que les coups portés par un esclave sur un Blanc seraient punis de mort. En Virginie, l'affranchissement des esclaves fut interdit à partir de 1723, sauf accord de l'Assemblée législative.

Dans le même temps, la traite traditionnellement pratiquée par les sultanats musulmans se poursuivait, fournissant les cours de l'Ancien Monde en serviteurs, en eunuques et en gardiens. C'est par ce biais que Pierre le Grand acheta vers 1703 à Constantinople un groupe d'esclaves noirs. Parmi eux, un nommé Hannibal, devenu secrétaire du tsar, mena après sa mort une longue carrière d'ingénieur qu'il finit avec le grade de général en chef : il fut l'arrière-grand-père d'Alexandre Pouchkine. À l'autre extrémité de l'Europe, au Maroc, le sultan Moulay Ismaïl appuyait son autorité sur une milice d'esclaves noirs, supposés plus fidèles au monarque que les troupes tribales indigènes.

Résistances

Dans ce mouvement croissant du monde, on reconnaît des nœuds de communication – Londres, Amsterdam, Paris, Cadix, Constantinople, Smyrne, Surate, Pékin, Canton –, mais aussi des pôles de résistance, des régions qui refusent les échanges et la libre circulation des hommes. Le cas du Japon des Tokugawa est bien connu, mais loin d'être unique. Des réactions analogues de fermeture à ce qui est ressenti comme une agression extérieure se répètent à travers le monde, et des États se constituent en « royaumes ermites » sous toutes les latitudes.

Confrontée à la fois à l'expansion musulmane et aux missions jésuites, l'Éthiopie orthodoxe s'était délibérément isolée à partir des années 1630. La capitale se fixa à Gondar, au cœur du pays, loin des menaces étrangères. Le négus conclut un accord avec le gouverneur du port ottoman de Massawa, sur la mer Rouge, pour que ce dernier mette à mort tout missionnaire catholique qui viendrait à débarquer. Les Éthiopiens convertis au catholicisme eurent à choisir entre le retour à l'orthodoxie et l'exil. Les tentatives des puissances européennes pour renouer le contact se soldèrent par des échecs. Lenoir du Roule, émissaire de Louis XIV, fut massacré près de la ville soudanaise de Sennar en 1705, avant d'avoir atteint l'Abyssinie. Son successeur, Paul Lucas, parti de France en 1714, n'alla pas plus loin que l'Égypte.

Un phénomène analogue s'observe au royaume chrétien du Congo, en conflit récurrent avec le Portugal. En 1704, une prophétesse, Doña Beatrice Kimpa Vita, commença à prêcher l'« antoinisme », doctrine hostile aux Blancs et aux missionnaires, qui faisait de saint Antoine de Padoue une figure divine. En 1711, un Européen explique l'hostilité des Congolais par la « crainte qu'ils ont de devenir esclaves des Portugais ».

Dans son mémorandum de 1717 à l'empereur Kangxi, le général Chen Mao, qui avait voyagé à Manille et Batavia, note que les Occidentaux « commencent par ne se mêler que de relations commerciales, après quoi ils se servent de ce moyen pour contrôler les régions environnantes ». Partout, les voyageurs européens sont soupçonnés d'être des espions, les missionnaires et les marchands d'ouvrir la voie aux soldats et aux conquérants – et le soupçon n'est pas toujours sans fondement.

Robinson et Gulliver

Deux personnages de fiction devenus universellement célèbres incarnent cet âge des voyages. Le premier est le héros du roman homonyme *Robinson Crusoe* de Daniel Defoe, publié à Londres le 25 avril 1719. Defoe s'inspire de l'histoire d'un boucanier écossais, Alexander Selkirk, qui avait été abandonné sur une île au large du Chili entre 1704 et 1709, mais l'auteur introduit des péripéties qui changent le sens de l'expérience : des cannibales descendent périodiquement sur l'île de Robinson pour y dévorer leurs victimes ; Robinson recueille un de leurs prisonniers, lui donne le nom de Vendredi et en fait son serviteur. « Roi » ou « gouverneur » de son île, le marin reconstitue une micro-société coloniale dont il est le chef ; il instruit Vendredi des vérités du christianisme. Defoe a fait de l'aventure de Robinson l'histoire d'une rédemption sur le mode puritain : la lecture de la Bible et le spectacle de la Nature ont rapproché Robinson de Dieu, jusqu'à l'épisode final du roman, où le héros, revenu en Europe, entre dans la Terre promise.

Les *Voyages de Gulliver* de Jonathan Swift, parus également à Londres sept ans après *Robinson Crusoe*, prennent à peu près complètement le contre-pied du roman de Defoe. Comme Robinson, Gulliver est un marin naufragé, mais ses aventures ne l'emmènent pas sur des îles désertes : il aborde dans des contrées habitées au cours de pérégrinations qui s'étendent entre 1699 et 1715.

Un premier naufrage le fait aborder sur l'île de Lilliput, royaume peuplé d'habitants minuscules en lutte contre l'île voisine de Blefuscu. Gulliver, qui paraît un « homme-montagne » aux microscopiques indigènes, devient leur arme absolue dans la guerre qui les oppose au royaume rival. Swift retrace la querelle des Blefusciens « gros-boutiens » contre les Lilliputiens « petits-boutiens », qui disputent sur la meilleure façon de couper les œufs avant de les manger – image satirique des controverses entre catholiques et protestants. L'empereur miniature qui règne sur Lilliput s'intitule « délices et terreurs de l'univers dont les États, grands de cinq mille blustrugs, s'étendent jusqu'aux extrémités du globe, monarque de tous les monarques, plus grand que les fils des hommes, dont les pieds foulent le centre, et dont la tête frappe le soleil » : allusion à la vanité de Louis XIV et, plus largement, image de la relativité des grandeurs terrestres.

Le naufrage suivant conduit le héros dans une situation inverse : à Brobdingnag, continent de l'océan Pacifique peuplé de géants, il n'est plus qu'un objet de curiosité, un animal de compagnie qui est bientôt produit à la cour. Le roi de Brobdingnag interroge Gulliver sur le gouvernement de l'Angleterre et ce dernier lui fait un éloge circonstancié des institutions parlementaires... dont le souverain géant, qui ne s'en laisse pas conter, tire des conclusions peu favorables. Le dernier siècle de l'histoire britannique n'est à ses yeux « qu'un amas de conspirations, de révoltes, de meurtres, de massacres, de révolutions, de bannissements et de tous les pires effets que l'avarice, l'esprit de faction, l'hypocrisie, la perfidie, la cruauté, la rage, la folie, la haine, l'envie, la débauche, la méchanceté et l'ambition puissent produire ». Quant aux institutions, dit le roi, « vous avez clairement prouvé que l'ignorance, la paresse et le vice sont les ingrédients propres à faire un législateur; que les lois sont le mieux expliquées, interprétées et appliquées par ceux dont les intérêts et le talent consistent à les pervertir, à les confondre et à les éluder ».

La troisième aventure de Gulliver l'emmène dans différentes îles : la première, Laputa, flotte dans les airs et est peuplée de savants mathématiciens ridicules, satire de la Royal Society : tout occupés de spéculations intellectuelles, les maîtres de Laputa sont incapables de leur donner une utilité concrète. Au Japon, Gulliver obtient d'être dispensé de fouler au pied le crucifix. Le roi lui fait observer qu'il est le « premier Hollandais qui eût jamais eu aucun scrupule sur ce point ».

Le dernier voyage conduit Gulliver au pays des Houyhnhnms, chevaux dotés d'intelligence et de qualités morales supérieures, qui cohabitent avec les Yahoos, humanoïdes monstrueux et primitifs. Le personnage de Swift étonne ses hôtes en leur révélant qu'en Europe la situation est inversée et que les chevaux y sont au service des hommes. Ignorant le mal, les Houyhnhnms peinent à comprendre le récit des aventures passées du héros : « Le pouvoir, le gouvernement, la guerre, la loi, le châtiment et mille autres notions ne trouvaient point de termes dans cette langue qui pussent les exprimer. » Avec le temps, Gulliver s'identifie à ce peuple parfait et, de retour en Europe en 1715, il se révèle incapable de se réadapter au monde des hommes.

La morale des *Voyages de Gulliver* est à l'opposé de celle de *Robinson Crusoe*. La valeur de toute chose – religion, institutions, lois, sciences, mœurs – n'est que relative. Le progrès est une illusion et l'expansion des Européens un crime. « Ils débarquent pour voler et piller ; ils voient un peuple inoffensif qui les accueille avec bienveillance ; ils donnent au pays un nom nouveau ; ils en prennent formellement possession au nom de leur roi ; ils dressent, comme monument commémoratif, une planche pourrie ou une pierre [...] ; ici commence une nouvelle domination acquise légitimement de droit divin. À la première occasion on envoie des vaisseaux ; les naturels sont chassés ou détruits ; leurs princes mis à la torture pour découvrir leur or ; pleine licence est donnée à tous les actes d'inhumanité et de luxure ; la terre fume du sang de ses habitants ; et cette exécrable horde de bouchers, employée à une expédition si pieuse, est une colonie moderne, envoyée pour convertir et civiliser un peuple idolâtre et barbare ! » Le personnage de Gulliver emprunte d'ailleurs au peu édifiant William Dampier, un des premiers explorateurs de l'Australie, dont les voyages autour du monde eurent pour premier objectif le pillage des colonies espagnoles.

En dépit de cette vision pessimiste du monde, le succès des *Voyages de Gulliver* fut aussi grand que celui des aventures de Robinson. John Gay écrivit à Swift que son livre était lu universellement, « depuis le Conseil de cabinet jusqu'à la nurserie » ; on lui donna des suites, ainsi des *Mémoires de la cour de Lilliput*, publiés en 1727, des « clefs » censées identifier les personnages du roman avec des célébrités britanniques. Des traductions françaises, hollandaises et allemandes furent publiées en 1727 ; le traducteur français, l'abbé Desfontaines, fit paraître en 1730 le *Nouveau Gulliver*, histoire des aventures du fils de Gulliver. Dès 1728, le musicien allemand Telemann publiait à Hambourg une suite pour deux violons intitulée *Gulliver* où se succèdent la chaconne de Lilliput, la gigue de Brobdingnag, la rêverie des Laputiens, la loure des Houyhnhnms et la Furie des Yahoos.

« Tout le malheur des hommes, écrivait Blaise Pascal, vient d'une seule chose, qui est de ne pas savoir demeurer au repos dans une chambre. » La première génération des Lumières, au contraire, exalte l'utilité des voyages, qui, au choix, forment la jeunesse, favorisent le commerce, permettent l'échange des idées, servent la diffusion de la vraie foi. Grâce aux récits de voyages, l'Amérique, l'Inde, la Chine, la Sibérie sont de mieux en mieux connues. Chaque année apporte un élément nouveau au déchiffrement du monde.

La louange des migrations est plus hésitante. En l'absence de données démographiques fiables, certains se demandent si peupler les colonies ne revient pas à dépeupler l'Europe. La traite des esclaves est reconnue comme une nécessité, mais n'est nullement célébrée comme un bienfait. Quand il se déplace en groupe, le nouveau venu est partout considéré comme un danger potentiel pour l'ordre existant, qu'il soit Africain aux Antilles, Chinois à Batavia ou Allemand en Amérique du Nord.

Ainsi le mouvement qui pousse les Européens vers des horizons nouveaux ne va-t-il pas sans inquiétudes. Comme les Persans de Montesquieu, le Gulliver de Swift, arrivé au terme de son voyage, parvient à une conclusion quelque peu désenchantée : l'humanité, entièrement diverse dans ses mœurs, est pourtant partout semblable par ses vices et ses passions. Loin de tout triomphalisme, le voyageur européen de 1715 se souvient parfois de la chambre de Pascal.

Conclusion

La recherche des grandes causalités historiques, qui fascine les Russes comme les Américains, suscite souvent, dans l'Université française, la méfiance ou l'ironie. L'historien spécialiste – qu'il soit d'un tempérament érudit ou au contraire conceptuel – l'emporte en légitimité sur le généraliste, suspect d'incompétence. Après avoir dénoncé le « roman national » qu'aurait constitué l'histoire de France, les historiens français se défient de la gestation d'un « roman européen » ou même d'un « roman mondial ». En la matière, les économistes et les géographes, tels que Paul Bairoch ou Christian Grataloup, se montrent volontiers plus audacieux et plus disposés à embrasser largement le temps et l'espace[1].

Au terme de notre voyage, nous adopterons le point de vue de la géopolitique pour replacer 1715 dans le temps long et la France dans le cadre plus vaste de l'Europe et du monde.

La France et l'Europe

Un tableau célèbre de Watteau, *L'Enseigne de Gersaint*, montre la mise en caisse d'un portrait de Louis XIV, sous l'œil ironique d'un portefaix. On y a longtemps vu une allusion critique à la fin de règne du Roi-Soleil et un manifeste de la Régence. Mais le

---

1. Christian Grataloup, *Géohistoire de la mondialisation : le temps long du monde*, 2007, et *Faut-il penser autrement l'histoire du monde ?*, 2011.

tableau, daté de 1721, a été peint d'abord pour servir d'enseigne au marchand Gersaint, et la scène de la mise en caisse n'est qu'une allusion au nom de sa boutique du pont Notre-Dame : « Au Grand Monarque ».

On voit combien l'idée d'une rupture intervenue en 1715 doit être considérée avec prudence. Suivant la formule bien connue du *Guépard*, tout doit changer pour que rien ne change. Aucun élément de l'œuvre du Grand Roi n'est remis en cause : ni la forme particulière d'absolutisme qu'il a instaurée, ni l'installation de la monarchie à Versailles, ni la révocation de l'édit de Nantes. L'ordre politique, économique et social de la monarchie subsiste, en apparence intact, jusqu'à la Révolution de 1789.

Entre Grand Siècle et siècle des Lumières, la France brille encore d'un vif éclat. Si changement de tendance il y a, il est sous-jacent et tient à ce que les options prises à cette époque ont pesé sur l'avenir. Le traité d'Utrecht de 1713 annonce le traité de Paris de 1763 et l'éviction de la France de l'Amérique du Nord. La renonciation à l'Asiento en faveur de l'Angleterre prépare la domination de cette dernière sur le commerce international. L'échec du Système de Law empêche Paris de se doter des instruments financiers à la mesure de sa puissance politique. La croissance démographique et économique de la France au XVIIIe et au XIXe siècle sera plus lente que celle d'autres nations européennes, jusqu'à se faire dépasser par l'Angleterre, l'Allemagne et la Russie.

La France de l'après-Louis XIV se tient pour achevée. Elle a renoncé à la prépondérance. Elle quitte son âge d'or pour entrer dans son âge d'argent, dans la lente transformation d'une nation hégémonique en puissance moyenne. À l'exception notable de Napoléon Ier, tous ses dirigeants ultérieurs seront des pacifiques. Le renversement de tendance n'a pas eu lieu en 1715, mais trente ans plus tôt, lors du « grand tournant » des années 1680, marqué par la révocation de l'édit de Nantes, la constitution de la Ligue d'Augsbourg et la Glorieuse Révolution anglaise de 1688.

De ce point de vue, l'exemple français est riche d'enseignements à l'échelle du monde. Il montre qu'il n'y a pas de coïncidence absolue ni même nécessaire entre puissance et richesse, essor et niveau de vie, dynamisme et bonheur de vivre. Il n'y en a pas davantage entre hégémonie politique et hégémonie linguistique, entre impérialisme et floraison artistique et littéraire.

L'Europe et le monde

À l'échelle européenne, il est tout aussi délicat de distinguer un « Grand Siècle » et un « siècle des Lumières » aux génies contraires. Depuis la Renaissance, l'Occident entrait progressivement dans un nouvel âge de l'humanité. Un âge où la raison prévalait sur les coutumes, où l'État l'emportait sur la religion, où les fortunes bâties sur le commerce et l'industrie commençaient à concurrencer celles fondées sur la terre, où les femmes sortaient peu à peu de leur condition inférieure.

Les décennies 1720 et 1730 marquent une étape importante de cette évolution. La paix devient la norme et la guerre l'exception. Des visionnaires tirent des plans de paix perpétuelle et d'union européenne. L'importance croissante des questions économiques dans les préoccupations des gouvernants balance l'intérêt jadis prédominant pour l'acquisition de nouveaux territoires. La puissance d'un État se mesure autant par ses ressources financières que par l'étendue de ses possessions.

En dépit de son aspiration à l'expansion, l'Europe de 1715 n'entretient avec le reste du monde que des interconnections limitées. On peut parler de mondialisation inachevée, d'un temps où la planète ne forme pas un seul monde, mais plusieurs mondes aux contacts discontinus. En 1715, le « monde » résumé par un globe terrestre ou par un planisphère n'existe que pour une infime minorité : savants européens et chinois, négociants et armateurs, courtisans de Louis XIV, qui peuvent admirer à Marly les globes de Coronelli offerts au Roi-Soleil par le cardinal d'Estrées. Kangxi a entendu parler de Louis XIV et Louis XIV de Kangxi, mais les deux monarques ne sont l'un pour l'autre que des silhouettes floues et lointaines.

Les Européens de 1715 ne savent pas que leurs successeurs immédiats seront bientôt les maîtres du monde – pour peu de temps il est vrai, entre 1860 et 1940 –, mais ils ne sont pas tout à fait aveugles quant à l'avenir : les plus imaginatifs ou les plus lucides voient naître aux Amériques des royaumes nouveaux, préparent le dépècement de l'Empire ottoman, ne fixent pas de bornes aux profits du grand commerce international.

Pierre le Grand fut le premier dirigeant à analyser ce nouveau stade de la condition humaine comme un tout indivisible et à vouloir y faire adhérer son empire d'un seul coup. Pour le tsar réformateur, la modernité est un bloc. Éducation, costume, mœurs, manières, organisation de la société et de l'État, elle embrasse tous les aspects de la vie humaine. Il ne suffit pas d'adopter quelques techniques militaires ou d'acheter quelques machines de guerre pour en être partie prenante.

Il s'agissait d'une sorte de conversion, au sens religieux du terme. L'abandon des barbes et du costume traditionnel est de ce point de vue bien significatif : l'apparence est le premier marqueur de l'identité et de l'appartenance religieuse. Pour apprécier l'audace et pour ainsi dire l'énormité de cette démarche, il faut remarquer que l'exemple de Pierre a rarement été suivi, et rarement avec succès : le Japon du Meiji et la Turquie d'Atatürk sont les seuls cas comparables. Partout ailleurs, les Pierre le Grand en herbe se sont heurtés à des résistances insurmontables, ont connu l'exil ou ont péri par l'épée.

Cette lutte ouverte de l'ancien ordre des choses contre le nouveau a commencé en ce tournant des XVIIᵉ et XVIIIᵉ siècles. Elle dure toujours. Gageons qu'elle sera encore, pour quelques siècles, le fil rouge de l'histoire humaine.

Les « forces profondes »

Comment expliquer l'essor de l'Occident et le déclin ou la stagnation d'autres aires de civilisation? Au-delà de l'écume des événements, l'examen du premier XVIIIᵉ siècle permet d'isoler quelques « forces profondes », suivant l'expression chère à Pierre Renouvin, à l'œuvre sur la longue durée.

L'histoire traditionnelle se penche sur les conditions politiques des grandes évolutions et en rend compte suivant un schéma calqué sur le cycle biologique : ascension, apogée, déclin. Ce modèle explicatif se retrouve aussi bien en Europe qu'en Chine ou dans le monde arabe. Dans l'Empire du Milieu, les dynasties successives acquièrent puis perdent le « mandat du Ciel »; dans l'Orient d'Ibn Khaldun, de farouches nomades conquièrent des empires, se transforment peu à peu en citadins raffinés, avant d'être remplacés par d'autres nomades encore épargnés par l'influence émolliente de la civilisation. Ascension et déclin sont des mécanismes quelque peu mystérieux mais nécessaires, qui permettent de rendre compte aussi bien du déclin général des empires musulmans, qui se poursuit jusqu'au XXe siècle, que de la redistribution des cartes en Occident avec la montée en puissance de nouveaux acteurs : Angleterre, Russie, au premier rang ; Savoie-Piémont, Brandebourg-Prusse et colonies nord-américaines, au second. Modèle commode, mais qui laisse de côté la contingence et l'action éventuelle des individus et, au fond, n'explique pas grand-chose.

On peut se demander si les environs de 1715 ne marquent pas justement la fin du temps cyclique des vieux modèles histo-riques, remplacé par un temps linéaire. L'affrontement séculaire du monde sédentaire et du monde nomade connaît ses ultimes épisodes – victoire des Afghans sur les Persans, défaite des Dzoungars face aux Qing – avant de se solder par le triomphe définitif du protagoniste sédentaire. Le temps des dynasties commence à s'effacer devant celui des nations, sinon encore des nationalismes. Durant la guerre de succession d'Espagne, on aura ainsi noté l'influence du facteur national sur le théâtre ibé-rique : Portugais contre Espagnols, Castillans contre Catalans. Des causes mineures – dynastiques – coïncident avec des causes majeures – nationales : les intérêts particuliers des Orléans et des Hanovre recouvrent ainsi les intérêts généraux de la France et de l'Angleterre. Leur alliance n'est pas l'union de deux usurpateurs, en place ou en puissance, mais la sanction de l'intérêt bien com-pris de deux nations.

Économie et religion

Les historiens du XXe siècle ont préférentiellement mis en avant les facteurs économiques des évolutions historiques : en l'espèce, l'essor du capitalisme marchand occidental, de l'Amé-rique à la Chine, seul phénomène véritablement mondial, qui fait circuler jusqu'à Delhi et Pékin l'or et l'argent de Mexico et de Lima. On a vu qu'au début du XVIIIe siècle l'expansion de l'Occident au-delà des mers n'avait pas ou plus pour objectif principal la conquête de nouveaux territoires. La revendication de jungles, de déserts ou de régions inexplorées était d'un intérêt minime. Elle était même fort coûteuse si elle supposait la construction de places fortes et l'entretien de troupes. L'idée s'était imposée que la puissance des États venait moins de l'étendue des régions conquises que des profits retirés du grand commerce international. Dans *Civilisation matérielle, économie et capitalisme*, Fernand Braudel a montré comment, entre le XVe et le XVIIIe siècle, une « distorsion séculaire » du dynamisme économique s'est créée entre l'Europe et le reste du monde, préparant l'hégémonie de celle-ci sur celui-là.

La priorité donnée aux forces économiques dans l'étude des problèmes historiques bute cependant sur plusieurs obstacles. Cette démarche peine à établir les motifs qui expliquent les « décollages » ou au contraire les « retards » accumulés. À l'échelle mondiale, elle n'a pas réussi à établir une corrélation assurée entre conjoncture climatique, conjoncture économique et expansion ou déclin relatifs des États. L'hypothèse suivant laquelle la révolution industrielle européenne se serait fondée sur les bénéfices tirés de l'exploitation des colonies et des profits du grand commerce international est remise en cause par des théories internalistes qui donnent un rôle majeur aux progrès agricoles effectués en Europe même[2].

Le seul jeu des intérêts matériels paraît de fait impuissant à rendre compte des convulsions momentanées comme des évolutions de longue durée qui traversent l'année 1715 et ses abords. En ce premier âge des Lumières, la religion joue encore un rôle fondamental. Les grands monothéismes chrétien et musulman poursuivent alors leur action missionnaire et leur expansion en Amérique, en Afrique et en Asie, mais subissent quelques échecs retentissants. Avec la défaite du trop zélé Aurangzeb dans le Deccan et la décomposition de l'Empire moghol, l'islam subit le plus cinglant revers de son histoire, et l'hindouisme, dernière

2. Kenneth Pomeranz, *Une grande divergence, op. cit.*, interprète lui la « prédation exercée outre-mer comme un facteur *complémentaire* » du développement européen.

grande religion polythéiste, remporte une éclatante revanche sur des siècles d'humiliation. Avec l'issue de la querelle des rites, le christianisme voit se fermer à lui le cœur du monde chinois. Il se produit en Chine ce qui s'était passé au Japon un siècle plus tôt, quoique le rejet prenne une forme moins sanglante. Alors qu'elle avait remporté un certain succès populaire, la religion chrétienne va rester une « religion étrangère » et rejetée comme telle.

En Europe même, la religion demeure un élément majeur des identités et des antagonismes entre individus, communautés et États. Protestants et orthodoxes communient dans une même aversion pour la figure fantasmée du pape, alors même que les pontifes qui s'assoient sur le trône de saint Pierre n'ont ni le pouvoir, ni les ambitions, ni le charisme de leurs devanciers de la Renaissance. L'hostilité envers le « papisme » a opéré dans bien des régions du monde : elle a alimenté la résolution des treize colonies à éliminer la France d'Amérique du Nord et sans doute incité la Russie de Pierre le Grand à chercher ses modèles dans l'Europe du Nord. L'époque peut se lire comme une phase d'assoupissement du catholicisme face au dynamisme spirituel des communions protestantes, où fleurissent le renouveau piétiste et les Lumières chrétiennes. Au même moment où s'affirme le talent de Voltaire et de Montesquieu, Jean-Sébastien Bach fait jouer la *Passion selon saint Jean*, la *Passion selon saint Matthieu* et la cantate *Wachet auf ruft uns die Stimme* (*« Éveillez-vous nous dit la voix »*). Au-delà de l'opposition entre Europe catholique et Europe protestante, on peut se demander si le christianisme, religion du Dieu fait homme, religion de la controverse théologique, n'a pas été le terreau le plus favorable à l'essor des Lumières, voire la condition indispensable de leur éclosion[3].

En Asie, le radicalisme religieux a joué son rôle dans le déclin ou la chute des empires musulmans, sans que l'Occident ait besoin de s'en mêler. La rivalité des sunnites et des chiites est plus importante pour comprendre la scène politique indienne ou persane que l'hostilité supposée entre Iraniens et Touraniens. Tandis que l'Empire moghol aurait pu être la matrice de l'Inde

---

3. C'est la conclusion à laquelle parvient Jean-Michel Sallmann en étudiant une période antérieure, la transition du Moyen Âge aux Temps modernes (*Le Grand Désenclavement du monde*, op. cit.).

moderne, la politique d'Aurangzeb a créé ou ranimé des haines insurmontables qui perdurent au commencement du XXIe siècle. Et c'est au début du XVIIIe siècle que naissent les penseurs musulmans qui, comme Mohammed ben Abdelwahhab, sont à la source du fondamentalisme contemporain.

Curiosité et incuriosité

Plus récemment, l'attention des historiens s'est portée sur les facteurs culturels, qui sous-tendraient tous les autres. En dernière analyse, il semble bien que l'avantage des petits royaumes de l'Occident sur les grands empires de l'Orient se nomme curiosité, cette *libido sciendi* que les théologiens du Moyen Âge dénonçaient comme un vice et dont la Renaissance avait fait une vertu. « La connaissance de l'homme éclairé n'est jamais rassasiée par le savoir direct, écrit Théophane Prokopovitch, l'idéologue officiel de Pierre Ier; cet homme ne cesserait jamais d'étudier, même s'il vivait jusqu'à l'âge de Mathusalem. » La fragmentation politique et religieuse de l'Europe, en limitant les monopoles de pouvoir, a stimulé la recherche des nouveautés, le libre débat, les divergences d'opinions.

Dans cet ordre d'idées, l'arme secrète de l'Europe, ce n'est ni le canon, ni le fusil à baïonnette, ni le vaisseau de ligne, mais le livre imprimé, qui permet la diffusion et la capitalisation des connaissances. L'imprimé agit sur toutes les sphères de l'action publique : administration générale de la cité (*Traité de la police* de Delamare), diplomatie (*De l'art de négocier avec les souverains* de Callières), commerce (*Le Parfait Négociant* de Savary des Bruslons). Le cas de l'art militaire et de la fortification est plus frappant encore. C'est dans ce domaine que depuis la Renaissance la production de traités est la plus considérable quantitativement et que les échanges, par le biais des traductions et des adaptations, sont les plus intenses. Grâce au livre, la guerre « savante », issue d'emprunts à l'Antiquité gréco-romaine et d'innovations technologiques, devient peu à peu la guerre ordinaire de l'Europe occidentale. Ainsi est satisfaite la fameuse injonction de Descartes dans le *Discours de la méthode* : l'homme de science doit communiquer ses découvertes au public « afin que les derniers commençant où les précédents auraient achevé, et ainsi, *joignant les vies et les travaux de plusieurs,* nous allassions tous ensemble beaucoup plus loin que chacun en particulier ne saurait faire ».

Descartes avait invité les hommes à se rendre « maîtres et possesseurs de la nature ». À la fin de 1715, Leibniz annonce à Madame Palatine la réalisation prochaine de ce programme : « J'ai des motifs d'admettre, écrit-il à la princesse, qu'avec le temps les hommes réaliseront à cet égard de très grands progrès. Grâce à l'imprimerie, en effet, les inventions nous sont conservées, elles ne peuvent plus se perdre (comme cela a été le cas pour celles faites par les Anciens) et il vient s'y ajouter sans cesse de nouvelles. Seulement ce progrès sera tant soit peu lent à s'effectuer si l'on attend que les inventions se fassent en quelque sorte d'elles-mêmes et si on ne les provoque pas par des recherches industrieusement faites. On a commencé à procéder de la sorte depuis soixante, soixante-dix et même cent ans. Ainsi, dans l'espace de ces soixante, soixante-dix ou cent ans, on a plus fait pour étendre nos connaissances que dans les six mille ans qui précèdent, ou peu s'en faut. » C'est en effet au temps de Leibniz et de Newton que, pour la première fois dans l'histoire de l'humanité, les découvertes scientifiques quittèrent le terrain de la pure spéculation pour interagir avec les innovations techniques et trouver des applications pratiques dans la cartographie et dans l'horlogerie de précision.

L'essor à la fois scientifique et technique, mais aussi proprement intellectuel, qui découle de ces postures nouvelles est un puissant instrument de supériorité sur l'adversaire en ce qu'il permet d'embrasser le monde à la fois dans sa globalité et sa diversité et d'accumuler un capital culturel sans précédent ni comparaison. À l'inverse, l'incuriosité de l'Orient pour l'Occident prépare sa sujétion future.

À cette incuriosité tiennent bien des occasions perdues. Réformé plus tôt, l'Empire ottoman aurait peut-être pu devenir un grand État fédéral musulman à vocation universelle. Ses atouts étaient tels qu'en dépit de ses défaites répétées des XVIIIe et XIXe siècles, la Turquie fut, avec l'Afghanistan et la Perse, le seul pays musulman à échapper à la colonisation. D'autres hypothèses contrefactuelles entraînent dans des perspectives vertigineuses : que serait-il arrivé si, comme l'avaient fait ses prédécesseurs du xvᵉ siècle, Kangxi avait décidé la construction d'une flotte de ligne et l'avait lancée à la conquête de l'océan Indien ? Mais revenons à la réalité : si une telle entreprise n'avait rencontré aucun obstacle matériel majeur, elle aurait sans doute suscité des oppositions puissantes voire invincibles, d'ordre politique et psychologique.

1715 et 2015

Ce détour par l'histoire des virtualités nous invite à un parallèle entre la géopolitique de 1715 et celle du temps présent, qui nous aidera à mieux faire la part du possible et celle du nécessaire. Comme le Céleste Empire de 1715, la Chine de 2015 est un géant politique, économique et démographique, la puissance prépondérante de l'Extrême-Orient. Un coup d'œil porté trois cents ans en arrière nous montre que cette situation constitue un retour à la normale et que c'est bien plutôt l'effacement momentané de la Chine entre 1839 et 1949 qui constitue une anomalie au regard de la longue durée de l'histoire humaine. Japon, Vietnam et Corée se trouvent ainsi ramenés à la position délicate qui fut la leur durant des siècles, entre attraction et répulsion face à l'Empire du Milieu.

Le monde musulman, au contraire, ne s'est pas remis de la maladie de langueur qui a frappé les grands États turc et iranien du xviiiᵉ siècle. Religion impériale, porteuse d'un projet politique et social, l'islam est orphelin de ces empires. Le paradoxe demeure d'une aire géopolitique où la langue arabe joue un rôle religieux fondamental tandis que les pays arabes, balkanisés, pèsent moins lourd que les États turcs, indo-iraniens ou indonésiens. Le vieil antagonisme entre sunnites et chiites subsiste partout, aussi puissant au début du xxiᵉ siècle qu'au commencement du xviiiᵉ.

Ramenée à ses bornes continentales après quatre siècles d'expansion mondiale, l'Europe, fragmentée elle aussi, vit sous un régime d'équilibre instable mais pacifié entre quelques puissances de premier rang – Allemagne, France, Grande-Bretagne, d'abord, Italie et Espagne, ensuite – et de multiples comparses. Sous des dehors amènes, elle est devenue un allié secondaire,

sinon un protectorat, d'une de ses anciennes colonies améri-
caines. Il est remarquable qu'en dépit de cette tutelle et de la
mise en place progressive d'une Union européenne, les tendances centrifuges demeurent vivaces au sein du continent :
Écosse, Pays basque, Catalogne, Lombardie rêvent d'une autonomie plus large ou de l'indépendance. À l'inverse de ces tentations, la France désenchantée de 2015 reste bien le royaume
unifié de Louis XIV et de Vauban, Chine de l'Europe où tout
regarde vers le centre.

Comme l'annonçait l'ingénieur du Roi-Soleil, les « vieux
royaumes » d'Europe ont été surpassés par leurs colonies d'outre-
Atlantique. Ce retournement de situation marque moins la fin
de la prépondérance de l'Occident que la chance d'un second
épanouissement dans les espaces infinis de l'Amérique : dans une
certaine mesure, les États-Unis prolongent l'Empire britannique,
le Brésil est un Portugal démesuré et le Canada français une nouvelle France. Il n'est pas jusqu'à l'expansion des hispanophones
dans le sud et l'ouest des États-Unis qui ne puisse sonner comme
une revanche de la Castille sur les défaites subies trois siècles plus
tôt par l'Empire « où le soleil ne se couche jamais ».

Le sort de la Russie est autrement surprenant quand on compare sa situation présente à celle qu'elle avait atteinte au commencement du XVIIIe siècle et aux potentialités qui s'offraient à
elle. Trois siècles plus tard, la plupart des conquêtes de Pierre le
Grand et de ses successeurs ont été perdues. La façade maritime
russe sur la Baltique se réduit aujourd'hui à une étroite fenêtre
autour de Saint-Pétersbourg – soit la région que Pierre aurait
tenté d'obtenir de Charles XII s'il avait traité avec lui... avant sa
victoire de Poltava ! À l'ouest, la frontière passe près de Smolensk,
comme en plein XVIIe siècle. Au sud, Kiev est perdu et le Caucase
menacé. Le rêve du retour triomphal à Constantinople est définitivement abandonné. À l'est, les immensités de l'Asie centrale se
dérobent. De deuxième super-grand, la Russie est descendue au
rang de puissance régionale. On comprend, dans ces conditions,
l'aigreur d'une partie de l'opinion russe, et la faveur qu'a pu rencontrer l'annexion de la Crimée.

La rupture complète d'une géopolitique à l'autre tient moins
à l'ascension de telle puissance ou au déclin de telle autre
qu'au rétrécissement de l'espace et du temps. La Chine parle

directement et instantanément au Brésil ou à l'Afrique, les États-Unis à l'Inde, le Qatar à l'Europe. En cela, le monde où nous vivons est irréductible à une quelconque expérience historique passée.

Notre voyage dans le monde ou les mondes de 1715 a montré qu'en un temps où l'Occident était loin d'avoir la maîtrise de la planète toutes les conditions étaient en place pour préparer son hégémonie future. À l'heure du déclin avéré de l'Europe, cette constatation apparaît singulièrement contraire à la vulgate de la *Political Correctness*, toujours tentée de réécrire l'histoire à la lumière du présent. Contre l'évidence, les chantres d'une histoire « décolonisée » fustigent le « vol de l'histoire » (Jack Goody) au bénéfice de l'Occident, revendiquent de « provincialiser l'Europe » (Dipesh Chakrabarty), exaltent la science chinoise ou la tolérance ottomane, imputent la révolution industrielle anglaise à la seule abondance de charbon dans le sol britannique (Kenneth Pomeranz).

Mais les faits sont têtus. L'avance technique de l'Europe a existé, sa domination mondiale également. Il ne peut donc y avoir d'histoire « à parts égales », ni d'histoire « décentrée ». La réalité que nous avons aujourd'hui sous les yeux, c'est le triomphe de la civilisation occidentale – qui ne se confond pas avec l'hégémonie politique de l'Occident – jusqu'à absorber et incorporer toutes les autres civilisations. L'Europe qui naît en 1715, l'Europe de Leibniz et de Newton, de Montesquieu et de Swift, croit à la raison et croit à plusieurs raisons. La curiosité et le doute fondent ce qu'il faut bien reconnaître comme sa supériorité technique et matérielle, sinon intellectuelle et morale : ces Lumières qui, en dépit des ombres qui les accompagnent, en dépit de l'aveuglement ou de l'ingratitude de leurs bénéficiaires, s'étendent progressivement au monde entier.

Chronologie

1682, 9 avril	Cavelier de La Salle prend possession de territoires qu'il nomme Louisiane en l'honneur de Louis XIV.
1682, 7 mai	mort du tsar Fédor; Pierre Ier et Ivan V tsars de Russie.
1683, 14 juillet -12 septembre	siège de Vienne par les Turcs.
1683	conquête de Taiwan par les Qing.
1684	début de la reconquête de la Hongrie par les impériaux.
1685, 16 février	mort de Charles II; Jacques II roi d'Angleterre.
1685, 5 mars	promulgation du Code noir, fixant l'organisation des Antilles françaises et le statut des esclaves.
1685, octobre	révocation de l'édit de Nantes.
1686, 9 juillet	formation de la Ligue d'Augsbourg, dirigée contre la France.
1686, 2 septembre	prise de Buda par les impériaux.
1686, 22 septembre	annexion de Bijapur par Aurangzeb.
1687, mai	transfert du siège indien de la Compagnie anglaise des Indes de Surate à Bombay.
1687, juillet	publication des *Principia Mathematica* d'Isaac Newton.
1687	législation sur la protection des animaux au Japon.
1688, 24 septembre	commencement de la guerre de la Ligue d'Augsbourg.
1688, novembre	« Glorieuse Révolution » en Angleterre.
1689, 17 août	chute de la régente Sophie en Russie.
1689, 6 septembre	traité de Nertchinsk entre la Chine et la Russie.
1689, 16 décembre	promulgation du *Bill of Rights* en Angleterre.
1690, 12 juillet	bataille de la Boyne en Irlande : victoire de Guillaume d'Orange sur les troupes franco-irlandaises de Jacques II.
1690, octobre	échec des colons anglais devant Québec.
1690	début de la construction du comptoir français de Chandernagor au Bengale.

1692, 17 et 19 mars	édits de Kangxi en faveur de la religion chrétienne.
1692, mai-octobre	procès des sorcières de Salem au Massachusetts.
1692, 19 décembre	l'empereur Léopold crée l'électorat de Hanovre en faveur du duc de Brunswick-Lunebourg.
1693, 8 février	fondation du William and Mary College en Nouvelle-Angleterre.
1693	grande famine en France.
1694, 4 février	mort de la tsarine Nathalie; commencement du règne personnel de Pierre le Grand.
1694, 11 juillet	inauguration de l'université de Halle, fondation de l'électeur de Brandebourg.
1694, 27 juillet	charte royale de la Banque d'Angleterre.
1694, 29 juillet	mort du chah Suleyman; Hossein chah de Perse.
1694, 28 décembre	mort de Mary, reine d'Angleterre; son époux, Guillaume III, stathouder de Hollande, reste seul roi d'Angleterre.
1695, 6 février	Mustafa II sultan ottoman.
1695, 13 octobre	échec de Pierre le Grand devant Azov.
1696, 24 janvier	établissement de la Compagnie royale du Sénégal.
1696, 19 juillet	prise d'Azov par Pierre le Grand.
1697, 20 mars	départ de la grande ambassade russe pour l'Occident.
1697, 4 avril	mort de Galdan, khan des Dzoungars.
1697, 5 avril	mort de Charles XI; Charles XII roi de Suède.
1697, septembre	victoire des Français sur les Anglais au Canada.
1697, 20 au 21 septembre et 30 octobre	traités de Ryswick entre la France, les Provinces-Unies, l'Angleterre, l'Espagne et l'Empire.
1697, 25 décembre	sacre de Charles XII à Stockholm.
1698, 18 mars	fondation de la Society for Promotion of Christian Knowledge (SPCK) en Angleterre.
1698, 4 septembre	retour de Pierre le Grand à Moscou.
1698, 11 septembre	oukaze instituant un impôt sur le port de la barbe.
1698	conquête de Saigon par les Vietnamiens.
1699, 26 janvier	traité de Karlowitz entre l'empereur germanique et le sultan ottoman.
1699, 1er mai	fondation du fort français de Biloxi sur le golfe du Mexique.
1699, 13 septembre	le vaisseau russe *Krepost* croise devant Constantinople.
1699, 5 octobre	arrivée du vaisseau français *L'Amphitrite* à Canton.
1700, 9 janvier	oukaze imposant le costume occidental aux boyards.
1700, 11 février	l'armée saxonne pénètre en Livonie suédoise, début de la guerre du Nord.
1700, 13 juillet	traité de Constantinople entre la Russie et l'Empire ottoman, par lequel Pierre le Grand acquiert Azov.
1700, 18 août	traité de Travendal par lequel le Danemark fait la paix avec la Suède.
1700, 1er novembre	mort de Charles II, roi d'Espagne; Philippe V roi d'Espagne.
1700, 23 novembre	Clément XI pape.
1700, 30 novembre	bataille de Narva : victoire des Suédois sur les Russes.

1701, 18 janvier	l'électeur de Brandebourg Frédéric Ier se couronne roi en Prusse à Königsberg.
1701, 10 février	Acte d'établissement (*Act of Settlement*), garantissant la succession protestante en Angleterre.
1701, 9 juin	mort de Monsieur, frère de Louis XIV; le duc de Chartres prend le titre de duc d'Orléans.
1701, 16 juin	création à Londres de la Society for the Propagation of the Gospel.
1701, 4 août	grande paix de Montréal entre les Français et les Iroquois.
1701, 27 août	traité de l'Asiento entre le roi d'Espagne et la Compagnie française de Guinée.
1701, 7 septembre	traité de la Grande Alliance de La Haye contre la France.
1702, 19 mars	mort de Guillaume III d'Angleterre; Anne reine d'Angleterre.
1702, 15 mai	déclaration de guerre de l'Angleterre et des Provinces-Unies à la France et à l'Espagne.
1702, 15 août	bataille de Luzzara, indécise, entre les Franco-Espagnols et les impériaux.
1702, 22 octobre	reddition de la forteresse suédoise de Nöteborg entre les mains des Russes.
1702, 23 octobre	bataille navale de Vigo : victoire des Anglo-Hollandais sur les Français.
1703, 4 février	suicide collectif des quarante-sept ronins au Japon.
1703, 27 mai	fondation de Saint-Pétersbourg.
1703, 22 août	déposition de Mustapha II; Ahmet III sultan ottoman.
1703, 27 décembre	traité Methuen entre l'Angleterre et le Portugal.
1704, 30 avril	déclaration de guerre de Philippe V à l'« archiduc d'Autriche ».
1704, 2 juillet	élection de Stanislas Leszczynski à la couronne de Pologne.
1704, 13 août	bataille d'Hochstadt : victoire des Anglais et des impériaux sur les Français et les Bavarois.
1704, 24 août	bataille navale de Velez-Malaga : victoire des Français sur les Anglais et les Hollandais.
1705, 10 janvier	oukaze instituant un nouvel impôt sur les barbes.
1705, 5 mai	mort de l'empereur Léopold Ier; Joseph Ier empereur germanique.
1705, 7 juillet	prise de Barcelone par les Alliés.
1705, 9 août	débarquement de l'archiduc Charles au nord de Barcelone.
1706, 23 mai	bataille de Ramillies : victoire des Anglais et des Hollandais sur les Français.
1706, 27 juin	entrée des Alliés à Madrid.
1706, 2 juillet	entrée de l'archiduc Charles à Madrid.
1706, 7 septembre	défaite des Français devant Turin.
1706, 9 décembre	Jean V, roi du Portugal.
1707, 3 mars	mort de l'empereur moghol Aurangzeb.
1707, 1er mai	entrée en vigueur de l'acte d'Union entre l'Angleterre et l'Écosse.

1707, 25 avril	bataille d'Almanza : victoire des Français et des Espagnols sur les Anglais et les Hollandais.
1707, 29 juin	décret d'unification de Philippe V, abolissant l'autonomie de l'Aragon et du royaume de Valence.
1707, 12 juin	bataille de Jajau : victoire de Bahadur Chah sur son frère Azam.
1707, juillet-août	attaques des Anglais, des impériaux et des Savoyards sur le port de Toulon.
1707, 28 septembre	seconde entrée de l'archiduc Charles à Madrid.
1707, 3 décembre	retour de Philippe V à Madrid.
1707	psaumes latins en musique de Georg Frederic Haendel.
1707	publication de la *Dîme royale* de Vauban.
1708, 11 juillet	bataille d'Audenarde : victoire des Anglais et des impériaux sur les Français.
1708, 16 septembre	traité de commerce franco-persan.
1708, 29 septembre	bataille de Liesnaïa : victoire des Russes sur les Suédois.
1708, 28 octobre	capitulation de Lille devant les Alliés.
1709, 13 janvier	victoire de Bahadur Chah sur son frère Kam Bakch.
1709, 14 février	première représentation du *Turcaret* de Lesage.
1709, 18 février	érection de la paroisse Saint-Louis de Lorient.
1709, 1er au 28 mai	conférences de La Haye entre la France et les alliés.
1709, 8 juin	lettre circulaire de Louis XIV aux gouverneurs de province.
1709, 9 juin	renvoi de Michel Chamillart, secrétaire d'État de la Guerre.
1709, 8 juillet	bataille de Poltava : victoire des Russes sur les Suédois.
1709, 11 septembre	bataille de Malplaquet : victoire des Français sur les Anglais, les impériaux et les Hollandais.
1709	publication posthume de la *Politique tirée des propres paroles de l'Écriture sainte* de Bossuet.
1710, 9 mars	ouverture des conférences de Gertruydenberg entre les Français et les alliés.
1710, 8 juin	mort en prison, à Macao, du légat Maillart de Tournon.
1710, juin	arrivée des émigrés palatins en Amérique du Nord.
1710, 12 juillet	rupture des conférences de Gertruydenberg.
1710, 18 août	disgrâce du grand trésorier Godolphin.
1710, 16 octobre	prise de la ville acadienne de Port-Royal par les Britanniques ; elle est rebaptisée Annapolis Royal.
1710, 21 novembre	déclaration de guerre de l'Empire ottoman à la Russie.
1710, 9 décembre	bataille de Brihuega : victoire des Français et des Espagnols sur les Anglais.
1710, 10 décembre	bataille de Villaviciosa : victoire des Français et des Espagnols sur les impériaux.
1711, janvier	disgrâce de la duchesse de Marlborough.
1711, 2 mars	création du Sénat dirigeant de l'Empire russe.
1711, 14 avril	mort du grand dauphin.
1711, 17 avril	mort de l'empereur Joseph Ier ; Charles VI empereur germanique.
1711, 29 avril	traité de Szatmar : soumissions des Hongrois aux Habsbourg et amnistie pour les rebelles.
1711, mai	création de la South Sea Company.
1711, 20 juillet	défaite de Pierre le Grand en Moldavie face aux Ottomans.

1711, 23 juillet	traité du Prout entre la Russie et la Turquie.
1711, septembre	échec des Britanniques au Québec.
1711, 21 septembre	prise de Rio de Janeiro par les Français.
1711, 8 octobre	signature des préliminaires de Londres entre Français et Britanniques.
1711, 14 octobre	mariage du tsarévitch Alexis avec Charlotte de Brunswick-Wolfenbüttel.
1711, novembre	loi pour la construction de cinquante nouvelles églises à Londres.
1711, novembre	publication de *The Conduct of the Allies* de Jonathan Swift.
1711, 25 décembre	le Parlement de Grande-Bretagne déclare la cathédrale Saint-Paul de Londres achevée.
1711, 31 décembre	disgrâce du duc de Marlborough.
1711	*Voyage en Perse* de Chardin.
1712, 29 janvier	ouverture du congrès d'Utrecht.
1712, 12 février	mort de la duchesse de Bourgogne.
1712, 18 février	mort du duc de Bourgogne.
1712, 27 février	mort de Bahadur Chah.
1712, 8 mars	mort du duc de Bretagne.
1712, 16 avril	traité de Constantinople entre l'Empire ottoman et la Russie, confirmant les clauses du traité du Prout.
1712, 10 mai	édit proscrivant la religion catholique au Vietnam.
1712, 22 mai	couronnement de Charles VI comme roi de Hongrie à Presbourg.
1712, 8 juillet	déclaration de Philippe V renonçant à la couronne de France pour lui et ses descendants.
1712, 24 juillet	bataille de Denain : victoire des Français sur les impériaux et les Hollandais.
1712, 19 et 24 novembre	renonciations du duc de Berry et du duc d'Orléans à la couronne d'Espagne.
1713, 11 janvier	Farrukhsiyar empereur moghol.
1713, 25 février	mort de Frédéric Iᵉʳ de Prusse ; Frédéric-Guillaume Iᵉʳ, roi de Prusse.
1713, 15 mars	enregistrement de la renonciation de Philippe V au parlement de Paris.
1713, 26 mars	traité de l'Asiento entre l'Espagne et la Grande-Bretagne.
1713, 11 avril et 13 juillet	traités d'Utrecht entre la France et la Grande-Bretagne, entre l'Espagne et la Grande-Bretagne.
1713, 19 avril	Pragmatique Sanction de l'empereur Charles VI.
1713, 24 juin	traité d'Andrinople entre l'Empire ottoman et la Russie.
1713, 13 août	traité d'Utrecht entre l'Espagne et le duc de Savoie.
1713, 21 août	prise de Landau par les Français.
1713, 8 septembre	bulle *Unigenitus* contre le jansénisme.
1713	siège de Kandahar par les Afghans.
1713	*Projet pour rendre la paix perpétuelle en Europe*, par l'abbé de Saint-Pierre.
1713	*Te Deum d'Utrecht* par Georg Frederic Haendel.
1714, 6 mars	traité de Rastadt entre le roi de France et l'empereur.
1714, 14 mai	mort du duc de Berry.
1714, 8 juin	mort de l'électrice douairière Sophie de Hanovre ; l'électeur George héritier du trône d'Angleterre.
1714, juillet	*Longitude Act*, offrant une prime de 20 000 livres sterling à qui découvrirait un dispositif permettant de déterminer avec exactitude les longitudes en mer.

1714, juillet	édit appelant les princes légitimés à la succession au trône de France à défaut de princes légitimes de la Maison de Bourbon.
1714, 1er août	mort de la reine Anne; George Ier roi de Grande-Bretagne.
1714, 2 août	testament de Louis XIV.
1714, 7 août	bataille navale de Gangout : victoire des Russes sur les Suédois.
1714, 7 septembre	traité de Baden entre la France et l'Empire.
1714, 11 septembre	prise de Barcelone par les Français et les Espagnols.
1714, 23 décembre	disgrâce de la princesse des Ursins en Espagne.
1715, 6 février	traité d'Utrecht entre l'Espagne et le Portugal.
1715, 19 février	audience solennelle de l'ambassadeur de Perse à Versailles.
1715, 19 mars	bulle *Ex illa die* condamnant les rites chinois.
1715, 23 mai	déclaration portant que le duc du Maine et le comte de Toulouse sont considérés comme princes du sang.
1715, 17 juin	fondation de Karlsruhe par le margrave de Bade Charles-Guillaume.
1715, 30 juillet	naufrage de la flotte des Indes au large de la Floride.
1715, 13 août	traité d'amitié et de commerce franco-persan.
1715, 1er septembre	mort de Louis XIV; Louis XV roi de France.
1715, 2 septembre	le duc d'Orléans est proclamé régent du royaume par le parlement de Paris.
1715, 5 septembre	début du soulèvement jacobite d'Écosse.
1715, 12 septembre	lit de justice confirmant la régence du duc d'Orléans.
1715, 15 septembre	déclaration restituant au Parlement le droit de remontrance; déclaration qui institue six conseils particuliers pour préparer les décisions du Conseil de régence.
1715, 16 novembre	traité austro-hollandais de la Barrière signé à Anvers.
1715, 24 novembre	bataille de Sheriffmuir : victoire du duc d'Argyll sur les jacobites.
1715, 17 décembre	prise de Gurdaspur (Pendjab) par l'armée moghole.
1715, 30 décembre	installation de Louis XV aux Tuileries.
1715	*Histoire de l'agrandissement et de la décadence de l'Empire ottoman* par Dimitri Cantemir.
1715	*Histoire de Gil Blas de Santillane*.
1715	*Vitruvius britannicus* de Colen Campbell.
1716, 2 janvier	l'abbé Dubois conseiller d'État d'Église.
1716, 14 mars	création de la Chambre de justice.
1716, 2 mai	création de la Banque générale.
1716, juillet-août	échec des Ottomans devant Corfou.
1716, 5 août	bataille de Petrovaradin : victoire des impériaux sur les Ottomans.
1716, 13 octobre	prise de Temesvar (Banat) par les impériaux.
1716, 28 novembre	traité d'alliance préliminaire de La Haye entre la France et l'Angleterre.
1716, novembre	première représentation de l'oratorio *Juditha triumphans* d'Antonio Vivaldi.
1716	publication du *Dictionnaire des caractères de Kangxi* en Chine.
1716	fondation de la forteresse russe d'Omsk en Sibérie.
1717, 4 janvier	Triple Alliance de La Haye entre la France, la Grande-Bretagne et les Provinces-Unies.
1717, 26 mars	l'abbé Dubois membre du Conseil des Affaires étrangères.

1717, avril-juin	voyage de Pierre le Grand en France.
1717, 8 mai	transfert de la Casa de Contratacion de Séville à Cadix.
1717, 16 mai	François-Marie Arouet est interné à la Bastille pour un pamphlet contre le Régent.
1717, 27 mai	cédule royale créant la vice-royauté de Nouvelle-Grenade.
1717, 1er juillet	édit privant les princes légitimés de la qualité de princes du sang.
1717, 17 juillet	première exécution de la *Water Music* de Georg Frederic Haendel.
1717, 16 août	bataille de Belgrade : victoire des impériaux sur les Ottomans.
1717, 28 août	présentation du *Pèlerinage à l'île de Cythère* d'Antoine Watteau à l'Académie de peinture et de sculpture.
1717, 28 novembre	ouverture de la Grande Assemblée (*Grote Vergadering*) des États généraux des Provinces-Unies.
1717, 22 décembre	élection de Pierre le Grand comme membre de l'Académie des sciences de Paris.
1717, 23 décembre	lecture solennelle de l'édit testamentaire de Kangxi.
1717	publication des *Mémoires* du cardinal de Retz.
1718, avril	publication du *Discours de la polysynodie* de l'abbé de Saint-Pierre.
1718, 7 mai	fondation de la Nouvelle-Orléans.
1718, 7 juillet	mort du tsarévitch Alexis.
1718, 21 juillet	traité de Passarowitz, entre l'empereur, le sultan et la République de Venise.
1718, 2 août	Quadruple Alliance de Londres entre la Grande-Bretagne, la France, les Provinces-Unies et l'empereur germanique.
1718, 11 août	bataille navale du cap Passaro : victoire des Anglais sur les Espagnols.
1718, 26 août	lit de justice où est enregistré l'édit réduisant les princes légitimés à leur rang de pairie.
1718, 25 septembre	suppression des Conseils de Guerre, des Affaires étrangères, de Conscience et des Affaires du dedans du royaume.
1718, 18 novembre	première représentation de l'*Œdipe* de Voltaire.
1718, 6 décembre	arrestation du prince de Cellamare, ambassadeur d'Espagne en France.
1718, 28 décembre	déclaration de guerre de la Grande-Bretagne à l'Espagne.
1718, 29 décembre	exil du duc et de la duchesse du Maine.
1718	fondation de la forteresse russe de Semipalatinsk en Sibérie.
1719, 9 janvier	déclaration de guerre de la France à l'Espagne.
1719, 28 février	déposition de l'empereur moghol Farrukhsiyar.
1719, 25 avril	publication du *Robinson Crusoe* de Daniel Defoe.
1719, 10 juin	bataille de Glen Shiel (Écosse) : victoire des Britanniques sur les Espagnols et les jacobites.
1719, 16 juin	prise de Fontarabie par les Français.
1719, 21 juillet	mort de la duchesse de Berry, fille du Régent.
1719, 17 août	prise de Saint-Sébastien par les Français.
1719, 29 septembre	Muhammad Chah empereur moghol.
1719, 20 novembre	traité de paix entre la Suède et le Hanovre.
1719, 5 décembre	disgrâce d'Alberoni en Espagne.
1719	*Réflexions critiques sur la poésie et la peinture* de l'abbé Du Bos.

1720, 5 janvier	John Law contrôleur général des Finances.
1720, 26 mars	exécution, à Nantes, du marquis de Pontcallec et de ses complices.
1720, 26 mars	exécution du comte de Horn à Paris.
1720, 14 avril	l'abbé Dubois archevêque de Cambrai.
1720, 1er mai	traité de paix entre la Suède et la Prusse.
1725, 20 mai	le vaisseau *Le Grand Saint-Antoine* apporte la peste à Marseille.
1720, 2 juin	John Law intendant général du Commerce.
1720, 3 juillet	traité de Frederiksborg entre la Suède et le Danemark.
1720, 21 juillet	exil du parlement de Paris à Pontoise.
1720, 24 septembre	entrée des troupes chinoises à Lhassa ; protectorat chinois sur le Tibet.
1720, 9 décembre	démission de John Law.
1720, 16 décembre	retour du Parlement à Paris.
1721, 14 janvier	suppression du patriarcat orthodoxe de Moscou.
1721, 16 mars	entrée solennelle de Mehemet Efendi, ambassadeur du sultan ottoman, à Paris.
1721, 24 mars	dédicace des *Concertos brandebourgeois* de Jean-Sébastien Bach au margrave de Brandebourg.
1721, 27 mars	traité d'alliance entre la France et l'Espagne.
1721, mai	publication à Amsterdam des *Lettres persanes* de Montesquieu.
1721, juillet	Dubois élevé à la dignité de cardinal.
1721, 10 septembre	traité de Nystad entre la Russie et la Suède.
1721, 23 septembre	acte de prise de possession de l'île de France (actuelle Réunion) par la Compagnie des Indes.
1721, 2 novembre	Pierre Ier reçoit du Sénat le titre d'empereur de toutes les Russies.
1722, 20 janvier	mariage du prince des Asturies avec Mlle de Montpensier.
1722, 24 janvier	institution de la table des rangs en Russie.
1722, février	oukaze sur la succession de l'Empire russe.
1722, 8 mars	bataille de Golnabad : victoire des Afghans sur les Persans.
1722, 15 juin	Louis XV quitte les Tuileries pour Versailles.
1722, 10 août	exil du maréchal de Villeroy.
1722, 21 août	le cardinal Dubois Premier ministre.
1722, 30 août	prise de Derbent par Pierre le Grand.
1722, 22 octobre	prise d'Ispahan par Mahmoud Hotaki ; abdication du chah Hossein ; Mahmoud chah de Perse.
1722, 25 octobre	sacre de Louis XV à Reims.
1722, 8 décembre	mort de Madame Palatine, mère du Régent.
1722, 19 décembre	fondation de la « Compagnie impériale et royale établie dans les Pays-Bas autrichiens » ou Compagnie d'Ostende par l'empereur Charles VI.
1722, 20 décembre	mort de Kangxi ; Yongzheng empereur de Chine.
1722	*Nouveau Voyage aux Îles d'Amérique* du P. Labat.
1722	publication des *Concerts royaux* de François Couperin.
1723, 15 février	majorité de Louis XV.
1723, 26 avril	édit sur les princes légitimés.
1723, 10 août	mort du cardinal Dubois ; le duc d'Orléans Premier ministre.
1723, 12 septembre	traité de Saint-Pétersbourg entre la Russie et la Perse.
1723, 8 novembre	Christian Wolff expulsé de sa chaire de l'université de Halle.
1723, 2 décembre	mort du duc d'Orléans ; le duc de Bourbon Premier ministre.

1724, 10 janvier	abdication de Philippe V; Louis Ier roi d'Espagne.
1724, 12 janvier	édit interdisant la prédication du christianisme en Chine.
1724, 22 janvier	création de l'Académie des sciences de Russie.
1724, 26 janvier	ouverture du congrès de Cambrai.
1724, 7 avril	première exécution de la *Passion selon saint Jean* de Jean-Sébastien Bach.
1724, 7 mai	couronnement de l'impératrice Catherine à Moscou.
1724, 8 juillet	traité de Constantinople entre la Russie et la Turquie.
1724, 31 août	mort de Louis Ier d'Espagne; Philippe V remonte sur le trône.
1724-1725	publication des *Quatre Saisons* de Vivaldi à Amsterdam.

1725, 8 février	mort de Pierre le Grand; Catherine Ire impératrice de Russie.
1725, 1er avril	*Oratorio de Pâques* de Jean-Sébastien Bach.
1725, 22 avril	chute de Mahmoud Chah; Achraf chah de Perse.
1725, 30 avril-1er mai	traité de Vienne entre l'empereur et le roi d'Espagne.
1725, 5 septembre	mariage de Louis XV avec Marie Leszczynska.

1726, 14 mai	disgrâce du ministre Ripperda en Espagne.
1726, 11 juin	disgrâce du duc de Bourbon; Fleury Premier ministre de fait.
1726, 16 juin	déclaration fixant la valeur des monnaies en France.
1726, 15 août	Fleury nommé cardinal.
1726, 26 octobre	publication des *Voyages de Gulliver* de Jonathan Swift.

1727, 22 mars	mort de Moulay Ismaïl, sultan du Maroc.
1727, 8 avril	funérailles d'Isaac Newton à l'abbaye de Westminster.
1727, 17 mai	mort de Catherine Ire; Pierre II empereur de Russie.
1727, 31 mai	ouverture du congrès de Paris; suspension de la Compagnie d'Ostende.
1727, 26 juin	mort de George Ier; George II roi de Grande-Bretagne.
1727, 22 octobre	première exécution des *Coronation Anthems* de Haendel à l'occasion du couronnement de George II.
1727, 1er novembre	traité de Kiakhta entre la Russie et la Chine.
1727	ouverture d'une imprimerie à Istanbul.

1728, 29 janvier	première représentation du *Beggar's Opera* de John Gay.
1728, 14 juin	ouverture du congrès de Soissons.
1728, août	Vitus Béring découvre le détroit qui portera son nom.

1729, 24 février	traité de Racht entre la Russie et la Perse.
1729, 19 mars	canonisation de saint Jean Népomucène.
1729, 15 avril	première exécution de la *Passion selon saint Matthieu* de Jean-Sébastien Bach à Leipzig.
1729, 29 septembre	bataille de Bastam : victoire de Nader Chah sur les Afghans.
1729, 9 novembre	traité de Séville entre l'Espagne, la France, la Grande-Bretagne et les Pays-Bas.
1729, 13 novembre	bataille de Murchakhor : seconde victoire de Nader Chah sur les Afghans.
1729, 16 novembre	entrée de Nader Chah à Ispahan.
1729, 26 novembre	prise de Mombasa par les Omanis.
1729, 28 novembre	commencement de la révolte des Natchez.
1729	première impression de livres en caractères arabes à Istanbul.

1730, 30 janvier	mort de Pierre II ; Anna Ivanovna impératrice de Russie.
1730, 3 septembre	abdication de Victor-Amédée II, roi de Sardaigne.
1730, 29 septembre	exécution du grand vizir ottoman Damat Ibrahim Pacha.
1730, 1ᵉʳ octobre	déposition d'Ahmet III ; Mahmoud Iᵉʳ sultan ottoman.
1730	l'empereur Yongzheng publie le *Dayi juemilu*, apologie de la dynastie Qing.
1731, 25 novembre	première exécution de la cantate BWV 140 *Wachet auf ruft uns die Stimme* de Jean-Sébastien Bach.
1735, 23 août	création des *Indes galantes* de Jean-Philippe Rameau à l'Académie royale de musique.
1735, 8 octobre	mort de l'empereur Yongzheng ; Qianlong empereur de Chine.
1735	publication à Paris de la *Description de l'empire de la Chine* par le P. Jean-Baptiste Du Halde.
1736, 17 octobre	traité de Constantinople entre l'Empire ottoman et la Perse fixant les frontières au *statu quo ante* prévalant depuis le début du XVIIᵉ siècle.
1739, 13 février	bataille de Karnal : victoire des Persans sur les Moghols.
1739, 20 février	entrée de Nader Chah dans Delhi.
1740, 31 mai	mort de Frédéric-Guillaume Iᵉʳ de Prusse ; Frédéric II roi de Prusse.
1740, 20 octobre	mort de l'empereur Charles VI.

Sources et bibliographie

« Le bon historien n'est d'aucun temps ni d'aucun pays. » La maxime de Fénelon, admirable en théorie, est irréalisable en pratique. Tout historien écrit depuis un lieu et un temps donnés, avec la somme limitée des connaissances et des compétences dont il dispose. C'est pourquoi le présent livre, s'il a le monde pour théâtre, part de sources et de travaux principalement occidentaux et prend la France et l'Europe pour point de départ. La démarche, qui serait injustifiée pour traiter du XXIe siècle, est pertinente pour l'étude de cet âge moderne dont le phénomène majeur est l'essor de l'Occident et son expansion progressive vers le reste du monde.

Le repérage de ces sources et de ces travaux aurait jadis été une entreprise ardue. Mais, depuis une quinzaine d'années environ, la montée en puissance d'Internet dans le domaine des sciences humaines a radicalement transformé les modalités de documentation de la recherche. Les bibliographies générales et de détail sont devenues aisément accessibles. De nombreuses sources imprimées anciennes, numérisées en masse, sont disponibles, via *Gallica*, *Google Books*, *Archive. org* et d'autres sites. Il en va de même d'une grande partie des travaux historiques anciens. Quant aux productions de la recherche récente, monographies ou articles, elles sont parfois mises en ligne sous une forme au moins partielle, par le biais de sites tels que *Cairn* ou *Persee*.

À cette documentation, il faut ajouter les ressources encyclopédiques qui se multiplient. Les notices de Wikipédia, longtemps méprisées par les spécialistes, s'améliorent sans cesse. La possibilité de naviguer entre les versions en différentes langues d'une même notice ouvre de larges perspectives. On s'est servi, pour le présent livre, des notices en français, anglais, allemand, italien, espagnol et russe. Si la qualité des notices individuelles en français est souvent médiocre – conséquence de la mauvaise qualité des dictionnaires biographiques français et du long discrédit universitaire de la biographie en France –, il n'en va pas de même dans le monde anglo-saxon, héritier d'une longue tradition de prosopographie des élites, en particulier nobiliaires. Au-delà de l'omniprésent Wikipédia, les entreprises de dictionnaires ou d'encyclopédies en ligne ne manquent pas : on ne citera ici que le *Dictionnaire Montesquieu* dirigé par Catherine Volpilhac-Auger et mis en œuvre par l'École normale supérieure de Lyon.

Sources imprimées

Abrégé de l'histoire du czar Peter Alexiewitz, avec une relation de l'état présent de la Moscovie et de ce qui s'est passé de plus considérable depuis son arrivée en France jusqu'à ce jour, Paris, chez P. Ribou et G. Dupuis, 1717.

ARGENSON (René-Louis de VOYER, marquis de), *Journal et mémoires du marquis d'Argenson* éd. E.-J.-B. Rathery, Paris, Jannet, 1857-1858.

BARBIER (Edmond-Jean-François), *Chronique de la Régence et du règne de Louis XV (1718-1763)*, Paris, Charpentier, 1867.

BOLINGBROKE (Henry SAINT JOHN, vicomte), *Bolingbroke : Political Writings*, éd. par David Armitage, Cambridge, Cambridge University Press, 1997.

—, *Letters and Correspondence*, Londres, G. G. et J. Robinson, 1798.

BONNAC (Jean-Louis d'USSON, marquis de), *Mémoire historique sur l'ambassade de France à Constantinople*, éd. par Charles Schefer, Paris, Ernest Leroux, 1894.

BOUVET (le P. Joachim), *Histoire de l'empereur de la Chine présentée au roy*, La Haye, Meyndert Uytwerf, 1699.

BRETEUIL (Louis-Nicolas LE TONNELIER, baron de), *Lettres d'amour, mémoires de cour*, Paris, Tallandier, 2010.

BROSSES (Charles de), *Lettres d'Italie*, Paris, Mercure de France, 1986.

BUVAT (Jean), *Journal de la Régence*, éd. par Émile Campardon, Paris, Plon, 1865.

CAMPREDON (Jacques de), *Mémoire sur les négociations du Nord et sur ce qui s'est passé de plus important et de plus secret dans le cours de la guerre de vingt années dont cette partie de l'Europe a été agitée de 1679 à 1719*, Paris, Didier-Hérold, 1864.

CANTEMIR (Dimitri), *Histoire de l'Empire ottoman*, Paris, Despilly, 1743.

CATROU (le P. François), *Histoire générale de l'empire du Mogol depuis sa fondation*, La Haye, Guillaume de Voos, 1708.

CHARLEVOIX (le P. Pierre-François-Xavier), *Histoire de l'Isle Espagnole ou de Saint-Domingue*, Amsterdam, L'Honoré, 1733.

—, *Histoire et description générale du Japon*, Paris, E.-F. Giffart, 1736.

—, *Histoire et description générale de la Nouvelle-France, avec le Journal historique d'un voyage fait par ordre du roi dans l'Amérique septentrionale*, Paris, Jacques Rollin, 1744.

DANGEAU (Philippe de COURCILLON, marquis de), *Journal du marquis de Dangeau, avec les additions du duc de Saint-Simon*, éd. par MM. Soulié, Dussieux, Mantz, de Montaiglon, de Chennevières et Feuillet de Conches, Paris, Firmin Didot, 1854-1860.

DUBOIS (Guillaume), *Mémoires secrets et correspondance inédite*, éd. par Charles-Louis de Sévelinges, Paris, Pillet, 1815.

DU CERCEAU (Jean-Antoine), *Histoire de la dernière révolution de Perse*, Paris, Briasson, 1728.

DU HALDE (le P. Jean-Baptiste), *Description géographique, historique, chronologique, politique, et physique de l'empire de la Chine et de la Tartarie chinoise*, Paris, Jean-Baptiste Mercier, 1735.

FRÉZIER (Amédée-François), *Relation du voyage de la mer du Sud aux côtes du Chili et du Pérou fait pendant les années 1712, 1713 et 1714*, Paris, J.-G. Nyon, E. Ganeau, J. Quilleau, 1716.

GALLAND (Antoine), *Journal parisien d'Antoine Galland (1708-1715)*, éd. par Henri Omont, Paris, Daupeley-Gouverneur, 1919.

GHIRARDINI (Giovanni), *Relation du voyage fait à la Chine sur le vaisseau L'Amphitrite en l'année 1698*, Paris, Nicolas Pépie, 1700.

LABAT (le P. Jean-Baptiste), *Nouveau voyage aux Isles de l'Amérique*, Paris, G. Cavalier, 1722.

—, *Voyage en Espagne et en Italie*, Paris, J.-B. et C.-J.-B. Delespine, 1730.

LA COLONIE (Jean-Martin de), *Mémoires*, Paris, Mercure de France, 1992.

LEIBNIZ (Gottfried Wilhelm), *Writings on China*, Chicago, Open Court Publishing Company, 1994.

LUCAS (Paul), *Voyage du sieur Paul Lucas au Levant*, Paris, G. Vandive, 1704.

—, *Voyage du sieur Paul Lucas fait par ordre du roy dans la Grèce, l'Asie Mineure, la Macédoine et l'Afrique*, Paris, N. Simart, 1712.

—, *Voyage du sieur Paul Lucas fait en 1714, etc. par ordre de Louis XIV, dans la Turquie, l'Asie, Surie, Palestine, Haute et Basse Égypte, etc.*, Amsterdam, Steenhouwer et Uytwerf, 1720.

MARAIS (Mathieu), *Journal et Mémoires*, éd. par Adolphe Mathurin de Lescure, Paris, Firmin-Didot, 1863.

MONTESQUIEU (Charles de SECONDAT, baron de), *Lettres persanes*, Amsterdam, Jacques Desbordes, 1721.

—, *Pensées*, Paris, Robert Laffont, 1991.

—, *Voyages*, Bordeaux, G. Gounouilhou, 1894.

MORÉRI (Louis). *Le Grand Dictionnaire historique ou Mélanges curieux de l'histoire sacrée et profane...*, Paris, Libraires associés, 1759.

NOAILLES (Adrien-Maurice, duc de), *Mémoires*, Paris, Éd. du commentaire analytique du Code civil, 1839.

ORLÉANS (Élisabeth-Charlotte de BAVIÈRE, duchesse d'), *Correspondance*, Paris, Charpentier, 1857.

—, *Lettres françaises*, éditées par Dirk Van der Cruysse, Paris, Fayard, 1989.

OVINGTON (John), *Voyages faits à Surate et en d'autres lieux de l'Asie et de l'Afrique*, Paris, Étienne Ganeau, 1725.

PIERRE LE GRAND, *Journal de Pierre le Grand depuis l'année 1698 jusqu'à la conclusion de la paix de Neustadt*, Berlin, Georges-Jacques Decker, 1773.

PITTON DE TOURNEFORT (Joseph), *Relation d'un voyage du Levant*, Paris, Imprimerie royale, 1717.

PÖLLNITZ (Karl-Ludwig, *Freiherr* von), *Lettres et Mémoires*, Amsterdam, François Changuion, 1737.

PRÉVOST (Antoine-François), *Histoire générale des Voyages*, Paris, Didot, 1746-1761.

—, *Manon Lescaut*, 1728-1731.

Recueil des instructions données aux ambassadeurs et ministres de France depuis les traités de Westphalie jusqu'à la Révolution (1648-1789), Paris, divers, 31 volumes parus.

SAINT-PIERRE (abbé de), *Discours de la polysynodie*, Amsterdam, Du Villard et Changuion, 1719.

SAINT-SIMON (Louis de ROUVROY, duc de), *Mémoires de Saint-Simon. Nouvelle édition augmentée des additions de Saint-Simon au Journal de Dangeau*, éd. par Arthur Michel de Boislisle, Paris, Hachette, 1879-1931.

SAVARY DES BRÛLONS (Jacques), *Dictionnaire universel de commerce*, Paris, veuve Estienne et fils, 1748.

SOPHIE-WILHELMINE DE PRUSSE, *Mémoires de la Margrave de Bayreuth*, Paris, Mercure de France, 1967.

SWIFT (Jonathan), *Les Voyages de Gulliver*, 1721.

TORCY (Jean-Baptiste COLBERT, marquis de), *Journal*, Paris, Plon, 1881.

—, *Mémoires*, Paris, Éd. du commentaire analytique du Code civil, 1828.

VÉRON DE FORBONNAIS, *Recherches et considérations sur les finances de la France jusqu'en 1721*, Bâle, Cramer, 1758.

VILLARS (Louis-Hector, duc de), *Mémoires*, Paris, éd. du commentaire analytique du Code civil, 1828.

VOLTAIRE (François-Marie AROUET, dit), *Histoire de Charles XII*, Rouen, Christophe Revis, 1731.

—, *Le Siècle de Louis XIV*, Berlin, C.-F. Henning, 1751.

Bibliographie

Généralités

Le blog histoireglobale.com offre un intéressant panorama de l'actualité de la *World History*.

BAIROCH (Paul), *Victoires et déboires : histoire économique et sociale du monde du XVIᵉ siècle à nos jours*, Paris, Gallimard, 1997.

BEAUREPAIRE (Pierre-Yves), *Le Mythe de l'Europe française : diplomatie, culture et sociabilités au temps des Lumières*, Paris, Autrement, 2007.

BÉLY (Lucien), *L'Art de la paix en Europe : naissance de la diplomatie moderne, XVIᵉ-XVIIIᵉ siècles*, Paris, Presses universitaires de France, 2007.

—, *Dictionnaire de l'Ancien Régime*, Paris, Presses universitaires de France, 1996.

—, *Espions et ambassadeurs au temps de Louis XIV*, Paris, Fayard, 1990.

—, *L'Invention de la diplomatie. Moyen Âge, Temps modernes*, Paris, Presses universitaires de France, 1998.

—, *Les Relations internationales en Europe, XVIIᵉ-XVIIIᵉ siècles*, Paris, Presses universitaires de France, 1992.

—, *La Société des princes*, Paris, Fayard, 1999.

BERCÉ (Yves-Marie) [dir.], *Les Monarchies*, Paris, Presses universitaires de France, 1997.

BERNIER (Olivier), *The World in 1800*, Hoboken, John Wiley and Sons, 1996.

BLACK (Jeremy), *European International Relations 1648-1815*, Basingstoke, Palgrave Macmillan, 2002.

—, *Europe and the World 1650-1830*, Londres, Routledge, 2002.

BLANNING (Tim), *The Pursuit of Glory. Europe 1648-1815*, New York, Penguin, 2007.

BLUCHE (François) [dir.], *Dictionnaire du Grand Siècle*, Paris, Fayard, 1990.

BOIS (Jean-Pierre), *La Paix : histoire politique et militaire*, Paris, Perrin, 2012.

BOUCHERON (Patrick), DELALANDE (Nicolas), *Pour une histoire-monde*, Paris, Presses universitaires de France, 2013.

BOUTANT (Charles), *L'Europe au grand tournant des années 1680 : la succession palatine*, Paris, SEDES, 1985.

BRAUDEL (Fernand), *Civilisation matérielle, économie et capitalisme, XVᵉ-XVIIIᵉ siècle*, Paris, Le Livre de Poche, 1993.

BRUIN (Renger de) et BRINKAMNN (Maarten) [dir.], *Peace Was Made Here : The Treaties of Utrecht, Rastatt and Baden, 1713-1714*, Petersberg, Michael Imhof Verlag, 2013.

CHAUNU (Pierre), *La Civilisation de l'Europe classique*, Paris, Arthaud, 1966.

—, *La Civilisation de l'Europe des Lumières*, Paris, Arthaud, 1971.

DUCHHARDT (Heinz) et ESPENHORST (Martin) [dir.], *Utrecht – Rastatt – Baden 1712-1714 : Ein Europäisches Friedenswerk am Ende des Zeitalters Ludwigs XIV*, Göttingen, Vandenhoeck & Ruprecht, 2013.

ESTIENNE (René) [dir.], *Les Compagnies des Indes*, Paris, Gallimard-ministère de la Défense, 2013.

FERRONE (Vincenzo) et ROCHE (Daniel) [dir.], *Le Monde des Lumières*, Paris, Fayard, 1999.

FREY (Linda et Marsha), *The Treaties of the War of the Spanish Succession : An Historical and Critical Dictionary*, Westport, Greenwood Press, 1995.

GOYARD-FABRE (Simone) [dir.], *L'État moderne, 1715-1848*, Paris, Vrin, 2000.

GRATALOUP (Christian), *Faut-il penser autrement l'histoire du monde ?*, Paris, Armand Colin, 2011.

—, *Géohistoire de la mondialisation : le temps long du monde*, Paris, Armand Colin, 2007.

GRUZINSKI (Serge), *Les Quatre Parties du monde : histoire d'une mondialisation*, Paris, La Martinière, 2004.

HAZARD (Paul), *La Crise de la conscience européenne, 1680-1715*, Paris, Fayard, 1989 [1ʳᵉ éd. 1935].

INGRAO (Charles), PESALJ (Jovan), SAMARDZIC (Nikola) [dir.], *The Peace of Passarowitz, 1718*, West Lafayette, Purdue University Press, 2011.

La Querelle des Anciens et des Modernes, XVIIᵉ-XVIIIᵉ siècles, Paris, Gallimard, 2001.

LE ROY LADURIE (Emmanuel) [dir.], *Les Monarchies*, Paris, Presses universitaires de France, 1986.

LIVET (Georges), *L'Équilibre européen dans l'Europe moderne*, Paris, Presses universitaires de France, 1976.

NOREL (Philippe) et TESTOT (Laurent) [dir.], *Une histoire du monde global*, Auxerre, Éditions Sciences Humaines, 2012.

ORESKO (Robert), GIBBS (G. C.), SCOTT (H. M.) [éd.], *Royal and Republican Sovereignty in Early Modern Europe. Essays in Memory of Ragnhild Hatton*, Cambridge, Cambridge University Press, 1996.

PARKER (Charles H.), *Global Interactions in the Early Modern Age*, Cambridge, Cambridge University Press, 2010.

POMERANZ (Kenneth), *Une grande divergence - La Chine, l'Europe et la construction de l'économie mondiale*, Paris, Albin Michel, 2010.

Revue d'histoire moderne et contemporaine, n° 54-4bis, 2007, numéro spécial « Histoire globale, histoire connectées ».

ROCHE (Daniel), *Humeurs vagabondes : de la circulation des hommes et de l'utilité des voyages*, Paris, Fayard, 2003 ; réédité sous le titre, *Les Circulations dans l'Europe moderne*, Paris, Hachette, « Pluriel », 2011.

SAINT-LÉGER (Alexandre de) et SAGNAC (Philippe), *La Prépondérance française : Louis XIV (1661-1715)*, Paris, Félix Alcan, 1935.

SALLMANN (Jean-Michel), *Le Grand Désenclavement du monde, 1200-1600*, Paris, Payot, 2011.

SCHNAKENBOURG (Éric), *Entre la guerre et la paix : neutralité et relations internationales, XVII-XVIII siècles*, Rennes, Presses universitaires de Rennes, 2013.

WILLS JR (John Elliott), *1688 : voyages autour du monde*, Paris, Autrement, 2003.

France

ANDRÉ (Louis), *Louis XIV et l'Europe*, Paris, Albin Michel, 1950.

ANTOINE (Michel), *Louis XV*, Paris, Fayard, 1989.

BALAYÉ (Simone), *La Bibliothèque nationale des origines à 1800*, Genève, Droz, 1988.

BOURGEOIS (Émile), *La Diplomatie secrète au XVIII siècle, ses débuts*, Paris, Armand Colin, 1909-1910.

BRAUDEL (Fernand), *L'Identité de la France*, Paris, Flammarion, 2000.

CAMPBELL (Peter R.), *Power and Politics in Old Regime France, 1720-1745*, Londres, Routledge, 1996.

CHARTIER (Roger) et MARTIN (Henri-Jean) [dir.], *Histoire de l'édition française*, Paris, Fayard, 1989-1990.

CHAUSSINAND-NOGARET (Guy), *Le Cardinal Dubois*, Paris, Perrin, 2000.

CHEVALLIER (Bernard), ROSTAING (Aurélia), SÉRÉNA (Jean-Denis) et WALTER (Marc), *Saint-Cloud : le palais retrouvé*, Paris, Éditions du Patrimoine, 2013.

CORNETTE (Joël), *Le Marquis et le Régent. Une conspiration bretonne à l'aube des Lumières*, Paris, Tallandier, 2008.

CORNETTE (Joël) [dir.], *La Monarchie entre Renaissance et Révolution, 1515-1792*, Paris, Seuil, 2000.

DESSERT (Daniel), *La Royale : vaisseaux et marins du Roi-Soleil*, Paris, Fayard, 1996.

DORNIER (Carole) et POULOUIN (Claudine) [dir.], *Les Projets de l'abbé Castel de Saint-Pierre (1658-1743). Pour le plus grand bonheur du plus grand nombre*, Caen, Presses universitaires de Caen, 2011.

DRÉVILLON (Hervé), *L'Impôt du sang : le métier des armes sous Louis XIV*, Paris, Tallandier, 2005.

DUPILET (Alexandre), *La Régence absolue : Philippe d'Orléans et la polysynodie*, Seyssel, Champ Vallon, 2011.

SOURCES ET BIBLIOGRAPHIE 415

DUPILET (Alexandre) et SARMANT (Thierry), « Prélude à la Polysynodie : un mémoire inédit du chancelier de Pontchartrain, 1712 », *Revue historique de droit français et étranger*, n° 83 (4), octobre-décembre 2005, p. 657-678.

—, « Polysynodie et gouvernement par conseil en France et en Europe, XVIIᵉ-XIXᵉ siècles », *Histoire, économie et société*, n° 4, 2007, p. 51-65.

EL HAGE (Fadi), *Le Maréchal de Villars ou l'infatigable bonheur*, Paris, Belin, 2012.

FAURE (Edgar), *La Banqueroute de Law, 17 juillet 1720*, Paris, Gallimard, 1977.

FERRIER-CAVERIVIÈRE (Nicole), *Le Grand Roi à l'aube des Lumières, 1715-1751*, Paris, Presses universitaires de France, 1985.

FROSTIN (Charles), *Les Pontchartrain, ministres de Louis XIV : alliances et réseau d'influence sous l'Ancien Régime*, Rennes, Presses universitaires de Rennes, 2006.

GOUBERT (Pierre), *Louis XIV et vingt millions de Français*, Paris, Fayard, 1991 [1ʳᵉ éd. 1966].

HATTON (Ragnhild), *Louis XIV and Absolutism*, Londres, Macmillan Press Ltd, 1976.

—, *Louis XIV and Europe*, Londres, Macmillan, 1976.

—, *Louis XIV and his World*, Londres, Thames and Hudson, 1972.

HAUDRÈRE (Philippe), *La Compagnie française des Indes au XVIIIᵉ siècle*, Paris, La Librairie française des Indes, 2005.

KOUFINKANA (Marcel), *Les Esclaves noirs en France, XVIᵉ-XVIIIᵉ siècle*, Paris, L'Harmattan, 2008.

LAVISSE (Ernest) [dir.], *Histoire de France des origines jusqu'à la Révolution*, Paris, Hachette, 1903-1914.

LEMARCHAND (Laurent), *Paris ou Versailles ? La monarchie absolue entre deux capitales, 1715-1723*, Paris, Comité des travaux historiques et scientifiques, 2014.

LEMONTEY (Pierre-Édouard), *Histoire de la Régence et de la minorité de Louis XV jusqu'au ministère du cardinal de Fleury*, Paris, Paulin, 1832.

LÉONARD (Émile G.), *L'Armée et ses problèmes au XVIIIᵉ siècle*, Paris, Plon, 1958.

Le Palais-Royal. Exposition Paris, Musée Carnavalet 9 mai-4 septembre 1988, Paris, Paris Musées, 1988.

LEROY (Albert), *La France et Rome de 1700 à 1715 : histoire diplomatique de la bulle* Unigenitus *jusqu'à la mort de Louis XIV*, Paris, Perrin, 1892.

LE ROY LADURIE (Emmanuel), *L'Ancien Régime de Louis XIII à Louis XV, 1610-1770*, Paris, Hachette, 1991.

LE ROY LADURIE (Emmanuel) et FITOU (Jean-François), *Saint-Simon ou le système de la Cour*, Paris, Fayard, 1997.

MARAL (Alexandre), *Les Derniers Jours de Louis XIV*, Paris, Perrin, 2014.

MEYER (Jean), *La Vie quotidienne en France au temps de la Régence*, Paris, Hachette, 1979.

MÉZIN (Anne), *Les Consuls de France au siècle des Lumières (1715-1792)*, Paris, ministère des Affaires étrangères, 1997.

MONTAGNIER (Jean-Paul), *Charles-Hubert Gervais : un musicien au service du Régent et de Louis XV*, Paris, CNRS Éditions, 2001.

—, *Un mécène-musicien : Philippe d'Orléans, Régent (1674-1723)*, Paris, Éditions Auguste Zurfluh, 1996.

MORNET (Daniel), *Les Origines intellectuelles de la Révolution française, 1715-1787*, Paris, Armand Colin, 1933.

OURY (Clément), *Les Défaites françaises de la guerre de Succession d'Espagne, 1704-1708*, thèse de l'université de Paris IV-Sorbonne, 2011.

PETITFILS (Jean-Christian), *Louis XIV*, Paris, Perrin, 1995.

—, *Le Régent*, Paris, Fayard, 1986.

POPE (Laurence), *François de Callières : a Political Life*, Dordrecht-Arlington, Republic of Letters, 2010.

REYNAUD (Denis) et THOMAS (Chantal) [dir.], *Le Régent entre fable et histoire*, Paris, Éditions du CNRS, 2003.

RICHARDT (Aimé), *La Régence*, Paris, Tallandier, 2003.

ROCHE (Daniel), *La France des Lumières*, Paris, Fayard, 1993.

ROWLANDS (Guy), *The Financial Decline of a Great Power. War, Influence, and Money in Louis XIV's France*, Oxford, Oxford University Press, 2012.

SARMANT (Thierry), *Louis XIV homme et roi*, Paris, Tallandier, 2012.

SARMANT (Thierry) [dir.], *Les Ministres de la Guerre, 1570-1792 : histoire et dictionnaire biographique*, Paris, Belin, 2007.

THOMAS (Jean-Pierre), *Le Régent et le cardinal Dubois ou l'art de l'ambigüité*, Paris, Payot, 2004.

TROUSSON (Raymond), *Voltaire*, Paris, Tallandier, 2008.

VOLPILHAC-AUGER (Catherine) [dir.], *Dictionnaire Montesquieu*, Lyon, École normale supérieure de Lyon, 2013 (publication en ligne).

WAQUET (Jean-Claude), *François de Callières : l'art de négocier en France sous Louis XIV*, Paris, éditions rue d'Ulm, 2005.

Espagne

ABBAD (Fabrice), OZANAM (Didier), *Les Intendants espagnols du XVIIIe siècle*, Madrid, Casa de Velazquez, 1992.

BAUDRILLART (Alfred), *Philippe V et la cour de France*, Paris, Firmin-Didot, 1889-1901.

BOTTINEAU (Yves), *Les Bourbons d'Espagne, 1700-1808*, Paris, Fayard, 1994.

DESOS (Catherine), *Les Français de Philippe V : un modèle nouveau pour gouverner l'Espagne (1700-1724)*, Strasbourg, Presses de l'université de Strasbourg, 2009.

GONZALEZ CRUZ (David), *Une guerre de religion entre princes catholiques : la succession de Charles II dans l'Empire espagnol*, Paris, Éditions de l'EHESS, 2007.

HANOTIN (Guillame), *Jean Orry, un homme des finances royales entre France et Espagne (1701-1705)*, Cordoue, Universidad de Cordoba, 2009.

KAMEN (Henry), *Philip V of Spain : The King Who Reigned Twice*, New Haven-Londres, Yale University Press, 2001.

—, *The War of Succession in Spain, 1700-1715*, Londres, Weidenfeld and Nicolson, 1969.

LABOURDETTE (Jean-François), *Philippe V, réformateur de l'Espagne*, Paris, Sicre, 2001.

LEGRELLE (Arsène), *La Diplomatie française et la succession d'Espagne*, Braine-le-Comte, impr. de Zech et fils, 1895-1900.

OZANAM (Didier), *Les Diplomates espagnols du XVIIIᵉ siècle*, Madrid-Bordeaux, Casa de Velazquez-Maison des pays ibériques, 1998.

WIESENER (Louis), *Commencements d'Alberoni, ses rapports avec l'Angleterre et la France jusqu'à l'expédition de Sardaigne, 1715-1717*, Angers, A. Burdin et Cie, 1892.

Italie

ACTON (Harold), *The Last Medici*, Londres, Macmillan, 1980.

BOUTIER (Jean), LANDI (Sandro) et ROUCHON (Olivier), *Florence et la Toscane, XIVᵉ-XIXᵉ siècles : les dynamiques d'un État italien*, Rennes, Presses universitaires de Rennes, 2004.

FRIGO (Daniela) [dir.], *Politics and Diplomacy in Early Modern Italy. The Structure of Diplomatic Practice, 1450-1800*, Cambridge, Cambridge University Press, 2005.

SETTON (Kenneth M.), *Venice, Austria and the Turks in the Seventeenth Century*, Philadelphie, American Philosophical Society, 1991.

SYMCOX (Geoffrey), *Victor Amadeus II. Absolutismus in the Savoyard State, 1675-1730*, Londres-Berkeley, Thames and Hudson, 1983.

WAQUET (Jean-Claude), *De la corruption : morale et pouvoir à Florence aux XVIIᵉ et XVIIIᵉ siècles*, Paris, Fayard, 1984.

—, *Le Grand-Duché de Toscane sous les derniers Médicis : essai sur le système des finances et la stabilité des institutions dans les anciens États italiens*, Rome, École française de Rome, 1990.

Grande-Bretagne et jacobitisme

BAXTER (Steven Bartow), *The Development of the Treasury, 1660-1702*, Londres, Longmans, Green & Co., 1957.

BAYNES (John), *The Jacobite Rising of 1715*, Londres, Cassell, 1970.

BLACK (Jeremy), « The Anglo-French Alliance 1716-1731 », *Francia*, 13, 1985, p. 295-310.

—, *The British Abroad : The Grand Tour in the Eighteenth Century*, Stroud, Sutton Publishing, 2003.

—, *Natural and Necessary Enemies : Anglo-French Relations in the Eighteenth Century*, Londres, Duckworth, 1986.

—, *Walpole in Power. Britain's First Prime Minister*, Stroud, Sutton Publishing, 2001.

—, *Eighteenth Century Britain, 1688-1783*, Basingstoke, Palgrave, 2008.

BREWER (John), *The Sinews of Power. War, Money and the English State, 1688-1783*, Cambridge, Harvard University Press, 1988.

BUCHOLZ (Robert O.), *The Augustan Court : Queen Anne and the Decline of Court Culture*, Stanford, Stanford University Press, 1993.

COLLEY (Linda), *Britons : Forging the Nation 1707-1837*, New Haven et Londres, Yale University Press, 2009.

COTTRET (Bernard), *Bolingbroke, exil et écriture au siècle des Lumières. Angleterre-France (vers 1715-vers 1750)*, Paris, Klincksieck, 1992.

—, *Histoire d'Angleterre, XVIIᵉ-XVIIIᵉ siècle*, Paris, Presses universitaires de France, 2003.

—, *Histoire de l'Angleterre de Guillaume le Conquérant à nos jours*, Paris, Tallandier, 2007.

CRUICKSHANKS (Eveline) et CORP (Edward), *The Stuart Court in Exile and the Jacobites*, Londres-Rio Grande, The Hambledon Press, 1995.

DICKINSON (Harry Thomas), *Bolingbroke*, Londres, Constable, 1970.

DICKSON (Peter George Muir), *The Financial Revolution in England. A Study in the Development of Public Credit. 1688-1756*, Londres, Macmillan, 1967.

GENET-ROUFFIAC (Nathalie), *Le Grand Exil : les jacobites en France, 1688-1715*, Vincennes, Service historique de la Défense, 2007.

GREGG (Edward), *Queen Anne*, New Haven-Londres, Yale University Press, 2001.

HARRIS (Frances), *A Passion for Government. The Life of Sarah, Duchess of Marlborough*, Oxford, Clarendon Press, 1991.

HARTLEY (Janet M.), *Charles Whitworth : Diplomat in the Age of Peter the Great*, Aldershot, England, Ashgate, 2002.

HATTON (Ragnhild), *George I : Elector and King*, Londres, Thames and Hudson, 1978.

HATTON (Ragnhild) et BROMLEY (J. S.) [dir.], *William III and Louis XIV : Essays 1680-1720 by and for Mark A. Thomson*, Liverpool, Liverpool University Press, 1968.

HILL (Brian W.), *Robert Harley : Speaker, Secretary of State and Premier Minister*, New Haven, Yale University Press, 1988.

—, *Sir Robert Walpole : « Sole and Prime Minister »*, Londres, Hamish Hamilton, 1989.

HORN (David B.), *The British Diplomatic Service, 1689-1789*, Oxford, Clarendon Press, 1967.

MORGAN (William Thomas), *English Political Parties and Leaders in the Reign of Queen Anne, 1702-1710*, Yale, Yale University Press, 1920.

ROBINS (Nick), *The Corporation that Changed the World : How the East India Company Shaped the Modern Multinational*, Londres, Pluto Press, 2012.

ROHAN-CHABOT (Alix de), *Le Maréchal de Berwick : une épée anglaise au service des Bourbons*, Paris, Albin Michel, 1990.

ROSCOE (E. S.), *Robert Harley, Earl of Oxford, Prime Minister, 1710-14*, Londres, Methuen, 1902.

SUNDSTROM (Roy A.), *Sydney Godolphin. Servant of State*, Newark, University of Delaware Press, 1992.

SZECHI (Daniel), *1715 : The Great Jacobite Rebellion*, New Haven-Londres, Yale University Press, 2006.

THOMPSON (Andrew C.), *George II : King and Elector*, New Haven-Londres, Yale University Press, 2011.

WENNERLIND (Carl), *Casualties of Credit : The English Financial Revolution, 1620-1720*, Harvard, Harvard University Press, 2011.

WIESENER (Louis), *Le Régent, l'abbé Dubois et les Anglais d'après les sources britanniques*, Paris, Hachette, 1891-1899.

WOLFGANG (Michael), *England Under George I. The Beginnings of the Hanoverian Dynasty*, Westpoint, Greenwood, 1981.

Provinces-Unies

GOSLINGA (Adriaan), *Slingelandt's efforts towards European Peace*, La Haye, Martinus Nijhoff, 1915.

ISRAEL (Jonathan), *The Dutch Republic. Its Rise, Greatness and Fall, 1477-1806*, Oxford, Clarendon Press, 1995.

HATTON (Ragnhild), *Diplomatic Relations between Great Britain and the Dutch Republic, 1714-1721*, Londres, East & West Ltd, 1950.

JONGSTE (J. A. F. de) et VEENENDAAL (A. J.) [dir.], *Anthonie Heinsius and the Dutch Republic 1688-1720*, La Haye, Institute of Netherlands History, 2002.

LEVILLAIN (Charles-Édouard), « "Un reste apparent de grandeur" : la querelle du stathoudérat et la question du redressement de la Hollande (c. 1700-1750) », article à paraître.

ROWEN (Herbert H.), *The Princes of Orange. The Stadtholders of the Dutch Republic*, Cambridge, Cambridge University Press, 1990.

Empire germanique

BECK (Friedrich), SCHOEPS (Julius H.), *Der Soldatenkönig. Friedrich Wilhelm I. in seiner Zeit*, Potsdam, Verlag für Berlin-Brandenburg, 2003.

BÉRENGER (Jean), *Finances et absolutisme autrichien dans la seconde moitié du XVIIe siècle*, Paris, Publications de la Sorbonne, 1975.

—, *Léopold Ier, fondateur de la puissance autrichienne*, Paris, Presses universitaires de France, 2003.

BRAUBACH (Max), *Prinz Eugen von Savoyen*, Munich, Verlag für Geschichte und Politik, 1960-1965.

CORETH (Anna), *Pietas Austriaca*, West Lafayette, Purdue University Press, 2004.

FREY (Linda et Marsha), *Frederick I. The Man and his Time*, New York, Columbia University Press, 1984.

—, *A Question of Empire : Leopold I and the War of the Spanish Succession, 1701-1705*, New York, Columbia University Press, 1983.

GÖSE (Frank), *Friedrich I. Ein König in Preußen*, Ratisbonne, Friedrich Pustet Verlag, 2012.

HENDERSON (Nicholas), *Prince Eugen of Savoy*, New Haven, Phoenix Press, 2002.

HUISMAN (Michel), *La Belgique commerciale sous l'empereur Charles VI : la Compagnie d'Ostende*, Bruxelles, Lamertin, 1902.

INGRAO (Charles W.), *In Quest and Crisis : Emperor Joseph I and the Habsburg Monarchy*, Indiana, Purdue University Press, 1978.

KATHE (Heinz), *Der Soldatenkönig. Friedrich Wilhelm I. 1688-1740. König in Preußen. Eine Biographie*, Berlin, Akademie-Verlag, 1976.

LAUDE (Norbert), *La Compagnie d'Ostende et son activité coloniale au Bengale (1725-1730)*, Bruxelles, Librairie Falke fils, 1944.

NOËL (Jean-François), *Le Saint-Empire*, Paris, Presses universitaires de France, 1986.

PIGAILLEM (Henri), *Le Prince Eugène, 1663-1736*, Paris, Éditions du Rocher, 2005.

RILL (Bernd), *Karl VI. Habsburg als barocke Großmacht*, Graz, Verlag Styria, 1992.

TAPIÉ (Victor-Lucien), *Monarchie et peuples du Danube*, Paris, Fayard, 1969.

WADDINGTON (Albert), *L'Acquisition de la couronne de Prusse par les Hohenzollern*, Paris, Ernest Leroux, 1888.

WOLFF (Christoph), *Johann Sebastian Bach : The Learned Musician*, New York, W.W. Norton & Company, 2000.

Scandinavie

ALDRIDGE (David Denis), *Admiral Sir John Norris and the British Naval Expeditions to the Baltic Sea, 1715-1727*, Lund, Nordic Academic Press, 2009.

HATTON (Ragnhild), *Charles XII*, Londres, Weindenfeld and Nicolson, 1968.

NORDMANN (Claude), *Grandeur et liberté de la Suède (1660-1772)*, Paris-Louvain, publications de la Faculté des lettres et sciences humaines de Paris-Sorbonne, 1971.

ROBERTS (Michael), *The Swedish Imperial Experience 1560-1718*, Cambridge, Cambridge University Press, 1979.

SCHNAKENBOURG (Éric), *La France, le Nord et l'Europe au début du XVIIIᵉ siècle*, Paris, Honoré Champion, 2008.

UPTON (Anthony F.), *Charles XI and Swedish Absolutism*, Cambridge, Cambridge University Press, 1998.

Russie

BERELOWITCH (Wladimir) et MEDVEDKOVA (Olga), *Histoire de Saint-Pétersbourg*, Paris, Fayard, 1996.

BUSHKOVITCH (Paul), *Peter the Great : The Struggle for Power, 1671-1725*, Cambridge, Cambridge University Press, 2001.

CHABIN (Marie-Anne), *Les Français et la Russie dans la première moitié du XVIIIᵉ siècle : la famille Delisle et les milieux savants*, thèse de l'École nationale des chartes, 1983.

CRACRAFT (James), *The Church Reform of Peter the Great*, Stanford, Stanford University Press, 1971.

—, *The Petrine Revolution in Russian Architecture*, Chicago, University of Chicago Press, 1988.

—, *The Revolution of Peter the Great*, Cambridge, Harvard University Press, 2003.

ENGLUND (Peter), *The Battle that Shook Europe : Poltava and the Birth of the Russian Empire*, Londres, Tauris, 2002.

HELLER (Michel), *Histoire de la Russie et de son empire*, Paris, Flammarion, 1997.

HENRY (Christophe), « Le séjour de Pierre le Grand à Paris, contribution à l'histoire de la formation du cabinet de Saint-Pétersbourg », publication en ligne, www.ghamu.org.

HUGHES (Lindsey), *Russia in the Age of Peter the Great*, New Haven-Londres, Yale University Press, 1998.

—, *Peter the Great : A Biography*, New Haven-Londres, Yale University Press, 2002.

HUGHES (Lindsey) [dir.], *Peter the Great and the West : New Perspectives*, Basingstoke, Palgrave Macmillan, 2001.

KLIOUTCHEVSKI (Vassili), *Pierre le Grand*, Paris, Payot, 1991.

LEMERCIER-QUELQUEJAY (Chantal), « La campagne de Pierre le Grand sur le Prout », *Cahiers du monde russe et soviétique*, vol. 7, n°2, avril-mai 1966, p. 221-233.

LIECHTENHAN (Francine-Dominique), *Les Trois Christianismes et la Russie : les voyageurs occidentaux face à l'Église orthodoxe russe, XVe-XVIIIe siècle*, Paris, CNRS éditions, 2002.

MASSIE (Robert K.), *Pierre le Grand*, Paris, Fayard, 1985.

MEDVEDKOVA (Olga), *Jean-Baptiste Alexandre Le Blond, architecte : de Paris à Saint-Pétersbourg*, Paris, Alain Baudry, 2007.

MÉZIN (Anne), *Correspondance des consuls de France à Saint-Pétersbourg, 1713-1792 : inventaire analytique des articles AE B1982 à 989 (du fonds dit des Affaires étrangères)*, Paris, Archives nationales, 2009.

POUSSOU (Jean-Pierre), MÉZIN (Anne) et PERRET-GENTIL (Yves) [dir.], *L'Influence française en Russie au XVIIIe siècle*, Paris, Institut d'études slaves-Presses de l'université de Paris-Sorbonne, 2004.

RAEFF (Marc), *Comprendre l'Ancien Régime russe : État et société en Russie impériale*, Paris, Seuil, 1982.

RAMBAUD (Alfred), *Histoire de la Russie depuis les origines jusqu'à l'année 1877*, Paris, Hachette, 1878.

REY (Marie-Pierre), *Le Dilemme russe : la Russie et l'Europe occidentale d'Ivan le Terrible à Boris Eltsine*, Paris, Flammarion, 2002.

WILLS (Rebecca), *The Jacobites and Russia, 1715-1750*, East Linton, Tuckwell, 2002.

Empire ottoman

ABOU-EL-HAJ (Rifa'at 'Ali), *Formation of the Modern State. The Ottoman Empire, Sixteenth to Eighteenth Centuries*, New York, Syracuse University Press, 2005.

GOFFMAN (Daniel), *The Ottoman Empire and Early Modern Europe*, Cambridge, Cambridge University Press, 2002.

GOPIN (Seth) et SAINT-NICOLAS (Éveline), *Jean-Baptiste Vanmour, peintre de la Sublime Porte, 1671-1737*, Trouville-sur-Mer, Illustria, 2009.

MANTRAN (Robert), *L'Empire ottoman, du XVIe au XVIIIe siècle : administration, économie, société*, Londres, Éd. Variorum, 1984.

MANTRAN (Robert) [dir.], *Histoire de l'Empire ottoman*, Paris, Fayard, 1989.

OMONT (Henri), *Missions archéologiques en Orient aux XVII* et XVIII* siècles*, Paris, Imprimerie nationale, 1902.

POUMARÈDE (Géraud), *Pour en finir avec la croisade : mythes et réalités de la lutte contre les Turcs, XVI*-XVII* siècles*, Paris, Presses universitaires de France, 2009.

QUATAERT (Donald), *The Ottoman Empire, 1700-1922*, Cambridge, Cambridge University Press, 2005.

ROUSSEAU (Louis), *Les Relations diplomatiques de la France et de la Turquie au XVIII* siècle*, tome premier (seul paru), *1700-1716*, Paris, Fr. de Rudeval, 1908.

SOLNON (Jean-François), *Le Turban et la Stambouline : l'Empire ottoman et l'Europe, XVI-XX* siècle, affrontement et fascination réciproques*, Paris, Perrin, 2009.

TEZCAN (Baki), *The Second Ottoman Empire : Political and Social Transformation in the Early Modern World*, New York, Cambridge University Press, 2010.

VANDAL (Albert), *Le Pacha Bonneval*, Paris, Cercle Saint-Simon, 1885.

VEINSTEIN (Gilles), *État et société dans l'Empire ottoman : la terre, la guerre, les communautés*, Londres, Éd. Variorum, 1994.

—, *Mehmed Efendi. Le Paradis des Infidèles : un ambassadeur ottoman en France sous la Régence*, Paris, La Découverte, 2004.

—, *Le Sérail ébranlé. Essai sur les morts, dépositions et avènements de sultans ottomans. XV*-XIX* siècles*, Paris, Fayard, 2003

Perse

AXWORTHY (Michael), *The Sword of Persia : Nader Shah, from Tribal Warrior to Conquering Tyrant*, Londres-New-York, Tauris, 2006.

FLOOR (Willem), *The Afghan Occupation of Safavid Persia 1721-1729*, Paris, Association pour l'avancement des études iraniennes, 1998.

HERBETTE (Maurice), *Une ambassade persane sous Louis XIV d'après des documents inédits*, Paris, Perrin, 1907.

LOCKHART (Laurence), *The Fall of the Safavi Dynasty and the Afghan Occupation of Persia*, Cambridge, Cambridge University Press, 1958.

MATTHEE (Rudolf), *Persia in Crisis : Safavid Decline and the Fall of Isfahan*, Londres-New York, Tauris, 2012.

MELIKIAN-CHIRVANI (Assadullah Souren), *Le Chant du monde : l'art de l'Iran safavide*, Paris, musée du Louvre-Somogy, 2007.

TOUZARD, Anne-Marie, *Le Drogman Padery émissaire de France en Perse (1719-1725)*, Paris, Geuthner, 2005.

Inde moghole

ALAM (Muzaffar), *The Crisis of Empire in Mughal North India : Awadh and Punjab, 1707-1748*, Delhi, Oxford University Press, 2013.

CHANDRA (Satish), *Parties and Politics at the Mughal Court, 1707-1740*, Delhi, Oxford University Press, 2003.

CHAUDHURI (Kirti Narayan), *The Trading World of Asia and the English East India Company*, Cambridge-New York, Cambridge University Press, 1978.

ELLIOT (Henry Miers) et DOWSON (John), *The History of India, as Told by its Own Historians : The Muhammadan Period*, Londres, Trübner and Co, 1867-1877.

FAROOQI (Naimur Rahman), *Mughal-Ottoman Relations : a study of political & diplomatic relations between Mughal India and the Ottoman Empire, 1556-1748*, Delhi, Idarah-i Adabiyat-i Delli, 1989.

HANSEN (Waldemar), *The Peacock Throne : The Drama of Mogul India*, Delhi, Motilal Banarsidass, 1986.

HUREL (Roselyne), *Miniatures et peintures indiennes : collection du département des estampes et de la photographie de la Bibliothèque nationale de France*, Paris, Bibliothèque nationale de France, 2010-2011.

IRVINE (William), *The Later Mughals*, Delhi, Low Price Publications, 1995.

KEENE (Henry George), *The Fall of the Moghul Empire of Hindustan*, Londres, W. Allen & Company, 1887.

SARKAR (Jadunath), *A Short History of Aurangzib, 1618-1707*, Calcutta, Orient Longman Limited, 1979.

Extrême-Orient

BARTLETT (Beatrice S.), *Monarchs and Ministers : The Grand Council in Mid-Ch'ing China, 1723-1820*, Berkeley-Los Angeles, University of California Press, 1991.

BLUSSÉ (Leonard), « Batavia, 1619-1740, The Rise and Fall of a Chinese Colonial Town », *Journal of Southeast Asian Studies*, Singapour, Cambridge University Press, vol. 12, n° 1, 1981, p. 159-178.

—, *Strange Company : Chinese Settlers, Mestizo Women and the Dutch in VOC Batavia*, Leyde, 1988.

CAHEN (Gaston), *Histoire des relations de la Russie avec la Chine sous Pierre le Grand (1689-1730)*, Paris, Félix Alcan, 1911.

CORDIER (Henri), *La Chine en France au XVIIIᵉ siècle*, Paris, Henri Laurens, 1910.

—, *Histoire générale de la Chine et de ses relations avec les pays étrangers depuis les temps les plus anciens jusqu'à la chute de la dynastie mandchoue*, Paris, Paul Geuthner, 1920-1921.

DERMIGNY (Louis), *La Chine et l'Occident : le commerce à Canton au XVIIIᵉ siècle*, Paris, SEVPEN, 1964.

DUTEIL (Jean-Pierre), *Le Mandat du Ciel : le rôle des jésuites en Chine*, Paris, Éditions Arguments, 1994.

ELISSEEFF (Danielle), *Moi, Arcade, interprète chinois du Roi-Soleil*, Paris, Arthaud, 1985.

ÉTIEMBLE (René), *Les Jésuites en Chine, la querelle des rites (1552-1773)*, Paris, Julliard, 1973.

FOREST (Alain), *Les Missionnaires français au Tonkin et au Siam, XVIIᵉ-XVIIIᵉ siècles*, Paris, L'Harmattan, 1998.

Kangxi, empereur de Chine, 1662-1722 : la Cité interdite à Versailles, Paris, Réunion des Musées nationaux-château de Versailles, 2004.

LANDRY-DERON (Isabelle), *La Preuve par la Chine. La « Description » de J.-B. Du Halde, 1735*, Paris, Éditions de l'EHESS, 2002.

LARY (Diana) [dir.], *The Chine State at the Border*, Vancouver, University of British Columbia Press, 2007.

LOUIS (Frédéric), *Kangxi, grand khan de Chine et fils du Ciel*, Paris, Arthaud, 1985.

MACÉ (Françoise et Mieko), *Le Japon d'Edo*, Paris, Les Belles-Lettres, 2006.

MIZUNO (Norihito), *Japan and Its East Asian Neighbours : Japan's Perception of China and Korea and the Making of Foreign Policy from the Seventeenth to the Nineteenth Century*, Ph. D. dissertation, Ohio State University, 2004.

MUNGELLO (David E.), *The Great Encounter of China and the West, 1500-1800*, Lanham, Rowman & Littlefield, 2005.

NAGAOKA (Harukazu), *Histoire des relations du Japon avec l'Europe au XVIe et au XVIIe siècle*, Paris, Jouve, 1905.

PALAIS (James B.), *Confucian Statecraft and Korean Institutions :Yu Hyongwon and the Late Choson Dynasty*, Seattle, University of Washington Press, 1996.

PAN (Lynn), *Sons of the Yellow Emperor. A History of the Chinese Diaspora*, New York, Kodansha Globe, 1994.

PERDUE (Peter C.), *China Marches West : The Qing Conquest of Central Eurasia*, Cambridge, Harvard University Press, 2005.

PERKINS (Franklin), *Leibniz and China : A Commerce of Light*, Cambridge, Cambridge University Press, 2008.

PETECH (Luciano), *China and Tibet in the Early XVIIIth Century : History of the Establishment of Chinese Protectorate in Tibet*, Leyde, Brill, 1972.

PETERSON (Willard) (éd.), *The Cambridge History of China*, vol. 9 : *The Ch'ing Empire to 1800*, Cambridge, Cambridge University Press, 2003.

SALMON (Claudine) et LOMBARD (Denys), *Les Chinois de Jakarta : temples et vie collective*, Paris, Éditions de la Maison des sciences de l'homme, 1980.

SPENCE (Jonathan), *Emperor of China : Self-Portrait of K'ang-hsi*, Londres, Jonathan Cape, 1974.

—, *Treason by the Book*, Londres, Penguin Books Ltd, 2006.

TAGLIACOZZO (Eric), *The Longest Journey : Southeast Asians and the Pilgrimage to Mecca*, Oxford, Oxford University Press, 2013.

TAGLIACOZZO (Eric) et CHANG (Wen-Chin), *Chinese Circulations : Capital, Commodities and Networks in Southeast Asia*, Durham, Duke University Press, 2011.

TARLING (Nicholas) [dir.], *The Cambridge History of Southeast Asia, vol. 1, From Early Times to C 1800*, Cambridge, Cambridge University Press, 1993.

VEYSSIÈRE (Marion), *Les Voyages français à la Chine (1720-1793) : vaisseaux et équipages*, thèse de l'École nationale des chartes, 2000.

WILLS Jr (John Elliott) (éd.), *China and Maritime Europe, 1500-1800 : Trade, Settlement, Diplomacy, and Missions*, Cambridge, Cambridge University Press, 2011.

Amériques

BOXER (Charles Ralph), *The Golden Age of Brazil, 1695-1750 : Growing Pains of a Colonial Society*, Berkeley-Los Angeles-Londres, University of California Press, 1962.

DECHÊNE (Louise), *Le Peuple, l'État et la Guerre au Canada sous le régime français*, Montréal, les Éditions du Boréal, 2008.

EISSA-BARROSO (Francisco) et VASQUEZ VARELA (Ainara) [dir.], *Early Bourbon Spanish America : Politics and Society in a Forgotten Era (1700-1759)*, Leyde, Brill, 2013.

GREENE (Evarts Boutell), *Provincial America, 1690-1740*, New York, Harper & Brothers, 1905.

LOCKHART (James), SCHWARTZ (Stuart B.), *Early Latin America : A History of Colonial Spanish America and Brazil*, Cambridge, Cambridge University Press, 1983.

MC LENNAN (John Stewart), *Louisbourg, from its Foundation to its Fall (1713-1758)*, Londres, Macmillan, 1918.

MIDDLETON (Richard) et LOMBARD (Anne), *Colonial America : A History to 1763*, Hoboken, Wiley-Blackwell, 2011.

NESTER (William R.), *The Great Frontier War : Britain, France, and the Imperial Struggle for North America, 1607-1755*, Westport, Praeger, 2000.

OLIVE (Béatrice), *L'Évolution des limites territoriales du Canada français (1713-1763) : essai de géographie historique*, thèse de l'École nationale des chartes, 1998.

PRITCHARD (James), *In Search of Empire : The French in the Americas, 1670-1730*, New York, Cambridge University Press, 2003.

SALONE (Émile), *La Colonisation de la Nouvelle-France : étude sur les origines de la nation canadienne française*, Paris, E. Guilmoto, 1905.

Afrique

MAZIANE (Leïla), *Salé et ses corsaires : un port de course marocain au XVII* siècle (1666-1727)*, Rouen-Le Havre, Presses universitaires de Caen, de Rouen et du Havre, 2008.

OGOT (Bethwell Allan) [dir.], *L'Afrique du XVI* au XVIII* siècle*, Paris, Éditions Unesco/NEA, 1999.

PÉTRÉ-GRENOUILLEAU (Olivier), *Les Traites négrières : essai d'histoire globale*, Paris, Gallimard, 2004.

SARMANT (Thierry), « Prodiges et politique. Un projet de mission en Éthiopie à la fin du règne de Louis XIV », *Revue de la Bibliothèque nationale de France*, n° 28, 2008, p. 72-77.

THORNTON (John), *Africa and Africans in the Making of the Atlantic World, 1400-1800*, Londres-New York, Cambridge University Press, 1998.

—, *The Kingdom of the Kongo : Civil War and Transition, 1641-1718*, Madison, University of Wisconsin Press, 1983.

Index général

Erzeroum [Turquie] : 192.

Escaut (fleuve) : 111, 141.

Esclaves : 102, 283, 346-347, 356, 379-380.

Escurial [Espagne, Castille] : 40, 330.

Espagne : 29, 43, 50, 53, 57, 105, 141, 153, 373. Voir aussi *Andalousie, Aragon, Barcelone, Cadix, Castille, Catalogne, Estremadure, Galice, Gibraltar, Madrid, Majorque, Minorque, Séville, Valence.*

Estonie : 312, 315, 319, 321-322.

ESTRÉES (Victor-Marie, duc d') (1660-1737), maréchal de France (1703), président du conseil de marine (1715) : 83, 183.

Estremadure [Espagne] : 30.

Éthiopie : 381.

Europe : 11-21, 25-27, 29, 38, 40-41, 46, 49-51, 56-60, 68, 92-93, 95-96, 102, 111-112, 115, 117, 119-120, 122, 124-125, 129-130, 132, 136, 138, 140, 147, 149, 151-160, 163, 167-169, 173, 175-177, 179, 181, 184, 186-187, 190-192, 197-198, 207, 210, 213, 220, 225, 229-230, 247, 254, 257, 259-260, 262, 264, 266-267, 270-275, 283-286, 290-295, 299, 301, 303-304, 306-307, 310, 312, 315, 318-320, 325-326, 329-331, 336, 338, 340, 342-343, 350-351, 353, 356, 358, 360-373, 376-378, 380, 382-385, 387, 389-390, 392-394, 396-398.

Exilles [Italie, Piémont] : 53.

FABRE (Jean-Baptiste) : 191.

FAGEL (François) (1659-1746), greffier des États généraux des Provinces-Unies (1690-1744) : 32.

FALARI (Marie-Thérèse de BLONEL, duchesse de) (1697-1782) : 69, 91.

Falciu [Roumanie, département de Vaslui] : 171.

FAN SHAOZUO, censeur impérial : 268.

FARRUKHSIYAR (1685-1719), empereur moghol (1713-1719) : 174, 209, 217-218.

FAWKENER (sir Everard) (1694-1758) : 116.

FÉDOR III ALEXEIEVITCH (1661-1682), tsar de Russie (1676-1682) : 280.

FÉNELON (François de SALIGNAC de LA MOTTE-) (1651-1715), archevêque de Cambrai (1695) : 14, 266, 373.

Fenestrelle [Italie, Piémont] : 53.

FERDINAND II (1578-1637), empereur germanique (1619-1637) : 139.

FERDOWSI (vers 940-vers 1020), poète persan : 212.

FERRIOL (Charles de) (1652-1722), ambassadeur de France à Constantinople (1699-1711) : 170.

FEYZULLAH EFENDI (1639-1703), *cheikh ul-Islam* de l'Empire ottoman (1688, 1695-1703) : 170.

Fifteen, rébellion jacobite de 1715 : 105, 110, 113, 120-121, 123, 377.

Finlande : 279, 288, 305, 312, 319, 321-322. Voir aussi *Abo, Aland, Helsingfors, Nystad.*

FISCHER VON ERLACH (Johann Bernhard) (1656-1723), architecte : 138.

Flandres : 13, 35, 153, 244.

FLEURY (abbé Claude) (1640-1723), sous-précepteur de Louis XV : 90.

FLEURY (André-Hercule de) (1653-1743), évêque de Fréjus (1698-1715), précepteur de Louis XV (1715), ministre d'État (1726), cardinal (1726) : 67, 90-91, 95, 132-134, 137, 159, 161-162.

Florence [Italie, Toscane] : 63, 131.

Floride [États-Unis] : 332, 334, 340, 350.

Fontainebleau [Seine-et-Marne, ch.-l. arr.], château : 52, 73, 183.

FONTENELLE (Bernard LE BOVIER de) (1657-1757), secrétaire perpétuel de l'Académie des sciences (1699-1737) : 95, 128, 154, 162, 308.

Fort de Chartres [États-Unis, Illinois] : 343.

Fort Frontenac [Canada, Ontario] : 337.

Fort Rosalie [États-Unis, Mississippi] : 343.

Fort Saint-Philippe [États-Unis, Indiana] : 343.

Fort Toulouse [États-Unis, Alabama] : 343.

Forth [Écosse] : 108-109.

FOUCQUET (Jean-François) (1665-1741), jésuite, évêque *in partibus* d'Éleuthéropolis (1725) : 244, 267, 271-272, 274-275.

FOURMONT (Étienne) (1683-1745) : 271.

Francfort [Allemagne, Hesse] : 55.

Franche-Comté : 28, 55, 132.

FRANCKE (August-Hermann) (1663-1727), professeur à l'université de Halle : 273.

FRANÇOIS Ier (1494-1547), roi de France (1515-1547) : 310.

FRANÇOIS-JOSEPH Ier (1830-1916), empereur d'Autriche (1848-1916) : 139.

FRANKLIN (Benjamin) (1706-1790) : 22, 336, 349, 379.

Tokugawa Tsuyanoshi (1646-1709), 5ᵉ shogun (1680-1709) : 253-254.

Tokugawa Yoshimune (1684-1751), 8ᵉ shogun (1716-1745) : 255.

Toland (John) (1670-1722) : 99.

Tolstoï (Pierre Andreiévitch, comte) (1646-1729), ambassadeur de Russie à Constantinople (1701), sénateur (1714), chef de la chancellerie secrète (1718) : 169-170, 290, 297, 306.

Tomate : 364.

Tong Guogang, prince (?-1690) : 242.

Torcy (Jean-Baptiste Colbert, marquis de) (1665-1746), secrétaire d'État des Affaires étrangères (1696-1715), surintendant des Postes (1699), membre du Conseil de régence (1715) : 30, 37, 44, 48-50, 82, 157, 192, 195.

Toscane [Italie] : 30, 56, 129, 131-132, 145-146. Voir aussi Florence, Livourne.

Toul [Meurthe-et-Moselle, ch.-l. arr.] : 55, 132.

Toulon [Var, ch.-l. dép.] : 35, 182.

Toulouse (Louis-Alexandre de Bourbon, comte de) (1678-1737), amiral de France (1683), chef du Conseil de marine (1715-1722) : 65, 82, 88.

Toulouse [Haute-Garonne, ch.-l. dép.] : 182.

Tourfan [Chine, Xinjiang] : 243.

Tournai [Belgique, province de Hainaut] : 35, 53-54, 111, 222.

Tournefort (Joseph Pitton de) (1656-1708) : 177.

Tournon (Charles-Thomas Maillard de) (1668-1710), archevêque in partibus d'Antioche (1701), légat apostolique en Chine (1705), cardinal (1710) : 254, 266-268.

Townshend (Charles, 2ᵉ vicomte) (1674-1738), ambassadeur de Grande-Bretagne à La Haye (1709-1711), secrétaire d'État au département du Nord (1714-1716, 1721-1730), lord président du Conseil (1720-1721) : 37, 54, 124-125, 130, 322, 325.

Traité de Paris de 1763 : 388.

Traité russo-turc de Constantinople de 1736 : 205-206.

Tranquebar [Inde, Tamil Nadu] : 141, 369.

Transylvanie : 147, 149, 169.

Trèves [Allemagne, Rhénanie-Palatinat] : 58, 132.

Trezzini (Domenico) (1670-1734), architecte : 288.

Trianon [Yvelines, cant. et com. Versailles] : 75, 183, 304-305.

Trieste [Italie, Frioul-Vénétie julienne] : 143-144.

Trincomalee [Sri Lanka] : 360.

Trinh Cuong (1686-1729), seigneur du nord du Vietnam (1705-1729) : 251.

Trinité-Saint-Serge (La) [Russie] : monastère : 281-282.

Tripoli [Liban] : 143.

Tripolitaine : 179.

Trois-Rivières [Canada] : 335.

Tsereng Dondub, chef dzoungar : 243.

Tsevang Rabdan (?-1727), khan des Dzoungars (1697-1727) : 243, 246.

Tsouroukhaïtou [Russie, Sibérie] : 247.

Tuileries [Paris] : 80, 88, 90, 183, 303, 306.

Tulisen (1667-1741), vice-président du Tribunal de la Guerre : 244-245.

Tumen (fleuve) [Chine, Corée, Russie] : 249.

Tunis [Tunisie] : 143.

Tunisie : 179.

Turin [Italie, Piémont] : 35, 60, 64, 101, 125, 145.

Turkestan : 231, 241, 243, 247.

Turkménistan : 199.

Turquie : 9, 95, 143, 192, 198, 325, 390, 395. Voir aussi Andrinople, Constantinople, Smyrne.

Twining (Thomas) (1675-1741), marchand de thé : 362.

Tyrol : 34, 135.

Ukraine : 169, 171, 280, 317.

Ukrainiens : 293.

Ulrique-Éléonore (1688-1741), reine de Suède (1718-1720) : 321.

Unkovski (Ivan), officier russe : 244, 246.

Ursins (Marie-Anne de La Trémoille, princesse des) (1642-1722), camarera mayor de la reine d'Espagne (1701-1714) : 31, 126.

Ustariz (Jeronimo de) (1670-1732) : 353.

Utrecht [Pays-Bas], traités de 1713 : 20, 43, 46, 49, 59, 93, 96, 106, 112, 118-119, 121, 135, 141, 152, 155-156, 163, 298, 307, 329, 340-341, 343, 351, 356, 371, 375, 377, 388.

Valachie : 171-172, 174-175.

Valence [Espagne] : 127, 193.

Remerciements

Un essai consacré à l'histoire du monde, fût-ce sur une brève plage de temps, excède les capacités d'un seul homme. Dans un cadre si vaste, l'enquête s'appuie sur d'autres enquêtes, auxquelles je souhaite rendre d'abord hommage. Parmi les titres énumérés dans la bibliographie, j'ai fait particulièrement usage de « classiques » anciens, comme le *Philippe V et la cour de France* d'Alfred Baudrillart ou *La Diplomatie française et la succession d'Espagne* d'Arsène Legrelle. Plus près de nous, je me suis servi d'études de référence comme *Espions et ambassadeurs* de Lucien Bély ou *Humeurs vagabondes* de Daniel Roche. Je dois également avouer la dette que j'ai contractée envers de nombreux travaux en langue anglaise, peu connus en France, tels que les biographies de Charles XII de Suède et de George Iᵉʳ de Grande-Bretagne dus à la regrettée Ragnhild Hatton, monuments de science et de hauteur de vue, le *China Marches West* de Peter C. Perdue, ou le *Persia in Crisis* de Rudi Matthee.

Plusieurs collègues et amis m'ont apporté leur expertise. Bertrand Daugeron m'a introduit à l'histoire des premiers rapports entre Occidentaux et peuples dits « primitifs ». Grâce à Julien Dubruque, j'ai pu incorporer à cet ouvrage quelques réflexions sur Jean-Philippe Rameau et les musiciens du XVIIIᵉ siècle. Alexandre Dupilet m'a communiqué le manuscrit de sa biographie encore inédite de l'abbé Dubois. Je dois à Roselyne Hurel, spécialiste de l'Inde moghole, d'avoir pu consulter des travaux à peu près introuvables en France. Les chapitres consacrés à la Grande-Bretagne et aux Provinces-Unies doivent beaucoup aux conseils du professeur Charles-Édouard Levillain et de Nathalie Genet-Rouffiac. Alexandre Maral m'a communiqué le manuscrit de son livre inédit sur les derniers jours de Louis XIV. Yann Potin m'a fait bénéficier des réflexions stimulantes suscitées par la préparation de l'*Histoire du monde au XVᵉ siècle*. Guy

Rowlands m'a permis de mettre à profit les derniers développements de l'historiographie anglo-saxonne. Jean-Pierre Sarmant, inspecteur général honoraire de l'Éducation nationale, a dépouillé pour moi la bibliographie en langue allemande. François Thierry, conservateur général responsable des monnaies orientales de la Bibliothèque nationale de France, a bien voulu relire et corriger les chapitres consacrés à la Chine et à l'Extrême-Orient.

Jean-Marie Bruson et mes autres collègues et amis du musée Carnavalet, à Paris, Jean et Françoise Vecchierini, à l'Île-aux-Moines, m'ont procuré toutes les facilités nécessaires à l'avancement de mon entreprise.

Ma gratitude s'adresse enfin à ceux de mes amis qui ont bien voulu se faire les premiers lecteurs et les premiers critiques de ce livre, Renée Davray-Piekolek, Marie-Claire Hubert, Jean-Philippe Cénat, Jean-Philippe Dumas, Emmanuel Pénicaut, Charles Personnaz, Yann Potin, Jean-Pierre Sarmant et Mathieu Stoll, ainsi qu'à mes éditeurs chez Perrin, Benoît Yvert et Nicolas Gras-Payen.

Table

TABLE 459

TABLE 461

Cartes

Impression réalisée par

La Flèche (Sarthe)
en octobre 2014

N° d'impression : 3007589
Dépôt légal : novembre 2014
K04048/01
Imprimé en France